大學叢書

新亞論叢

第十七期

《新亞論叢》編輯委員會
主編

稿　約

⑴本刊宗旨專重研究中國學術，以登載有關文學、歷史、哲學等研究論文為限，亦歡迎有關中、西學術比較的論文。
⑵來稿均由本刊編輯委員會送呈專家審查，以決定刊登與否，來稿者不得異議。
⑶本刊歡迎海內外學者賜稿，每篇論文以一萬五千字內為原則；如字數過多，本刊會分兩期刊登。
⑷本刊每年出版一期，每年九月三十日截稿。
⑸本刊有文稿刪改權。
⑹文責自負，有關版權亦由作者負責。
⑺若一稿二投，需先通知編輯委員會，刊登與否，由委員會決定。
⑻來稿請附若二百字中文提要。
⑼來稿請用 word 檔案，電郵至：socses@yahoo.com.hk

目次

編輯弁言

首先，要感激萬卷樓協助出版《新亞論叢》第十七期，尤其是邱詩倫女士，對本期的排版、標點、段落分配等給予專業的意見。本期在選取論文時，部份論文曾經歷三次評審，初審落選，而覆審入選，最後由主編再看一遍，決定入選與否。目的是避免滄海遺珠，優秀論文，不宜失諸交臂。

至於檢校內容，更是艱苦工作，初審時，已由專家給予意見，修改明顯錯誤的行文或用字，再由主編檢校一次。主編並非文史哲通才，只著重行文是否暢順，內容是否合理；至於作者就自己的論文內容，旁徵博引，設譬論述，主編可能是門外漢，不敢私下修改。萬卷樓排版後，復將有疑問的行文或用辭，來郵要求確認。此節真是傷透腦筋，萬卷樓各編輯水平甚高，每行每句檢校，對自己不熟悉的學術範疇，主編未能即時回應。某些疑問，除復檢原文外，更要發電郵給同行學者，徵詢意見，才敢修改。萬卷樓的認真，令人肅然起敬。

有編委提出，本刊可向著名學者請稿，以增學術價值，這點是在考慮之列，尚未有定案。另外，有建議每期宜介紹著名學者的成就，以前輩學者為首選，用以加強本刊的可觀性，亦是本刊未來發展的考慮點之一。

本刊學術顧問傅璇琮教授於二〇一六年離世，本刊同寅深表難過。傅教授歷任中華書局總編輯、編審，國務院古籍整理出版規劃小組秘書長、副組長，清華大學中文系兼職教授、中國社科院文學研究所兼職研究員，中央文史館館員等職。二〇〇八年三月起任清華大學中文系教授，博士生導師及古典文獻研究中心主任。傅教授一生奉獻給學術，致力繼承及發揚中國文化。本刊謹此，再次多謝傅教授對學術的貢獻及對本刊的支持。

《新亞論叢》編輯委員會

二〇一六年十二月

《詩經・商頌》創作時代考辯

王海洋
北京師範大學文學院

對〈商頌〉創作時代的聚訟始於西漢，時至今日仍無定論。綜觀《詩經》學術研究的歷史，對〈商頌〉創作時代的爭論主要是圍繞著兩種觀點展開的，即商詩說與宋詩說。目前的學術界呈現出商詩說與宋詩說，均持之有據，言之成理的局面，但商詩說處於主流地位。在此局面之下，又出現了折中之論，夏傳才先生即曾說道：「我們承認〈商頌〉是殷商舊歌，又經過春秋時人的整理加工和寫定，這樣說是不是可以呢？」[1]在這種研究現狀之下，筆者不揣淺陋，茲結合前人研究成果，從以下四個方面對〈商頌〉創作時代這一問題再次進行考辯，以期有所裨益。

一　〈商頌〉中的天命觀

首先，我們將對現存五篇〈商頌〉中體現的天命觀進行探究。

現存五篇〈商頌〉中，天命觀體現最明顯的是〈玄鳥〉、〈長發〉、〈殷武〉。為了論述方便，茲將三詩中體現天命觀的句子分別引錄於下，並予以論述。

> 天命玄鳥，降而生商，宅殷土芒芒。古帝命武湯，正域彼四方。方命厥後，奄有九有。商之先後，受命不殆，在武丁孫子。(《商頌・玄鳥》)

朱熹云：「此亦祭祀宗廟之樂，而追敘商人之所由生，以及其有天下之初也。」[2]此詩確實追溯了商族之起源及其英雄祖先之功業，但又非常明顯地將商族之誕生、祖先有天下之功業置於天命之下：天命玄鳥下而生商，並使之居於殷土；天（即帝）命成湯征服四方，使其獲得天下；武丁之所以能夠重振成湯之功業，實現「邦畿千里」，「域彼四海」，「四海來假，來假祁祁」，亦是因為武丁能夠像先王那樣遵從天命而不懈怠。而之所以在祭祖的詩歌中，將祖先的豐功偉業全部置於天命之下，其對應的文化背景即是對天命的無限尊崇。不得不說，天在此已經成為了至上神，高於祖先，統領一切。

1　夏傳才：〈詩經學四大公案的現代進展〉，《河北學刊》，1998年第1期。
2　〔南宋〕朱熹：《詩集傳》南京：鳳凰出版社，2007年，頁286。

有娀方將，帝立子生商。

帝命不違，至於湯齊。湯降不遲，聖敬日躋。昭假遲遲，上帝是祇。

帝命式於九圍。

受小球大球，為下國綴旒，何天之休。

受小共大共，為下國駿厖，何天之龍。

允也天子，降予卿士。(《商頌・長發》)

關於此篇，王先謙云：「此或亦祀成湯之詩……詩本亦主祀湯而以伊尹從祀，其歷述先世，著湯業所由開，非皆祀之。」[3]此說可從。此詩之首章認為在有娀氏開始變得廣大之時，天帝確立了有娀氏女所生之子的地位，並使其建立了商國。其實就是說契是上帝（或者說天）的兒子，獲得了上帝的保佑。此詩的第三章又說商的先君遵從天命，至於成湯皆是如此；並且由於成湯更加敬重天命，久久不息地禱告於上帝，故而上帝使湯用事於四方，統治了九州。第四、五章又進而說成湯蒙受了上天所賜予的美福與榮寵。基於以上分析，〈長發〉與〈玄鳥〉一樣，也是在歌頌祖先之功業，同時又將其全部置於天命（或者說上帝之命）之下，從而祖先取得的一切功業皆是天之所賜。此外，此詩出現了明確的「天子」觀念，同時體現了天命觀念的另一內涵，即天能夠根據統治者的表現決定是否予以賜福、佑助。此詩中的「受小球大球，為下國綴旒，何天之休。受小共大共，為下國駿厖，何天之龍」」以及「不競不絿，不剛不柔，敷政優優，百祿是遒」所表達的即是此意。

天命多辟，設都於禹之績。歲事來辟，勿予禍適，稼穡匪解。

天命降監，下民有嚴。不僭不濫，不敢怠遑。命於下國，封建厥福。(《商頌・殷武》)

學者對〈殷武〉以上兩章有著不同的解釋。鄭箋云：「天命乃令天下眾君諸侯立都於禹所治之功，以歲時來朝覲於我殷王者，勿罪過與之禍適，徒敕以勸民稼穡，非可解倦」；「天命乃下視下民，有嚴明之君，能明德慎罰，不敢怠惰，自暇於政事者，則命之於小國，以為天子。」[4]王先謙則解釋為：「周天子命眾諸侯建都於禹跡之地者，但令其歲時來王，不施過責，惟告之以勸民稼穡而已」；「周天子之命，又下監觀四方在下之民，惟當嚴嚴乎敬以奉上，不敢有所僭濫於民事，不敢有所怠遑，天子乃命於下國，以封建錫其福焉。」[5]其實不管將「天」釋為「天命」，還是解為「天子」或者「王」，其

3 〔清〕王先謙：《詩三家義集疏》北京：中華書局，1987年，頁1107。

4 〔唐〕孔穎達：《毛詩正義》北京：北京大學出版社，1999年，頁1463、1465。

5 〔清〕王先謙：《詩三家義集疏》，頁1118-1119。

體現出來的文化觀念均是對天的尊崇，將天命置於至高無上的地位，故而〈殷武〉中體現的天命觀與以上兩篇也是相同的。

綜合上面的分析，〈玄鳥〉、〈長發〉、〈殷武〉三篇所體現的天命觀是相同的，即對天的無限尊崇。天（在《商頌・玄鳥》篇中，「帝」之含義無疑與「天」同，均為對至上神之稱呼）無疑處於至上神的地位，祖先所取得的任何功業均是由於天命所賜；並且出現了「天子」之觀念，這是天獲得至上神地位之後才能出現的觀念。依此，「天」在這三篇詩歌創作的時代已經成為了人格化的至上神。結合這三篇詩歌中表達尊崇天命的部分在整首詩歌中所占的比重，從詩歌創作的角度，我們甚至可以說：〈玄鳥〉、〈長發〉、〈殷武〉這三篇商族史詩和英雄頌歌是在天命至上觀念的指導之下創作出來的，對祖先功業的頌揚即是對天至高無上性地肯定，即是對天命的尊崇。

殷墟卜辭中已經有「天」字，但都是「大」字的同義詞，如「天邑商」、「天戊」、「天庚」即「大邑商」、「大戊」、「大庚」。商代「天」的概念實際上是用「帝」或者「上帝」來表達的。根據陳夢家先生的研究，殷人的帝或者上帝是掌管自然現象的主宰，其主要的實質是農業生產的神，與人王沒有血統關係。[6]晁福林先生對殷代神權亦有精當的論述，茲將其與本文相關的引述於下：

> （一）殷代尚未出現一個統一的、至高無上的神靈。殷代神權呈現出的是以列祖列宗、先妣先母為主的祖先神，以土（社）、河、嶽為主的自然神和以帝為代表的天神三足鼎立的形勢，這三者互不統屬。殷代神權崇拜的重點是祖先神，這從祭祀種類、祭祀次數、祭品種類等方面可以獲得明證。
>
> （二）祖先神和帝一樣均可以賓迎某神上天，祖先神與帝實處於同等地位。
>
> （三）殷代中後期出現了帝從天上降臨人間的趨勢，如三期卜辭有稱祖甲為「帝甲」（《甲骨文合集》27437）者，五期卜辭有稱文丁為「文武帝」（《合集》35356、36421）者。「帝」的這種下移是其人格化加強和神力擴大的結果，與殷末王權加強的趨勢一致。但終有殷一代，帝的權勢都沒有凌駕於祖先神之上，殷人始終認為商王是其先祖之子，並非帝之子。[7]

「天」的觀念是周人提出來的，並且由天之觀念進而衍生出了天命、天子之觀念。陳夢家《殷虛卜辭綜述》指出，「有天之觀念的發生，而有『天命』『天子』，他們之興起約在西周初期稍晚時。西周初期金文，多稱『王』而沒有『天子』『天令』，『帝』還存在。西周初期稍晚，才有了『天令』即『天命』，『王』與『天子』並稱。大盂鼎『不

---

6 陳夢家：《殷虛卜辭綜述》北京：中華書局，1988年，頁580。
7 晁福林：〈論殷代神權〉，《中國社會科學》，1990年第1期。

顯文王受天有（佑）大命……故天臨翼子，法保先王……畏天畏……盂用對揚王休』。此器作於『隹王廿又三祀』，約為康王廿三年。此雖仍稱王，但已有了天子的觀念，已有天佑之大命和畏天威的觀念。……西周中期以後，今文的『揚天子休』已經普遍，代替了早期的『揚王休』。」[8]考《今文尚書．周書》中確信為周初的篇目，天命觀念在周初八誥（〈大誥〉、〈康誥〉、〈酒誥〉、〈梓材〉、〈召誥〉、〈洛誥〉、〈多士〉、〈多方〉）中已得到了充分展現，但無稱「天子」之例，而稱「王」。唯〈召誥〉有云：「皇天上帝改厥元子，茲大國殷之命。惟王受命，無疆惟休，亦無疆惟恤。」[9]雖已經有了天子之觀念，但依舊稱王。

根據上面所述，〈玄鳥〉、〈長發〉、〈殷武〉中體現的天命觀念絕對不是殷商時代的，並且由於這三篇〈商頌〉中瀰漫著濃厚的尊崇天命的氛圍，我們不能簡單地認為這三篇中只是多次出現了「天」、「天命」等字樣，而是應該認為這是在尊崇天命的文化背景之下創作出的商族史詩，因此這三篇的創作應該是在西周建立之後，並且由於〈長發〉「帝立子生商」、「允也天子」這種明確的天子觀念的出現，其創作時代似乎能夠推到周康王時代之後。

二　〈商頌〉與西周分封制

其次，我們將試著從西周推行分封制的具體情況去探求〈商頌〉之創作時代。

武庚叛亂，周公東征。在平定三監叛亂之後，周公接受教訓，不再實行將殷貴族留居原地並監督的辦法，因為這對周王朝來說是一個非常危險的安全隱患。周公主要採取了以下措施來解決這一問題：封微子啟於宋，定都商丘，奉其先祀；營建洛邑，將大量「殷頑民」遷於此，加以監督、利用；實行分封制，將部分殷商遺民分封給主要封君，使其成為封國的「國人」。對於遷到洛邑的「殷頑民」，周公採取的是安撫與威脅並用的措施，一方面繼續給以田宅，一方面又迫使其聽從服役，從而不但可以減輕殷遺民帶來的威脅，同時又可以增強西周在東方的統治力量。對於分封給各封國的殷遺民，各諸侯採取的也不是強制性的措施。《左傳．定公四年》載：

> 昔武王克商，成王定之，選建明德，以蕃屏周。故周公相王室，以尹天下，於周為睦。分魯公以……殷民六族，條氏、徐氏、蕭氏、索氏、長勺氏、尾勺氏，使帥其宗氏，輯其分族，將其類醜，以法則周公……因商奄之民，命以〈伯禽〉而封於少皞之虛。分康叔以……殷民七族，陶氏、施氏、繁氏、錡氏、樊氏、饑

8　陳夢家：《殷虛卜辭綜述》，頁581。

9　〔唐〕孔穎達：《尚書正義》北京：北京大學出版社，1999年，頁394。

> 氏、終葵氏……命以〈康誥〉而封於殷虛。皆啟以商政，疆以周索。分唐叔以大路、密須之鼓、闕鞏、沽洗，懷姓九宗，職官五正。命以〈唐誥〉而封於夏虛，啟以夏政，疆以戎索。[10]

根據這段記載，魯國、衛國對於分封給自己的殷民採取的措施是「啟以商政，疆以周索」。〈伯禽〉、〈唐誥〉均已失傳，〈康誥〉仍存。〈康誥〉云：「今民將在祇遹乃文考，紹聞衣德言。往敷求於殷先哲王，用保乂民，汝丕遠惟商耇成人，宅心知訓。」孔穎達正義曰：「今治民所行，將在敬循汝文德之父，繼其所聞者，服行其德言，以為政教。汝往之國，當分布求於殷先智王之道，用安治民。不但法其先君，汝又當須大遠求商家耇老成人之道，居之於心，即知訓民矣。」[11]因此所謂「啟以商政，疆以周索」即是對待殷民，既要沿用殷商時代合理的治國安民之道，同時又要運用周朝特殊的政策對其加以治理。從文化傳承來說，其意即是既要尊重殷民自己的文化傳統，同時又要運用周文化對其不符合周家統治需要的部分進行改造。推行這種措施，不但可以削減殷遺民之抵抗情緒，同時又可以使其成為各諸侯國君在其封國內可資利用的統治力量。既然對魯國、衛國所分封的殷商遺民採取的是這種措施，對於宋國亦當如此，即「啟以商政，疆以周索」。因為如果任其延續殷商之文化傳統而不加整改，宋國必然會產生離心力，不利於周王朝對其進行控制；但如果完全運用周文化對其進行強制性的改革，亦必會激起殷商遺民強烈的反抗情緒。故「啟以商政，疆以周索」必然是最好的選擇。關於周王朝認可宋國延續其殷商文化傳統，我們從《詩經》中亦可找到證據。《周頌・有客》曰：「有客有客，亦白其馬。有萋有且，敦琢其旅。有客宿宿，有客信信。言授之縶，以縶其馬。薄言追之，左右綏之。既有淫威，降福孔夷。」[12]此詩應是宋人來朝，將要回國，周王設宴餞行之時演唱的樂歌。稱宋人為客，並且著重描寫了留客的場景，可見周人對宋人的重視。特別指明宋人騎的是白馬，從中我們可以看到周人對殷人尚白傳統的尊重。因此我們完全有理由可以相信，宋國仍在傳承著殷商的文化傳統，同時又必然在一定程度上接受了周文化，這是周王朝對宋國推行「啟以商政，疆以戎索」政策的必然結果。在了解了宋國這一文化特點之後，下面我們將試著對〈商頌〉的內容進行分析。

〈那〉與〈烈祖〉應該是組詩。〈那〉描寫的主要是向列祖進獻樂舞，〈烈祖〉則是向列祖進獻酒牲。《禮記・郊特牲》云：「殷人尚聲，臭味未成，滌蕩其聲，樂三闋，然後出迎牲。聲音之號，所以詔告於天地之間也。周人尚臭，灌用鬯臭，鬱合鬯，臭陰達於淵泉，灌以圭璋，用玉氣也。既灌，然後迎牲，致陰氣也。」[13]故殷人之祭祀方式是

---

10 楊伯峻：《春秋左傳注》北京：中華書局，1990年，頁1536-1539。

11 〔唐〕孔穎達：《尚書正義》，頁361。

12 〔唐〕孔穎達：《毛詩正義》，頁1339-1341。

13 〔唐〕孔穎達：《禮記正義》北京：北京大學出版社，1999年，頁817。

在奉獻犧牲之前先以音樂鼓舞愉悅神靈，然後奉獻犧牲，而周人之習俗與此相反。依於此，〈那〉應是演奏於奉牲之前以音樂愉神之時，而〈烈祖〉則是在奉牲之時演奏的音樂。正因如此，很多學者將此作為論證〈商頌〉為商詩之證據，但筆者認為，這兩首樂歌亦完全可以是宋人為了奉其先祀而創作的樂歌，因為宋國依舊保持著殷商的文化傳統，並且周王朝「啟以商政，疆以戎索」的政策亦應該允許宋人這麼做，畢竟這種祭祀方式的差異並不威脅到周人的統治；相反，允許宋人保留此文化傳統反而能夠消減宋人之抵抗情緒。

對於〈玄鳥〉、〈長發〉、〈殷武〉，很多學者認為這三篇〈商頌〉是英雄頌歌，體現了對暴力的崇尚，反映了殷商的尚武傳統。關於這一點，王夫之〈詩廣傳〉即已指出：「頌契曰『桓撥』，頌相土曰『烈烈』，頌湯曰『莫我敢曷』，頌後王曰『勿予禍適』，頌武丁曰『撻彼殷武』，殆將暴六百祀之天下於桀日矣。」[14]但當我們仔細分析這三篇詩歌之文本時，其實際情況卻並非如此。

關於〈玄鳥〉篇，「在武丁孫子。武丁孫子，武王靡不勝」，按王引之《經義述聞》所云，應作「在武王孫子。武王孫子，武丁靡不勝」，王說可從。此篇首先講商族之誕生，又寫成湯之獲天命而統治天下四方，繼而寫武丁對於國事沒有不能勝任的，從而能夠幅員遼闊，「維民所止」，且天下的諸侯都來朝覲。因此，〈玄鳥〉全篇並沒有對暴力的歌頌，相反，卻充分地體現了對天命的尊崇，並且點明「邦畿千里，維民所止」，注意到了民眾。

在〈長發〉篇中，「玄王桓撥」（其意是說契勇武英明）之後即說契「受小國是達，受大國是達。率履不越，遂視既發」。這句話是說契治理小國、大國都很順利，能夠遵循禮教而不越軌，人民能夠完全地執行他的教令。頌成湯，首先講湯崇敬上帝，故而上帝命他用事於九州，為天下王；繼而寫湯班瑞群後，授予諸侯圖法，並且點明湯不爭競，不急躁，不剛猛，不柔弱，施政寬和；最後才寫湯「如火烈烈，莫我敢曷」之滅夏武功。因此，〈長發〉篇雖然有描寫武功的部分，但這部分所占的比重很小，我們不能將此詩簡單地理解為對暴力的歌頌，而忽視其中對契、湯治國成就的稱揚。

關於〈殷武〉篇，其首兩章歌頌了「湯孫」奮力討伐楚國並獲勝的武功，可以看做是對暴力的歌頌；但詩之三、四兩章卻終止了對武力的歌頌，而是將目光轉移到了天命與治國之上，從而為「湯孫」討伐楚國這次軍事行動找到了合理性，即楚國不按時來朝見天子，違背了天命。而之所以為自己的軍事行動尋找合理性，其背後的文化機制即是尚武已經不是當時社會的普遍價值追求。並且這首詩中尊崇天命、「稼穡匪解」、「天命降監，下民有嚴」的觀念絕不是殷商時代的產物，而是產生於西周時期，是當時敬天保民的道德價值觀念的體現。

---

14 〔清〕王夫之：《船山全書》長沙：嶽麓書社，2011年，頁515。

通過以上分析可知，〈玄鳥〉、〈長發〉、〈殷武〉這三篇樂歌中確實有對武功的歌頌，但其比重很小，最多的還是對先王遵從、尊崇天命以及治國施政的描寫。在此有必要對周德略作說明，這對於我們深入了解〈玄鳥〉等三篇詩歌的內容具有十分重要的意義。西周時期的德，其中雖然包含著後來所說的道德的因素，但絕對不是純粹的道德觀念。晁福林先生云：「在『德』的內涵方面，周人試求突破傳統，有所發展。與卜辭所反映的殷人那種直接而近乎盲目的崇拜神靈、依照神意而行事，以神意為主的觀念不同，周代的『德』觀念中，人們所注目之處已由神意轉而為人自身，人不僅考慮從天和先祖那裡得到了什麼東西，而且要念及如何保持、穩固這種獲取。」[15]這種轉變的結果即是敬天、保民、尊尊、親親的周德觀念的出現。而〈玄鳥〉、〈長發〉、〈殷武〉重視對先王治國施政的描寫，其實即是保民思想的反映。因此筆者認為，〈玄鳥〉、〈長發〉、〈殷武〉體現出來的更多的還是敬天保民的周德觀念，而不是殷商之尚武傳統。因此現存〈商頌〉絕不是殷商時代的產物，只能在既傳承了殷商文化傳統，同時又接受了周文化的宋國產生。

三 語言運用分析

再次，我們將從語詞運用的角度對現存的五篇〈商頌〉進行分析。

從歷史語言學的角度來尋找證據進而探討古文獻之創作年代是一種比較合理的方法。夏含夷在探討今文《尚書》中周書各篇的著作年代時說過，「不但疑古派學者以為這十六篇（今文《尚書》除去〈費誓〉、〈秦誓〉之外的十六篇周書）中至少有一部分根本不是西周時代的作品（更不用說早到西周初期），連非疑非信的學者屈萬里也以為〈洪範〉、〈金縢〉和〈呂刑〉作於春秋戰國之間，他所提出的證據幾乎都屬於比較『軟』的思想史範疇之內。譬如，〈洪範〉多利用『五行』之說；屈氏以為五行學說起於戰國時代，那麼，對他來說，〈洪範〉當然是戰國時代的作品。對信古派學者來說，這種證據當然不會有多少說服力。如果〈洪範〉像傳統說法那樣是西周時代的作品，那麼五行學說的起源就可以早到西周時代無疑。這樣的論證是誰都說服不了誰的，史學研究也不可能進步。」為了避免這種沒有結果的糾纏，夏含夷先生採用了比較「硬」的歷史語言學證據來探討周書各篇的成書年代，即「所用的語言假若反映了西周時代的語言，那篇諒必是西周時代的作品；反之，假若反映了東周時代的語言，那篇恐怕就應定為東周時代的作品」。[16]李山教授亦曾指出，「任何人都不能脫離自己時代的語言風尚，而語言的風尚主要表現在語詞的變化上。例如『虎烈拉』這個語詞，在上個世紀流行一

15 晁福林：〈先秦時期「德」觀念的起源及其發展〉，《中國社會科學》，2005年第4期。

16 夏含夷：《古史異觀》上海：上海古籍出版社，2005年，頁321-322。

段時間就消失了，它的出現和消失，都與當時社會一段特殊的經歷密切相關，因而具有強烈的時間色彩；再如今天的『買單』這個口語、書面語都使用的詞，就來自粵語（『埋單』），它在普通話中流行時間的上限，絕不會早於上個世紀八〇年代，其流行於北方具有強烈的時代氣息。」[17]正是這些帶有時間色彩的語詞，為我們從歷史語言學的角度探究古文獻之創作時代提供了強有力的證據。其實從語詞運用的角度探討〈商頌〉之創作時代，前輩學者已經取得了很大成就。首發其端者乃王國維先生，其〈說〈商頌〉下〉一文云：

> 自其文辭觀之，則殷虛卜辭所紀祭禮與制度文物，於〈商頌〉中無一可尋，其所見之人、地名、與殷時之稱不類，而反與周時之稱相類，所用之成語，並不與周初類，而與宗周中葉以後相類，此尤不可不察也。卜辭稱國都曰商不曰殷，而〈頌〉則殷、商錯出。卜辭稱湯曰大乙不曰湯，而〈頌〉則曰湯、曰烈祖、曰武王，此稱名之異也。其語句中亦多與周詩相襲，如〈那〉之「猗那」，即〈檜風．萇楚〉之「阿儺」、〈小雅．濕桑〉之「阿難」、〈石鼓文〉之「亞箬」也；〈長發〉之「昭假遲遲」，即〈雲漢〉之「昭假無贏」、〈烝民〉之「昭假於下」也。〈殷武〉之「有截其所」，即〈常武〉之「截彼淮浦，王師之所」也。又如〈烈祖〉之「時靡有爭」，與〈江漢〉句同；「約軝錯衡，八鸞鶬鶬」，與〈采芑〉句同。凡所同者，皆宗周中葉以後之詩。[18]

當代學者對王氏之說進行了有力的辯駁，但〈商頌〉在語詞、句式等語言層面與西周中後期詩歌很接近確實一個不容置辯的事實。劉毓慶先生持商詩說，他將〈商頌〉之〈那〉、〈烈祖〉、〈玄鳥〉與〈有瞽〉、〈烈文〉、〈振鷺〉、〈執競〉、〈雝〉、〈潛〉、〈武〉等〈周頌〉篇目進行了比對，認為〈商頌〉與這些〈周頌〉篇目在語詞運用上相類。但根據李山先生的研究，除〈武〉篇之外，劉先生其他用以衡量〈商頌〉的〈周頌〉詩篇均創作於西周中期，而非西周初期。陳煒湛先生通過把甲骨文及同期的金文與〈商頌〉進行全面比較，發現〈商頌〉文字的大部分為甲骨文及同期金文所有，那些不見於甲骨文及同期金文的詞語主要是語氣詞、象聲詞、形容詞、副詞，關鍵性的名詞與動詞較少，以此為基礎，他認為〈玄鳥〉為商詩的可靠性最大，其他四首的主體部分成於商人之手也應該是可以肯定的。但是陳先生這種研究方法，筆者覺得有欠妥當。〈商頌〉中見於甲骨文及同期金文的文字在之後的西周時代依舊使用，我們又怎麼能根據這些文字去確定〈商頌〉產生於殷商時代還是殷商以後呢？而〈商頌〉那些不見於甲骨文及同期金文

---

17 李山：〈〈堯典〉的寫制年代〉，《文學遺產》，2014年第4期。

18 王國維：《觀堂集林（外二種）》石家莊：河北教育出版社，2001年，頁54。

的詞語卻恰恰說明現存的五篇〈商頌〉可能產生於殷商之後。根據陳先生的研究，每一篇〈商頌〉中未見於甲骨文及同期金文的文字所占的比重，〈那〉為百分之二十五，〈烈祖〉約為百分之三十二，〈玄鳥〉約為百分之十九，〈長發〉約為百分之二十八，〈殷武〉約為百分之三十三，所占比重不可謂小。這些新的文字的產生必然帶來新的語詞的出現，導致語言運用方式的變化。陳文亦指出「〈商頌〉中有少數雙音詞習見於西周今文，如無疆、眉壽、天命、天子、降福」。[19]因此，我們不能簡單地認為這些雙音詞不可能為原詩所有，而出於後人的改易和添加。這些新產生的文字以及語詞其實都說明了〈商頌〉不是殷商時代的作品。馬銀琴先生亦曾指出，「〈烈祖〉之『綏我眉壽，黃耇無疆』、〈玄鳥〉之『百祿是何』、〈長發〉之『百祿是遒』、『百祿是總』等，亦皆為西周中後期才流行起來的語彙。」[20]

正是由於〈商頌〉在語詞運用、文體句式等語言層面與西周中後期的詩歌很接近，從歷史語言學的角度來講，與其說〈商頌〉是殷商時代的樂歌，筆者認為〈商頌〉創作於西周中後期的可能性更大。

最後，我們將對〈殷武〉篇進行分析，探究其具體內涵。

對於「撻彼殷武，奮伐荊楚。罙入其阻，裒荊之旅」，持商詩說者認為其講的是殷高宗武丁伐楚之事，如鄭箋云：「殷道衰而楚人叛，高宗撻然奮揚威武，出兵伐之，冒入其險阻，謂逾方城之隘，克其軍率，而俘虜其士眾。」[21]但結合目前甲骨卜辭方面的研究成果，解其為武丁伐楚之事是有問題的。筆者將從以下三個方面對此進行說明。

（一）武丁時期卜辭載錄的被征伐的方國非常多。但根據陳夢家先生的研究，武丁時之內侵不在南方，邊地諸侯報告敵國入侵的幾乎沒有來自南方的。武丁時代所征伐的方國基本均在今山西南部、黃土高原的東邊緣（晉南部分）與華北平原西邊緣（豫北部分）的交接地帶。武丁時期卜辭記載南土、南邦方者，其僅見之例為《殷墟文字甲編》2902，亦與荊楚無關。[22]故而武丁時期卜辭中沒有伐楚的明確記載。

（二）殷商卜辭與楚有關者，目前搜集到的有以下幾例：

1. 戊戌卜又伐芈。（《新獲卜辭》358）
2. 甲申卜舞楚[illegible]。（《殷契粹編》1315）
3. [illegible]於南單，[illegible]於三門，[illegible]於楚。（《殷契粹編》73）
4. ……剛於楚，酒。（《殷契粹編》450）
5. 於楚又（有）雨。（《殷契粹編》1547）

19 陳煒湛：〈商代甲骨文金文詞彙與《詩·商頌》的比較〉，《中山大學學報（社會科學版）》，2002年第1期。

20 馬銀琴：《兩周詩史》北京：社會科學文獻出版社，2006年，頁297。

21 〔唐〕孔穎達：《毛詩正義》，頁1462。

22 陳夢家：《殷虛卜辭綜述》，頁269-291。

6. 婦楚。(《小屯・殷墟文字丙編》第63)
7. 婦楚來。(《殷墟文字綴合》第219反)
8. 辛卯，婦楚……（明義士《殷虛卜辭》第2264）

第一例卜辭，根據董作賓先生的研究，應該出現於河亶甲之前的時期，且「芈」當為殷時國名。第二至五例皆為武丁及以後時期之卜辭，且「楚」皆為地理名稱。陳夢家先生認為應為楚丘或楚京，並且位於春秋時期衛國境內。郭沫若先生以為「楚」即為河南滑縣的楚丘。但將其歸為中原之地是沒有問題的。第六至八例，據丁山先生之研究，均為武丁時期的卜辭，且「楚」非人名，而是氏族的徽識。《公羊傳》曰：「其言來何？直來曰來，大歸曰來歸。」[23]《左傳・莊公二十七年》載：「凡諸侯之女，歸寧曰來，出曰來歸。」[24]因此第七例卜辭中的「來」應指已嫁女子之歸寧。故而在武丁時代，楚乃殷商時期的一個氏族，且與商王朝之間存在聯姻關係。

《史記・楚世家》載：「吳回生陸終。陸終生子六人……六曰季連，芈姓，楚其後也……季連生附沮，附沮生穴熊。其後中微，或在中國，或在蠻夷，弗能紀其世。」[25]故楚國是芈姓之國。因此例一卜辭中的「芈」可能指的是楚。依此，楚族與殷商在河亶甲時代之前可能處於對立與征戰的狀態。例二至五卜辭中的「楚」很有可能是楚族於殷商時期之活動區域。結合例六至八卜辭，楚在武丁時代已經成為了殷商治下的一個氏族，與商王朝存在聯姻關係，並且在武丁時代及其後的一段時期內生活在黃河流域。綜上所述，我們可以作出如下推論：楚在河亶甲之前作為一個方國與殷商處於戰爭狀態，但在武丁時代已經成為了殷商治下的一個氏族，其原因很可能是在與殷商的戰爭中被打敗，力量衰微，從而臣服於殷商。楚族在武丁時期與商王朝保持著聯姻關係，並且在武丁時期及以後的很長時間內一直居於黃河流域。因此從楚族的發展歷史來看，征伐「居國南鄉」的荊楚亦不應是武丁時代的事情。

（三）《史記・周本紀》云：「西伯曰文王……日中不暇食以待士，士以此多歸之……太顛、閎夭、散宜生、鬻子、辛甲大夫之徒皆往歸之。」[26]鬻子即鬻熊。《史記・楚世家》云：「周文王之時，季連之苗裔曰鬻熊。鬻熊子事文王，早卒。其子曰熊麗。熊麗生熊狂，熊狂生熊繹。熊繹當周成王之時，舉文、武勤勞之後嗣，而封熊繹於楚蠻，封以子男之田，姓芈氏，居丹陽。」[27]《世本・居篇》云：「楚鬻熊居丹陽，武王徙郢。」[28]由此可知，周文王時，楚鬻熊已經臣服於周，在成王時代及其以前一直與

23 劉尚慈：《春秋公羊傳譯註》北京：中華書局，2010年，頁165。
24 楊伯峻：《春秋左傳注》，頁236。
25 〔西漢〕司馬遷：《史記》北京：中華書局，1982年，頁1690。
26 〔西漢〕司馬遷：《史記》，頁116。
27 〔西漢〕司馬遷：《史記》，頁1691-1692。
28 秦嘉謨：《世本八種・秦嘉謨輯補本》北京：中華書局，2008年，頁350。

周保持著友善關係，並且居於丹陽。關於丹陽之地望，眾說紛紜，但均位於江漢流域。關於楚與周之友善關係，陝西岐山出土的周原甲骨中亦有明證：

> 其微，楚升𠂆（厥）燎，師氏受燎。（H11：4）
>
> 曰今秋楚子來告父後哉。（H11：83）
>
> 楚白（伯）乞（迄）今秋來，囟於王其則。（H11：14）

據陳全方先生的研究，此三片卜辭大體應是成王時期的，H11：14可能稍晚；H11：4說微、楚兩國參加了周人的祭天大典，H11：83指楚向周告喪，H11：14說楚君秋天來到了岐周。[29]綜上，楚在周文王之時已經臣服於周，並且已經居於丹陽，即江漢流域。聯繫以上我們所說的楚在殷商時的狀況，楚族可能是在殷商末年遷徙到了江漢流域。《國語·晉語八》云：「昔成王盟諸侯於岐陽，楚為荊蠻，置茅蕝，設望表，與鮮卑守燎，故不與盟。」[30]成王盟諸侯時楚只能守燎而不能與盟，可見到了成王時期，楚國的力量還是很弱小的。

當然，殷商時期以及西周初年均在漢水流域有過較大規模的軍事活動，但是其敵人不是楚族，而是虎方。關於這點，姚小鷗先生云：「虎方是商代南土與商王朝為敵的重要方國。前引文還提到一組重要的青銅器，即西元一一一八年（北宋重和元年）在今湖北省安陸地區發現的『安州六器』的銘文記載了周初伐虎方的路程。這證明，一直到周初，活躍在漢水流域與中原王朝對立的主要並非是楚人，而是虎方這一部族。」[31]此說甚是。楚人力量的真正增強並成為征伐之重要對象是在周成王之後，特別是西周昭穆時期，現存典籍以及金文文獻中證據很多，在此不贅述。西周昭王時期，王朝與淮水、漢水流域的淮夷、荊楚進行過連年戰爭，周昭王南征不復即可見當時楚國力量之強大及戰爭之激烈。李山先生根據現有典籍以及《作冊旂方觥》、《作冊旂方彝》之銘文，認為宋國在這場戰爭中為周王朝效過力，從而真正受到了「二王之後」的特殊待遇，亦成為了〈商頌〉創作的契機。

通過以上三點分析可知，〈商頌·殷武〉所寫的伐楚事件不可能發生在武丁時期，這篇詩歌應該是對西周中後期宋國參與某次伐楚戰爭並取得勝利的歌頌。

綜合以上四點的分析，筆者認為現存五篇〈商頌〉不可能是殷商時代的作品，具體來說，應該是西周中後期宋國人創作的祭祀頌歌。

---

29 陳全方：《周原與周文化》上海：上海人民出版社，1988年，頁126、128。

30 徐元誥：《國語集解》北京：中華書局，2002年，頁430。

31 姚小鷗：〈〈商頌〉五篇的分類與作年〉，《文獻》，2002年第2期。

讀《左傳・僖公三十年》劄記
——淺議左氏之文筆與史法兼與公羊、穀梁二氏比析

陳覺聰

香港新亞研究所

一　前言

《春秋》之書，或傳為孔子所裁，或曰孔門子弟所輯，今莫能攷，唯其與儒學相關至密，則不可疑，故與《詩》、《書》、《禮》、《易》並稱五經。漢世傳經，《春秋》有五家而立三博士焉。[1]曰公羊氏，景帝（劉啟，前188-前141）時有胡毋生（字子都，生卒未詳）、董仲舒（前179-前104）傳；曰穀梁氏，宣帝（劉詢，前91-前48）時有劉向（字子政，前77-前6）傳述。斯二家所以得先立博士。後有魯宮壁中書出，《左氏春秋》在厥間，劉歆（字子駿，約前50-23）知其矜重，請並立博士，獲准，《左傳》之名因而奠焉。《公》、《穀》為今文經，《左傳》則古文，人多賞其辭章豐美，史才博洽，自此解《春秋》而有兩系統。[2]今文經在漢稱顯學，其後學風改易，研討《左傳》者轉多，聲勢因而恢張，於是一氏獨大，兩傳被掩，其況至清季始變。

至於作《左傳》者誰，歷代意見紛紜，[3]當今學者多以其書歷時幾代而成諸眾手。惟其編撰，必與孔子有莫大關連。觀乎古昔著作，蓋起於一人，而歷代門生輾轉增補，遂衍為一家一派之言；《論》、《孟》、《莊》、《荀》諸書如是，《左傳》殆亦如是。就其撰人之謂，茲逕稱左氏，免於拘泥也。

茲取「僖公三十年」為本，試窺左氏傳之文史大義，及與《公羊》、《穀梁》二傳之異同。

1　《漢書・藝文志》：「……故《春秋》分為五……」顏師古引韋昭注：「謂左氏、公羊、穀梁、鄒氏、夾氏也」。

2　一則尋繹聖人書寫之大法，以通遣詞用字之幾微，即後世所謂「義例」者；一則闡其事以現聖人褒貶之義，即「據事直書」者。方法有二，其旨同歸於彰明孔子「使亂臣賊子懼」之「編修動機」。

3　或以《論語》載孔子言及之左丘明，或曰左丘明及其弟子，或曰另有左丘明者，乃至別有他人者，莫衷一是。

二 「僖公三十年」傳文大意

《春秋・僖公三十年》載曰：

> 春，王正月。夏，狄侵齊。秋，衛殺其大夫元咺及公子瑕。衛侯鄭歸于衛。晉人、秦人圍鄭。介人侵蕭。冬，天王使宰周公來聘。公子遂如京師，遂如晉。

案以上經文，略於春夏，而主秋冬之事。是年也，衛、晉、秦、齊諸國均有大事，並為各國發展之轉捩點，洵為春秋國力爭奪消長之關鍵時刻。案其時，衛君乃衛成公（姬鄭，前634年-前633年；前631年-前600年在位），晉君則晉文公（姬重耳，前672年-前628年），齊君則齊昭公（姜潘，前632-前613在位），秦君則秦穆公（嬴任好，？-前621年，前659-前621在位）。顧《春秋》經文，順年依四季敘述，是其編寫嚴守時序也。[4]而其述事，有獨立為一項者，如介人之侵蕭、王使宰周公來聘；有與前後事相關者，如衛侯鄭歸于衛，是前有衛侯被執而囚，方有釋歸之事。錯綜鋪敘，而章法不亂，斯《春秋》史筆高明之所在。至於左氏所傳，用史識以究仁義，並稱不朽。今試釋其意如後。

（一）春夏

於春、夏之事，左氏傳云：

> 三十年春，晉人侵鄭，以觀其可攻與否。狄間晉之有鄭虞也。夏，狄侵齊。

左氏傳文，清楚表出晉國於侵鄭前之事態發展。晉之侵鄭在春，蓋由發兵而征，及兩軍對陣，需日不短。狄國遂于時趁機侵齊。狄、齊二國，素存宿怨，而齊、晉則結盟；至夏，狄見時機已至，遂攻齊，以其失晉之援也。晉、鄭、狄、齊之間，以晉國為大，是其凡有兵作，則必有關連于諸國者，所謂「牽一髮而動全身」也。春秋戰局越二百年，晉國始終為樞紐之一，斯又其寫照焉。傅隸樸先生（字守知，1907-？）評左氏此文曰：「此雖傳事，也足以見晉所繫中國的安危之重」，[5]固知言也。夫左氏之筆，非止於記其事之經過，亦補其事之發展背景，既述是年春夏之交，兵戎始動，為已後「晉人、

---

4 《尚書》紀時，雜亂無例，至《春秋》始以年月順序，有條不紊。《史記・三代世表序》：「孔子因史文次春秋，紀年月，正時日月，蓋其詳哉！」可參。

5 傅隸樸：《春秋三傳比義（上）》臺北：臺灣商務印書館，2006年，頁500。

秦人圍鄭」作一伏線；更於狄人何以侵齊於夏，表出原由。正因有此手筆，全局事態之發展，遂得貫通。據童書業（字丕繩，1908-1968）先生所考，狄有三種，曰赤狄，曰北狄，曰長狄。[6] 而此蓋為赤狄，居黃河北岸（在今山西省內），與齊、晉、衛相鄰。至公羊、穀梁二氏，於春夏諸事，皆無傳。一則因經文主於敘實，深義未多，二則以其經義，或在前文已闡，遂不復贅[7]。

（二）秋

是年秋之事，左氏傳云：

> 晉侯使醫衍酖衛侯。甯俞貨醫，使薄其酖，不死。公為之請，納玉於王與晉侯，皆十瑴。王許之。秋，乃釋衛侯。衛侯使賂周歂、冶廑曰：「苟能納我，吾使爾為卿。」周、冶殺元咺及子適、子儀。公入，祀先君；周、冶既服，將命。周歂先入，及門，遇疾而死；冶廑辭卿。

顧《春秋》經文，主寫二事，一曰「衛殺其大夫元咺及公子瑕」，二曰「衛侯鄭歸于衛」。是則左氏所述亦緊扣經辭而反其序，蓋經文先言國，然後語君侯，以尊卑序也，《左傳》則以事發之時序記之，乃其史識。[8]是知左氏為文，無固執於經，而不礙傳經之旨也。

史載僖公二十八年冬，晉執衛侯於京師以訟，王不受理，遂囚衛侯於深室。至僖公三十年夏秋之間，衛君或有疾也，晉文公欲借機報復，遂指使醫者衍用毒於藥，以偷其不察。案甯俞者，衛之大夫也，耿介而有謀，賄賂醫者以減毒之量，衛侯遂得不死。[9]是見甯俞心思之細，既不驚動晉侯，以防其再使姦謀，又保衛侯之命，延國家之祚。魯僖公聞其事於臧文仲而為之請，[10]遂貢玉周襄王（？-前619，姬鄭，周惠王之子，前

6　見童書業：《春秋史（修訂本）》北京：中華書局，2012年，頁132。

7　《公》、《穀》二傳，於經文用字，攷訂甚夥，以求一字褒貶之所在。如言征戰，《春秋》有用侵、代、入等諸字，各有所指，俱非泛泛。說詳見晁岳佩著：《春秋三傳義例研究》北京：線裝書局，2011年，第三章「《春秋》用字原則」。

8　《春秋》經文所以記事之先後序次，或亦與「大義」相關。所謂「《春秋》榮復讎」，故殺戮陰謀之事，比之君主獲釋，更見重要。參考楊樹達：《春秋大義述》上海：上海古籍出版社，2007年，頁1，卷一「榮復讎第一」。

9　杜預云：「晉侯實怨衛侯，欲殺之而罪不及死，故使醫因治病而加酖毒也。」是杜預設晉侯本無死衛侯之心。惟此與左傳特敘甯俞貨醫以薄其毒之事，未盡吻合。蓋衛侯之得活乃因毒藥之分量得減，是晉侯實有心使衛君死也。

10　《國語・魯語・上》云：「臧文仲言于僖公曰：「夫衛君殆無罪矣。……今晉人鴆衛侯不死，亦不討

651-前619在位）與晉文公，皆十雙。是斡旋得成，而僖公之謹慎，[11]於斯足見。案晉國為當時諸國中最強者，儼然伯主之姿。時更有「周卑，晉繼之」之語。[12]故魯國禮之極隆。後周王曉諭晉文，以釋衛成。至秋，晉履諭而衛成獲釋。是為第一事。

衛君獲釋後，即謀興國，曁而復讎。故以職祿賂周歂與冶廑，以求納也。案周、冶二人乃衛臣，蓋因官祿不高，遂起貪心而貳之；於今則詆其賣國求榮，於古之亂世亦平常矣。案元咺乃衛大夫，亦忠臣也。元咺以衛成在囚洛邑，立其弟子適為君，事之雖在權宜，衛成不其無忿；昔又嘗以衛成殺叔武而訴訟於晉，衛成敗訴，故懷恨或也弗淺。及衛成將歸，公子瑕與元咺等遂奔，是周歂、冶廑奉命於道中截擊，卒遭殺。經文先言元咺，後言子適、子儀，反君臣之序，其理之所所，竊惟左氏以元咺之為主事者，而讎最甚也，故領其文。（或曰以其事惡，故自卑及尊，亦可通也。）洎衛成公之旋邑，即祠祖於太廟。是固宗法之所守，亦以為授官之所需也。楊伯峻（1909-1992）引《禮記・祭統》：「古者，明君爵有德而祿有功，必賜爵祿於大廟，示不敢專也」以釋之。[13]故知周、冶二人此時當於太廟外待授命也。周先入太廟，及門，即遇疾而死，於今醫學視之，大抵心疾突發所致；然於古或以此為巫邪之事也。[14] 冶見此，豈能不疑不懼，[15]遂即辭職。是為第二事。

讀上文可知，左氏之以史家眼界與手段，而能揚搉經旨，良難得也。傅隸樸謂：「左氏未判斷此事之是非，僅縷述其史實，則是非自見」是也。[16]

以下第三事，即「晉人、秦人圍鄭。」乃鄭伯遣燭之武退秦師之故事。夫此節文字於後世獲賞為名篇，即以其文字優美、鋪敘渾成故。惟其事莫見絲毫於《春秋》，則當本諸左氏之見聞或尋得之史料，非專為經而發揮，第未嘗不與經文相關繫也。《傳》曰：

> 九月甲午，晉侯、秦伯圍鄭，以其無禮於晉，且貳於楚也。晉軍函陵，秦軍氾南。佚之狐言於鄭伯曰：「國危矣！若使燭之武見秦君，師必退。」公從之。辭曰：「臣之壯也，猶不如人，今老矣，無能為也已。」公曰：「吾不能早用子，今急而求子，是寡人之過也。然鄭亡，子亦有不利焉。」許之。

其使者，諱而惡殺之也。有諸侯之請，必免之。臣聞之：班相恤也，故能有親。夫諸侯之患，諸侯恤之，所以訓民也。君盍請衛君以示親于諸侯，且以動晉？夫晉新得諸侯，與亦曰：『魯不棄其親，其亦不可以惡。』」公說，行玉二十瑴，乃免衛侯。」

11 蔡邕《獨斷》引〈帝謚〉曰：「……小心畏忌曰僖。……」見《四部叢刊・三編》。

12 見《國語・晉語・八》。

13 楊伯峻：《春秋左傳注（修訂本）》北京：中華書局，1990年，第2版，頁479。

14 左氏之好言神怪，昔儒早有攷述，今人更多闡發，如臺灣大學李隆獻先生，即其表表也。詳氏著〈由《左傳》的神怪敘事論其人文精神〉。

15 杜預云：「見周歂死而懼。」

16 傅隸樸：《春秋三傳比義》，頁501。

是秦、晉之已結好，軍盟而聯合攻鄭。昔，晉君重耳過鄭，文公不以禮待之，遂生怨；復次，鄭曾助楚擊晉。是夙怨舊讎同報復於今也。晉，秦二軍，分頭發兵，一在函陵，一在氾水之南，用夾擊以圍鄭也。案佚之孤者，鄭臣也，獻計於鄭文公（姬踕，？-前628年）而得准。以燭之武能言，故使之游說，離間晉、秦兩君，是折衝於尊俎也。竊以燭之武蓋有深交於佚之狐，見其久不受重用，今則危難當前，狐遂薦之。《傳》續曰：

> 夜，縋而出。見秦伯，曰：「秦、晉圍鄭，鄭既知亡矣。若亡鄭而有益於君，敢以煩執事！越國以鄙遠，君知其難也，焉用亡鄭以陪鄰？鄰之厚，君之薄也。若舍鄭以為東道主，行李之往來，共其乏困，君亦無所害。且君嘗為晉君賜矣，許君焦、瑕，朝濟而夕設版焉，君之所知也。夫晉，何厭之有？既東封鄭，又欲肆其西封，不闕秦，將焉取之？闕秦以利晉，唯君圖之。」秦伯說，與鄭人盟。使杞子、逢孫、揚孫戍之，乃還。

武臨危受命而不負所託，使秦與鄭結盟，免於一戰，更差將兵而戍防之，則晉不敢貿然進攻。顧武之說辭，不純以利害慫恿之，並舉事實而勸導之，則亦見史料之所以可取，而史識之可用也。若乎焦、瑕之詭，固為失信之前科；鄭之為東道主，自是利益之所存，綜合而思，結出論斷，實損己以利人也，此正國運所攸關者焉。是左氏之文，豈非側寫史義之偉大也乎！《傳》續曰：

> 子犯請擊之，公曰：「不可。微夫人力不及此。因人之力而敝之，不仁。失其所與，不知。以亂易整，不武。吾其還也。」亦去之。

案子犯即狐偃，重耳之母兄，乃晉之重卿也。子犯既敢以擊之為請，則晉之兵力當有餘也。顧晉文言所以不進軍，乃出於不仁、不智、不武之慮，純以道德之損益為本，並無言兵力不足之忌，蓋晉軍之銳，莫容疑也。是亦側寫晉國之彊大也。

於此，左氏引出另端，曰：

> 初，鄭公子蘭出，奔晉。從於晉侯伐鄭，請無與圍鄭，許之，使待命于東。鄭石甲父、侯宣多逆以為大子，以求成于晉，晉人許之。

案公子蘭即後來之鄭穆公（姬蘭，前647-前606，前627-前606在位）也。初，投於晉侯之下，而於晉秦圍鄭之役，求不參戰，是以鄭為其祖國，故避之，並待於晉國之東疆。案晉東接於鄭，而石甲父即鄭癸，與侯宣多同為鄭大夫。蓋於臨危之時，二人迎公子蘭而立為太子，以儲君相從而作人質，求結好於晉，使退兵於鄭也。

夫晉之退兵也，是因秦軍之變歟，因鄭人之請歟，或兼而有之者歟，誠難判斷。是左氏之文，或亦表當時人心之多詭、局勢之迭盪也。

至若《春秋》之記「介人侵蕭」，三氏俱無傳，《國語》亦靡及，今莫可知其原委。介、蕭皆小國，其戰事或於大局無所左右。大抵史料既乏，即左氏之有才，亦未能補之。

（三）冬

至冬之事，左氏傳曰：

> 冬，王使周公閱來聘，饗有昌歜、白、黑、形鹽。辭曰：「國君，文足昭也，武可畏也，則有備物之饗，以象其德。薦五味，羞嘉穀，鹽虎形，以獻其功。吾何以堪之？」

案周公閱，宰周公也，乃周公旦之裔，三公之一，兼掌太宰。是年冬，奉襄王之命聘問魯國，猶今之國事訪問也。魯君設酒食，以昌蒲菹、白米、黑黍與虎鹽饗之，猶今之謂國宴而作高規格接待者也。是見魯國之尊周王，[17]重視此聘，唯不免有越禮之失，甚以賄賂之嫌。又，魯國之財大物阜，亦可見焉。周公閱遭此禮，以德不足而謙辭，實亦微言也。至於昌歜，蓋可入五味，白、黑之穀，並有虎鹽，謂以示其功兼文武之特。穀梁氏傳曰：「天子之宰通於四海。」[18]蓋頌禮法之得以施行，無所閒礙也。夫吾華酒食，蘊涵人文深意，總表道、器之相關；是周代文化之斑斕，禮制富繁而多姿，於斯略見。

傳續曰：

> 東門襄仲將聘于周。遂初聘于晉。

案公子遂乃莊公之子、僖公之弟，因居魯之東門，故稱東門襄仲。襄，其謚也。前句表經之「公子遂如京師」，後句言經之「遂如晉」。是知襄仲將聘於周，以答宰周公之聘，因遇變故而改赴晉。是蓋同前文所記之奉玉穀於周，並奉於晉也。足見魯僖公行事之謹慎。

---

17 自入春秋，魯未嘗朝覲於周京，然於歷代魯君中，僖公蓋亦屬頗能尊王者之一也。觀乎當時其他君主多卑視周室，甚有與周室敵對者。

18 《春秋穀梁傳‧僖公三十年》。

三　左氏之文筆與史法

左氏之寫史，別得文章之美，並具矩矱。前者可稱文筆，後者則曰史法，即晉范甯（字武子，約339-401）所謂「豔而富」一語之所指也。[19]竊揆之，若以「豔」則許其史筆；「富」則稱其史才也，亦無不可。請試分述如下。

（一）史筆之豔

史之文也，不出事與言。左氏之記事明白而能有迂迴曲折之味，其記言則栩栩然如聞，極見功力心思。是文筆之活用能有如此者。又，左氏辭采，多變生姿，誠吾華文學之大嶽，畀後學採銅者夥矣。

如「晉侯、秦伯圍鄭，以其無禮於晉，且貳於楚也。晉軍函陵，秦軍氾南。」寫二軍攻勢，先指出二君爵位之有尊卑，晉強而秦稍弱，以晉率秦是也。晉軍之攻函陵，乃主旅，秦兵佔氾之南，副也。既有二軍之征，是能曰圍攻也。[20]對話中，則插敘晉之攻鄭，乃出於鄭曾無禮於晉，又既為晉之盟復結於楚。是既言出師之有名，亦暗示鄭之與秦無讎，而秦之助晉乃出於結盟之誼，非有必攻鄭之理。此乃秦伯之所以會燭之武、且許其言而退兵之所繫也。

下文記言，則以佚之狐、燭之武、鄭伯之對答，具見三人之語氣性格之異。佚之狐之告鄭伯，先曰「國危矣！」語氣何重，使氣氛為之一凝。下勸議「若使燭之武見秦君，師必退」，則見其肯定之情，如是，公又豈能不從。及武之見鄭伯，以老推辭，曰：「臣之壯也，猶不如人，今老矣，無能為也已。」顯然懷有不滿，遂以反語自嘲，用羞君上。今粵語所謂悔氣話也。鄭伯聞之，固曉其暗示，故曰：「吾不能早用子，今急而求子，是寡人之過也。然鄭亡，子亦有不利焉。」是見鄭伯之能用人也，雖罪己而不惜，復示國危之重若何，實呼應佚之狐之警告，亦寓史實於言談。對答之記敘，靈動活潑，熨貼細膩，足見左氏之善於寫狀人物也。又語語皆中要旨，無一虛筆，是左氏用筆綿密有如是者。

此外，左氏於遣詞排字，每見匠意不凡。如晉秦圍鄭之文，首曰「晉侯、秦伯圍鄭，以其無禮於晉，且貳於楚也。晉軍函陵，秦軍氾南。」雖以直筆描寫，卻見駢儷之美，從容疏爽，未若後代失之穠纖。又，記周公閱來聘一節，「饗有昌歜、白、黑、形鹽。……辭曰：『……薦五味，羞嘉穀，鹽虎形，以獻其功。……』」先為記事，文字省淨無餘；後以記言，則出以排偶，雅典莊重，以合外交禮節之語言風格也。於此，「以

19 〔晉〕范甯：《春秋穀梁傳集解・序》曰：「左氏豔而富，其失也巫；穀梁清而婉，其失也短；公羊辯而裁，其失也俗。」

20 有關經文「圍」字之用法，詳見上揭晁書《春秋三傳義例研究》。

獻其功」一語遂得其實。觀乎所記者大致不二，因修辭之有別，文氣迥然，足見左氏煉字宅句之得心應手。

（二）史才之富

左氏之史才，一則見於史料之裒輯，二則見於史事之整合，三則見於析論之深刻中肯。

左氏收集之史料之富，歷來靡有不佩服者，無煩贅述。顧其傳文，每倍蓰於經文，蓋非尋訪得法，上下博採，大小不捐，焉得致之？

至若史料之整合也，貴能如以線貫錢，使事事相通，無鬆散焉。夫一人一事變，而萬人萬事亦隨之變，此史之大義也，而如何表示其中關聯，斯史家之所擅也。歷代學者，莫不以左氏精於伏筆。如晉、秦圍鄭，鄭君遂遣燭之武潛入談判之事，左氏先敘圍鄭之因，「九月甲午，晉侯、秦伯圍鄭，以其無禮於晉，且貳於楚也。晉軍函陵，秦軍氾南」是也。下敘秦之與鄭盟而退兵，「佚之狐言於鄭伯……秦伯說，與鄭人盟，使杞子、逢孫、揚孫戍之，乃還」是也。中寫對答，而晉、秦之間之故事再現，是此事之所發展、與前事之關係，一一而出，脈絡極清晰，而秦、晉關係破裂之因由，讀之了然。傅隸樸先生以此「為崤之戰的伏筆，都是史實，未涉經義。」[21]誠能入左氏之史心也。

又，左氏記史，每有評議，是亦左氏於吾華史學之開新與貢獻者。如「君子曰」者，或為直接月旦人物，或為揭櫫人情道德之歸止。皆言之有物，意有所據。此外，左氏亦有繼承《春秋》之精神，以史闡義，揚人德、斥人弊。唯其法也，不以一字之為褒貶，而以直敘其事，揭開局面，使內中善惡得失，躍然自現。如衛侯買通周、冶二人，使之殺死元咺及親兄弟，可見衛侯之陰險；於是經中所謂「衛殺」之是非，得以彰昭。

四　與公羊、穀梁二氏之比較

若以左氏之文僅為春秋列國之史，則無關經旨；若肯定左氏之文為傳，則以其以史傳經。省覽《左傳》，其文依經之序而寫者，有逾十八，苟以其脫離《春秋》而自立一部，固難成理焉。至其傳經，蓋非徒補史，亦能闡明大義。惟其所發之義不在紙上，乃以孔儒心法，盱衡國際局勢情理，無如公羊、穀梁之追蹤章句也。公羊、穀梁之作，固發覆於微，總不無餖飣之失；而左氏之傳，或嫌與經疏離，反大有益於是非褒貶之義。

僖公二十八年，有記元咺之事與公子遂之事，經文不繁，而三傳各有解讀，亦可見三氏之長短，今試較之。

---

21 傅隸樸：《春秋三傳比義（上）》，頁504。

（一）記元咺之事

經云：「衛殺其大夫元咺及公子瑕。衛侯鄭歸于衛。」而二氏所傳，皆著意於「衛殺」二字，言其「稱國以殺」者也。公羊辨其為「道殺也」，穀梁則直指其「罪累上也，以是為訟君也」。可見兩傳分歧之大。公羊謂以衛殺其大夫乃表明其時衛君雖不在國，但與在國內同，遂可直稱國名。是經之旨在君臣名位之彰顯。穀梁氏則指以稱國以殺，乃以元咺固有罪，衛君亦同有罪。大抵以衛君出於私怨而殺，不君也，故元咺雖負罪，經仍逕稱「大夫」，未有褫奪名分。是經文之所以突出「衛」殺者，斥責衛君行事之不當是也。僅就此節而言，穀梁氏之言固較公羊之言近於情理。至於左氏所敘，別述賄賂周、冶二人事，是雖無一語作評論，而衛侯本心盡現。於是，使《穀梁》與《左傳》並讀，便見衛君行事之卑下可恥。

（二）記公子遂之事

經云：「冬，天王使宰周公來聘。公子遂如京師，遂如晉。」《公羊》評遂如晉之事，以「大夫無遂事，此其言遂何？公不得為政爾。」案遂事者，擅自而為也。是以其時魯君已不能秉持政事也。《穀梁》則謂「以尊遂乎卑，此言不敢叛京師也。」傅隸樸先生以為其言「隱示公有叛王之嫌」，極是。於此，若公羊是，則魯君失權柄，若穀梁是，則魯君之霸慾甚大，是公羊與穀梁其牴觸有如此者。公羊之言魯君不得為政，穀梁之言魯君之遵尊卑，不敢造次，蓋與當時實況，俱有乖違，不足取信，惟乎其文雖訛，其意乃在究史事之本原，惜因推論失度而誤。復次，若依《左傳》而解之，便得其實。「東門襄仲將聘于周。遂初聘于晉。」杜預曰：「公既命襄仲聘周，未行，故曰『將』。又命自周聘晉，故曰『遂』。自入春秋，魯始聘晉，故曰『初』。」[22]是杜預實能以公、穀之法，究心左氏之微言大義，其說恰當之至。是亦左氏以史事補經旨之例也。

五　結語

《左傳》也，素以史料翔實富贍、文采豐腴可誦而見稱。左氏之才也偉，上繼聖人，下導馬班，傳大義，榮史學，固不朽於青史，遂為後世史家所共尊。若乎前人之論公羊、穀梁二氏，多注目於其詮經之是非，或評其昧於史實，有違文理。竊妄思公羊、穀梁之所謂言經者，未嘗不言史也。二氏之所議《春秋》褒貶，於君臣行事之臧否外，頗不乏斟酌史義史法之得失者，此誠二傳有功於史學也。至於傳述之間，有所舛漏，抑

22 參杜預：《春秋經傳集解》。

又其次者也。蓋二氏之於記事也，固莫能與《左傳》京，而於史學之裨益，庶或有不亞於左氏者矣。是則，多以史義史法質諸經傳之旨，於古或冒不韙，於今學子讀書思考，多有助也。至於拙文所述，自無新見，既然三傳之間，互有長短，若多由《公羊》、《穀梁》之得失處反思，則左氏之史心更見透澈也。

Study on the Original Meaning of "Zhiyan" from the Perspective of Etymology

——Involving the Way of Expression and the Stylistic Form of *Zhuangzi*

于雪棠 YU Xue-tang
School of Chinese Language and Literature, Beijing Normal University

Abstract

The paper studies on the meaning of "Zhiyan (卮言)" from the perspective of etymology in the context of *Zhuangzi*. According to the ancient Chinese phonology, the final vowel of the character "Zhi (卮)" is in the Zhi (支) rhyme class, the initial consonant of the character "zhi (卮)" is in the zhang (章) consonant class. The Chinese Characters such as zhi (支), zhi (枝), zhi (肢), zhi (忮), ji (伎), zhi (汥), chi (翅), shi (氏), are all in the identical consonant and rhyme class as the character zhi (卮). All the characters are cognate words and they share the common meaning branches stretching out from a main body. The Chinese character pai (派) in the rhyme class of zhi (支), also has similar meaning with those characters. In *Zhuangzi*, Tianni (天倪) and Manyan (曼衍) are used to explain the feature of zhiyan (卮言).The meanings of these two words also have relation to the meaning of branches. Zhiyan (卮言), namely zhiyan (支言), doesn't mean fragmented words, but refers to the way of expression like branches stretching out from a tree, and thus shapes the stylistic form of *Zhuangzi*.

"Zhi" as a vessel

The word "zhiyan" is mentioned twice in *Zhuangzi*, i.e. "Zhiyan is daily composed, flowing like harmonized through natural distinctions (Tianni 天倪)." in *Metaphorical Words* (寓言), and "All beings of the universe are fuzzy and bewildered, hence are not to be spoken to with solemnity. Therefore in zhiyan there is long-drawn-out and ceaseless spreading out meanings (Manyan 曼衍), in sayings of ancient sages there is truth, in metaphorical words there is vastness." in *Governance of the World* (天下) Through the history, numerous explanations have been produced as the meaning of zhiyan, and this paper aims at providing a possible explanation from the perspective of etymology.

Classical explanations of zhiyan (卮言) were given particularly by the exegeses of Guo Xiang and Sima Biao in the Western Jin Dynasty. In Guo Xiang's Exegesis of *Metaphorical Words* it is written, "Zhi, a drinking vessel, spills when full and is laid idle when empty, with no permanent state. So is this essay where language changes with the object depicted in the flow of time, hence daily composed." While the notes by Sima Biao of the Western Jin Dynasty were cited by Lu Deming of the Tang Dynasty in *Exegesis of Classics* (經典釋文), "Zhiyan refers to fragmented words with neither beginning nor end."

Despite the various conclusions drawn by later generations, the fundamental ideas did not divert far from those of Guo Xiang or Sima Biao in most cases. These explanations generally fall into two categories. The first is built upon Guo Xiang's exegesis, expounding on the shape and formation features of zhi (卮) as a vessel, which is reflected in "unintentional utterance" suggested by Cheng Xuanying of the Tang Dynasty, "neutral words" by Chen Jingyuan of the Song Dynasty, "smoothed words" or "tactful words" by Zhang Binglin and Wang Shumin and the metaphor of "funnel" proposed by Zhang Mosheng. As zhi (卮) is usually used for feasts, other explanations are provided based on the features of talk during feasts, represented by "words with subtle aftertaste" proposed by Lin Xiyi of the Song Dynasty, "utterances to entertain each other" by Luo Miandao of the Ming Dynasty, "words of endless change between goblet of wine" by Lu Xixing and "idle talk" suggested by Wang Kaiyun of the Qing Dynasty; while contemporary explanations include "words of toast" proposed by Li Binghai and "talk shows by entertainer during the feast" by Guo Changbao[1].

---

1 See Li Binghai, *Zhiyan of Zhuangzi and Words of Toast in Pre-Qin Era*, Social Science Front, Vol.1, 1996, p.191. Guo Changbao, Hou Wenhua, *Zhiyan in Zhuangzi: Talk Show by Entertainers*, Journal of Beijing Normal University (Social Science), Vol.4, 2007, p.28.

Regardless of the characteristics of shape or formation of zhi (卮), and be it "language changing with the outside environment" or "empty talk, entertainer's talk" as an interpretation of zhiyan (卮言), the above explanations are, without exception, built on the explanation of zhi (卮) as a vessel.

"Zhi" means branches and others

The second category of explanations is based on the meaning of 卮 as 支 (branches), from which extensions are made. Such idea is best represented by Sima Biao; while modern or contemporary scholars including Zhong Tai, Yang Liuqiao and Fang Yong basically belong to this category as well[2].

Each of the above arguments is supported by its logic and evidence, and the debate may eventually boil down to a matter of preference. Yet there is one thing in common: all these varying opinions are originated from the meaning of zhi (卮), i.e. an analysis based on lexicological meaning, which is of course indispensable as a logic. Yet discussions from the perspective of etymology will enable a better understanding of the original meaning of zhiyan (卮言), hence deepening our understanding of stylistic form of *Zhuangzi*.

Hence what are the differences between lexicological meaning and etymological meaning? "Meaning" in etymology is essentially different from "meaning" in lexicology. Etymological meaning refers to the logical basis of word formation brought by etyma (word root) to words of the same family or by cognate directly to derivative during the emergence of cognate words, hence constituting the object of etymological research[3]. Lexicological meaning and etymological meaning are related but distinctively different. For example, yan (言) means "to speak" while the lexicological meaning of yan (唁) is "to express one's condolences", demonstrating obvious difference in lexicological meaning while sharing common features in meaning—taking the initiative to speak; considering their similarity in pronunciation, these

2 These various arguments are as follows, "Zhiyan (卮言) means fragmented words." (Zhong Tai, *A Detailed Examination of Zhuangzi*, p. 650, Shanghai Classics Publishing House, 1988.) "Zhiyan (卮言) is zhiyan (支言), i.e. fragmented, absurd, heedless of the truth, opposite to social customs and scandalous language." (Yang Liuqiao, *On the 'Three Words' of Zhuangzi (in Lieu of Preface)*, see *Translation and Exegesis of Zhuangzi*, p.6, Shanghai Classics Publishing Housem 1991.) "Referring to the irrelevant arguments of the author." (Fang Yong, Lu Yongpin, *Interpretation and Comments of Zhuangzi (2007 Revised Version)*, p. 906, Bashu Book Company, 2007.)

3 See Wang Ning, Huang Yiqing, *Analysis of Etymological Meaning and Semantic Meaning*, Journal of Beijing Normal University (Humanities and Social Sciences), p. 90, vol.4, 2002.

two words can be regarded as cognate words[4]. The lexicological meaning of zhi (卮) is "drinking vessel", but what about its etymological meaning? Is it any different from "drinking vessel"? To answer this question, cognate words of zhi (卮) shall be identified in the first place to study the common features of meaning of its cognate words.

A key principle in determining cognate relations is "similar pronunciation and interconnection in meaning", i.e. first the words must be of identical or similar pronunciation, followed by interconnected meaning of the words. According to *Exegesis* by Cheng Xuanying in the Tang Dynasty, "Another explanation: zhi (卮) is zhi (支)." This evidence of pronunciation has provided an important clue. Explaining zhi (卮) with zhi (支) indicates that not only their pronunciations are identical but their meanings are also interconnected.

Reference to *Handbook of Ancient Chinese Phonology* by Guo Xiliang[5] shows that both zhi (卮) and zhi (支) are in the zhi (支) rhyme class and the initial consonant of both characters are in the zhang (章) consonant class. The two characters feature the same initial consonant as well as the same vowel formation, and the identical pronunciation indicates connection in meaning. So what is the connection in meaning between zhi (卮) and zhi (支)? To answer this question, characters featuring identical or similar pronunciation with zhi (支) must be examined. And what is the standard of identical or similar pronunciation? Such standard is defined by simultaneous presence of the same initial consonant and the same vowel formation[6]. Other characters in the zhi (支) rhyme class and the zhang (章) consonant class include zhi (枝), zhi (肢), zhi (忮) and zhi (伎). Besides, chi (翅) is mentioned in Wang Li's *Phraseary of Cognate Words*（*Tongyuanzidian*, 同源字典）. This character is in the zhi (支) rhyme class while the initial consonant is in the shen (審) consonant class; while zhang (章) and shen (審) are neighboring classes of consonants, thus chi (翅) and zhi (支) are similar in pronunciation. Zhi (汥) is recorded in *Guangyun* (Phraseary of Rhymes) in the zhi (支) rhyme class and its initial consonant is in the zhang (章) consonant class, hence its pronunciation is similar with zhi (支). Moreover, shi (氏) is in the zhi (支) rhyme class and chan (禪) consonant class; shi (氏) rhymes with zhi (支), where the initial consonant of the latter is in the zhang (章)

4 See Wang Ning (edit), *Ancient Chinese*, Chapter IV Section 2, *Etymological Relations in Ancient Chinese Words*, p. 145-154, Higher Education Press, 2012.

5 Guo Xiliang, *Handbook of Ancient Chinese Phonology*, Peking University Press, 1986. The archaic pronunciation of all characters listed and analyzed as examples in this paper is from this book. Meanwhile, author's analysis of classes of consonants is based on the knowledge of archaic rhyme system and initial consonant system as introduced in Wang Li, *On Cognate Words* (see *Phraseary of Cognate Words*, p. 12-20, The Commercial Press, 1982.)

6 Wang Ning (edit), *Ancient Chinese*, p. 178, Higher Education Press, 2012.

consonant class while that of the former is in the chan (禪) consonant class. As zhang (章) and chan (禪) are neighboring classes of consonants, shi (氏) and zhi (支) are similar in pronunciation.

What are the interconnections between these characters with identical or similar pronunciation? Zhi (支): branch; zhi (枝): slender branch stretching from tree trunk; zhi (肢): limb of body; chi (翅): part extending from a bird's body; zhi (汥): tributary of a river; zhi (忮): bitterness or jealousy, hence a state of mind extending from the heart; ji (伎): entertainer performing music or dance, hence a category extending from the practice of entertainment; shi (氏): branch of family name. All the above characters indicate "extending from the main body". Besides, pai (派; i.e.𠂢) in the xi (錫) rhyme class and pang (滂) consonant class means "tributary of water"; mai (衇, i.e.脈) in the xi (錫) rhyme class and ming (明) consonant class (滂 and 明 are neighboring consonant classes) means "path of blood and energy circulates through the body"[7]. Zhi (支) and xi (錫) feature a conversion between yang tone, yin tone and entering tone of similar main vowels. Pai (派) and mai (脈) of the xi (錫) rhyme class rhyme with zhi (支) of the zhi (支) rhyme class, with their meanings interconnected.

The archaic pronunciations of qi (歧), qi (岐), qi (跂), ji (技) and ji (芰) with zhi (支) as phonetic component belong to zhi (支) rhyme class, yet they are in the qun (群) consonant class, thus rhyme with characters in the zhang (章) consonant class where zhi (卮) and zhi (支) belong, but with different initial consonants. Qi (岐): diverging mountain range; qi (歧): diverging path; qi (跂): extra toe; ji (技): one of many crafts; ji (芰): lotus growing out of water; flower branching out of water. Although this group of characters is not to be regarded as cognate words of zhi (卮) and zhi (支), their connection in meaning is still obvious.

The above examples show that numerous cognate words of zhi (卮) and zhi (支) with similar pronunciation and interconnected meaning as well as other characters related in phonetic and semantic features indicate "branch". "Embranchment from the main body" is the core meaning of these cognate words. From an etymological perspective, zhi (卮) is no exception. The etymological meaning of zhi (卮) is embranchment while its semantic meaning is drinking vessel, hence what is the connection between its etymological and semantic meanings?

Zhi (卮) as a drinking vessel comes in different shapes; there are holed vessels (漏卮) besides round ones. In *Huainanzi: General Discussions* (《淮南子・泛論訓》) it is written,

7 See Wang Ning, Huang Yiqing, *Analysis of Etymological Meaning and Semantic Meaning*, Journal of Beijing Normal University (Humanities and Social Sciences), p. 90-91, p. 96, vol.4, 2002.

"Running water from the eaves may spill over a teacup, yet rivers and streams are never to fill a holed vessel, so is human heart." Here holed vessel refers to drinking vessel with a hole in its bottom, from which water or wine flows out, hence a scene of branching out from the main body. Besides holed vessels there are tilted vessels (侑卮) as well. In *Xunzi: A Tilted Vessel laid on the right side of a monarch'seat* (《荀子・宥坐》) it is written, "Confucius visited the royal court of Lord Huan of Lu, where he saw a tilted vessel," What was special about this tilted vessel was that "it stands aslant when empty, remains straight when half-filled and falls over when full." In *Wenzi: On Remaining Weak* (《文子・守弱》) it is recorded that "The three Emperors and five Sovereigns possessed a vessel from which lessons were drawn, and called it tilted vessel (侑卮)." with the note "a leaning vessel (欹器)", where qi (欹) should have been written as qi (攲). In *Huainanzi; On the Great Way* (《淮南子・道應訓》) it is also narrated that "Confucius visited the royal court of Lord Huan, where he saw a tilted vessel, and he named it youzhi (宥卮)", where 宥 is a loan character of 侑. Such tilted vessel stands aslant (qi, 攲) when empty, and the word qi (攲) means aslant or tilted. Branches diverging from the main body are usually tilted, and "tilt" is a derivative meaning of branch. Therefore, be it holed vessel (漏卮) or tilted vessel (侑卮), the semantic meaning of zhi (卮) is relevant to its etymological meaning, i.e. diverging from the main body.

Variant forms of zhi (卮) also indicate phonetic and semantic connections with zhi (支). In Duan Yucai's exegesis of *Origin of Chinese Characters* (*Shuowenjiezi,* 說文解字), zhi (卮) is explained as "a small drinking vessel (zhi, 觶)", citing from Ying Shao of Han Dynasty that "the archaic form of zhi (卮) is zhi (觗), which was written as 觶 by Xu Shen and as 觗 in *Book of Rites*." Duan Yucai's exegesis of *Origin of Chinese Characters* (*Shuowenjiezi*) has cited from Zheng Xuan of Han Dynasty in explaining the meaning of zhi (觗), "In *Book of Rites* this character is composed of 角 and 單; while in ancient writings a variant form composed of 角 and 氏. Yet in *Book of Rites* it is written as 觗." Therefore, zhi (卮) is explained as zhi (觶) and is otherwise written as 觗. One of the reasons for explaining zhi (卮) as zhi (觶) is that both are in the zhi (支) rhyme class and zhang (章) consonant class, with identical pronunciation and interconnected meaning; while writing zhi (卮) as 觗 is a result of the similar pronunciation and interconnected meaning of 氏 and 支, which explains for such variant form.

Evidence that zhi (卮) means "branch" is also found in the elucidation of zhiyan (卮言) in *Zhuangzi*, where zhiyan has been mentioned for a few times. In *Metaphorical Words*, "Nine out of ten metaphorical words are reliable, and seven out of ten sayings from ancient sages are convincing. Zhiyan is daily composed, harmonized through natural distinctions (Tianni 天

倪)." "Zhiyan is daily composed, harmonized through natural distinctions (Tianni, 天倪), constantly expanding and changing till the end of life." "Had it not been daily composed Zhiyan (卮言), how would its permanence be possible?" In *Governance of the World* (*Tianxia*, 天下), "All beings of the universe are fuzzy and bewildered, hence are not to be spoken to with solemnity. Therefore in zhiyan there is long-drawn-out and ceaseless spreading out meanings (Manyan, 曼衍), in sayings of ancient sages there is truth, in parables there is vastness."

Tianni and Manyan

Therefore it is not difficult to examine that Tianni (天倪) and manyan (曼衍) are most closely linked with zhiyan (卮言). What is Tianni? According to Guo Xiang's exegesis of *Metaphorical Words*, "Sunrise is regarded as a new day; a new day is the fulfillment of natural distinctions; the fulfillment of natural distinctions produce harmony." Tianni (天倪) is distinctions by nature and ni (倪) is explained as inherent distinction. Therefore, the semantic explanation of zhiyan (卮言) as Tianni (天倪) indicates that the concept of "natural distinction" is included in zhi (卮), which is supported by phonological evidence. Ni (倪) is in the zhi (支) rhyme class and yi (疑) consonant class, while yi (疑) and qun (群) are neighboring classes of consonants, hence ni (倪) is of similar pronunciation and interconnected meaning with qi (岐), qi (歧) and qi (跂) of zhi (支) rhyme class and qun (群) consonant class. As is discussed above, characters with zhi (支) as phonetic component in the zhi (支) rhyme class and qun (群) consonant class are also interconnected in meaning with zhi (支), zhi (枝) and zhi (氏) in the zhi (支) rhyme class and zhang (章) consonant class. Zhi (卮) is in the zhi (支) rhyme class and zhang (章) consonant class, and it is by no means coincidental that ni (倪) and zhi (卮) are close in pronunciation and interconnected in meaning.

Manyan (曼衍) is the word describing the characteristics of zhiyan (卮言), and what is Manyan? Man (曼) means stretching or prolonged. In *History of the Han Dynasty: Biography of Sima Qian*, the author wrote, "(He) explained himself with excursive and circuitous words (manci, 曼辭)." Here manci (曼辭) means excursive and circuitous words; while yan (衍) means "water flowing into the sea". The Chinese character 衍 consists of 水 (water) and 行 (flow); yet another meaning of 衍 is "spreading out", "branch". In inscriptions on bones or tortoise shells dating back to the Shang Dynasty, the characters 大, 木, 厎, 行 and 彳 all consist of a main body and branches[8]. Yan (衍) and zhi (巵) are interconnected in their etymological meaning. In Duan Yucai's exegesis of *Origin of Chinese Characters* (*Shuowenjiezi*) it is written, "spreading across and flowing in all directions, the water surface between riverbanks is so vast that one cannot distinguish cattle and horses on the other side; this scene is therefore described as proliferation (yan, 衍), whose meaning expanded to include 'extra'." Yan (衍) means excessive, as in 衍文 (redundancy due to misprinting). And a word with similar pronunciation as Manyan (曼衍) is 蔓延, "continuously expanding and growing like vines"; while Manyan (曼衍) depicts the scene of numerous tributaries flowing in an disorderly and unconstrained way.

This is exactly the way of expression and the stylistic form hereby constructed. Zhiyan (巵言) is explained as zhiyan (支言, branch words). In the Exegesis by Cheng Xuanying in the Tang Dynasty, "Another explanation: zhi (巵) means zhi (支), i.e. branch; words flowing out like branches rather than focusing on one point, hence referred to as zhiyan (巵言)." Zhi (支) is a reliable explanation of zhi (巵); yet extending its meaning to "falling apart" and even "incoherent and fragmented" by later scholars is a deviation from the original meaning of zhi (巵).

Other words related to zhiyan (巵言) include 巵辭 (branch phrase), 枝辭 (branching phrase) and 支辭 (tributary phrase), and an examination of their meanings would justify that 巵言 is 支言. As utterances or expressions branching from the main body, the connotation of 巵辭, 支辭 and 枝辭 have expanded to indicate unimportant words. *Branches of Words* (*Zhici*, 巵辭) composed by Wang Yi (王褘) of the Ming Dynasty expressed the author's reflections on life, society and politics in the form of fragmented expressions or short paragraphs. A rather extensive elucidation of shaping of personality and social conduct as well as governing a country and maintaining peace and order, the title of Zhici is not without an impression self-effacement while indicating its stylistic features. Similar ideas are expressed in book titles including *Zhiyan on Art* (*Yiyuan Zhiyan*, 藝苑巵言) by Wang Shizhen (王世貞) of the Ming Dynasty, *Zhiyan on Confucian Classics* (*Jingxue Zhiyan*, 經學巵言), *Zhiyan on Rites* (*Lixue Zhiyan*,禮學巵言) by Kong Guangsen (孔廣森) in the Qing Dynasty and *Zhiyan on Writings by Pre-Qin Scholars* (*Duzi Zhiyan*, 讀子巵言) by Jiang Xian (江瑔) in modern times. In I-ching: Xici (II) (《易・繫辭下》) it is stated that "he who harbors doubts speak with words that resemble branches", of which explanations are given by Kong Yingda, "When

8 See Wang Ning, Huang Yiqing, *Analysis of Etymological Meaning and Semantic Meaning*, Journal of Beijing Normal University (Humanities and Social Sciences), p. 96, vol.4, 2002.

one doubts about anything, his mind will not rest at ease, hence his words would ramble like branches." Here branch is a simile for rambling utterances, and "branching words" later evolved to mean unimportant or vain words. An example is found in Liu Xie's *The Literary Mind and the Carving of Dragons*: *On miscellaneous Essays* (*Wenxindiaolong*,《文心雕龍・雜文》), "Branching words that crowd into one another shine dimly like faraway stars." while Su Shi（蘇軾） wrote in his *To Zhang Andao: On the Preservation of Longevity*（《上張安道養生訣》）, "Teachings on article composition are too often filled with branching words and ambiguity, which perplex rather than show directions. Here my writing shall be concise and apposite, as key essentials need no prolix statement." Zhici (支辭, tributary phrase) and zhici (支詞, tributary words) are also used to convey the same message. In *To Master Kun of Bodhi Temple*（《贈菩提寺坤上人序》）, Gui Youguang（歸有光） of the Ming Dynasty wrote, "Tens of thousands of words may boil down to no more than one or two key messages, yet the verbosity of branching words and random comments is like this." In Liu Shipei's *On Writing: Cases Commented*（《文說・記事》） it is also mentioned, "Vain expressions and redundant decorations are inserted, with showy wordings and extravagant descriptions; in metaphor vehicles have dimmed down tenors, while genuine meaning of words is reduced to invisibility…Such refined prolixity is known as tributary words." Zhici (卮辭), zhici (支辭) and zhici (枝辭) are interconnected in pronunciation and meaning; moreover, considering the semantic proximity of yan (utterance,言) and ci (phrase, 辭), it would be doubtless that zhiyan (卮言) is zhiyan (tributary utterances, 支言).

The following citation from Qin Duhui（秦篤輝） of the Qing Dynasty is a vivid and precise interpretation of the etymological meaning of zhiyan (卮言) although it is not an intentional explanation of the word, "The best logic is free from any non-essential branches while the best writings are never without ups and downs. Yet the non-essential branches are branching words outside the realm of logic, rather than ups and downs." (*Pingshu: On Literature and Art (II)*，《平書・文藝下》) Though zhiyan (卮言) is zhiyan (支言), yet by no means does it refer to fragmented words; rather, it is a form of expression by constantly generating supporting ideas from a thesis statement. This characteristics of the essay structure of *Zhuangzi* has been discussed thoroughly by predecessors, hence no redundant statement is needed except for a citation from Wang Fuzhi of the Qing Dynasty, which may shed some light on this issue. According to Wang, "Apart from parables and sayings from ancient sages, occasional words of sublime subtleties and tactful arguments of convincing eloquence are all zhiyan (卮言)[9]." Here, "occasional words of sublime subtleties and tactful arguments of convincing eloquence" has summarized precisely the way of expression of essays in *Zhuangzi*, i.e. constant expansion of branches to form sub-points. The stylistic form constructed by this way of expression may appear clueless, unstructured and fragmented, yet in fact is far from being random or fragmented. The "branches" with their inherent texture and logic of arguments resemble a tree with deep roots and exuberant foliage. At the first glimpse of the lushly growing branches one may feel perplexed about their origins, yet an in-depth study will shed light on the root with clues hidden in the foliage. Branches seemingly in disorder actually resemble rivers and streams from the same source, or numerous tributaries as if unstrained, yet eventually flowing into the sea.

9 Wang Fuzhi, *Exegesis of Zhuangzi*, p.246, Beijing, Zhonghua Book Company, 1964.

《程傳・屯卦》述評

毛炳生
臺灣華梵大學

一　前言

《程傳》是宋代儒理易學的一部名著，作者程頤在序言中直言：「所傳者辭也。」所謂「辭」，即卦爻辭與〈彖傳〉與〈象傳〉；而這些「辭」，又謂「自秦而下，蓋无傳矣」，程頤則自認為繼承這些傳統而作《易傳》。本文乃就《程傳・屯卦》部分提出述評。述評的態度與方向有五：一、梳理傳意脈絡；二、傳意溯源；三、補之不足；四、盡個人所識，還原古籍的原意；五、最重要的一點，就是彰顯《程傳》的義理。《易》本是周初筮書，辭義古奧，在卦爻辭中發揮義理，本身就是一件吃力而不討好的事，郢書燕說、盲人摸象等情況在所難免。古人不及之處，相信也是今人的罩門。敬冀諸君子不吝賜正。

體例說明：

1. 《　》，書名號，文中亦作標示八經卦卦名之用；〈　〉，篇名號，文中亦作標示六十四別卦卦名之用。
2. 所引古籍，但稱書名、篇名及卷數；近人著作則另注出處。
3. 易學古籍皆作簡稱，先舉姓氏，次簡稱書名。如王弼《周易注》，簡稱《王注》；孔穎達《周易正義》，簡稱《孔疏》；李鼎祚《周易集解》，簡稱《李解》；胡瑗《周易口義》，簡稱《胡義》；程頤《易傳》，簡稱《程傳》；朱熹《周易本義》，簡稱《朱義》，等等。
4. 《程傳》原文作標楷體，以頂格迻錄，不另作【程傳】字樣，以省篇幅；為方便閱讀，較長的傳文分節處理，文中的一、二、三……，乃筆者所加所分，與【述】的（一）（二）（三）……相應。

二　述評

䷂ 震下坎上　　屯

〈序卦〉曰（一无曰字）：「有天地，然後萬物生焉。盈天地之間者唯萬物，故受之以屯。屯者，盈也；屯者，物之始生也。」

一、萬物始生，鬱結未通，故為盈塞於天地之間；至通暢茂盛，則塞意亡矣。天地生萬物；〈屯〉，物之始生，故繼〈乾〉、〈坤〉之後。

二、以二象言之，雲雷之興，陰陽始交也。以二體言之，〈震〉始交於下，〈坎〉始交於中；陰陽相交，乃成雲雷。

三、陰陽始交，雲雷相應而未成澤，故為屯；若已成澤，則為解也。又：動於險中，亦〈屯〉之義。

四、陰陽不交則為否，始交而未暢則為屯。在時，則天下屯難，未亨泰之時也。

【述】

（一）第一節釋〈序卦〉文義。萬物在初生時，還未能暢順生長（鬱結），布滿在天地之間，雜亂無章，因此有盈塞的現象。萬物發展至暢順之後，盈塞的現象便消失了。萬物是由天地所創生的；〈屯〉，象徵萬物初生之時，所以列在〈乾〉☰、〈坤〉☷二卦之後。

（二）第二節釋成卦原因。二象，指上下經卦卦象。下卦為〈震〉☳，象徵雷；上卦為〈坎〉☵，象徵雲。按：〈大象〉有「雲雷屯」之語，是《程傳》所本。雲起雷動，陰陽之氣開始交接了。二體，指上下兩經卦卦體。〈屯〉由〈坤〉生，〈坤〉上下都是經卦〈坤〉☷，下經卦的〈坤〉，初爻由陰變陽，作第一次交接而成〈震〉；上經卦的〈坤〉，中爻亦由陰變陽，也同時作了第一次交接而成〈坎〉。上下兩經卦都有一根陰爻變成陽爻，於是成為雲和雷的〈屯〉卦。

（三）第三節釋卦義。以氣來說，陰陽之氣在初交時，雲雷相應，但還未下雨成澤，所以稱屯（屯有囤積之意）；如果已下雨成澤，便是解（紓解）了。又：「動於險中」也是〈屯〉的義理。按：「動於險中」是〈彖〉辭。〈說卦〉：「震，動也。……坎陷也。」據此，〈震〉的卦德為動，〈坎〉的卦德為陷；陷有危險的意象，所以是「動於險中」。

（四）第四節點出〈屯〉的事理與時運。陰陽如果不相交，就是否。陰陽相交而還未暢通，就是屯。以時運來說，〈屯〉象徵天下草創，問題叢生而難解（屯難）。以國家時運來說，是在還未亨通太平的時節。

【評】

從〈屯〉開始，程子將先秦《易傳》（〈十翼〉）中的〈序卦〉割裂置於各卦之首，作為解卦的第一依據。這種作法，始作俑者是唐．李鼎祚的《周易集解》。兩者不同的是，《李解》將〈序卦〉置於卦名之前，但置而不論；而《程傳》則置於卦名之後，並加以疏通。

〈序卦〉的作意，在於解釋卦序的由來。「有天地而後生萬物焉」，這是用宇宙萬物生成的先後過程來說明為什麼〈屯〉會繼〈乾〉〈坤〉之後而成為第三卦。「物之始生」是〈屯〉的第一義。萬物始生後，品類繁多，就衍生出盈滿之象，所以「盈」是第二義。〈序卦〉有「盈」的意象，沒有「塞」的意象，而程子卻增一「塞」字作解，又再衍生一義，以為「始交而未暢則為屯」。「未暢」就是「塞」。他是參酌〈彖傳〉「剛柔始交而難生」的「難生」來說的。《孔疏》：「屯，難也。剛柔始交而難生。」（卷1）《王注》沒有解釋「難生」的成因，只是說「剛柔始交，是以屯也」（上經），一筆帶過。《胡義》也有「屯難」之說，以為在「天地始交而生物之時也」（卷2），又補充說：「夫天地氣交而生萬物，萬物始生必至艱而多難」。程子則綜合以上諸說，將〈屯〉的時義，往下再推一層，落實於「天下屯難」上。程子在本卦上六爻〈小象〉的解文中特別強調：「夫卦者，事也。」即將各卦落實在人事上來說，並提出他的治理之道。清・李光地說：「程子所說，皆修齊治平之道。」（《周易折中・凡例》）這是《程傳》寫作的精神所在。

《程傳》於本卦釋義的另一開展，是運用了「陰陽」的概念入說。〈彖傳〉解釋〈屯〉的卦象是「剛柔始交而難生，動於險中」，這是根據爻象的變化與上下兩經卦的卦德來講的。〈彖傳〉體例，剛指陽爻，柔指陰爻。《王注》、《孔疏》對於「剛柔始交」一語並無特別說明，到了《胡義》則引申為「天地氣交」，而程子則用陰陽二氣交接，將〈彖傳〉「雷雨之動滿盈」句意融合起來。程子解《易》，常用心於撮合〈十翼〉各篇意旨，包容潤飾，發揮義理。但〈十翼〉非一人一時之作，刻意調和，雖時有取捨，仍見力不從心。詳後各爻述評。

又，朱熹以為〈彖傳〉「剛柔始交」一語是指〈震〉言。他引〈說卦〉「〈震〉一索而得男」為證。（《朱子語類》卷70）近人黃慶萱先生《周易讀本》又以〈說卦〉的「〈坎〉再索而得男」、「坎，陷也」二語佐證朱子的說法，以為「前有險陷，所以難生」。[1]但，〈說卦〉的性質，係說八經卦生成的次序與所象徵的事物，不談八經卦重疊後所衍生的問題。以此類彼，值得再商。〈屯〉既繼〈乾〉〈坤〉之後，〈屯〉依序乃由〈坤〉所生，如母生子。初、四兩爻同時由陰變陽，從「有天地而萬物生焉」的角度來看，《程傳》之解並沒有違背〈序卦〉的本意。朱、黃繩之以〈說卦〉，是沒有考慮到這一層義理的緣故。

屯：元亨，利貞。勿用有攸往，利建侯。

屯有大亨之道，而處之利在貞（一作正）固；非貞（一作正）固，何以濟屯？方屯之時，未可有所往也。天下之屯，豈獨力所能濟？必廣資輔助，故利建侯也。

---

1 黃慶萱：《周易讀本》臺北：三民書局，1980年，頁72。

【述】

雖在屯難的時運，亦有大順亨通的道理在；但處理的原則在於貞固，貞固才會蒙利。不用貞固的原則處事，又怎會渡過屯難（濟屯）呢？在屯難時，不宜有所作為（往）。天下在屯難時，一個人的力量是不足以渡過的，一定需要廣納輔助之力，所以是「利建侯」。

【評】

卦辭「元亨利貞」，在〈乾〉、〈坤〉二卦《程傳》都分作四節解讀，稱為四德。在本卦，則只主一德，就是「貞」。程子在解〈乾〉時說：「在他卦，則隨事而變焉。」又在解〈坤〉時說：「〈坤〉，〈乾〉之對也，四德同。」即除〈乾〉、〈坤〉有此四德外，其他各卦則因事理不同而有所變化。《孔疏》引《子夏易傳》：「元，始也；亨，通也；利，和也；貞，正也。」唐代以前的注疏家莫不依從這種說法。本卦卦辭的「元」訓為大，由〈彖〉辭「大亨貞」先導。《胡義》解「大亨」為大通，即撮合〈彖傳〉與《子夏易傳》之意，而程子又依違胡瑗。大通，表示極之通順。而程子認為，大通的前提是要「處之利在貞固」，特意強調「貞固」。四德可「隨事而變焉」，而以「正」釋「貞」，則六十四卦之解《程傳》完全一致，並無改變。程子解〈乾〉時說「利，主於正固」，正就是貞；不但要正，還要固，即擇善固執之意。在人事上，程子將〈屯〉的時義設定在「天下屯難，未亨泰之時」。既然「未亨泰」，處在這個時節的治國者便有責任讓天下亨泰。但「豈獨力所能濟」？於是提出「必廣資輔助」的治理原則來。即「廣資輔助」就是〈屯〉的「貞」。唯有「廣資輔助」，方能化解屯難，渡過屯難。這是《程傳》解釋本卦的立旨所在。

彖曰：屯，剛柔始交而難生，動乎險中。

以雲雷二象言之，則剛柔始交也。以〈坎〉、〈震〉二體言之，動乎險中也。剛柔始交，未能通暢則艱屯，故云「難生」。又：動於險中，為艱屯之義。

【述】

從雲雷二象來說，是剛柔開始交接。從〈坎〉、〈震〉兩體來說，是動在險中。剛與柔開始交接，未能馬上通暢，就是艱屯，所以〈彖傳〉說「難生」。又：〈彖傳〉說的「動於險中」，就是艱屯的意思。按：〈彖傳〉這兩句，首句在釋爻象變化，次句是以經卦的德性解釋卦意。艱屯，即艱困。

大亨貞，雷雨之動滿盈。

所謂「大亨而貞（一作正）」者，雷雨之動滿盈也。陰陽始交，則艱屯未能通暢。及其和洽，則成雷雨，滿盈於天地之間，生物乃遂，屯有大亨之道也。所以能大亨，由夫（一无夫字）貞也；非貞固，安能出屯？人之處屯，有致大亨之道，亦在夫（一无夫字）貞固也。

【述】

所謂「大亨而貞」，就是「雷雨之動滿盈」的緣故。陰陽開始交接，是艱屯之時，未能通暢。到了陰陽融洽之後，雷雨便滿布於天地之間了。生物因此得以滋潤生長，順遂發展。這就是屯難為什麼有大亨的道理。所以能得大亨，是由於貞（正）的緣故；如果不貞，又怎能離開艱屯呢？一個人處身在艱屯之時，能夠獲致「大亨之道」，也就是在於貞固罷了。按：〈彖傳〉這兩句在申述卦辭「元亨利貞」所帶來的現象。未見「利」字，而「利」已隱括在「滿盈」之中。

天造草昧，宜建侯而不寧。

上文（一有既字）言（一有夫字）天地生物之義，（一有是以字）此言時事。天造，謂時運也。草，草亂无倫序。昧，冥昧不明。當此時運，所宜建立輔助，則可以濟屯。雖建侯自輔，又當憂勤兢畏，不遑寧處。聖人之深戒也。

【述】

〈彖傳〉上文兩句所說的，是天地化生萬物的道理，這兩句則講時事。天造，是時運。草的形象，凌亂無序。昧，昏暗不明。遇到這種時運，宜建立輔助，便可以渡過屯難了。但在建立輔助的同時，也要謹慎，勤於用事，小心出錯；更不宜處於安逸無事的狀態（寧處）。這是聖人的深切告誡啊！按：〈彖傳〉這兩句在釋「利建侯」的緣故，而程子則加以發揮。

【評】

〈彖傳〉解卦，多用剛柔，少用陰陽；陰陽二字，只在〈泰〉、〈否〉二卦用過，其意也在指陰爻、陽爻而言，與剛柔之意同。程子以陰陽之氣取代剛柔，在於滿足〈彖傳〉「大亨貞，雷雨之動滿盈」與〈大象〉「雲雷屯」的說法。雲雷相交，是〈屯〉的卦象，交而未果，難有亨通之理。亨通，只是想當然爾的後續發展。卦辭既說「元亨利貞」，應為大亨，利於所問；但下句卻說「勿用」，顯見衝突。只「利建侯」而不利其他，即表示並非凡事「大亨」，只有「利建侯」而已。古人為經作注，有「注不駁經，疏不駁注」的原則，[2]於是後之學者在為古籍重新作解的時候，包容綜合的多，曲為迴護，在所難免。

又，〈彖傳〉「不寧」一語，宜作「丕寧」。古語不、丕通用。清．王引之《經傳釋詞》有詳考，請參。《釋詞》引《玉篇》說：「不，詞也。」（《皇清經解》卷1217）即「不」為語助詞，不具實質意義。不寧，就是寧，意謂安寧。惠棟《周易述》即採用這種解釋。說：「不寧為寧；猶言不顯為顯。此古訓也。」（卷8）黃慶萱《周易讀本》注「不寧」即「丕寧」，為大寧的意思。[3]程子傳《易》，旨在借古作誡，並不拘泥於原文原意。以「不」作否定詞用，勉人處於屯難之時不宜耽於逸樂，固有深意。所謂「聖人之深戒也」，實乃夫子自道。程子曾說：「善學者，要不為文字所梏；故文義雖解錯，而道理可通行者不害也。」[4]朱子也說：「伊川見得箇大道理，卻將經來合他這道理，不是解《易》。」（《語類》卷67）明白這一點，就不必深責於古人。

象曰：雲雷，屯；君子以經綸。

坎，不云「雨」而云「雲」者，雲為雨而未成者也。未能成雨，所以為屯。君子觀〈屯〉之象，經綸天下之事，以濟於屯（一无屯字）難。經緯、綸緝，謂營為也。

【述】

坎，〈大象〉不說「雨」而說「雲」，原因是雲的狀態，是在還未下雨的時候。還未成為雨，所以才叫屯。（前說，成雨便是解了）君子在觀察〈屯〉的卦象時，可啟發出如何經營天下的道理，渡過屯難。經是經緯，綸是綸緝，都是經營、作為的意思。按：《胡義》：「言雲而不言雨者，蓋雲者畜雨將降之時也。」經，《說文》：「織從（縱）絲也。」綸，「糾青絲綬。」（卷25）[5]經綸，動詞。比喻規劃政治、處理國事。

初九：磐桓。利居貞，利建侯。

一、初以陽爻在下，乃剛明之才，當屯難之世，居下位者也。未能便往濟屯，故磐桓也。方屯之初，不磐桓而遽進，則犯難矣，故宜居正而固其志。

二、凡人處屯難，則鮮能守正。苟无貞固之守，則將失義，安能濟時之屯乎？居屯之世，方屯於下，所宜有助，乃居屯、濟屯之道也。故取建侯之義，謂求輔助也。

2　〔清〕皮錫瑞：《經學歷史．經學統一時代》。

3　黃慶萱：《周易讀本》，頁74。

4　朱子編：《河南程氏外書》卷6。

5　卷數取清人段玉裁注本。

【述】

（一）初是陽爻，在下方，它具有剛健明理的材質，相當於一個剛健明理的人，處身於屯難的世代，而又居於下位。他不能夠貿然地（便）前往救濟屯難，所以徘徊不進。屯難剛開始時，如不徘徊而止，貿然挺進，就會遇到危險（犯難）了。因此宜固守正道，不使意志分散。按：磐字，《李解》作「盤」，二字通假。《朱義》：「盤桓，難進之貌。」黃慶萱注：「難進之貌，義同徘徊、徬徨，皆衍聲複詞。」[6]

（二）一般人身處於屯難之世，很少能夠固守正道的。如果沒有堅貞的操守，行為偏差，便失去正當性了，又怎能渡過屯難的時運呢？處於屯難的世代，又居下位，宜有貴人輔助，這是居屯、濟屯的原則。所以爻辭取建侯為義。建侯，就是尋求輔助之意。

象曰：雖磐桓，志行正也。

賢人在下，時苟未利，雖磐桓，未能遂往濟時之屯，然有濟屯之志與濟屯之用，志行其正也。

【述】

賢人身處下位，假如又碰上時勢不好，雖然徘徊，不能成行去救濟屯難的時運，但他有救屯的心意與救屯的才能，這是立志行正道的緣故。

以貴下賤，大得民也。

一、九當屯難之時，以陽而來居陰下，為以貴下賤之象。方屯之時，陰柔不能自存，有一剛陽之才，眾所歸從也；更能自處卑下，所以大得民也。

二、或疑：「方屯于下，何有貴乎？」夫以剛明之才，而下於陰柔，以能濟屯之才，而下於不能，乃以貴下賤也。況陽之於陰，自為貴乎？

【述】

（一）初九正當處於屯難之時，因為陽爻居於陰爻之下，這種爻象表示以貴下賤。處於屯難之時，陰柔的體質是無法自保的，現在有一剛陽之才的人進來，是眾望所歸的事。他又能屈居於卑下的位置，因此是大得民心的。

（二）或許有人懷疑，會問：「在屯難之世，又屈居卑下，怎會是貴的呢？」具有剛明之才，卻居於陰柔的下方，象徵一個有濟屯能力的人，願意屈居在一個沒有

6 黃慶萱：《周易讀本》，頁75。

濟屯能力的人的下方，就是以貴下賤。何況，陽爻相對於陰爻來說，自身即屬於貴的。按：《王注》：「陽貴而陰賤也。」

【評】

初九的爻象為「磐桓」，為什麼是「磐桓」呢？《王注》解釋道：「處屯之初，動則難生。不可以進，故磐桓也。」這是以辭推理的說法。如以爻象本身言，初與四相應。但上卦為坎險，四在坎險的邊緣，跟它相應顯得危險，所以有「難進之貌」。程子以「居下」作解，勉人守正。如就「居下」講，又徘徊難進，應有鬱鬱不得志之意。陽象徵君子，所以〈小象〉勉勵君子，雖鬱鬱不得志，仍要堅守正道。易例，陽處於初、三、五為正位，所以陽居初是「志行正」的，意謂志與行都是正確的。又，一、二為在野，三、四為在朝，五、六為在天。初九在野，表示身處民間，所以有「得民」之象。程子解《易》，不完全從卦爻辭、易例、爻象等求其本義，而經常借題發揮。如「利居貞」一語，原意為筮得本爻，宜靜不宜動。程子則由此引申出一番道理，提出「居屯」、「濟屯」的原則，為君子設誡，勉賢人雖在下位，仍應毋忘淑世之心，謹守正道。這是程子為本爻所立的旨意。

六二：屯如邅如，乘馬班如，匪寇婚媾。女子貞，不字；十年乃字。

一、二以陰柔居屯之世，雖正應在上，而逼於初剛，故屯難、邅迴。如，辭也。

二、乘馬，欲行也。欲從正應，而復班如，不能進也。班，分布之義。下馬為班，與馬異處也。

三、二當屯世，雖不能自濟，而居中得正，有應在上，不失義者也；然逼近於初。陰乃陽所求，柔者剛所陵。柔當屯時，固難自濟，又為剛陽所逼，故為難也。設匪逼於寇難，則往求於婚媾矣。

四、婚媾，正應也。寇，非理而至者。二守中正，不苟合於初，所以不字。苟貞固不易，至于十年，屯極必通，乃獲正應而字育矣。以女子陰柔，苟能守其志節，久必獲通，況君子守道不回乎？

五、初為賢明剛正之人，而為寇以侵逼於人，何也？曰：「此自據二以柔近剛而為義，更不計初之德如何也。《易》之取義如此。」

【述】

（一）本節釋「屯如邅如」。二是陰爻，以陰柔的體質處於屯難之世，雖然與五相應，但受到初九的剛健所逼，因此仍處於屯難的狀態。邅即迴，同義詞。按：《孔疏》：「屯如邅如者，屯是屯難，邅是邅迴，如是語辭也。」程解本此。邅迴，迴轉不前的樣子。

（二）本節釋「乘馬班如」。乘馬，表示要遠行。二與五是正應，二想正應於五，但卻「班如」，不能前往。班，分布的意思。下馬為班，跟馬分開兩處了。

（三）本節釋「匪寇婚媾」。六二處於屯難的時世，雖然體質柔弱不能自保，但居中位，是得正的。而且與上面的五爻相應，是一個不失道義的人，但她太靠近初九了。陰是陽所追求的對象，柔也會受到剛的欺凌。柔處於屯難之時，固然難以自保，又被剛所脅迫，所以是艱難的。爻辭假設為遭逢寇難，被盜寇求婚。按，易例：陰爻居二、四、上為正位，二又是下卦的中位，所以六二是「居中得正」的。上卦五爻為陽，與六二相應，所以六二是「不失義者也」。

（四）本節釋「女子貞不字十年乃字」。婚媾，表示二與五正應。寇，不是理性而至的人。六二固守中正之道，不願意跟初九結合，所以不字。假如固守貞潔不改，十年之後，屯極也必通了，才能獲得九五的正應而得到養育。因女子的體質是陰柔的，假如能堅守貞潔的節操，久後必通，何況君子守道不變呢？按，《程傳》「字育」之意，意思含糊，暫作養育之意去理解。古時女子婚後由夫家所養，故取此意。

（五）本節自設問答，以解釋疑問。初九是賢明剛正之人，而今卻變成盜寇向人逼婚，為什麼呢？回答說：「這是根據六二的柔靠近剛來取義的，不去計較初九之德原來是怎樣。《易》的取義方式就是這樣。」

【評】

程子在本爻的傳解，有幾點宜再討論。

一、第二節釋「班」字為「分布之義」，又說「下馬為班，與馬異處也」。兩意實難以湊合理解；「下馬為班」，不知出自何典？考「班」字之義，《說文》：「分瑞玉也。」段注：「會意，刀所以分也。」又說：「《周禮》以『頒』為班。」（卷1）頒為頒贈、頒布。古代王者贈人以玉，所以引申有分布之義。如，語詞。班如，即為分布之貌。又考近人屈萬里《周易集解初稿》載：「乘，車」。[7]古代以車一輛稱一乘，一乘四馬。《論語・學而》：「道（導）千乘之國。」朱子引馬融說：「八百家出車一乘。」（《論語集注》卷1）據此，「乘馬班如」，是車馬分布之意。屈萬里又說：「屯，當讀為迍。」[8]屯邅即迍邅，迴旋難進之貌。爻辭下文：「匪寇婚媾」，即交代何以「乘馬班如」的原因，原來這些眾多的車馬是來求婚媾的，不是盜寇要強奪財物。

可能有人會問，何以有車、馬之象？六二在下卦之內，下卦為〈震〉，《國語・晉語》：「〈震〉，車也。」[9]六二又處於互體《坤》的初爻，〈說卦〉：《坤》「為牝馬。」[10]

7　屈萬里：《讀易三種》，收入《屈萬里先生全集》臺北：聯經出版事業公司，1983年，頁43。

8　同上註。

9　徐元誥：《國語集解・晉語四》北京：中華書局，2008年，頁340-342。

〈坤〉卦辭也有「利牝馬之貞」語，所以《坤》象徵馬。六二即見牝馬，又連續三陰爻；三為眾數，其中又與〈震〉車重疊二爻，所以有「乘馬班如」之象。

二、第三節「設匪逼於寇難，則往求於婚媾矣」，似乎是說「求婚媾」者是六二。六二陰柔守正，豈有自「求婚媾」之理？所以朱子曾懷疑地說：「某舊二十許歲時讀至此，便疑此語有病。」又說：「《程傳》謂六二往求初九之婚媾，恐未然也。」(《語類》卷70）朱子對《程傳》「求婚媾」說似乎也誤解。六二婚媾的對象，應是九五而不是初九。二五正應，所以可求；但宜是九五求六二，而不是六二求九五。對六二來說，是應不是求。「乘馬班如」是九五所派來的車馬；哪有陰自派車馬去求婚媾的道理呢？上卦又稱外卦，下卦又稱內卦。寇自外來的意思即由此產生。而爻象的發展原則，是由初至上，程子因此理解為六二往求九五。如此解釋，即與陰主靜，居中守正的原則相悖，也不符合古代社會有「搶婚」的習俗。[11]六二自知與九五相應，將有「求婚媾」之舉；但礙於初九的羈絆，產生猶豫。筮者於是斷定「女子貞，不字」。

三、字，程子作「字育」解。字、育是兩事。《朱義》:「字，許嫁也。《禮》曰：『女子許嫁，笄而字。』」[12]而育則是養育。朱說較為合理。用今語來說，字，就是答應婚事，動詞。不字即婚事不成。為什麼呢？〈小象〉說：「乘剛也。」意謂陰爻騎乘在陽爻之上。程子因此解釋，是初爻為寇「侵逼於人」。於是產生初九既為賢明剛正之人，何以會逼婚的矛盾。近人解釋，以為六二受六三、六四同性質的兩爻作梗，理想不能順利實現，只得耐心等待。可備一說。[13]

象曰：六二之難，乘剛也；十年乃字，反常也。

> 六二居屯之時，而又乘剛，為剛陽所逼，是其患難也。至於十年，則難久必過矣；乃得反其常，與正應合也。十，數之終也。

【述】

六二處於屯難的時候，又在剛爻之上，被剛陽所逼，這是她憂患與艱難的原因。等待十年，久了，艱難必定會過去，才能回復正常的狀態，與九五正應相合。十，是數的終點。

---

10 互體說始於漢人，後人多不相信；但以《左傳》莊公二十二年筮例來看，春秋時人解卦，確曾使用互體分析卦象，所以楊伯竣《春秋左傳注》說：「然解此節，不用互體，甚難圓通。」本爻分析爻辭「乘馬班如」，如不用互體解碼，也難圓通。楊著見北京：中華書局，2011年，頁223。

11 參閱余永梁：〈易卦爻辭的時代及其作者〉，見《中央研究院歷史語言研究所集刊》，1928年10月。收入顧頡剛編：《古史辨》中。

12 朱子此解，乃根據耿南仲《周易新講義》之意。見《語類》卷70。

13 余敦康：《周易現代解讀》北京：華夏出版社，2006年，頁31。

【評】

〈小象〉解釋六二之所以遭遇屯難，是因為「乘剛」之故。乘剛，即陰爻騎在陽爻之上，有騎虎難下之意。〈小象〉以辭說理，也是借題發揮，並不區限於爻象本意，如朱子說《程傳》不是解《易》，〈小象〉也不是解《易》。因此，以乘剛作為「不字」的原因，自無不可。如依爻象本意，三、四、五爻互體為〈艮〉，〈說卦〉：「〈艮〉為山。」又說：「〈艮〉，止也。」山是靜態的，所以有止象。止就是停止。九五又在〈艮〉之末，山之頂峰，「險」而易見。因此六二無法即時隨九五派來的車馬而去。那要何時才能如願呢？必是問卜者想要知道的答案。爻辭說「十年乃字」。程子以為「十」是「數之終」，是採〈繫辭〉「天一地二……天九地十」的推論，是十進位概念。如依《易》的原始計算方式來說，〈說卦〉：「數往者順，知來者逆。是故《易》，逆數也。」要預知未來的事，要逆向來計算。如何逆向來計算？根據程石泉〈周易成卦及春秋筮法〉一文的啟示，[14]即從六二開始往上一爻一爻數，數至上為五，再從上反向數，數至六二也是五（上爻要重複計算），五五相加即為十。「十年」的預言乃由此產生。意謂已渡過一個難關，下次應該沒問題了。〈小象〉「乘剛」說固可參考，但無法解釋「十年」的由來。程子作傳，撮合古人之意雖然費盡心機，但將乘剛解作「為陽剛所逼」，問題就來了。陽既為君子，雖有追慕陰之心，又豈有逼人之理？

六三：即鹿无虞，惟入于林中。君子幾，不如舍；往吝。

一、六三以陰柔居剛。柔既不能安屯，居剛而不中正則妄動，雖貪於所求，既不足以自濟，又无應援，將安之乎？如即鹿而无虞人也。

二、入山林者，必有虞人以導之。无導之者，則惟陷入于林莽中。君子見事之幾微，不若舍而勿逐，往則徒取窮吝而已。

【述】

（一）本節釋「即鹿无虞惟入于林中」。六三是陰爻，居於剛位，柔的體質既不能使屯難安然渡過，居於剛位，又不中不正，輕舉妄動。雖有貪求的慾望，但既然在能力上不足以自我救濟，往上看又沒有相應之爻可以援助自已，該何去何從呢？好像要追逐麋鹿（即鹿）時，卻沒有虞人嚮導一樣。按：即，近的意思，引申為追逐。虞，官名。掌管山林政令。《周禮．地官》有「山虞」一職。

（二）本節釋「君子幾不如舍往吝」。進入山林的人，必須有虞人嚮導方可。如沒有嚮導，必會受困在林莽內了。君子在沒有嚮導的情況下，應預知往後必有危險，不如放棄追逐；如仍要向前，是自投末路而已。按：幾微，〈繫下〉：「幾

14 程石泉：《易學新探》臺北：黎明文化事業公司，1989年，頁31-55。

者，動之微，吉之先見者也。」（第 5 章）吉凶的道理雖隱微不顯，但從事情發生的開端即可預知結果。這就是「見事之幾微」。舍，同捨。吝，一本作「遴」。高亨說：「《周易》吝字皆借為遴。」又引《說文》：「行難也。」[15]

【評】

「鹿」字，程子作麋鹿解。《朱義》從程，亦作「逐鹿」之意。鹿，宜作「麓」。《釋文》：「王肅作麓，云：『山足』。」山足，今人稱山腳或山邊。三、四、五互體為〈艮〉☶，〈艮〉為山。六三為〈艮〉的初爻，所以有山足之象。「即鹿」，是靠近山邊。古代的貴族君子要入山狩獵，必須虞人引導。本爻建議如無虞人在旁，即須放棄入山。程子以字面作解，固然可通；但如從本卦六爻的爻辭整體觀察，似乎都與「婚媾」有關（詳後）。因此，本爻辭可理解為前一爻辭「屯如邅如，乘馬班如」的補充說明。「求婚媾」的大隊車馬行至山邊，因無虞人引導，徘徊不前，為「不字」提供了另一種想像的空間。

象曰：即鹿无虞，以從禽也；君子舍之，往吝窮也。

事不可而妄動，以從欲也。无虞而即鹿，以貪禽也。當屯之時，不可動而動，猶无虞而即鹿，以有從禽之心也！君子則見幾，而舍之不從；若往，則可吝而困窮也。

【述】

做事，明知不可為而硬要去做，便是妄動。這是被欲念所驅使。在沒有虞人引導下逐鹿，即表示貪圖獵物。在屯難之時，不應該有所作為而為，就如同沒有虞人而逐鹿，因有貪禽之心啊！君子看到不妙的先兆，就應放棄行動，不要再任性了；如果前往，則咎由自取，讓自己陷於困境而已。

【評】

〈小象〉以「從禽」解釋「即鹿无虞」的原因，可旁證「鹿」應作麓解，而非麋鹿之意。野鹿多在山中，禽鳥則可飛進飛出。爻辭誡君子知所進退，程子則以「誡貪」勸人不可妄動。一說禽為鳥獸的總稱。《李解》引《白虎通》說：「禽者何？鳥獸之總名，為人所禽（擒）制也。」《白虎通》是東漢經今古文之爭後所產生的作品，旨在調和眾說，統一經義。它的說法未必符合古義，但仍可參考。以禽為鳥獸總稱，亦無傷爻旨。

15 高亨：《周易古經今注．吉吝厲悔咎凶解》北京：清華大學出版社，2010年，頁95。

六四：乘馬班如，求婚媾。往吉，无不利。

一、六四以柔順居近君之位，得於上者也。而其才不能以濟屯，故欲進而復止，乘馬班如也。己既不足以濟時之屯，若能求賢以自輔，則可濟矣。

二、初，陽剛之賢，乃是正應己之婚媾也。若求此陽剛之婚媾，往與共輔陽剛中正之君，濟時之屯，則吉而无所不利也。居公卿之位，己之才雖不足以濟時之屯，若能求在下之賢，親而用之，何所不濟哉？

【述】

本節釋「乘馬班如求婚媾」。六四以陰柔順從的特質接近君主之位，是會獲得上位者喜歡的。但她的才能卻無法救助屯難，所以欲進又止，是「乘馬班如」的緣故。自己如無法救助屯難的時勢，如能徵求賢能的人士前來襄助，就可以救了。按：六四處於互體《坤》的上爻，所以仍有「乘馬班如」之象。

本節釋「往吉无不利」。初爻為陽，象徵剛陽的賢人，與自己正應婚媾的對象。如能跟他結合，再一起前往輔助剛陽中正的君主，共同救濟屯難的時勢，這是吉的，沒有不利的。四爻處於公侯的位置，但自己的才能不足以救濟屯難的時勢，如能求得在下位的賢人輔助，親近他，任用他，還有什麼不能救的呢？

象曰：求而往，明也。

知己不足，求賢自輔而後往，可謂明矣。居得致（一作位）之地，己不能而遂已，至暗者也。

【述】

自知能力不足，先求助於賢人再前往，這是明智之舉。處於得位有利（致）的狀態，卻自認能力不足便罷休（已），這是非常愚昧（暗）的事。

【評】

初九與六四陰陽相應，又都處於得位狀態，所以兩爻都是吉的。初九的吉，利於居貞，利於建侯；六四則利於婚媾。六四再往前走，又遇到一根九五，它既中正又得位，再吉不過了。明，指九五。而程子則發揮在人事上，呼籲在位者往下求賢自輔，方為明智。不要因為本身能力不足，便自我放棄。「至暗者也」，是對當道者的一記當頭棒喝。

九五：屯其膏。小貞吉，大貞凶。

一、五居尊得正，而當屯時，若有剛明之賢為之輔，則能濟屯矣。以其无臣也，故屯其膏。

二、人君之尊，雖屯難之世，於其名位非有損也；唯其施為有所不行，德澤有所不下，是屯其膏，人君之屯也。既膏澤有所不下，是威權不在己也。威權去己，而欲驟正之，求凶之道，魯昭公、高貴鄉公之事也。故小貞則吉也。

三、小貞，謂漸正之也。若盤庚、周宣，脩德用賢，復先王之政。諸侯復朝，蓋以道馴致，為之不暴也。又非恬然不為，若唐之僖、昭也。不為則常屯，以至於亡矣。

【述】

（一）本節釋「屯其膏」。五是尊貴的位置，九又是一根陽爻，是得正位的。但當在屯難之時，如有剛明的賢人輔助自己，便可以濟屯了。因為沒有這類臣子輔助自己，所以是「屯其膏」。

（二）本節申論「小貞吉大貞凶」。以人君的尊貴來說，雖處於屯難的世代，對他的名位並沒有減損；只是他的理念無法施行，德澤不能普及百姓而已。這就是「屯其膏」的意思，這是人君的屯難。膏澤不能施惠百姓的原因，是威權不在己身。一個失去威權的人君如驟然要奪回來，是「求凶之道」，萬萬不可。魯國的昭公，魏代的高貴鄉公就是這種例子。所以本爻以小貞為吉。按：膏，油脂；引申為德澤。魯昭公，名姬裯，春秋末期魯國的君主。他大權旁落，被季氏、叔孫、孟孫所控，史稱「三桓之患」。昭公想奪回政權，貿然攻伐季氏，而叔孫、孟孫率兵前往營救。昭公敗，投奔齊國，最後死於晉國。高貴鄉公，三國時代魏國君主，名曹髦，魏文帝曹丕之孫。曹髦登位時，司馬昭為相國，掌控朝政。髦不滿，貿然率領童僕至司馬府討責，途中遇弒身亡。卒年才二十歲。這兩位君主，大權旁落，「欲驟正之」，所以是「求凶之道」。程子引以為誡。

（三）本節續論「小貞吉」。小貞，是說要逐漸使正。如商代的盤庚、周代的宣王，修德用賢，恢復行使先王之政。諸侯之所以能再來朝，臣服於二主，就是因為用仁道馴服所致，而不是使用暴力。不要安於逸樂的生活（恬然），像唐代的僖宗與昭宗一樣，沒有作為，屯難便持續不去，導致國家滅亡了。按：盤庚，是商代第十七位君主。當時商代建都河北，盤庚即位十四年後，改遷河南，引起百官抱怨。盤庚極力安撫，修先祖成湯之德，於是大治，諸侯來朝。周宣王是周代第十一位君主，名姬靜。他是厲王的太子。厲王暴虐，大臣勸而不聽，被國人趕出皇都。姬靜藏匿在召穆公府中，國人包圍召穆公府要殺掉姬靜。召穆公願以子代太子死，姬靜因此逃過一劫。厲公出奔後，召穆公、周定公共同主持政務，稱為「共和」。十四年後，厲公卒，召、周二人立姬靜為王，是為周宣王。召、周二人仍輔助朝政，大治，號稱「中興」。僖宗，名李儇（儇），唐代第十九位君主，即位時才十二歲，死時也只有二十七歲。昭宗是僖宗的七弟，名李曄，繼僖宗後即帝位，即位時二十二歲，死時三十八歲。

象曰：屯其膏，施未光也。

膏澤不下及，是其德施未能光大也。人君之屯也。

【述】

膏澤無法讓在下的人蒙利，是他的德惠未能普及施行的緣故。這是人君的屯難。

【評】

程子解釋本爻，旨在勸籲人君用賢自輔與施政欲速不達之意。九五雖居中得正，但上卦為〈坎〉，九五處於坎陷之中，難以施展，雖有正應，但六二是根陰爻，力量不足，所以只能「屯其膏」。本爻的「屯」字，意謂囤積。膏是油脂，古人多作點燈之用。由於陷在地中，光照不遠，所以〈小象〉說「施未光也」。「屯其膏」是爻象，「小貞吉，大貞凶」是斷語，爻象顯示卜問小事情可，想要做大事便不可了。程子將「小貞」、「大貞」發揮為「欲速不達」之旨，甚有創意；並以歷史人物佐證，明示人君施政吉凶之道，立意深遠。但其中舉唐僖宗與昭宗之例，則未能覈實。僖宗年少登極，即被宦官把持，大權旁落；他自小養在深宮，只懂遊樂，也非本身之罪。昭宗即位後也曾有一番作為，內殺宦官，外抗藩鎮。但其時內憂外患十分嚴重，大環境已無力回天。置昭宗於「恬然不為」之例，對他也並不公允。時至末世，亡國在即，有些情況是非君之罪的。如唐的昭宗、清的光緒帝是也。

上六：乘馬班如，泣血漣如。

六以陰柔居屯之終，在險之極，而无應援，居則不安，動无所之；乘馬欲往，復班如不進，窮厄之甚，至於泣血漣如，屯之極也。若陽剛而有助，則屯既極，可濟矣。

【述】

上六以一根陰爻處於屯難的終點，表示危險也到了極點，而又缺乏相應之爻的援助。止，無法靜下來；動，又不知何去何從。騎馬欲行，卻徘徊難進，這時節是非常困頓不安的，到了「泣血漣如」的地步了，是屯難至極了。如有剛陽來援助，便可以渡過屯極之時了。漣如，高亨注：「流淚不斷之貌。」[16]

---

16 高亨：《周易大傳今注》山東：齊魯書社，1988年，頁96。

象曰：泣血漣如，何可長也？

一、屯難窮極，莫知所為，故至泣血。顛沛如此，其能長久乎？

二、夫卦者，事也。爻者，事之時也。分三而又兩之，足以包括眾理；引而伸之，觸類而長之，天下之能事畢矣。

【述】

（一）本節釋象辭。屯難到了窮極之時，不知道能作什麼，所以導致泣血。這樣困頓的日子，會長久嗎？顛沛，朱熹注：「傾覆流離之際。」（《論語集注》卷2）

（二）本節論卦與爻的作用。卦，象徵一件事。爻，象徵該事的發展（時）。一卦六爻，分為三組，每組兩爻，足夠包含一切道理了；再引伸發揮，觸類旁通，加以推演（長），天下間的事務都可以概括（畢）了。按：《程傳》第二節「引而伸之」等三句是〈繫上〉第九章語。

【評】

本爻「乘馬班如」似為回憶之辭，回憶六二「乘馬班如，匪寇婚媾」的景象。上爻屯難之事已發展至尾聲，當事的女子追憶往事，悲從中來，故有「泣血漣如」之嘆。〈小象〉以問句的方式作結，表示這類事情（泣血漣如）是不會長久的，因為卦爻的發展即將轉入另一件事情上去了。〈象〉辭充滿撫慰的意味。

程子在本爻中提出卦、爻作用的說明，似與王弼不同。王弼說：「夫卦者，時也；爻者，適時之變也。」《周易略例・明卦適變通爻》其實兩人並無衝突。就事言，〈屯〉象徵屯難這件事；就時言，則象徵屯難的時運。至於「適時之變」，也就是事情的變化，與時俱進。程子「事之時」指事情的進展狀態；事情既有進展，或好或壞，都會有所變化。程子強調：「易，變易也；隨時變易以從道也。」（〈程傳序〉）變，是易的原則；如何以「道」去適應不同的變化，才是學易的重點。

三　結論

〈屯〉是《周易》的第三卦，由下經卦〈震〉☳，上經卦〈坎〉☵組成，卦象是雲雷。雲雷積雨而未下，所以稱屯。這個卦象有屯難、盈塞、囤積等意象。〈震〉德為動，〈坎〉德為險，所以又有動於險中的意象。《程傳》認為本卦象徵國家時運處於屯難之時，因而推論君子宜網羅人才，以渡過屯難之旨。

綜觀《程傳》闡釋本卦卦義，以卦辭中的「貞」字作為核心貫串全篇，而以「利建侯」為輔，闡明「貞」之德。意謂在屯難之世，不管人君人臣，都宜網羅人才，共濟時艱。

分別言之，初九象徵賢人在下位，於時於位都不宜輕舉妄動，宜固守濟屯之志，尋求輔助。六二居中得正，又與九五相應。但一時無法與九五相應，宜堅守志節，久後必應。六三上無應援。程子勉君子不宜貪欲妄動而招險。六四處於九五近君之位，象徵個人才能不足，欲進又止。程子籲人臣不要放棄理想，尋求輔助方是明智之舉。九五象徵君主，但在屯難之世，德澤無法施下。程子建議人君在此時不宜魯莽施為，驟然行動；宜積極修德用賢，恢復先王之道。上六是屯難到了尾聲，雖仍泣血，但快轉運了。〈小象〉與《程傳》都有安撫之意。

「師事有若」考論*

徐秀兵

北京語言大學漢語進修學院

據文獻記載，孔子逝世後，部分孔門弟子因「有若似聖人」而提出「師事有若」的主張。至於「似聖人」之「似」，到底是「狀似」、「言似」還是「道似」，學界多有爭議。通過考察「似」等相關漢字在先秦時期的記詞職能，並結合先秦禮制進行文本解讀和邏輯分析，我們認為，「狀似」說更接近歷史事實。孔門弟子參照了古代家廟喪祭的「尸祭」禮制，因有若「狀似」孔子而提出「師事有若」，以重新構建「尊師」之禮，這既是出於父子般的師生情誼而對先師的追慕，背後更有事關儒家學派未來發展的現實原因：在百家爭鳴的時代，儒家學派在孔子去世後內憂外患相交迫，亟需推舉一位旗幟性的師尊。但孔門各派意見不一，「師事有若」的主張因此未能長期實踐。

一

孔子去世後，孔門弟子有「師事有若」一說。此說最早出自《孟子》。《孟子・滕文公上》云：

> 昔者孔子沒，三年之外，門人治任將歸，入揖于子貢，相向而哭，皆失聲，然後歸。子貢反，築室於場，獨居三年，然後歸。他日，子夏、子張、子游以有若似聖人，欲以所事孔子事之，強曾子。曾子曰：「不可。江漢以濯之，秋陽以暴之，皜皜乎不可尚已。」

在這段材料中，子夏、子張、子游因有若「似聖人」而「欲以所事孔子事之」，至於「似聖人」之「似」是哪方面相似，學界廣有爭議。具體而言，主要有以下三種觀點：

一是以司馬遷、趙岐為代表的「狀似」或曰「貌似」，即外型上的相似。司馬遷《史記・仲尼弟子列傳》云：

---

* 【基金項目】本文為北京語言大學院級科研項目成果（中央高校基本科研業務專項資金資助），項目編號為16YJ080208。

> 孔子既沒，弟子思慕，有若狀似孔子，弟子相與共立為師，師之如夫子時也。他日，弟子進問曰：「昔夫子當行，使弟子持雨具，已而果雨。弟子問曰：『夫子何以知之？』夫子曰：『《詩》不云乎？「月離於畢，俾滂沱矣」。昨暮月不宿畢乎？』他日，月宿畢，竟不雨。商瞿年長無子，其母為取室。孔子使之齊，瞿母請之。孔子曰：『無憂，瞿年四十後當有五丈夫子。』已而果然。敢問夫子何以知此？」有若默然無以應。弟子起曰：「有子避之，此非子之座也！」

東漢趙岐注上文所引《孟子・滕文公上》一段云：「有若之貌似孔子。此三子者，思孔子而不可復見，故欲尊有若以作聖人，朝夕奉事之，如事孔子，以慰思也。」

東漢王充同持此論。《論衡・亂龍》云：「有若似孔子，孔子死，弟子思慕，共坐有若孔子之座，弟子知有若非孔子也，猶共坐而尊事之。……有若，孔子弟子疑其體象，則謂相似。」

二是認為「似」在於「言似」。此說源自《禮記》中所記載的子游之語。《禮記・檀弓上》云：

> 有子問于曾子曰：「問喪于夫子乎？」曰：「聞之矣：喪欲速貧，死欲速朽。」有子曰：「是非君子之言也。」曾子曰：「參也聞諸夫子也。」有子又曰：「是非君子之言也。」曾子曰：「參也與子游聞之。」有子曰：「然。然則夫子有為言之也。」曾子以斯言告于子游。子游曰：「甚哉！有子之言似夫子也。昔者夫子居於宋，見桓司馬自為石槨，三年而不成。夫子曰：『若是其靡也！死不如速朽之愈也。』死之欲速朽，為桓司馬言之也。南宮敬叔反，必載寶而朝。夫子曰：『若是其貨也！喪不如速貧之愈也。』喪之欲速貧，為敬叔言之也。」曾子以子游之言告於有子，有子曰：「然。吾固曰非夫子之言也。」曾子曰：「子何以知之？」有子曰：「夫子制于中都，四寸之棺，五寸之槨，以斯知不欲速朽也。昔者夫子失魯司寇，將之荊，蓋先之以子夏，又申之以冉有，以斯知不欲速貧也。」

南宋朱熹注《孟子・滕文公上》「子夏、子張、子游以有若似聖人」句曰：「有若似聖人，蓋其言行氣象有似之者，如〈檀弓〉所記子游謂『有若之言似夫子』之類是也。」（《孟子集注》）朱子說有若「言似」聖人，即以上引《禮記》中的這段材料作為判斷的依據。

其實，以《禮記》中的這段話作為「有若似孔子」的證據，實在是有失牽強。有子問曾子是否向孔子求教過關於「喪」（丟官）的見解，曾子回答說自己曾聞之於孔子曰「喪欲速貧，死欲速朽」。有子認為這絕非夫子原話。曾子強調說自己是跟子游一起從孔子那裡聽來的。有子回應說，儘管如此，孔子說這話時定是有所指的。曾子將有子的話又轉告子游，子游說有子的話簡直太接近夫子了。接著，他回顧了孔子當時說「喪欲速貧，死欲速朽」的情形，確實是針對特定的事件而言的。之後，有子又向曾子解釋了他為何說「喪欲速貧，死欲速朽」並非孔子對於「喪」和「死」的真正看法。在這段由有子、曾子、子游三人之間進行的對談中，子游說「有子之言似夫子」，只不過是就當時具體的語境和情形而言的。其中的「之言」與前文的「斯言」都是「這句話」（即「然則夫子有為言之」）的意思。「有子之言似夫子也」並不是說有子的說話方式始終與孔子相似。所以說，認為「有若似聖人」之「似」在於「言似」是經不住推敲的。

三是所謂的「道似」說，即認為有若是在「道」（即思想學識）層面上與孔子相似。持此說者，古今學者中不乏其人。

南宋李季可曰：

> 子游、子夏、子張以有若似孔子，欲以孔子之道事之，此謂其道似也。[1]

南宋王十朋曰：

> 孔門弟子……有有若者，其見道似聖人者也，《孟子》稱孔子既沒，弟子子夏、子游、子張以有若似聖人，欲以事孔子事之。所謂似聖人者，蓋必有子之學識，于群弟子中有一日之長，其見道有似吾夫子焉。[2]

今人梁濤說：

> 子夏等人以為「有若似聖人」，表明在他們看來，有子思想接近孔子，是孔門的傳人，他們欲尊奉有子，以有子為孔門正統。[3]

學者們指出有若「道似」聖人，從論述過程來看，並沒有扎實的文獻依據，僅僅是一種推測。要進一步正確判斷有若是否與孔子「道似」，我們還要回到上文引用的《史記·仲尼弟子列傳》那段材料上來。迄今為止，我們沒有任何證據對《史記》這段記載的真實性提出質疑，只能相信太史公的筆錄是可信的。在這段材料中，孔門弟子因有若「狀似孔子」而以夫子之禮師事之，所以圍繞有若侍坐問學。而有若卻對弟子們的問題默然

1　李季可：《松窗百說》南京，江蘇古籍出版社，1988年，頁46-47。

2　王十朋：《王十朋全集》（修訂本）上海，上海古籍出版社，2012年，頁804-805。

3　姜廣輝主編：《中國經學思想史》（第一卷）北京，中國社會科學出版社，2003年，頁584。

無應，不能對答，不能滿足弟子們探求新知的欲求，這顯然與孔子的知識和思想境界相去甚遠。在這種情況下，弟子們毫不客氣地將有若趕下師座。如果當初弟子們是因為有若「道似」孔子而「師事之」的話，那應該對他的學問早就有所考察並充分認可，不可能因為一次對答不上來而將其毫不留情地趕下臺。

作為孔門高足之一，有子固然從孔子那裡得到了很多真傳，對於孝悌、禮、信等都有極其精妙的論述。但將有子置於前七十子中，比如跟曾子、子貢、子夏等相比，他的優勢並不那麼突出。《論語》中記載有若的言論共有四處。〈學而〉篇有三處：

> 有子曰：「其為人也孝弟，而好犯上者，鮮矣；不好犯上，而好作亂者，未之有也。君子務本，本立而道生。孝弟也者，其為仁之本與！」
> 有子曰：「禮之用，和為貴，先王之道，斯為美。小大由之，有所不行，知和而和，不以禮節之，亦不可行也。」
> 有子曰：「信近於義，言可復也。恭近於禮，遠恥辱也。因不失其親，亦可宗也。」

另一處在〈顏淵〉篇：

> 哀公問於有若曰：「年饑，用不足，如之何？」有若對曰：「盍徹乎？」曰：「二，吾猶不足，如之何其徹也？」對曰：「百姓足，君孰與不足？百姓不足，君孰與足？」

啟功先生針對上引第一則言論提出了「有若言論與師說的矛盾」：一，將孝弟作為「仁之本」不夠周全；二，說孝弟就不會犯上，與孔子的言行矛盾。[4]啟先生指出，在《論語》中未曾見過孔子對「仁」做過什麼「定義」、「界說」。「林放問禮之本，子曰：『大哉問。禮與其奢也寧儉，喪與其易也寧戚』」（〈八佾〉），孔子不直接說禮之本即是儉、戚，或說儉、戚是禮之本。在孔子言論中，「禮」的重要性是次於「仁」的，對禮尚且未曾簡單指出它的「本」是什麼，更何況對「仁」。但孔子並非不重視孝弟，不但曾多次講孝，還說過「入則孝，出則弟」（〈學而〉），「出則事公卿，入則事父兄」，雖曾父兄並提，但那是指回到家中的事，並非說是「仁之本」。「仁」所包含的範圍比孝弟更廣、更大，有若這段話，未免略失於不夠周全。啟先生還指出，孔子對於犯上作亂並不反對，主要是看怎麼作亂和犯上。在〈陽貨〉篇裡，孔子有兩次講到作亂，一次是「公山弗擾以費叛」，孔子要去卻被子路阻攔了。另一次是「弗肸以中牟叛，子之往也」。

4　參見啟功：《啟功全集．論文卷》北京，北京師範大學出版社，2010年，頁306-307。

〈憲問〉篇說「子路問事君，子曰：『勿欺也而犯之』」。有了孝弟就不會犯上，全是有若的「首創」。

為了弄清「師事有若」的事實真相，我們有必要再次回到《孟子・滕文公上》那段材料上來。孔子去世後，眾弟子一起為其守孝三年，有若也必然在列。三年期滿後，弟子收拾行囊各自歸鄉，這時候主動要求留下來繼續守候孔子亡靈的是子貢，而非有若。子貢不僅善言語，且善經商，孔子周遊列國期間，未嘗不給予經濟方面的強大支持。子貢又比其他弟子多守孝三年，他在孔門中的學術地位和影響力，恐怕也不會低於有若。

二

我們認為，部分孔門弟子之所以提出「師事有若」，絕非因為有若「言似」或「道似」孔子，而應該是因為有若外在體貌上「狀似」或曰「貌似」孔子。

從漢字的實際使用情況看，「似」字在先秦時期常記錄「外在體貌相似」義，這也是它的本義。《說文》：「似，象也。」《禮記・雜記》：「見似目瞿。」鄭玄注：「謂容貌似其父母。」另外，「似」與「肖」是一對近義詞，均指具有血緣關係的先祖與子嗣之間外在體貌上的「肖似」。如《禮記・哀公問》：「寡人雖無似也。」鄭玄注：「無似猶言不肖。」《說文・肉部》：「肖，骨肉相似也。從肉小聲。不似其先，故曰不肖也。」今人所說的「不肖子孫」最初指的僅是外貌上不似祖先，後來才擴大到指沒有繼承祖先的事業。

儒家以「孝」為德之本，「孝」是家庭內部有著血緣關係的先祖與子嗣之間道德和行為的準則。儒家認為「父在觀其志，父沒觀其行。三年無改于父之道，可謂孝矣」（《論語・學而》），對待死去的先祖要「事死如事生，事亡如事存」（《禮記・中庸》）。而貫徹「孝」的手段是對尊長「以禮相待」，「生，事之以禮；死，葬之以禮，祭之以禮」（《論語・為政》）。儒家認為人死亡之後，體魄雖然會逐漸腐朽，但靈魂卻能恒久存在，「祭如在，祭神如神在」（《倫語・八佾》），因此要虔誠地祭祀先祖。在先秦時期，血緣性的家廟祭祀依照傳統行「尸祭」之禮，天子諸侯至庶人祭則立尸。[5]「尸」是以活人象徵已死者之生前，而立尸的過程非常注重「貌似」，即從同昭穆的孫輩子嗣中選擇外在體貌與被祭祀者最具肖似性的人。設立家廟的目的是通過「尸」與先祖外在體貌上的相似性，喚起子嗣們對先祖的集體追思，以收「慎終追遠，民德歸厚」（《論語・學而》）之效。家廟的「廟」（古或作「庿」）與體貌的「貌」（古或作「皃」）是一對同源

5　「尸祭」之「尸」與「屍體」之「屍」原為二字，記錄不同的詞義。《說文・尸部》：「陳也，象臥之形。」段注：「祭祀之尸，本象神而陳之，而祭者因主之，二義實相因生也，故許但言陳。至於在床曰屍，其字從尸從死，別為一字，而經籍多借『尸』為之。」

詞，這也有力地證明家廟、祖廟的設立直接源於追思先祖的尊貌。《說文・广部》：「廟，尊先祖皃也。從广，朝聲。庿，古文。」《釋名・釋宮室》：「廟，貌也，先祖形貌所在也。」

從上述幾組漢字在先秦時期的記詞職能及相關社會禮制可以看出，在「百善孝為先」的宗法社會，血緣親族之間的體貌相似在宗廟祭祀場所是極受重視的。孔子逝世後，其後裔理當在家廟舉行常時性的祭祀，且遵照傳統行「尸祭」之禮。

孔子除了家庭身分以外，更重要的是他擁有「至聖先師」的社會身分。他廣收門徒，開創了私學教育，通過「教」這一社會活動，以師生關係結成了學術共同體——儒家學派。實際上，「孝」和「教」也是一對同源詞，[6]其詞源意義在於「仿效」、「相似」和「延續」。「孝」注重骨肉血脈的嗣續綿延，「教」注重思想靈魂的傳承授受。因此，儒家認為「夫孝，德之本也，教之所由生也」（《孝經・開宗明義》），而且「孝」和「教」有著相通的精神指歸，即「善繼人之志，善述人之事者也」（《禮記・中庸》）。

儒家學派內部倡導禮樂文明，弟子對孔子勢必「以禮相待」。孔子生前，弟子可遵照先秦尊師之禮對老師「事之以禮」。而孔子沒後，如何對先師「喪之以禮」和「祭之以禮」，這是孔門弟子遇到的前所無之的情況。《禮記・檀弓》和《史記・孔子世家》記載了孔子死後諸弟子討論如何以禮「與喪」的觀點和做法。《禮記・檀弓》：

> 孔子之喪，門人疑所服，子貢曰：昔者夫子之喪顏淵若喪子而無服，喪子路亦然，請喪夫子若喪父而無服。

《史記・孔子世家》：

> 孔子年七十三，以魯哀公十六年四月己丑卒。……孔子葬魯城北泗上，弟子皆服三年，三年心喪畢，相訣而去，則哭，各復盡哀；或復留，唯子贛廬於塚上，凡六年，然後去，弟子及魯人往從塚而家者百有餘室，因命曰孔里。

禮具有「別親疏，決嫌疑」的社會功能。面對「孔子之喪」時尊師之禮的暫時缺失，孔門弟子的反應是「疑所服」，因此尊師之禮的重新構建問題便提上議事日程。子貢將孔子喪顏回、喪子路「若喪子而無服」作參照，提出「喪夫子若喪父而無服」，獲得眾弟子的同意。孔門諸弟子以師比父，模仿血緣性的家族葬喪之禮而為先師守「心喪」三

6　《群經評議・尚書一》「無教逸欲有邦」。俞樾按：爻、孝、教三字並聲近而義通。按：本節討論的「似—肖」、「貌—廟／庿」、「孝—教」等幾組漢字的記詞職能，主要參考宗福邦等主編的《故訓匯纂》北京：商務印書館，2003年。

年。[7]而「心喪」三年之舉緣於深厚的師生情誼，非血緣的師生間與血緣的父子間的倫理相仿關係，以及「孝」和「教」在精神指歸上的相通性。

《禮記．檀弓》雖然只記載了子貢有關孔子死後如何對先師「以禮相待」的一家之言，但卻可以想見，當時關於如何「與喪」，弟子間必有各種不同的意見，而經過比較權衡之後，子貢的意見最終被採納了。三年心喪之後，如何對先師「祭之以禮」呢？當時弟子間也必定眾說紛紜。

通過對「似」與「肖」、「廟」與「貌」、「孝」與「教」等幾組字的記詞職能的考察，結合先秦「尸祭」禮制以及相關文獻，我們認為，三年心喪之後，面對如何對先師「祭之以禮」的問題，子夏、子張、子游為代表的一些孔門弟子依據「以師比父」的邏輯順勢推演，參照古代家族喪祭的「尸祭」禮制，基於有若「狀似」聖人而提出以之為「祭尸」，進而重建尊師之禮──「以所事孔子事之」，定期在孔子廟堂追思先師以慰思慕之情。這也就是《史記．孔子世家》後文所展示的情景：「魯世世相傳以歲時奉祀孔子塚，而諸儒亦講禮鄉飲大射於孔子塚。孔子塚大一頃。故所居堂、弟子內，後世因廟，藏孔子衣冠琴車書」。[8]實際上，後世的興修孔廟及祭孔大典等國家行為亦肇端於此。

三

孔門弟子因有若貌似孔子而提出「師事有若」，既是出於父子般的師生情誼而對孔子的追慕，更有事關儒家學派未來發展的現實原因，而這要從春秋戰國之際，學派蜂起且互相爭鳴的文化形勢，以及儒家學派內部學術分化的事實說起。

春秋末及至戰國時期，儒家雖門派較為強大，但其他學派對儒家的質疑、排斥和抨擊卻一直存在。孔子在世時，曾幾次三番遭遇其他學派的調侃。這一點，我們從文獻記載中早已熟知。《論語．微子》：

> 楚狂接輿歌而過孔子曰：「鳳兮鳳兮，何德之衰？往者不可諫，來者猶可追。已而已而！今之從政者殆而！」孔子下，欲與之言，趨而辟之，不得與之言。長沮、桀溺耦而耕。孔子過之，使子路問津焉。……（桀溺）曰：「滔滔者天下皆是也，而誰以易之？且而與其從辟人之士也，豈若從辟世之士哉！」耰而不輟。子路從而後，遇丈人，以杖荷蓧。子路問曰：「子見夫子乎？」丈人曰：「四體不勤，五穀不分，孰為夫子？」植其杖而芸。

7 參見李紀祥：〈代代相傳：祭祖與祭孔的血緣性與非血緣性傳統〉，載《長安大學學報（社會科學版）》，2013年第3期。

8 「故所居堂、弟子內，後世因廟，藏孔子衣冠琴車書」司馬貞索隱：「謂孔子所居之堂，其弟子之中，孔子沒後，後代因廟，藏夫子平生衣冠書琴于壽堂中。」

楚狂人接輿、耕者桀溺、荷蓧丈人都可以看做是隱士的代表。在禮崩樂壞、戰火紛飛的亂世，他們選擇了與孔子截然不同的人生態度——出世。他們與孔子及弟子相遇時的對答和態度，表明了他們對儒家立場的排斥和嘲諷。

孔子去世後，儒家遭遇的攻擊可以說是越來越猛烈。反對派主要來自於墨家、道家和法家。脫胎於儒家的墨家學派，在戰國時期與儒家並為顯學，但其許多主張都與儒家學派針鋒相對。儒家主張「仁愛」，愛有差等，墨家則主張「兼愛」，愛無差等；儒家主張厚葬久喪，墨家則主張節葬節用；儒家主張「天命」，[9]墨家主張「非命」，重視發揮人的主觀能動性，使人奮發圖強。

如果說墨家對儒家的排斥還相對溫和的話，那麼道家對儒學的攻擊則堪稱激烈。孔子生前所遇到的接輿、桀溺、荷蓧丈人從思想立場上來說，都可以看做是道家學派的門徒。《莊子》一書「寓言十九」，莊子及其後學經常將孔子、顏回等儒家學派的人物編排進寓言中進行調侃。《莊子・人間世》：

> 回曰：「敢問心齋。」仲尼曰：「若一志，無聽之以耳而聽之以心，無聽之以心而聽之以氣！聽止於耳，心止于符。氣也者，虛而待物者也。唯道集虛。虛者，心齋也。」

《莊子・大宗師》：

> 顏回曰：「墮肢體，黜聰明，離形去知，同於大通，此謂坐忘。」

在莊子筆下，孔子、顏回搖身一變也修煉起道家心齋、坐忘的功夫來了。莊子將孔子、顏回設計成道家的修行者，只不過是想證明道家思想的可靠，以此來調侃、剽剝儒家。

法家學派的代表人物韓非子曾就學於荀子，可以說與儒學有著密切的關係，可他對儒家的抨擊卻最為猛烈。韓非將儒家列為「五蠹」之一，認為「儒以文亂法」，曰：「仲尼，天下聖人也，修行明道以遊海內，海內說其仁，美其義，而為服役者七十人，蓋貴仁者寡，能義者難也。故以天下之大，而為服役者七十人，而仁義者一人。」(《韓非子・五蠹》）韓非子雖然承認孔子是聖人，但真正服悅仲尼學說者寡，只不過七十二人。在〈顯學〉篇中，他毫不客氣地認為孔、墨「非愚則誣」。他在〈忠孝〉篇中對儒家忠孝思想進行反駁說：「天下皆以孝悌忠順之道為是也，而莫知察孝悌忠順之道而審行之，是以天下亂。皆以堯、舜之道為是而法之，是以有弒君，有曲父。堯、舜、湯、

9　《論語・顏淵》：「子夏曰：『商聞之矣，死生有命，富貴在天。』」

武或反君臣之義，亂後世之教者也。」韓非子的許多思想主張都與儒家學派針鋒相對。在戰國晚期，儒家遭遇的最猛烈的攻擊是來自法家。

儒家學派遭遇的攻擊還不僅僅來自以上墨、道、法三家。《孟子・滕文公上》曾記載陳良之徒陳相與其弟陳辛負耒耜而自宋國到達滕國，曰：「聞君行聖人之政，是亦聖人也，願為聖人氓。」陳相見到當時在滕國的許行而大悅，「盡棄其學而學焉」。原本是儒家門徒的陳相棄陳良之儒道而改學許行神農之道。儒家門徒改投農家門派，被農家挖了牆角，這也足以說明儒家學說在當時所遭遇的危機和挑戰。

自孔子在世時，儒家思想即開始遭遇到同時代其他學派的譏諷，戰國中晚期又遭受道家和法家激烈而尖銳的抨擊。在這一過程中，曾子、子夏、子游等七十子之徒在他們所生活的時代，一定也深切地感受到了百家爭鳴所帶來的壓力。在孔子已經離世的情況下，如何保持儒家學派的顯學地位，並且使他們所信奉的儒家思想能夠在政治生活中付諸實踐，是擺在七十子後學面前必須解決的一道難題。在強大的壓力下，他們必須推舉一位如孔子或者在某些方面比較接近於孔子的師尊出來，以維持儒家學派的統一局面，並與其他學派相抗衡。那麼，如何推舉？推舉誰？他們一時難以定奪。

難以定奪的原因，最根本的是因為儒家學派內部的急劇分化。這種分化自孔子在世時就已開始。孔子在世時，就有「四科十哲」之說。《論語・先進》：「子曰：『德行：顏淵，閔子騫，冉伯牛，仲弓；言語：宰我，子貢；政事：冉有，季路；文學：子游，子夏。』」弟子們在不同領域各有專長，孔子對此有清晰的認識，這是儒家學派學術分化的前奏。孔子去世後，分化的趨勢越來越顯著。蘇東坡曾說：「自孔子沒，諸子各以所聞著書。」[10]所聞不同，著述也就各異。韓非子認為孔子死後，儒家分為八派。《韓非子・顯學》對儒、墨的學術分化有段詳細的論述：

> 世之顯學，儒、墨也。儒之所至，孔丘也。墨之所至，墨翟也。自孔子之死也，有子張之儒，有子思之儒，有顏氏之儒，有孟氏之儒，有漆雕氏之儒，有仲良氏之儒，有孫氏之儒，有樂正氏之儒。自墨子之死也，有相里氏之墨，有相夫氏之墨，有鄧陵氏之墨。故孔、墨之後，儒分為八，墨離為三，取捨相反、不同，而皆自謂真孔、墨，孔、墨不可復生，將誰使定世之學乎？

《韓非子》所指出的「儒分為八」，還不能全部概括孔子去世後儒家學派內部的分化情況。至少在這八派中沒有子夏、曾子、子游之儒的身影。子夏位列孔門「四科十哲」之一，對後世文獻的影響巨大，據說後來的《公羊》、《穀梁》等文獻都傳自子夏。這樣一位有深遠文化影響力的人物卻未能位列「八儒」，是匪夷所思的。所以學者顏炳罡指

10 蘇軾：〈孟軻論〉，載《蘇軾全集》上海：上海古籍出版社，2000年，頁710。

出：「韓非的儒分為八之說並非想一網打盡孔子之後至戰國晚期一切儒家派別，肯定有些學術派別沒有納入韓非的論域」，「先秦時期，儒分為八是概稱，不是全稱」。[11]

雖然韓非子對儒家學派內部學術分化情況的概括並不全面也不確切，但他卻指出了儒家在整個春秋末戰國時期學術分裂的事實。他對儒家思想的抨擊代表了戰國晚期儒家所面臨的最嚴峻的挑戰。孔子去世後，儒家學派可以說既有內憂，又有外患。蘇東坡曾將儒家所面臨的內憂外患局面概述得很清楚：

> 夫子既沒，諸子之欲為書以傳於後世者，其意皆存乎為文，汲汲乎惟恐其汨沒而莫吾知也，是故皆喜立論。論立而爭起。……夫子之道，不幸而有老聃、莊周、楊朱、墨翟、田駢、慎到、申不害、韓非之徒，各持其私說以攻乎其外，天下方將惑之，而未知其所適從。奈何其弟子門人，又內自相攻而不決。千載之後，學者愈眾，而夫子之道益晦而不明者，由此之故歟？[12]

孔子去世後的幾年裡，一直未能出現一位如孔子那樣煥發出充盈的人格魅力和思想智慧的至聖先師，不能團結統一地去發展儒家學說。及門弟子只能各自在自己擅長的領域課徒授學，思想與思想之間不能統一、協調，不能像其他學派如墨家學派那樣始終擁有一位一呼百應的「鉅子」型人物，這極大地阻礙了儒家學派的發展。所以，在這種情況下，不管怎樣，都要先推舉一位「掌門人」出來維持局面，協調整個儒家學派的思想，以與眾多對立派相抗衡。王鈞林先生也曾明確指出：「孔子卒後，有若被推選出來，居於『師』的地位，眾弟子『師之如夫子時也』，其真實的原因，當然不是因為『有若狀似夫子』，眾弟子由於思慕孔子而相與共立為師；只能是因為孔門集團不能長時間群龍無首，沒有一個中心。比較一下墨家學派的『鉅子』制度來看，可知當時儒家學派的確需要一個非凡人物來填補孔子死後留下的空缺。」[13]雖然王先生不認為有若被推舉出來當師尊是由於狀似夫子，但他敏銳地指出了孔門後學在當時條件下之所以要推舉一位師尊，正是因為儒家學派長時間群龍無首，局面不和諧，有礙於儒家學派長足發展的結果。

「禮從俗，使從宜」（《禮記・曲禮》），禮具有原則規定性，也有適時權變性。孔子去世後，弟子們採納子貢的意見「以師比父」，用「心喪」這一變通辦法行尊師之禮。心喪三年之後，部分孔門弟子主張繼續參照「以師比父」的邏輯，提出以有若為「祭尸」而「師事有若」的主張。「禮之用，和為貴」（《論語・學而》），「師事有若」的主張

---

11 顏炳罡：〈「儒分為八」的再審視〉，載龐樸主編：《儒林》濟南：山東大學出版社，2005年，第1輯，頁136-153。

12 蘇軾：〈子思論〉，載《蘇軾全集》上海：上海古籍出版社，2000年，頁709。

13 王鈞林：《中國儒學史・先秦卷》廣州：廣東教育出版社，1998年，頁167。

旨在依此形式定期追慕先師，並達到團結孔門弟子，實現學派和諧有序發展之目的。但是，由於立尸的過程極為嚴肅慎重，能榮膺祭尸者，其地位亦相對提升至所代表的祖神之地位。[14]而在儒家學派內部嚴重分化的情況下，有若的聲望難以服眾，此時「師事有若」就顯得不合時宜了，因此一經提出立即遭到曾子的嚴詞抵制：「不可。江漢以濯之，秋陽以暴之，皜皜乎不可尚已。」曾子的意思很明確：先師孔子的學問如江水濯洗過，如秋陽曝曬過，明麗無瑕，無人能及，有子當然亦不能及，不能因有若貌似先師就貿然抬高他在孔門的地位！

在各種阻力之下，「師事有若」如曇花一現，終究未能長久實踐，這就為後來孔門學術派別的加劇分化埋下了伏筆。

14 《孟子・告子上》：「孟子曰：『敬叔父乎？敬弟乎？』彼將曰：『敬叔父。』曰：『弟為尸，則誰敬？』彼將曰：『敬弟。』子曰：『惡在其敬叔父也？』彼將曰：『在位故也』。子亦曰：『在位故也。』庸敬在兄，斯須之敬在鄉人。」又《禮記・學記》：「當其為尸，則弗臣也」。

經學史視野中的孟、莊關係問題讕論

沈相輝
中國人民大學文學院

一　問題的提出

孟子生於西元前三七二年，卒於西元前二九〇年；[1]莊子生於西元前三六九年前後，卒於西元前二八六年。由此可知，孟、莊二人生活之年代大致相同。孟子好辯，今觀《孟子》一書，多半是與人辯論的話。「在這些辯論中，孟子攻乎異端，感情畢露，有明顯的說理，逐層的批判，層層進逼，氣勢淩人，也有偏激的言辭、幽默的諷刺，甚至破口大罵……」[2]莊子亦好辯，從《莊子》一書中可以看出，莊子的辯論風格極其詭怪，想像豐富，汪洋恣肆，跌宕跳躍，極具藝術感染力。二人同時，又皆好辯，自然會使後人遐想，如果孟子和莊子進行一場辯論，那將何等的精彩。趙蘭坪就曾說過：

> 孟子與莊子同時，然不相知。二人之言，皆甚豐多。若使二雄會於一堂，各吐其蘊蓄，則其談論，必呈千古奇觀。嘗憶宋時信州鵝湖朱陸之折衝，則莊孟之不會，實為千秋恨。[3]

趙氏認為孟子和莊子沒能會面進行辯論，是千古一大遺憾。為了彌補這種遺憾，譚家健先生在〈先秦美學史上一場假想的辯論〉甚至假想了孟子與莊子、荀子的辯論。[4]但問題是，孟子和莊子非同一學派，主張不盡相同，以孟子好辯的性格，怎能容忍莊子這種「異端」的存在呢？以莊子的「非仁義」，又怎麼不會批評孟子的「仁政」呢？因此，如果考察孟、莊二人的思想及性格特點，二人照理來說應該會有所辯論。然而，遍檢傳世的先秦典籍，卻未見有關二人辯論的隻言片語，這不得不引起後世學者的種種猜測。

另外一個奇怪的地方在於，《孟子》、《莊子》二書中都記載了許多先秦人物的言行事蹟，但二書中卻沒有一言半語提及彼此。《孟子》中對非儒家的學者多有批判，其中雖以北方學者為多，但南方學者如陳良等也遭到了孟子的點名批判，可為什麼同為南方

1　從張培瑜先生說，見其〈孟子的生辰卒日及其公曆日期〉，《孔子研究》，2011年第1期。
2　袁行霈主編：《中國文學史》第一卷，北京：高等教育出版社，2003年，頁122。
3　趙蘭坪：《中國哲學史》第五章（上卷）上海：國立暨南學校出版部，1925年，頁195。
4　譚家健：《先秦散文藝術新探》增訂本，濟南：齊魯書社，2007年，頁549。

學者的莊子竟然沒有被孟子提及？莊子曾「作〈漁父〉、〈盜蹠〉、〈胠篋〉，以詆訿孔子之徒」，[5]然而在《莊子》一書中，雖然孔子、顏回、曾子出現的頻率極高，但作為儒家「亞聖」的孟子及其學說，竟然不見半點蹤影。劉鴻典就此曾說道：

> 所不可解者，莊子與孟子同時，孟子之書未嘗言莊，而莊子之書亦不及孟，豈天各一方而兩不相知與？抑千里神交而心相照與？[6]

關於這些問題，其實早在朱熹時代就已經被正式提出並討論，《朱子語類》卷一百二十五記載：

> （一）李夢先問：「莊子孟子同時，何不一相遇？又不聞相道及？如何？」曰：「莊子當時也無人宗之，他只在僻處自說，然亦止是楊朱之學。但楊氏說得大了，故孟子力排之。
>
> （二）問：「孟子與莊子同時否？」曰：「莊子後得幾年，然亦不爭多。」或云：「莊子都不說著孟子一句。」曰：「孟子生平足跡，只齊、魯、滕、宋、大梁之間，不曾過大梁之南，莊子自是楚人，想見聲聞不相接，大抵楚地便多有此樣差異底人物學問，所以孟子說陳良云云。」
>
> （三）莊子去孟子不遠，其說不及孟子者，亦是不相聞。今亳州明道宮乃老子所生之地。莊子生於蒙，在淮西間。孟子只往來齊、宋、鄒、魯，以至於梁而止，不至於南。然當時南方多是異端，如孟子所謂「陳良，楚產也，悅周公仲尼之道，北學於中國」；又如說「南蠻鴂舌之人，非先王之道」，是當時南方多異端。

在朱熹看來，由於地理空間的原因，孟子和莊子未曾見面，更未曾有機會進行辯論。《孟子》書中未曾提及到莊子的原因，在於莊子當時的影響極其微弱，孟子將批判的火力集中到比莊子更具影響力的南方「異端」陳良等人身上了。而《莊子》中未曾提及孟子的原因，則是因為孟子未曾到過大梁之南，故莊子亦未曾聽說過孟子。所謂「聲聞不相接」，實際上也就說孟子在南方的影響力也極其有限。朱熹的說法，看似有理，但仔細推敲，卻仍有待商榷。朱謙之先生就曾說過，「朱子對於兩人沒會面的理由，強做一個解釋罷了。」[7]當然，也有許多學者是贊同朱熹之說的[8]，但無論如何，朱熹之說最起

5 司馬遷：《史記》卷六十三《老子韓非列傳》北京：中華書局點校本，1982年，頁2143-2144。

6 劉鴻典：《莊子約解・序》，同治五年玉成堂重刻本。

7 朱謙之：《朱謙之文集》第三卷《莊子哲學》福州：福建教育出版社，2002年，頁201。

8 如崔大華贊同朱熹觀點，認為「這一解釋可能是很符合實際情況的」，見崔大華《莊學研究》北京：人民出版社，1992年，頁32。劉固盛亦基本贊同朱熹之說，見《老莊學文獻及其思想研究》長沙：嶽麓書社，2009年，頁266。

礙到目前仍未成為定論。本文茲以朱熹之說為中心，稽考諸家，就孟、莊關係問題談幾點不成熟的意見，以待時彥。

二　孟、莊是否有可能會面或聞名

按照朱熹的說法，孟子周遊列國，只到過齊、魯、滕、宋、大梁之間，不曾到過大梁之南，而莊子為楚人，所以二人不可能相見。按，朱熹此說無論是從史實上還是從邏輯上都存在漏洞。

首先，莊子實際上是宋人而不是楚人。《史記．老子韓非列傳》云：「莊子者，蒙人也，名周。周嘗為蒙漆園吏，與梁惠王、齊宣王同時。」[9]《集解》引〈地理志〉謂蒙縣屬梁國，而《索隱》又引劉向《別錄》謂莊子為宋之蒙人，《正義》引〈括地志〉云：「漆園故城在曹州冤句縣北十七里。」[10]閻若璩《四書釋地又續》即在三家說的基礎上批判朱子之說，其云：

> 莊子史稱為「蒙人」，劉向《別錄》云「宋之蒙人也」。今歸德府商丘縣二十里有蒙城，即周之本邑。朱子謂「莊子自是楚人，當時南方多異端」者，非。周嘗為蒙漆園吏，《括地志》：「漆園故城在曹州冤句縣北十七里，冤句城在今曹州西南界內，曹州，春秋之曹國，為宋景公滅於魯哀公八年，地故為宋有，莊周故亦宋之官也。[11]

由此可見，莊子是宋人而非楚人，且曾擔任過宋國官吏。另外，從《莊子》書中來看，其中「宋人」出現的次數極多，可見莊子對於宋國民眾的生活是非常了解的，此亦可作為莊子是宋人的一個佐證。雖然莊子只是管理漆園的一個小官，當他實際上是宋國公室之後。胡三省《資治通鑑音注》云：「宋戴公，名武莊，後代以莊為姓。」《莊子．天運》篇中有「商太宰蕩問仁於莊子」[12]的記載，宋為殷商後代，所以商即是宋，宋國太宰親自請教於莊子，一方面大概是因為莊子有一定名氣，另一方面也是因為莊子為宗室之後。作為公室之後，莊子再怎麼灑脫，總還是會關注宋國的政治發展的。據《孟子．滕文公章句上》云：「滕文公為世子，將之楚，過宋而見孟子。」[13]後滕文公繼位為君，孟子又前往滕國。蔣伯潛先生謂孟子前往滕國在周顯王四十五年（前324年），[14]則

9　司馬遷：《史記》卷六十三，北京：中華書局點校本，1982年，頁2143。

10　同上註，頁2144。

11　閻若璩：《四書釋地又續》卷下，文淵閣四庫全書本。

12　郭慶藩：《莊子集釋》（中）北京：中華書局，2012年，頁500。

13　楊伯峻：《孟子譯注》北京：中華書局，2008年，頁84。

14　陳柱、蔣伯潛、章太炎等著：《諸子啟蒙》南昌：江西教育出版社，2014年，頁261。

可知孟子曾到過宋國，時間在周顯王四十五年之前。白壽彝先生則認為：「西元前三二九年左右，宋公子偃自立為君的時候，孟子到了宋國。」[15]今《孟子・盡心篇》中載有孟子與宋人勾踐論遊說之道一事，[16]大概即在此時。而孟子兩次到達宋國的真正的目的，當是遊說當時的宋國國君，以施行自己所主張的仁政。孟子是作為著名儒者前來遊說宋國國君實施仁政的，當會在當時的宋國政壇產生一定的影響，而且《史記》中稱莊子「用剽剝儒、墨」，說明莊子對儒家思想是有所了解的，此時儒家「亞聖」級別的孟子來到宋國，莊子不太可能一點風聲都聽不到。相反，甚至很有可能有機會與孟子會面。只不過可能因為當時的莊子「自王公大人不能器之」，所以對孟子游說國君沒有太大幫助，故而孟子當時不太重視莊子而已。

其次，退一萬步來說，即使莊子就是楚人，[17]那也不能據此就說孟、莊二人沒有見面的機會。地是死的，但人是活的。而朱熹的說法，是將二人固定在一個相互沒有交集的地理區域之內，這從邏輯上來說是存在漏洞的。就存世的文獻記載來看，即使孟子和莊子沒能在宋國見面，兩人也並非從此就再也沒有見面的機會。據《孟子》書中〈梁惠王〉等篇可知，孟子曾遊說梁惠王及梁襄王兩代君主，可見孟子不止一次到過魏國。而莊子的好友惠施曾於西元前三二二年之前擔任過魏國丞相，[18]孟子又曾以著名儒者的身分兩度遊說魏王，則惠施不可能不與孟子打交道。而《莊子・秋水》中云：「惠子相梁，莊子往見之。」[19]這說明在惠施擔任魏國丞相時，莊子曾到魏國拜訪惠施。又〈徐无鬼篇〉中說：

> 莊子送葬，過惠子之墓，顧謂從者曰：「郢人堊慢其鼻端若蠅翼，使匠石斲之，匠石運斤成風，聽而斲之，盡堊而鼻不傷，郢人立不失容。宋元君聞之，召匠石曰：『嘗試為寡人為之。』匠石曰：『臣則嘗能斲之，雖然，臣之質死久矣，自夫子之死也，吾無以為質矣。』吾無與言之矣。」[20]

從中可見莊子是將惠施引為知己的。兩人既然交情如此之深，又經常切磋學問，則惠施不可能不向莊子提及孟子。並且，莊子到魏國拜訪惠施亦當不止一次，故而惠施還極有可能促成兩人的會面。

---

15 白壽彝主編：《中國通史》第3卷《上古時代》（下冊）上海：上海人民出版社，2013年，頁1035。

16 見《孟子・盡心》。

17 孫以楷先生《莊子楚人考》認為《史記》所說「蒙城」為戰國時楚之蒙縣，即今安徽蒙城，可備一說，但未能駁倒閻若璩之說。此文原載《安徽史學》1996年第1期，後收入其《浣雲集》合肥：安徽大學出版社，2005年。

18 西元前三二二年，秦攻魏，魏君以惠施聯齊之策無效而罷惠施之相，任用張儀為相。

19 郭慶藩：《莊子集釋》（中）北京：中華書局，2012年，頁604。

20 郭慶藩：《莊子集釋》（下）北京：中華書局，2012年，頁836。

最後，朱熹認為莊子的影響力可能不大，即所謂「只在僻處自說」，也不見得有道理。《莊子・秋水篇》中記載，「莊子釣于濮水。楚王使大夫二人往先焉，曰：『願以境內累矣！』」可見莊子大名遠揚，不然的話，楚王怎會派遣兩位大夫來請莊子為相，而且還以國相委。且從〈秋水篇〉中記載惠施聞莊子將至，害怕莊子搶了他的相位一事中亦可看出，莊子的賢名在當時是非常大的；不然的話，惠施以相國之尊，何以會擔心身為匹夫的莊子威脅到他的地位呢。儘管〈秋水篇〉在外篇當中，或係莊子後學所作，但也不至於盡是虛言。另一方面，朱熹說孟子當時在南方的影響力可能不足以讓莊子知曉，也不太說得過去。從《孟子》中可以看到，孟子除了曾是梁惠王、梁襄王的賓客之外，還一度受到滕國世子（後來的國君）等一大批在政治上有影響力的人物的重視，尤為重要的是，在學界，孟子曾在齊國的稷下學宮開壇講學，儘管他的主張不為君主所採用，但他的學說卻為眾多的學者所知曉，莊子既然「其學無所不窺」，也就不可能連孟子之名都不知道。所以說，莊子未曾聽聞過孟子之名，是不太可能的。而在《孟子・離婁下》中有這樣的記載：「公都子曰：『匡章，通國皆稱不孝焉，夫子與之游，又從而禮貌之，敢問何也？』」[21]且在孟子的回答中稱匡章為「章子」，足見孟子與匡章相交甚善。在《莊子・盜蹠篇》中有「匡子不見父義之失也」[22]的記載，司馬彪注云：「匡子，名章，齊人，諫其父，為父所逐，終身不見父。」[23]故《孟子》與《莊子》中所說的為一人。而匡章與孟子同時，孟子弟子公都子甚至不太贊同孟子與匡章交往，大概匡章除名聲不好外，同時還是孟子晚輩，高誘注《呂氏春秋・不屈篇》認為：「匡章，孟子弟子也。」說明高誘也認為匡章年齡要小於孟子。[24]故莊子關於匡章的事蹟顯然不太可能從典籍中得知。而齊國距離宋國又較遠，且根據現有的文獻來看，莊子未曾到過齊國，所以莊子也不太可能從齊國得知匡章的資訊。在〈盜蹠篇〉中，匡章是與比干、伍子胥、孔子等作為正面人物來記敘的，而根據公都子的說法，世俗的說法中都是將匡章作為負面人物來否定的，所以莊子關於匡章的信息，也不太可能是來自於世俗流言。故極有可能是匡章為父所逐後逃亡了南方，而與莊子相交。唯有如此，莊子才可能對匡章如此了解。如果這個推論成立的話，則孟子和莊子還有另外一個共同的朋友匡章。既然如此，則孟子和莊子也有可能通過匡章而相互認識，最起碼是知曉彼此。

綜合上面的推論，基本可以知道孟子和莊子是很有可能相互了解對方及對方學術思

21 楊伯峻：《孟子譯注》北京：中華書局，2008年，頁154。

22 郭慶藩：《莊子集釋》（下）北京：中華書局，2012年，頁1001。

23 同上註，頁1002。

24 楊伯峻先生覺得高誘之說「恐不可信」，認為匡章與孟子年歲大致相當，兩人當是朋友，見楊伯峻：《孟子譯注》北京：中華書局，2008年，頁119。然從《孟子・滕文公》中匡章向孟子提問的方式來看，與孟子其他弟子提問的方士極其相似，故高誘之說亦非全不可信。本文折中二說，定匡章為孟子晚輩，當問題不大。

想的。同時，二人也有著極大的可能性在宋國或者魏國見面。故而朱熹所說，實際上並不太經得起推敲。

三　前人關於孟、莊互不提及原因的探討

既然朱熹的說法不太經得起推敲，那麼關於孟子和莊子的關係問題，又該如何來解釋呢？我們不妨先來梳理一下歷代學者關於這一問題的一些看法。

第一種看法是道不同不相為謀，故孟、莊二人也就互不道及。宋王應麟《困學紀聞》卷十云：「呂吉甫曰：『聖人之所以駴天下，神人未嘗過而問焉。蓋孔氏與老氏同生於衰周，莊子與孟子俱游于梁惠，其書之言未嘗相及，以此而已。』」呂吉甫即呂惠卿，王氏此處引及呂氏的話，是王氏也大抵贊同呂氏的說法，認為莊、孟互不言及，是頗有點道不同不相為謀的意思。宋林希逸《莊子口義》卷三云：「莊子與孟子同時，孟子專言仁義，莊子專言道德，故其書專抑仁義而談自然，亦有高妙處，但言語多過當。大抵莊子之所言仁義，其字義本與孟子不同，讀者當知自分別可也。」林氏的這段話，也認為孟、莊二人道不同，可以推測，大概他也認為這便是二人互不提及的原因。今人傅佩榮在對《孟子・梁惠王章句》作解說時說道：「此時梁國國君為梁惠王，孟子亦曾往見梁惠王。可惜，孟子與莊子沒有交往機會，或者即使見了面，也是『道不同，不相為謀』。」傅氏此處一語雙關，「道」一方面是可作「道路」解，這樣的話即是說孟、莊二人到達梁國的時間不同，所以未見面；另一方面「道」可作「道理」解，即是說孟、莊二人因堅持的學說不同而未見面。而仔細揣摩傅氏的話，應該以後一種更為符合其本意。

第二種看法則認為孟、莊二人所說是殊途而同歸或大同小異，皆有益於世道，所以不相衝突。如宋褚伯秀《南華真經義海纂微・原序》云：「且莊子與孟子同時，使其言而悖道，無補於世教，則孟子固亦距之矣。」程大昌認為孟子批判楊朱和墨子的學說，而不見與莊子辯駁的言辭，其中的原因很可能是「知其異者，無害於同也」。程大昌認為孟子對莊子那些肆無忌憚的言論一定是知道的，只是孟子覺得他與莊子之間的觀點是大同小異，故無需批駁。元人胡祗遹《紫山大全集》卷二十〈論莊老〉云：「以後世觀之，孔孟自孔孟，老莊為老莊。又唐玄宗以老子為祖，極尊榮之號，黃冠野服者師事之，儒者則宗孔孟。故岐而二之，若冰炭之不同。以當時觀之，老子孔子同時，孟子莊子同時，著書立言略無一語相異同，相是非。老莊之書所以與吾儒異者，特見當時愚儒俗士，束縛于名教禮法而不自得，惴惴戚戚於死生憂患而喪其神，守死生於功名富貴而意必固我，誇矜眩耀小知薄能，而以舉天下莫已若，棄道德仁義之大本，而徇辭章文藻之末技，故矯其獘而為言爾，但過直駁雜者有之。」在胡氏看來，老莊與儒家之所以不同，是因為看不慣當時的「愚儒俗士」，所以想要撥亂反正，只不過矯枉過正而已。也

就是說，在胡氏看來，老莊之道與儒家知道，在本質上是如《易》所說「殊途而同歸」的。後來王樹枏說《莊子》「其書內篇即內聖之道，外篇即外王之道」[25]，更是將莊子之道視為與儒家內聖外王思想同歸之道了。

第三種看法是孟、莊二人道不同，也各自針對自己所認為的「異端」有過批判，只不過皆因對方不是所批判之「異端」的主要代表者，故沒有把對方作為批判的對象，因而未曾互相提及。這種說法實際上源自於朱熹，即二人的名氣都不夠大，沒能成為彼此眼中的「異端」。所以《莊子》中有批判儒家，但只提到過孔子、顏回等，而不及孟子；《孟子》中批判南方學者，提到過楊朱、許行等，而不及莊子。真德秀《西山讀書記》卷三十五云：「莊子以曾、史、楊、墨並譏者凡數焉。曾子，孔門之高弟；史魚，亦孔子所與。莊生非孔子者也，其譏之宜矣。並及于楊、墨者，以其兼愛之似仁，為我之似義故也。孟子、莊子同于非楊、墨，而其意不同，蓋莊子直以為仁義，孟子則以其似仁義而實非仁義，此所以為不同也。」這一方面說明莊、孟皆攻「異端」，且二人攻擊角度不同；另一方面也認為莊子所攻擊的，只是莊子所認為的「異端」中的代表人物。後一種觀點，到馮友蘭這裡便得到進一步發揮，他說：「孟子與莊子同時，然二人似均未相辯駁，似甚可疑。然莊子之學為楊朱之學之更進步者，則自孟子之觀點言之，莊子亦楊朱之徒耳。莊子視孟子，亦一孔子之徒。孟子之『拒楊、墨』，乃籠統『拒』之；莊子之『剽剝儒墨』，亦籠統『剽剝』之。故孟子但舉楊朱，莊子但舉孔子。孟子、莊子二人，必各不相知也。」[26]也就是說，馮氏認為孟、莊所批判的只是彼此眼中「異端」的代表人物，而二人又都未曾被對方視為代表人物，故二人互不提及。

至於第四種看法則不置可否，如宋薛季宣《浪語集》卷二十八〈策問二十道〉首云：

> 問語曰：「道不同，不相為謀。夫彼重則此輕，天下必然之勢也。孟子之拒楊墨，荀氏之詘孫吳，與韓氏之辟佛老，凡以此也。夷考其事，乃若有大可疑者。老子與孔子同時，莊子與孟子同時，老子之書推提仁義，絕滅禮樂，宜得罪于聖人者，而夫子從之問禮，至欲竊比老彭。孟子當戰國之時，尊聖人之道，楊墨之外，雖若神農之言，桓文之事，尚皆辨其非是。莊周詆訾孔氏，曾無一語及之。至若荀卿論詘孫吳，而躬未免于談兵。韓愈深辟佛老，而與大顛彌明之徒遊，從多所假借西方之教，蓋百家之晚出者，其清靜類莊老，其自了類楊朱，其慈悲明鬼，非樂不喪，又甚似墨者之言。三三柏子之機，乃其極至語也。然實本于宋鈃、惠施、公孫龍堅白異同之辯，宜儒者之所不予。王通祖述六經之學，斷然以聖人許之，先正司馬公作偈破禪，猶是說也。學者疑之久矣，必有能辨者焉。

25 轉引自顧實：《漢書藝文志講疏》，王承略、劉心明主編：《二十五史藝文志經籍志考補萃編》第四卷，北京：清華大學出版社，2011年，頁99。

26 馮友蘭：《中國哲學史新編》（上）北京：人民出版社，1988年，頁312。

儘管〈策問〉中的問題「學者疑之久矣」，但學者卻罕有能辨之者。所以到元人劉祁《潛歸志》裡，仍然把這個問題存而不論，其卷十三云：

> 老子之書，孔子嘗見之矣，而未嘗論其是非；孟子亦嘗見之矣，而未嘗言。若莊子與孟子同時，其名不容有不相知，而亦未嘗有一言相及。而孟子所排者楊墨儀秦，莊子所論者孔顏魯史。至於揚子始論老莊得失，韓子則盛排之，何哉？夫老莊之書，孔孟不言，其偶然耶？其有深意耶？揚韓排之，其得聖人微意耶？其與聖人異見耶？文中子一世純儒，其著述動作全法聖人，雖未能造其域，亦可謂賢而有志者，遺書在世，韓子亦不容不見之，而未嘗比數于荀子之列，其意以為無足取耶？其偶然耶？至李翱則比諸世所傳太公家教，以為無辭而粗有理，亦輕之矣。司馬君實則論其失而取其長，為有補傳。而程伊川則以為其議論盡高，有荀揚道不到處。諸公皆名世大儒，而異同如此，皆學者所當深究也。

縱觀各家的說法，皆有道理，又都不足以完全服人。且以上諸說，往往有成戈矛之勢者，以此攻彼，或以彼攻此，亦未嘗不可。因此，在文獻有限的情況下，對於孟子和莊子何以互不提及的問題，實在是很難得出一個令諸家都滿意的解釋。但筆者在梳理有關此問題的討論時發現，幾乎所有相關的討論都是出自於宋及宋以後的學者，宋以前的學者罕有就此問題的相關論述。這說明，孟、莊互不提及的問題，在宋以前是未曾成為問題的，及至宋代，類似的問題才被當做學術問題來進行討論。究其原因，乃在於《孟子》一書在宋代被越來越受到重視，學者們於是漸漸將《孟子》與早在魏晉時就已被奉為經典的《莊子》相比較，由此方引發孟、莊關係的大討論。試想一下，楊朱、墨翟同時，而《墨子》中不見楊朱，這又是為什麼呢？類似於這類問題，答案本身並不重要，重要的是問題本身所包含的學術史資訊。《墨子》中不見楊朱不成為問題，而《孟子》中不見莊子卻成為問題，這正反映了《孟子》在學術史發展上越來越被重視。絕大多數的討論都集中在宋及宋以後，則與《孟子》在宋代的升經運動息息相關。而《莊子》一書在魏晉南北朝時期就早已受到重視，與《周易》、《老子》並稱「三玄」。至唐天寶元年，莊子被尊為南華真人，《莊子》則被稱為《南華真經》。至宋宣和元年，詔封莊子微妙元通真君，配享混元皇帝。元至元三年，又加封南華至極雄文弘道真君。可以說，《莊子》之流行，肇端於魏晉，尊顯於李唐，宋元繼之而不衰。等到宋代「尊孟」運動興起，孟子和莊子關係問題的討論也就隨之而來。從學術史發展的角度來說，只有在兩部作品成為士人視野中的常見讀物，並受到特別重視的情況下，討論莊子和孟子關係的問題才具有學術的價值和意義。

四　由子入經——唐宋間的「孟子升格運動」

孟子及《孟子》的地位，可以從歷代目錄學著作對《孟子》的歸類中看出大概。《漢書．藝文志》、《隋書．經籍志》等皆列《孟子》於子部，可到了宋代陳振孫的《直齋書錄解題》，《孟子》竟然被列入經部，此後歷代官私目錄皆列《孟子》於經部。故姚明煇謂：「至宋淳熙中，取與《大學》、《中庸》、《論語》編為《四書》，自《直齋書錄解題》而後，目錄家皆編入經部。」[27]對於《孟子》在目錄文獻中位置的變化，周予同先生稱之為「孟子升格運動」。[28]近年來學界對於「孟子升格運動」的研究成果頗多，如徐洪興《唐宋間的孟子升格運動》、杜澤遜〈《孟子》入經和《十三經》彙刊〉、程蘇東〈《孟子》升經考——兼論兩宋正經與兼經制度〉等。[29]其中徐文將「孟子升格運動」劃分為四個階段，即中唐至唐宋為濫觴期，北宋慶曆前後為初興期，北宋熙、豐前後為勃興期，南宋中葉及稍後為完成期。徐文的劃分大致不誤，且論之甚詳，是了解「孟子升格運動」的佳作。為避免重複論述，本文僅分為唐、宋兩個階段，簡要考察孟子及《孟子》在唐宋間地位上升的情況。

孟子之受推崇，當自唐韓愈始。[30]韓愈曰：「孔子之道，大而能博，門弟子不能遍觀耳盡識也，故學焉，而皆得其性之所近。其後離散，分處諸侯之國，又各以其所能授弟子，源遠而末益分。惟孟軻師子思，而子思之學出於曾子，自孔子沒，獨孟軻氏之傳得其宗。故求觀聖人之道者，必自孟子始。」又曰「讀孟軻書，然後知孔子之道尊。」又曰「孟子，醇乎醇者也。」又曰「孟子之功，不在禹下。」[31]韓愈對孟子推崇備至，並且將孟子作為其所建立的儒家道統中重要的一環，故其云：「斯道也，堯以是傳之舜，舜以是傳之禹，禹以是傳之湯，湯以是傳之文、武、周公，文、武、周公傳之孔子，孔子傳之孟軻，軻之死不得其傳焉。」[32]而在此之前，孟子在儒家道統的傳承中的位置並不高，處於「不著不察之列」。[33]然韓愈之後，皮日休、柳開等皆揚其波，對孟

---

27 姚明煇：《漢書藝文志注解》，王承略、劉心明主編：《二十五史藝文志經籍志考補萃編》第四卷，北京：清華大學出版社，2011年，頁249。

28 周予同著，朱維錚編：《周予同經學史論著選集》上海：上海人民出版社，1983年，頁289。

29 徐洪興：〈唐宋間的孟子升格運動〉，《中國社會科學》，1993年第5期；杜澤遜：〈《孟子》入經和《十三經》彙刊〉，《文獻學研究的回顧與展望——第二屆中國文獻學學術研討會論文集》臺北：臺灣學生書局，2002年；程蘇東：〈《孟子》升經考——兼論兩宋正經與兼經制度〉，《中華文史論叢》，2010年第3期。

30 在韓愈之前，有唐代宗時禮部侍郎楊綰上疏建議將《孟子》與《論語》、《孝經》並列為「兼經」，但未獲批准。見《新唐書》卷四十四〈選舉志上〉。

31 上引韓愈語皆出朱彝尊：《經義考》卷二百三十一，林慶彰等主編：《經義考新校》第八冊，上海：上海古籍出版社，2010年，頁4164。

32 同上註。

33 徐洪興：〈唐宋間的孟子升格運動〉，《中國社會科學》，1993年第5期，頁102。

子推崇有加。[34]

逮及宋代，范仲淹、孫復、石介繼軌韓、皮等人「尊孟」之說，孟子及《孟子》的影響力進一步擴大。[35]及至慶曆以後，「孟子升格運動」進入徐洪興所說的「迅速發展時期」，據徐氏的考察，當時雖然學統四起，學派紛出，學者林立，但二程的「洛學」，張載的「關學」，以及王安石的「新學」，都屬於「尊孟」之列。[36]而其中王安石的「新學」為《孟子》官方地位的抬升發揮了巨大的作用，二程「洛學」及張載「關學」對朱熹影響較大，而朱熹所作《四書章句集注》則極大的提高了《孟子》的學術地位。

徐洪興稱王安石為「孟子升格運動」的第一功臣，[37]其說甚是。王安石尊崇孟子，從其詩作中可窺一斑。其〈揚雄三首〉其一云「孔孟如日月，委蛇在蒼冥。光明所照耀，萬物成冬春」，是將孟子與孔子並舉，喻二者為光明也。其〈孟子〉詩云：「沉魄浮魂不可招，遺編一讀想風標。何妨舉世嫌迂闊，故有斯人慰寂寥。」則將孟子引為千古知己以自慰也。〈奉酬永叔見贈〉云：「欲傳道義心雖壯，學作文章力已窮。他日若能窺孟子，終身何敢望韓公。」是以孟子為榜樣，欲道為己任也。徐洪興認為「王安石一派不僅在思想上『尊孟』，而且在行動上也付諸實踐。」[38]徐文條列宋熙寧至宣和年間[39]《孟子》官方地位上升情況如下：

熙寧四年（1071）二月，《孟子》首次被列入科舉。

熙寧七年（1074），判國子監常秩請立孟軻像于朝廷。

元豐六年（1083）十月，孟子首次受封，詔封鄒國公。

元豐七年（1084）五月，孟子首次被允許配享孔廟。

政和五年（1115），政府承認兗州鄒縣孟廟，詔以樂正子配享，公孫丑以下十七人從祀。

宣和年間（1119-1125），《孟子》首次被刻石，成為實際的「十三經」之一。[40]

---

34 皮日休云：「聖人之道，不過乎經；經之降者，不過乎史；史之降者，不過乎子。子不異乎道者，《孟子》也。《孟子》之文，粲若經傳，繼乎六籍，光乎百氏，真聖人之微旨也。」柳開云：「楊墨交亂，聖人之道復將墜……孟軻氏出而佐之，辭而辟之，聖人之道復存焉。」

35 范仲淹發揮孟子「樂以天下，憂以天下」思想，標舉「先天下之憂而憂，後天下之樂而樂」的理想人格風範；孫復云：「孔子既沒，千古之下，攘邪怪之說，夷奇險之行，夾輔我聖人之道者多矣，而孟子為之首。」石介云：「孔子既沒，微言遂絕，楊、墨之徒，榛塞正路，孟子正人心，息邪說，距詖行，放淫辭，以辟楊、墨，說齊宣、梁惠王七國之君，以行仁義。」

36 徐洪興：〈唐宋間的孟子升格運動〉，《中國社會科學》，1993年第5期，頁106。

37 同上註。

38 同上註。

39 徐氏認為，熙寧間事為王安石當政期間，元豐執政者亦均為「新黨」，政和至宣和間蔡京當國，亦號稱「新法」，當時科舉考試《孟子》，王安石等所解的《孟子》為「場屋舉子宗之」。是熙寧至宣和之間孟子地位的上升，均受王安石影響。

40 此指蜀石經，曾宏父《石刻鋪敘》：「益郡石經，肇于孟蜀廣政，悉選士大夫善書者，模丹入石。七王安石及其後學的推崇，使得孟子官方地位得到了大幅度的上升。但要維持《孟子》的崇高地位，僅有這些舉措是不夠的。例如《孟子》在漢文帝時期也曾一度被立為博士，但終漢之世，《孟子》仍在子部之列。孟子及《孟子》在宋代雖被官方大力推崇，但其中很大一部分的原因來源於政治上的力量。在王安石及「新黨」相繼失勢之後，王安石所作《孟子解》，及其子王雱所作《孟子解》，連襟王令《孟子講義》，門人龔原所作《孟子解》，許允成所作《孟子新義》等一大批「新黨」之作，皆逐漸被士子所廢棄，是以今皆亡佚而不可見。更為危急的是，隨著「新黨」的失勢，舊黨重新執政，即出現後世所謂「元祐更化」運動。以司馬光為代表的保守派反對王安石「黜《春秋》而進《孟子》」，[41]主張要重新將《春秋》列為科舉考試的經典，而「《孟子》止為諸子」。[42]雖然在范純仁的建議下，司馬光未將《孟子》剔出經部，[43]但從中亦可看出《孟子》地位隨著「新黨」的失勢而面臨「墜落」的危險。在此情況下能起而維護孟子之地位不倒者，二程、張載、朱熹是也，其中尤以朱熹為最。

二程之「尊孟」，亦從道統處著手，如其云：「孔子沒，傳孔子之道者，曾子而已。曾子傳之子思，子思傳之孟子，孟子死，不得其傳。至孟子而聖人之道益尊。」[44]又曰：「孟子有功於道，為萬世之師。」[45]朱熹〈孟子序說〉中引程子之語云：「孟子有功於聖門，不可勝言。仲尼之說一個仁字，孟子開口便說仁義。仲尼只說一個志，孟子便說許多養氣出來。只此二字，其功甚多。」[46]又曰「孟子有些英氣。纔有英氣，便有圭角，英氣甚害事。如顏子便渾厚不同，顏子去聖人只毫髮間。孟子大賢，亞聖之次也。」[47]張載之「尊孟」，亦多從道統出發。[48]及至朱熹作《孟子章句集注》，可謂集前代「尊孟」之大成。朱熹〈孟子序說〉一文，只是歷述司馬遷、韓愈、揚雄、二程、楊時等前賢尊孟之言論，並沒有太多他自己的話。實則其所引諸賢之語，即是朱熹心中之語，而其中引韓愈論述道統的那一段話，更是表明朱熹亦要如韓愈一般，以道統為己

年甲辰，《孝經》、《論語》、《爾雅》先成，時晉出帝改元開運。至十四年辛亥，《周易》繼之，實周太祖廣順元年。《詩》、《書》、《三禮》不書歲月。逮《春秋》三傳，則皇祐元年九月訖工。時我宋有天下已九十九年矣，通蜀廣政元年肇始之日，凡一百一十二祀，成之若是其艱。又七十五年，宣和五年癸卯，益帥席貢始湊鐫《孟子》，運判彭慥繼其成。」

41 李燾：《續資治通鑑長編》卷三七一，北京：中華書局，1990年，頁8976。

42 同上註。

43 《長編》元祐元年載：「先是，光以奏稿示範純仁，純仁答光曰：『《孟子》恐不可輕……』光欣然納之。」見李燾：《續資治通鑑長編》卷三七一，北京：中華書局，1990年，頁8970-8980。

44 《河南程氏遺書》，卷二十五。

45 同上註，卷五。

46 朱熹：《四書章句集注》北京：中華書局，1983年，頁199。

47 同上註。

48 如張載：《經學理酷．義理》云：「古之學者便立天理，孔孟而後，其心不傳，如荀、揚皆不能知。」又云：「要見聖人，無如《論》、《孟》為要。」

任。朱熹將《孟子》與《大學》、《中庸》、《論語》合為《四書》，並作《四書集注》，使得孟子在「新黨」失勢之後，仍保其崇高地位。且由朱熹之後，《孟子》一書才真正達到「經」的地位。顧實云：「自南宋淳熙中，朱子取《孟子》與《大學》、《中庸》合為《四書》，遂入經部。故唐以前周公、孔子並稱，宋以後孔子、孟子並稱，此中國文化一大升降之機也。」[49]

《孟子》一書在朱熹之後能夠長居經部而無危，最主要的原因不在於王安石等將其列入科舉，而在於程朱等繼承韓愈之說，將孟子建構成儒家道統中不可或缺的一環。馬端臨謂：「前史〈藝文志〉俱以《論語》入經類，《孟子》入儒家類，直齋陳氏《書錄解題》始以《語》、《孟》同入經類。其說曰：『自韓文公稱孔子傳之孟軻，軻死，不得其傳。天下學者，咸曰孔孟。《孟子》之書，固非荀、揚以降所可同日語也。今國家設科，《語》、《孟》并列於經，而程氏諸儒訓解二書，常相表裡，故合為一。』今從之。」[50]陳振孫所說「程氏諸儒訓解」，如程頤《孟子解》十四卷、張載《孟子解》二十四卷、朱熹《孟子章句集注》十四卷等。這些訓解的出現，鞏固了孟子在儒家道統中的地位，使得孟子在得到政統的承認之後，又在道統中扎穩腳跟。朱熹《四書章句集注》自元延祐間被勒懸為功令之後，《孟子》之學愈發興盛。

從以上的梳理中可以發現，唐宋之間的「孟子升格運動」，在政統方面，有王安石等將《孟子》納入科舉考試系統，其後歷代相沿襲；在道統方面，韓愈發其軔，皮日休、孫復、石介、張載、二程、朱熹等揚其波，使得孟子成為道統中不可或缺的一環。孟子在政統和道統兩個方面地位的上升，遂使得《孟子》成為一門顯學。今據《經義考》所列歷代有關《孟子》之著作，亦可見孟子學研究在唐宋之後的興盛情況。

漢至宋《孟子》類著作統計表

朝代	著作
漢代七種	揚雄等《四注孟子》十四卷；王充《刺孟》一卷；趙岐《孟子註》十四卷；程曾《孟子章句》；高誘《正孟子章句》；鄭玄《孟子注》七卷；劉熙《孟子注》七卷。
晉代一種	綦毋邃《孟子注》九卷。
唐代四種	陸善經《孟子注》七卷；張鎰《孟子音義》七卷；丁公著《孟子手音》一卷；劉軻《翼孟》三卷。

49 顧實：《漢書藝文志講疏》，王承略、劉心明主編：《二十五史藝文志經籍志考補萃編》第四卷，北京：清華大學出版社，2011年，頁85.

50 轉引自朱彝尊：《經義考》卷二百三十一，林慶彰等主編：《經義考新校》第八冊，上海：上海古籍出版社，2010年，頁4169。

朝代	著作
宋代一一一種	孫奭《孟子正義》十四卷；《孟子音義》二卷；馮休《刪孟子》一卷；李覯《常語》一卷；蘇洵《孟子評》一卷；司馬光《疑孟》一卷；司馬康《孟子節解》十四卷；王安石《孟子解》十四卷；王令《孟子講義》五卷；程頤《孟子解》十四卷；張載《孟子解》二十四卷；蘇轍《孟子解》一卷；蔣之奇《孟子解》六卷；龔原《孟子解》十卷；鄒浩《孟子解義》十四卷；王雱《孟子注》十四卷；周諝《孟子解義》；史通《孟子義》；陳暘《孟子解義》十四卷；徐積《嗣孟》一篇；許允成《孟子新義》十四卷；張簡《點注孟子》十四卷；章甫《孟子解義》十四卷；蔡參《孟子廣義》一卷；黃敏《孟子餘義》一卷；晁說之《詆孟》；余允文《尊孟辨》七篇；沈括《孟子解》一卷；呂大臨《孟子講義》十四卷；游酢《孟子雜解》；《孟子解義》；楊時《孟子義》；尹焞《孟子解》十四卷；林之奇《孟子講義》；程俱《孟子講義》四篇；葉夢得《孟子通義》十卷；上官愔《孟子略解》；汪琦《孟子說》五卷；陳禾《孟子傳》十四卷；王居正《孟子疑難》十四卷；李撰《孟子講義》十四卷；《廣孟子說養氣論》三篇；羅從彥《孟子師說》；鄭剛中《孟子解》三卷；張栻《孟子詳說》十七卷；《癸巳孟子說》七卷；程迥《孟子章句》；鄭耕老《孟子訓釋》；趙敦臨《孟子解》；黃開《孟子辨志》；徐時動《孟子說》四十卷；劉季裴《孟子解》；張九成《孟子解》十四卷；《孟子拾遺》；施德操《孟子發題》一卷；陳傅良《經筵孟子講義》二篇；陸筠《翼孟音解》；倪思《孟子問答》十二卷；朱熹《孟子集注》十四卷；《孟子集義》十四卷；《孟子或問》十四卷；《孟子問辨》十一卷；《孟子要略》；《讀余氏尊孟辨說》一卷；黃榦《孟子講義》一卷；輔廣《孟子答問》；許升《孟子說》；晁淵《孟子注》；鄒補之《孟子注》；馮椅《孟子圖》；張顯父《孟子答問》；劉砥《孟子注解》；徐存《孟子解》；章服《孟子解》；黃次伋《評孟》；李彖《孟子講義》；徐珦《孟子解》；潘好古《孟子說》；袁甫《孟子解》；陳易《孟子解》；陳駿《孟子筆義》；孫奕《孟子明解》；王自申《孟子旨義》；陳藻《孟子解》；陳櫄《孟子解》；陳耆卿《孟子記蒙》；趙善湘《孟子解》十四卷；夏良規《孟子解》；傅子雲《孟子指義》；時少章《孟子大義》；黃宙《孟子解》；李惟正《翼孟》；魏天祐《孟子說》；戴溪《石鼓孟子答問》三卷；錢文子《孟子傳贊》十四卷；王萬《孟子說》；蔡元鼎《孟子講義》；魏了翁《孟子要義》十四卷；譙仲午《孟子旨意》；蔡模《孟

朝代	著作
	子集疏》十四卷；王奕《孟子說》；王汝猷《孟子辨疑》十四卷；饒魯《孟子記聞》；馬廷鸞《孟子會編》；劉元剛《孟子演義》；朱申《孟子箋》；黃震《讀孟子日抄》一卷；王柏《孟子通旨》；金履祥《孟子考證》；陳普《孟子纂要》；亡名氏《集百家孟子解》。

據上表可知，《孟子》類著作在宋以前並不多，而到了宋代，突然出現井噴式的增長。這表明孟子及《孟子》在宋代受到了前所未有的關注，已成為當時士人常讀和必讀之書。自唐韓愈等將孟子列入道統之後，程子又稱孟子為「亞聖」，朱熹等更是對孟子推崇備至。在這場發端於唐，而興盛於宋的孟子「亞聖」形象的建構過程中，許多之前未曾提出的、涉及孟子的問題逐漸進入學者的視野之中，孟子和莊子的關係問題即是其中之一。在宋儒的眼中，孟子是有功於聖道，其中辟異端即是其一。如程子云：「古者楊墨塞路，孟子辭而辟之，廓如也。」[51]朱熹云：「夫楊墨行，正道廢。孟子雖賢聖，不得位。空言無施，雖切何補。然賴其言，而今之學者尚知宗孔氏，崇仁義，貴王賤霸而已。其大經大法，皆亡滅而不救，壞爛而不收。所謂存十一於千百，安在其能廓如也？然向無孟氏，則皆服左衽而言侏離矣。故愈嘗推尊孟氏，以為功不在禹下者，為此也。」[52]孟子之功中既有辟邪說一項，自然讓當時學者聯想到孟子與莊子之關係。因為如前所述，自魏晉以來《莊子》大為流行，唐時竟冠以「經」之名，自然被一些儒家學者視為異端。爲了建構孟子的「亞聖」形象，就必須解釋好為何孟子沒有辟莊子之說這個問題，否則「亞聖」辟邪說之功便有了瑕疵，自然有損聖人的形象。基於這樣一種經學背景，孟子和莊子關係問題便自然而然的成為學者討論的一個熱點，這也就是爲什麼今日所看到的幾乎所有關於孟、莊關係問題的討論都集中在宋及宋以後的原因了。

五　結語

綜上可知，對於莊子和孟子何以互不提及等類似的問題，囿於文獻的不足，早在朱熹時代便只能大致的揣測而無絕對的定論。綜合各種文獻來看，孟子和莊子是有可能見面或聞名的，但這同樣也只是一種推測。實際的情況是，現在所看到的《莊子》和《孟子》中，確實是互不提及的。對於孟、莊互不提及的原因，自宋以來，學者爭訟千年而不止，至今猶然。從學術史，尤其是經學史的角度來看，其實問題的答案並不重要，重要的是問題本身。孟、莊關係問題之所以到宋代才被集中提出並討論，乃是因為在經學

51 朱熹：《四書章句集注》北京：中華書局，1983年，頁198。

52 同上註。

史上，《孟子》的地位直到宋代方才進入「經」的行列；而從學術史的角度來看，自魏晉以來，《莊子》都極為流行。當兩種具有某些特性（孟、莊皆好辯）的經典出現在人們的視野之中時，類似於孟、莊關係問題才會進入人們的學術視野之中。托馬斯・庫恩曾說：「範式的存在決定了什麼樣的問題有待解決。」[53]他又說：

> 科學共同體取得一個範式就是有了一個選擇問題的標準，當範式被視為理所當然時，這些選擇的問題可以被認為是有解的問題。在很大程度上，只有對這些問題，科學共同體才承認是科學的問題，才會鼓勵它的成員去研究它們。別的問題，包括許多先前被認為是標準的問題，都將被作為形而上學的問題，作為其他學科關心的問題，或有時作為因太成問題而不值得花費時間去研究的問題而被拒斥。[54]

庫恩「範式」概念的提出雖是建立在對自然科學史的研究之上，但此一概念對人文科學的研究也不無啓發。具體到本文所探討的孟、莊關係問題，我們便可以範式理論來解釋。唐宋間的「孟子升格運動」，實則是一種新的經學範式。之所以在宋代之前孟、莊關係問題沒有被提出并討論，乃在於宋之前孟子及《孟子》地位並不突出，類似的問題也就沒有提出的必要。宋代為了建構孟子的「亞聖」形象，自然會提出並且討論這樣的問題。類似的問題也只有在經學史或學術史的範疇中，才會具有討論的價值。

53 托馬斯・庫恩撰，金吾倫、胡新和譯：《科學革命的結構》北京：北京大學出版社，2003年，頁24-25。

54 同上註，頁34。

〈太一生水〉之「水生」與「氣化」的關係探討

周　杰
臺灣清華大學中國文學系

要讀懂〈太一生水〉中的宇宙論生成問題，必然要理清「太一」一詞的意義，而至今學術界已對其含義進了多方面的考察，可謂眾說紛紜，而對於〈太一生水〉中「太一」的含義的理解還是要立足文本本身來詮釋，才能更準確的發現其真實意義。通過文本研究發現「太一」的含義有可能更多的是哲學上的意義，「太一」一詞的哲學意義主要是在道家哲學體系內部演化中逐步傾向於完善的。理清「太一」含義後，更有助於理解「水生論」之「水生」與「氣化」的關係，實際上，〈太一生水〉的「水生論」宇宙觀融會貫通了道家的「氣化」理論。

一　「太一」釋義

「太一」一詞何時產生已無法考證，通常在先秦兩漢的典籍中出現的寫法有「太一」、「太易」、「泰一」、「太乙」、「大一」，而其語義內涵大致有三種：其一是哲學概念，是「道」的別稱，作為一種哲學上的終極意義；其二是星宿名稱，類似於北極星、太一星；其三是宗教神學稱謂，太一神或太乙神。也因此，許多學者也會從這三個方面來〈太一生水〉中「太一」的意義，但無論是從哲學方面將「太一」等同於「道」，作為萬物的起源，還是從天文方面將「太一」作為北極星，亦或宇宙的極端或中心，更是從宗教方面將「太一」作為崇拜的神，甚至是將三者結合來理解，最後推論出〈太一生水〉是屬於哪家哪派，或者寫於什麼年代的研究方法，都跳出了文本本身而研究「太一」，難免有偏頗之處。因此，研究這三種語義的關係問題，試圖分析出何者為源，何者為流來對〈太一生水〉進行詮釋都是徒勞無用的。誠然，細讀〈太一生水〉文本，「太一」的含義明顯是哲學上的意義。

另外，很多學者在談論「太一」時，通常會參考《莊子》、《呂氏春秋》、《淮南子》等典籍中出現的含有「太一」論篇和段句。然而，其忽略〈太一生水〉產生的大致年代的考證，而不分時期引證，就會顯得論證不足。很明顯在《莊子》中出現「太一」的篇章只有雜篇〈列禦寇〉與〈天下〉，而內篇、外篇都沒有，加之，《莊子》成書年代大致在雜篇出現的戰國中晚期，而此時也正好《呂氏春秋》成書時間大致相同，而《淮南子》到漢代了，就更晚。再看古墓下葬時間約為西元前三〇〇年左右，[1]此時大致是戰國中晚期，而〈太一生水〉的寫作和成書流行應該早於這個時間。也就說要考證〈太一生水〉中的「太一」的意義也得要參考〈太一生水〉成文前的文獻。然而要考證〈太一生水〉的成文時間卻是個難題。若單獨從「太一」使用來看，在先秦典籍中用「一」來描述「道」和解釋宇宙起源的現象是很普遍的，如《老子》:「道生一，一生二，二生三，三生萬物。萬物負陰而抱陽沖氣以為和。」帛書〈原道〉:「恆無之初，洞同太虛。虛同為一，恆一而止。」《列子》:「道者，天地之始，一其紀也」……而最早見「太一」運用的文獻是《文子》:

> 帝者體太一，王者法陰陽，霸者則四時，君者用六律。體太一者，明於天地之情，通於道德之倫，聰明照於日月，精神通於萬物，動靜調於陰陽，嗔怒和於四時。(〈下德〉)
>
> 天氣為魂，地氣為魄，反之玄妙，各處其宅，守之勿失，上通太一，太一之精，通合於天。(〈自然〉)

傳世本《文子》中問答部分很多與出土文相同，因此《文子》一書在簡書《文子》出土之後，得到真實性的證明。而「竹簡本《文子》是目前能夠見到的最早的本子，其最早成書年代不會晚於郭店楚簡下葬的年代，」[2]這裡關於《文子》成書年代考證就不再贅述。文子是老子的學生，大概生活於春秋末年。也就是說「太一」作為哲學概念的出現也大致是這個時候。這裡要說明的問題是《文子》中出現「太一」是否確切，但可以作為「太一」釋義的參考。而從在此之後的文獻有《鶡冠子》、《荀子》、《韓非子》、《呂氏春秋》等，然而這些文獻中出現的「太一」的哲學意義幾乎成熟，而且出現次數常用頗多。

此外，還可以參考《管子》之〈地水篇〉寫作年代來分析〈太一生水〉的寫作年代，〈地水篇〉關於水生萬物的論述並沒有〈太一生水〉自成體系，若按思想發展史觀點來看，〈太一生水〉的「水生」論應該晚於〈水地〉的論述，或受其影響進而發揮。有學者認為，「〈水地〉還沒有在作為『具材』的水之上找出一個『絕對物』，就其哲學抽象水平來看，尚處於較為初級的階段，〈太一生水〉的『太一』論則是由這樣的水生論脫胎而來，其思辨水平顯然是更高的，這樣的作品應當是較為晚出的。」[3]而《管

1　李學勤：〈〈太一生水〉的數術解釋〉，《道家文化研究》北京：生活·讀書·新知三聯書店，第17輯，頁299。

2　劉群棟：〈傳世本《文子》成書年代考〉，《語文知識》，2011年第3期，頁3。

3　白奚：〈〈太一生水〉的「水」與萬物之生成〉，《中國哲學史》，2012年第3期，頁41-46。

子》成書大致在西元前三五〇年。因此,〈太一生水〉的寫作年代有可能在這之後。李存山也認為:「〈太一生水〉的成文時間可能與〈地水〉篇的時間相差不遠,都是戰國中前期的作品。」因此,有學者認為《莊子》與《管子・地水》幾乎是同一個時期形成的觀點值得商榷,[4]本文前面已經交代〈太一生水〉的成文時間應該早於《莊子》成書時間,但大致時間應該不早《莊子》內篇寫作時間。

最後從道家哲學體系內部演化來看「太一」的哲學意義逐步傾向於完善。早期文獻出現的「一」「道」來代表最高的本體,如《老子》二十三章:「是以聖人抱一,為天下式」;三十九章:「天得一以清,地得一以寧,神得一以靈,谷得一以靈,萬物得一以生,王侯得一以為天下貞」;四十二章:「道生一,一生二,二生三,三生萬物。」再到《文子》就出現了「太一」連用;再到《莊子》內篇多用「一」、「道」,「道通為一」,「萬物齊一」,僅在〈大宗師〉中出現「太極」一詞,其原文如是:「在太極之先而不為高,在六極之下而不為深」,而在外篇,如〈天運〉、〈秋水〉、〈知北遊〉出現「太清」、「太和」「太息」、「太初」、「太虛」;到雜篇的〈列禦寇〉、〈天下〉僅有二次出現含有「太一」的句段:「太一形虛」、「建之以常無有,主之以太一,以濡弱謙下為表,以空虛不毀萬物為實。」而年代較早的《列子》:「有太易,有太初,有太始,有太素。太易者,未見氣也:太初者,氣之始也;太始者,形之始也;太素者,質之始也。」雖然《列子》一書收錄於《漢書・藝文志》,其真實性有待進一步論證,但其中未出現「太一」,而是「太易」,這有可能受到《周易》影響,如〈繫辭〉:「是故易有太極,是生兩儀,兩儀生四象,四象生八卦。」孔穎達疏:「太極謂天地未分之前,元氣混而為一,即是太初,太一也。」如此,將「太極」註疏為「太一」、「太初」,也有很大可能被稱為「太易」。如此,道家哲學中最高的本體「道」的稱謂就會有多種,可能會由「道」變為「一」,由「一」變成「太初」、「太清」、「太虛」、「太一」。而到《呂氏春秋》出現的「太一」,儼然是一種很成熟而常用的。如其解釋音樂的形成「音樂之所由來者遠矣,生於度量,本於太一。太一出兩儀,兩儀出陰陽」;闡釋世界萬物的形成「萬物所出,造於太一,化於陰陽」;其中「太一」的含義是什麼呢,此書也對其下了定義:「道也者,至精也,不可為形,不可為名,彊為之謂之太一。」再看相關戰國楚地的出文獻,帛書〈道原〉:「恆先之初,迵同大虛。虛同為一,恆一而止。」而〈亙先〉曰:「亙先無有,樸、靜、虛。樸,大樸;靜,大靜;虛,大虛。」二帛書對世界的起源的描述與其他文獻相一致,但沒有稱其為「太一」或其他與「太」連用的詞語。那麼再回到〈太一生水〉的文本開篇為「太一生水,水反輔太一,是以成天;天反輔太一,是以成地。」接著就講述天地、神明、陰陽、四時、寒熱、濕燥、年歲各自是如何在「太

4　林亨席:〈郭店楚簡〈太一生水〉篇與緯書〉,東京大學郭店楚簡研究會編:《郭店楚簡の思想史的研究》,第一卷,1999年,頁119。

一」之下相輔相成、反輔而成。這些因素是不斷變化，有消長、虛盈、生亡等不斷更替變化，而這一切根本則是不變的「太一」。「太一藏於水，行於時，周而又〔始，以已為〕萬物母；一缺一盈，以已為萬物經。」若仔細揣摩此句，其中對「太一」的描述有些與《莊子》外篇〈知北遊〉對「道」的描述類似。〈知北遊〉描述「道」形成萬物之後「無所不在」，仍然隱藏在所形成的世界萬物之中，具有「周遍咸」的特徵，因而「謂盈虛衰殺，彼為盈虛非盈虛，彼為衰殺非衰殺，彼為本末非本末，彼為積散非積散也」[5]其意思是說，道使萬物有虛盈、衰殺、始終、聚散，而自身卻沒有這些變化。而〈太一生水〉的「太一藏於水」就類似《莊子》的「道在屎溺」；「周而又〔始，以已為〕萬物母；一缺一盈，以已為萬物經」便是萬物雖變化無窮，而「太一」只在其中，恆古不變，作為萬物的始端、規定、指引，這裡與《莊子》的「道」幾乎相同。同樣我們在《老子河上公章句》中看到有關類似描述：

> 無名，天地之始。無名者謂道，道無形，故不可名也。始者道本也，吐氣布化，出於虛無，為天地本始也。有名，萬物之母。有名謂天地。天地有形位、有陰陽、有柔剛，是其有名也。萬物母者，天地含氣生萬物，長大成熟，如母之養子也。

這段關於「萬物母」作為萬物的起源，但其是「有名」的，而並非等同於「道」，但它蘊含了天地、陰陽、剛柔的化生。但作為「萬物之始」的最初仍然是作為一種「虛無」，與道同類。只是要化生萬物才「有名」而已。而在《道德經》裡也有「無名天地之始，有名萬物之母」的說法，但這裡的闡述更加詳細。我們知道老子曰「吾不知其名，字之曰道，強為之名曰大。」也就說在老子的道家哲學時期，老子認為對哲學上那個終極的本源是無法命名的，為了言說明了，只能勉強叫做「道」或「大」，而到老子後學，這個最高本體儼然是有了相關的名稱，如「道」、「一」、「太一」、「太初」、「太虛」。由此來看，「太一」有很大可能是到哲學內部對最高本體的稱謂的演化結果。

然而「太一」作為哲學概念對應其他看法，即「太一」作為星宿名稱和神學名稱，或者將各種觀點融合是否值得斟酌呢？如李澤厚認為「〈太一生水〉可能是先民對巫舞致雨的客觀理性化的提升理解」，[6]具有明顯的宗教神話傾向；劉學文一方面認為「太一」本指北極星，然後被神話，一方面又認為《老子》是東皇太一的哲學淵源，是「道」的特性促使了「太一」的神化；[7]丁四新認為「太一」作為宇宙來源的根本，是

5　《莊子・知北遊》。

6　李澤厚：〈初讀郭店竹簡印象紀要〉，《世紀新夢》合肥：安徽人民出版社，1998年，頁206-207。

7　劉學文：〈論郭店楚簡〈太一生水〉本體生成系統〉，《新疆大學學報（社科版）》，2003年第3期，頁42。

受到楚文化的神學思想和陰陽術數的影響，再與哲學含義結合的結果。[8]此外，還有李學勤、艾蘭等人，認為「太一」就是北極星，或者根據宗教神學體系來詮釋「太一」，認為「太一」是星象名稱與神崇拜的結合。然而，若要辨析「太一」的三種意義孰先孰後，仍然是一個無法解決的難題。認為「太一」是一個哲學概念的學者認為，「太一」產生於關尹老聃所處的春秋末期，此時作為神學與星名的涵義還沒有產生，而古人將「太一」比附為神靈，往往又把天上的星座與神靈聯繫起來，這樣「太一」作為神名與星名自然也就至高無上了。因此，作為神名與星名的「太一」的存在在理論上具有一定的合理性，其源自於哲學「太一」。[9]學者譚寶剛認為，「太一」是宇宙未分時的「渾沌」狀態，或謂之為「道」，它是道家創始人老聃基於素樸的生活經驗而抽象出來的哲學概念，而作為星名和神名的「太一」以及宗教禮儀「太一」源於道家思想中的哲學「太一」。[10]

那麼「太一」的三種意義孰先孰後的問題也許並不是一個有意義的問題。就算弄清楚最初何時出現「太一」一詞，而有關類似「太一」神的崇拜或類似叫「太一」星有可能比老子出生還早，只是那時候不叫太一神或太一星，而到老子哲學產生，關於「道」、「一」的論述與神崇拜和太一星有共同之處，即意味著最高、最遠、最大，統攝萬物的特性，而星宿的名稱與宗教神的崇拜往往會結合在一起。有可能是在道家哲學對「一」的本體稱為的演化中，如前文所說，「太虛」、「太初」、「太易」、「大一」等變化，宗教和星宿也開始採用「太一」來作為稱謂。而除了先秦時期的道家文獻，其他先秦文獻出現「太一」的有《韓非子》、《黃帝內經》、《楚辭》。而《韓非子》出現一次，太一不具哲學本體意義，而與豐隆、五行、王相、攝提、六神等並列；《黃帝內經》出現「太一」此書較多，其含義多與身體氣理相關，但也有星象有關；《楚辭》中的「東皇太一」是作為神學稱謂出現的。但若從這些文獻成書時間來看，也大致在戰國中期左右，事實上，這和前文描述的「太一」一詞在戰國中期普遍運用的現象相符合。最終，「太一」的含義有可能更多的是哲學上的意義。而對〈太一生水〉中「太一」的含義的理解還是要立足文本本身來詮釋，才能更準確的發現其真實意義。

二　「水生論」之起源

關於「水」創生萬物理論的起源，至今我們已無法考證，但以今天生物科學理論來

8 丁四新：〈簡帛《老子》思想研究之前緣問題報告——兼論楚簡〈太一生水〉的思想〉，《現代哲學》，2002年第2期，頁89-90。

9 黃康斌、何江鳳：〈「太一」源流考，兼論〈太一生水〉中「太一」之涵義〉，《沙洋師範高等專科學校學報》，2004年第6期，頁26-27。

10 譚寶剛：〈近十年來國內郭店楚簡〈太一生水〉研究述評〉，《史學月刊》，2007年第7期，頁105。

看其有一定合理性，著名的米勒實驗證明了水可以產生生物。但從中國古代先秦文獻尋找水誕生萬物的材料是很少的。而最早用水來解釋世界形成還是與老子哲學相關，「『水』在《老子》的哲學中，地位是特殊而崇高的，它是『道』在現象界中的化身。《老子》一切對『道』的質性與應用之哲學表述，往往用『水』來喻證」，[11]但是還沒有形成水生系統，只能勉強的說老子尚水的思想性表現出水生論的傾向，而其明顯有關「水」的論述也僅僅兩處：「上善若水。水善利萬物而不爭，處眾人之所惡，故幾於道」與「天下莫柔弱於水，而攻堅強者莫之能勝，其無以易之」。[12]然而在《文子》就可以看到「水」與「道」等同，而具有「道」的一切特性，並能萌生萬物，其原文如下：

> 天下莫柔弱於水，水為道也，廣不可極，深不可測，長極無窮，遠淪無涯，息耗減益，過於不訾，上天為雨露，下地為潤澤，萬物不得不生，百事不得不成，大苞群生而無私好，澤及蚑蟯而不求報，富贍天下而不既，德施百姓而不費，行不可得而窮極，微不可得而把握，擊之不創，刺之不傷，斬之不斷，灼之不熏，淖約流循而不可靡散，利貫金石，強淪天下，有餘不足，任天下取與，稟受萬物而無所先後，無私無公，與天地洪同，是謂至德。夫水所以能成其至德者，以其卓約潤滑也，故曰：「天下之至柔，馳騁天下之至堅，無有入於無間。」夫無形者，物之太祖，無音者，類之太宗，真人者，通於靈府，與造化者為人，執玄德於心，而化馳如神。是故不道之道，芒乎大哉，未發號施令而移風易俗，其唯心行也。萬物有所生而獨如其根，百事有所出而獨守其門，故能窮無窮，極無極，照物而不眩，響應而不知。

之所以「水」與「道」如此甚同，其根本原因還是老子尚水思維影響：「天下莫柔弱於水，而攻堅強者莫之能勝，其無以易之」，正是「水」之「至柔」而「無形」，這正好符合「道」的性質，即廣大深妙、恍惚虛靜、無形無象，人的感官無法認知，「視之不見」、「聽之不聞」、「搏之不得」。而《文子》進一步發揮「水為道也，廣不可極，深不可測，長極無窮，遠淪無涯，息耗減益，過於不訾……」，如此，便形成萬物。文子是老子的學生，不再考證，但是至少我們可以推測《文子》一書比《管子》、《莊子》，甚至〈太一生水〉成書時間要早很多。那麼，無論《文子》成書問題何時，至少可以推測〈太一生水〉的作者受到了文子的思想的影響，因為文子的思想至少在〈太一生水〉寫作前期都已經流行，而《文子》之內容不會脫離文子的思想。因此，〈太一生水〉的水生萬物的說法就很有可能是文子對老子尚水思想的進一步發揮，已至將「水」與「道」

---

11 陳麗桂：《近四十年出土簡帛文獻思想研究》臺北：五南圖書出版公司，2013年，頁34。

12 《道德經》。

等同，而混用，這與後來對「道」稱為其它名稱一樣，都具有一定合理性。

很多學者常用〈太一生水〉與《管子》之〈水地〉篇作比較研究，如許抗生認為它是對老子尚水思想和〈地水〉篇觀點的進一步發揮，[13]李存山認為二者之水生思想是中國哲學史的個別現象，「當氣生天地或氣省五行的思想成為一種思維模式後，它再出現就不太可能了，」[14]這種種說法是有一定道理的，正好與戰國後期水生論幾乎消失相吻合，而元氣論成為主流。那麼〈太一生水〉與〈水地〉都描述了水生萬物的情況，但區別何在呢？先看看〈水地〉是如何陳述的，其開篇就說：「地者，萬物之本原，諸生之根菀也。美惡賢不肖愚俊之所生也。水者，地之血氣，如筋脈之通流者也。故曰水具材也。」後文接著論述「是故具者何也，水是也，萬物莫不以生。唯知其託者能為之正，具者，水是也。故曰：水者何也？萬物之本原也，諸生之宗室也，美、惡、賢、不肖、愚、俊之所產也。」然後再分別描述齊、楚、越、秦等各地之水是何以影響各地的。從中我們可以看出，其主旨是講水是萬物形成的本原，並沒有一個較完整的哲學系統，也沒交代水為何成為萬物的本原，只是交代水如何形成萬類的，相對《文子》而言，也沒有闡明「水」與「道」的關係，而像是直接從某處繼承一個結論：水是萬物的本源，並試圖從哲學上來論證這個結論，從而建構一個體系。

由以上推論，可以看出〈太一生水〉開篇就寫到：「太一生水，水反輔太一，是以成天；天反輔太一，是以成地。天地〔復相輔〕也，是以成神明；神明復相輔也，是以成陰陽；陰陽復相輔也，是以成四時；四時復〔相〕輔也，是以成寒熱，寒熱復相輔也，是以成濕燥；濕燥復相輔也，成歲而止。」可以見其論述水生萬物自成體系，以「相輔」、「反輔」方式生成天地、神明、陰陽、四時、寒熱、濕燥，最終而成歲。由此，可見〈太一生水〉並沒有將重點放置在論述「太一」為何生水「水」的關係，而是重點論述「水」是如何成歲的。這從邏輯上來看，似乎其有個前提，即「太一」與「水」有類似「道生一」或道外化為氣，氣形成萬物的關係。這個前提很有可能就是把《文子》與〈水地〉的論述當為基礎而進一步的發揮。

三　〈太一生水〉之「水生」融貫了「氣化」理論

關於〈太一生水〉中「太一」、「水」的關係以及其宇宙生成論的模式，目前已有很多研究成果，各家也有不同的看法。但其難點是以下幾個方面：第一，「太一」與「水」是何種關係；第二，「相輔」在道家哲學中很常見，而「反輔」出現就難以解

---

13 許抗生：〈初讀〈太一生水〉〉，《道家文化研究》北京：生活．讀書．新知三聯書店，1999年，頁306-315。

14 李存山：〈莊子思想中的道、一、氣——比照郭店楚簡《老子》〈太一生水〉〉，《中國哲學史》，2001年第4期，頁35-39。

釋；第三，水生與氣化的宇宙論問題。在筆者看來，如果解決了前面兩個問題，第三個問題就會迎刃而解。

第一，「太一」與「水」的關係問題。

關於「太一生水」的圖式，通行有李零、艾蘭（Sarah Allan）等所列模式，邢文模式，陳松長模式，[15]以及陳麗桂模式。[16]結合「太一生水，水反輔太一，是以成天……」與「太一藏於水，行於時，周而又〔始，以已為〕萬物母；一缺一盈，以己為萬物經」，很明顯「水」是「太一」得以形成外物的介質，「太一」是無，「水」是由無化為有，與「道生一，一生二，二生三，三生萬物」一樣，最終由最高本體「太一」向萬物化生，由形而上的根本外化到形而下的世界：由「太一」因「水」而成「天」、「地」、「神明」、「陰陽」等到「歲」而止。而這個生成過程中，「太一」又離不開出於自身且包含自身的「水」。就像〈亙先〉在論述萬物形成得以「氣」，「或作。有或焉有氣，有氣焉有有，有有焉有始，有始焉有往」，而「氣是自身，亙莫生氣，氣是自作自生」。「氣」形成萬物的場域是「或」，而〈太一生水〉的場域則是「天地」，其緣由是「太一」生「水」，「水」反輔「太一」，得以形成「天」，「天」反輔「太一」得以形成「地」，接著卻是「天地」得以形成「神明」等等，而不再用「反輔」。由此可見，「太一」是先自身萬物得以形成的介質「水」，再生成一個「天地」場域，而生成萬物。〈亙先〉則是先生成一個場域「氣」，再通過介質「氣」而生成萬物，〈亙先〉的氣生成論，是對道家哲學中「道」生「氣」，「氣」化萬物理論的吸收和發揮。由於「太一」與「水」的關係，與「道」與「氣」的關係相當類似，所以就有學者認為，水即是元氣，是對道（太一）的體現，道（太一）就藏於氣（水）中。[17]「水」是「太一」或「道」生成萬物的最初的和最根本的物質形式，其貫穿著宇宙萬物生成的各個環節。[18]

「先秦道家的道、氣論基本上是以《老子》的道、氣論為基礎發展起來的，其論道、氣的基本性質，大致保留了《老子》道、氣的部分質性。其論本體者，則稱『道』而不及『氣』；『氣』作為一種自然質素，用以論述生成極其所衍生的身心修治問題。」[19]《老子》之後的道家文獻在解釋世界形成時，都脫離不開《老子》講「道」到「物」過程中離不開「氣」的作用，「氣」是形而上的「道」聯接形而下的「物」、世界的關鍵要素，而「氣」既不是「物」也不是「道」。《管子》四篇將「道」與「氣」等同，「氣」

---

15 參考邢文：〈論郭店《老子》與今本《老子》不屬一系——楚簡〈太一生水〉及其意義〉，《郭店楚簡研究》，遼寧教育出版社，1999年，頁165-167；陳松長：〈〈太一生水〉考論〉，武漢大學中國文化研究院編：《郭店楚簡國際學術研討會論文集》武漢，湖北人民出版社，2000年，頁543-546。

16 陳麗桂：《近四十年出土簡帛文獻思想研究》，頁50。

17 羅熾：〈太一生水〉辯〉，《湖北大學學報》，2004年第6期，頁662。

18 韓東育：〈〈郭店楚墓竹簡・太一生水〉與《老子》的幾個問題〉，《社會科學》，1999年第2期，頁27。

19 陳麗桂：《近四十年出土簡帛文獻思想研究》，頁57。

具備了「道」的性質，而化生萬物，並說一切生命現象包括人的身心活動都是「氣」在起作用，正如〈內業〉所說：「氣，物之精，此則為生，下生五穀，上為列星，流於天地之間謂之鬼神，藏於胸中，謂之聖人。」《文子》更是用「氣」來解釋一切現象，甚至人的社會活動和生命活動。《莊子》將「道」下拉到與萬物共存，「道」在萬物之中，但又「自本自根」，而「氣」則充滿天地之間，天地萬物都是一氣，「通天下一氣耳」，也就說天地萬物都是在「道」的引導下由「氣」而成，「氣」是萬物存在變化的基本元素，正如任繼愈所說：「莊子所說的道或無，其實就是氣，他是為了強調它的無形和貫通一切，才稱之為『無』和『道』的」。[20]總之，從「道」形成萬物，是「無」到「有」的過程，是「一」到「多」的過程，而「氣」就是這個過程的質素和連繫。而「道」形成萬物之後，依然存在於「氣」這種介質中。〈太一生水〉中的「太一」與「水」的關係，表現有兩個方面：一是，「太一生水」；二是，「太一藏於水」。「太一」自身自化生「水」，再通過「水」而生萬物，而「歲」成之後，其又曰「太一藏於水」，「行於時」則是順時進行，「周而又始」則是反向進行，但不管怎樣，「太一」都始終是萬物的引導、規定、根本。這種關係很大程度上受到道家哲學道、氣論的影響。

第二，「反輔」問題。

上述討論只是至上而下的探討了「太一」與「水」的關係，而沒有逆向解決，也就是〈太一生水〉獨特之處，即「反輔」何以出現？有學者認為，「水」起初是作為「太一」生成「天」的輔助物而存在，在它的輔助下，太一生成了天，成天地之後，水就不再對萬物的生成起作用，它不像天地、神明、陰陽、四時、滄熱、濕燥等那樣既作為上一對天象的產物，又作為下一對天象生成的本源而存在，它僅為萬物之母「太一」提供藏身之居所。[21]蕭漢明也認為，「水」是「太一」的存在環境與條件，它只在生成天的過程中通過「反輔太一」發揮過一次輔助作用，而在地的生成過程中，它既不能起主導作用，也不能起輔助作用。[22]

以上所舉兩個觀點，實際上是將「水」、「天」、「地」與「太一」關係弄混淆了，只看到「太一生水，水反輔太一是以成天」句，忽略了「天反輔太一，是以成地」。倘若按照兩種觀點來看，「水」起初是作為「太一」生成「天」的輔助物而存在，在水的輔助下，太一生成了天，那麼，「天反輔太一，是以成地」的意思就是「天」是「太一」形成「地」的輔助，試問「水」和「天」都反輔「太一」，「水」與「天」豈不是相同的。而且，「水」也不可能成為「太一」生成的場域，而形成「天」、「地」。回到原文再看：

20 任繼愈編：《中國哲學發展史》北京：人民出版社，1998年，頁399。

21 譚寶剛：〈近十年來國內郭店楚簡「太一生水」研究述評〉，《史學月刊》，2007年第7期，頁106。

22 蕭漢明：〈「太一生水」的宇宙論與學派屬性〉，《學時月刊》，2001年第12期，頁35。

太一生水，水反輔太一，是以成天；天反輔太一，是以成地。天地〔復相輔〕也，是以成神明；神明復相輔也，是以成陰陽；陰陽復相輔也，是以成四時；四時復〔相〕輔也，是以成寒熱，寒熱復相輔也，是以成濕燥；濕燥復相輔也，成歲而止。

故歲者濕燥之所生也，濕燥者寒熱之所生也，寒熱者（四時之所生也），四時者陰陽之所生也，陰陽者神明之所生也，神明者天地之所生也，天地者太一之所生也。

太一藏於水，行於時，周而又〔始，以已為〕萬物母；一缺一盈，以己為萬物經。此天之所不能殺，地之所不能埋。

當「地」成以後，便不再是反輔，而是相輔，而且將「天」「地」相輔得以成「神明」……那麼什麼是「天」，什麼是「地」？後文如是說，「下，土也，而謂之「地」；上，氣也，而謂之天。」再結合「水反輔太一」而成「天」，「天反輔太一」而成地，如此「水」便是一種質料，其由「太一」而生，又反作用於「太一」，便形成了「天」；「天」之中當然含有「水」的質料成分，「天」反作用於「太一」便形成了「地」。為什麼「地」不反作用於「太一」了呢？因為「太一」是無，通過「水」而化為有，即「天」；「天」作為第一個有的存在，必須反輔於「太一」而形成「地」；「地」作為「天」相對的存在，這不正好符合「太一」的根本性質嗎？因為「太一」要產生年歲與萬物，內在本身就是自生自動的，即「行於時，周而又始」，「一盈一缺」，這就是萬物之母，萬物之經緯的最根本的東西。

再看：「下，土也，而謂之「地」；上，氣也，而謂之天；道亦其字也，青昏其名。」文中「下」與「上」前面卻主語，當然也可以將「下」與「上」理解為「向下」與「向上」，但無論怎樣，「下」與「上」都是單方面性運動的，而不像「天地」、「神明」、「陰陽」、「四時」是兩個方面或相對的兩個方面的相互性運動。那麼，「下」、「上」只可能是反輔作用的兩個方面，即水這種質料反輔於太一，向上運動，化為氣，就形成了天；天反輔於太一，水向下運動，化為土，便形成了地。一旦天地成形就是太一依水由無化為有，從最高的無形本體化生萬物，從無形化為具體的形態。天地、神明、陰陽、四時（春夏、秋冬）、滄熱、濕燥，最後到歲都是具體狀態。這個生成系統道家氣生成論有很大的相似性，即氣是道化生萬物的介質，是無化有的中介，是無形化有形，抽象道具象的媒介，是一種綜合道性與物性的東西。我們可以從先秦道家文獻發現，「『氣』觀念的出現是在由『道』向下牽繫出『物』時，作為關鍵性的媒介或替代。因為『道』是『無』，『物』是『有』，由『無』直接生『有』，有一些尷尬和虛空，難以順通。『氣』是介於有與無、虛與實之間的存在，取以為中介，可以上下通順。它既有『道』的部分性質──虛無、安靜、遍在、始源、精微。又有『物』的質性。」[23]

「反輔」在先秦文獻都難以尋見，更勿庸說〈太一生水〉之前的文獻，然而在先秦

23 陳麗桂：《近四十年出土簡帛文獻思想研究》，頁54。

道家文獻中「反」字出現次數可謂眾多。如《老子》:「大曰逝，逝曰遠，遠曰反」、「反者道之動」等。《莊子》中「反」的出現更多，如:「反其真」(〈大宗師〉)、「性修反德」(〈天地〉)、「反於大通」(〈秋水〉) 等，其他文獻不再一一列舉。道家哲學中的「反」字的意思，並非字面意思的返回、相反、反輔、反面等意思，而是老子哲學道氣環流運動的重要體現，即「道」的運動是「周而不殆」，回環往返，相對相生，相互轉換，「周而又始」，表現為一種環周運動。〈太一生水〉開篇論述最重要的兩個因素的就出現一種回環往復的狀態:「太一生水，水反輔太一，是以成天；天反輔太一，是以成地」，同樣，整篇文本所描述都是一個萬物生成的循環過程，但並不是一種單一的回環，而是一種時空複雜融合的回環，保留了《老子》哲學的主要成分，即強調循環往復、回返本源、對立相生，以及重反尚柔的觀點，其運行軌式是圓的復還。

由上述分析來看，〈太一生水〉的水生論是對老子尚水尚柔思想的繼承和發揮，也相承了道家哲學道、氣論的基本性質，借用道氣關係靈活運用在水生論之中，以說明歲時形成和萬物的生成，並將至《老子》以來的道氣運行規律的周環思想，由「反」推至「反輔」，而進一層將形而上的本體與形而下的物質關係表現更加明顯、緊密。雖然，我們不知道，其作者為何將道家哲學的基本觀念運用於水生萬物的論述，但我們可以明顯知道的是，作者必定是相當了解和熟悉道家思想，而且〈太一生水〉之循環論很好的保留了《老子》環周思想，應當不屬於崇拜刑名與法理的黃老道家派別。而且〈太一生水〉中「太一」的含義並非具有宗教意義和星宿含義，而是道家哲學內部發展與演化的結果，是道氣關係流變與對最高本體的描述及命名的變化的結果。

羋月形象：穿越時空・媒介的變異研究*
——以歷史、網絡小說、電視劇為考察對象

薛　穎

天津財經大學中文系

羋月，是一個真實的歷史人物，在《戰國策》、《史記》中有記載，粗線條地勾勒出羋月的一生行為事跡；到了二十一世紀的今天，蔣勝男出版網絡小說《羋月傳》六冊約一百八十多萬字，用「大事不虛，小事不拘」的原則，穿梭在歷史迷霧中進行了大膽的虛構與想像，塑造了一個羋月形象；在網絡小說《羋月傳》基礎上，鄭曉龍導演創作了八十一集電視劇《羋月傳》，生成了另外一個羋月形象。真所謂「歷史是個任人打扮的小姑娘」。然而，不能就此作結。歷史記載中的羋月，通過網絡小說，又通過電視劇，與今天的大眾見面，形成了羋月形象的跨時空跨媒介傳播與闡釋現象。而這種現象，在目前的中國社會文化中屢見不鮮，中國歷史上的帝王將相、後宮妃嬪，很多都可列入這種傳播與闡釋系列，如帝王有康熙、雍正、乾隆、李世民，朱元璋、嘉靖、萬曆等；將相有張居正、包拯等；後宮嬪妃有武則天（也可歸為帝王系列）、衛子夫、甄嬛等。對此現象從闡釋學、傳播學的角度加以分析，是學術界不可迴避的問題。

一　羋月形象：跨越歷史、小說和電視劇的變異

（一）歷史語境中的羋月——粗線條的政治女強人宣太后

羋月稱宣太后（？-前265年），這個真實的歷史人物，在歷史語境中的記載是粗線條的，勾勒出一個政治女強人的形象。

依照一生行事羅列如下：

> 昭襄王母楚人，姓羋氏，號宣太后。武王死時，昭襄王為質於燕，燕人送歸，得立。（《史記・秦本紀第五》）

* 【基金項目】本文為天津市二〇一五年度哲學社會科學規劃項目《中國古代敘事文學影像闡釋的變異研究》（項目編碼為 TJZW15005）的相關性研究成果。

昭王母故號為羋八子，及昭王即位，羋八子號為宣太后。（《史記·穰侯列傳第十二》）

昭王即位，以魏冉為將軍，衛咸陽，誅季君之亂，而逐武王后出之魏，昭王諸兄弟不善者皆滅之，威震秦國。昭王少，宣太后自治，任魏冉為政。（《史記·穰侯列傳第十二》）

太史公曰：穰侯，昭王親舅也。而秦所以東益地，弱諸侯，嘗稱帝於天下，天下皆西向稽首者，穰侯之功也。（《史記·穰侯列傳第十二》）

臣居山東時……聞秦之有太后、穰侯、高陵、涇陽，不聞其有王也。……昭王聞之大懼，曰：「善。」於是廢太后，逐穰侯、高陵、華陽、涇陽君於關外。（《史記·范睢蔡澤列傳第十九》）

十月（昭襄王四十二年），宣太后薨，葬芷陽酈山。（《史記·秦本紀第五》）

史書上同時還記載了與這位宣太后私生活有關聯的幾條內容：

秦昭王時，義渠戎王與宣太后亂，有二子。宣太后詐而殺義渠戎王於甘泉，遂起兵伐殘義渠。於是秦有隴西、北地、上郡，築長城以拒胡。（《史記·匈奴列傳第五十》）

妾事先王也，先王以其髀加妾之身，妾困不疲也 ；盡置其身妾之上，而妾弗重也，何也？以其少有利焉。今佐韓，兵不眾，糧不多，則不足以救韓。（《戰國策·韓策二》）

秦宣太后愛魏丑夫。太后病將死，出令曰：「為我葬，必以魏子為殉。」（《戰國策·秦策二》）

在筆墨寥寥的記載中可以看出，這位宣太后在政治上頗有建樹，在私生活方面頗有些放蕩。此外無他。

（二）蔣勝男網絡小說《羋月傳》中的羋月——一個勇於善於在困境中突圍並不斷尋找自我價值的女人

蔣勝男網絡小說《羋月傳》從生到死將羋月的一生分為：霸星出世——長於楚宮——陪嫁秦國——為質燕國——返回秦國——上位太后。她所走過的人生道路，幾乎每一步都充滿了艱辛。

出生時，被目為霸星而遭致楚威后的一再刁難。童年失去雙親庇佑，不免屈就於面目猙獰的楚威后，周旋於任性而以自我為中心的羋姝和內心陰暗腹黑慣於玩火自焚的羋茵之間。親眼目睹了母親向氏被楚懷王強暴而自盡的觸目驚心之後，一夜之間早熟。她除了忍耐以外，唯一的快樂就是與黃歇為伴，隨屈原學習。逃離楚宮是她最現實的生存目標，冥冥之中，她有了人生的渴望：「在他們決定我的命運之前，我自己先決定。」[1]

作為媵人陪嫁秦國，路途中遭遇被義渠人劫持的變故，與黃歇遠走高飛的計畫落空。逃離秦宮，則又成為她最現實的生存目標。然而，事情總是那麼事與願違，陰差陽錯，與秦王嬴駟成為知己。而自己則又成為王后羋姝覬覦的對象。她只有在與秦王的傾心交流與溝通中，在讀書中才能得到快樂。無奈的是後宮婦人們的那些小心思總是干擾她。「有時候一卷在握，只覺得自己能上天入地，攬盡四海，叱吒風雲，可是一放下竹簡，對著的卻是後宮婦人，一地雞毛。有時候心飛得越高，反而越不能忍受現實中的渾濁糾結。」[2]她受夠了束縛，危險在向她逼近，她深感秦王嬴駟也終究無法庇佑她和她的孩子時，秦王卻對她說：「任何人的輸贏都不在自己的手中，而在命運的手中。你以為你在圈子裡，可世間萬物，又何嘗不是在一個個的圈子裡掙扎？……甚至連秦國的命運，天下人的命運，又何嘗不是都在圈子內，人人都為了掙脫輪回宿命而掙扎？」[3]她最終沒有成功逃離，嬴駟死後，身陷囹圄，為質燕國。

為質燕國，本來夢想著燕王的母親孟嬴能夠為她提供庇佑。然而，理想和現實的差距是如此的巨大，孟嬴自身難保。羋月受到了羋姝和羋茵的雙重迫害之後，直至淪落為西市賤婦為人抄寫經卷竹簡為生。「大爭之世，人命微賤，在這種時候，活下去就成了最大的奢望。」「要學會面對最壞的情形。」「天底下人的賤貴不在於他住在哪裡，而在於他的內心。只要內心安定，天下又有什麼地方，是不能去的呢？」[4]最惡劣的生存環境，讓她明白，真正的超越則是內心的安定。

造化弄人，武王舉鼎而亡，她利用義渠君順利返秦，兒子嬴稷為王，自己則上位太后。她終於可以掌控自己的命運了。任用魏冉、白起、羋戎、庸芮等親信，平反了季軍之亂，並四處征伐，賜死了羋姝，囚禁了楚王，直搗楚國郢都，楚威后死。使秦國威赫一時。當義渠君帶給她的困境又擺在面前時，她選擇了忍痛割愛，殺死了義渠君。晚年的她始終不肯放權，而最令人匪夷所思的是她晚年還擁有男寵魏丑夫，並希冀魏丑夫殉葬。然而最終她還是明白了：「我笑他人執迷，卻忘卻自己是另一種執迷了。」[5]最終她放棄了權力，也放棄了所愛。這是她人生中最後一次突圍，也是最徹底的一次突圍，她放棄了所有，她死了。

1　蔣勝男：《羋月傳》（壹）杭州：浙江文藝出版社，2015年，頁103。
2　蔣勝男：《羋月傳》（叁）杭州：浙江文藝出版社，2015年，頁179。
3　蔣勝男：《羋月傳》（肆）杭州：浙江文藝出版社，2015年，頁291。
4　蔣勝男：《羋月傳》（伍）杭州：浙江文藝出版社，2015年，頁92-93。
5　蔣勝男：《羋月傳》（陸）杭州：浙江文藝出版社，2015年，頁336。

（三）鄭曉龍電視劇《羋月傳》中的羋月——品性純良的小女人與高大完美的女強人的合體

鄭曉龍導演電視劇《羋月傳》以蔣勝男小說為基礎，進行了電視劇藝術的再度創造。主線依然是：霸星出世——長於楚宮——陪嫁秦國——為質燕國——返回秦國——上位太后。但電視劇中的羋月形象出現了不同於小說的變異。

縱觀電視劇《羋月傳》中的羋月一生，幾乎所有優秀的男人都對他另眼相看，作為父親的楚威王、滿腹經綸的黃歇、才華橫溢的屈原、巧舌如簧的張儀、極具王者之氣的秦惠文王、氣質瀟脫的義渠君、戰功赫赫的魏冉、白起等。而她吸引如此眾多優秀男人靠的是什麼呢？是純良的氣質。純良中包括愛、寬容、隱忍、退讓、輕財、重智、意志堅定、直道而行等，當然容顏靚麗自然也是不可或缺的，而且女工還是宮裡一等一的高手，幾乎所有的好品質都匯聚在她的身上，觀眾在這個人物身上幾乎找不到缺點，最終塑造了一個「高大上」的完美形象，一個徹頭徹尾的「瑪麗蘇」。這個形象從兩方面予以表現：

一方面是品行純良的小女人形象。她一生中有三段刻骨的戀情，青梅竹馬的黃歇，極具王者之氣的嬴駟，浪漫瀟脫的義渠君翟驪，都被她的可人氣質所吸引。這三段戀情不摻雜任何功利的雜質，是以心心相印的真愛為基礎的；她頗具愛心和責任心，帶大了魏冉，解救了狼孩白起，救回了羋戎；她還是一個稱職的母親，教導嬴稷多讀書，鼓勵獨立思考。敢於頂住壓力，為嬴稷生下胞弟嬴芾。上位太后，還能與羋姝一同回憶往事，真情歷歷。

另一方面是高大完美的政治女強人形象。長於楚宮，她隨屈原讀書，還結識了張儀；媵嫁秦宮，不願與後宮女人為伍，自願為嬴駟整理策論，逐漸取得了嬴駟的信任，在攻韓和攻蜀問題上，又立了大功；為質燕國，孤苦無依，卻能扭轉退局，讓燕國國相郭隗刮目相看；回國後，力挽狂瀾，評定諸公子之亂，開疆拓土。即使行將就木，卻能夠善待藺相如，以顯示強秦對人才的重視。

兩方面結合，電視劇中的羋月形象是完美無瑕的。

二　變異的原因探析

羋月，從粗線條的歷史語境中走來，進入網絡小說，成為一個勇於善於在困境中突圍並不斷尋找自我價值的女人，隨後進入電視劇，變成了一個品性純良的小女人與高大完美的女強人的合體，充滿了正能量。羋月，這個真實的歷史人物，經過不同時空、不同語境、不同媒介的闡釋與傳播之後，發生的變異，應該從以下幾個方面尋找原因。

（一）媒介屬性不同

適合的載體承載適合的內容。最早的芈月出現在《戰國策》、《史記》這樣的歷史著作中。歷史著作的實錄精神，慣於宏大敘事的寫作風格，以及男權社會下女性地位的被遮蔽等，都使歷史語境中的芈月的記載顯得粗線條。

進入二十一世紀，網絡小說盛行。網絡小說以故事曲折、情節生動、情感貼近現實而吸引著大量的年輕網民。蔣勝男網絡小說《芈月傳》也不例外。網絡小說中的芈月，可以全方位、多角度不惜筆墨進行鋪陳塑造，但在情感上必須與年輕的網民有現實的貼近。而要做到現實的貼近，這個人物形象便不能單一，單純的天使亦或魔鬼都不能得到認同。因此，網絡小說中的芈月的性格有其複雜性，有正面有負面，有積極有消極。從思想上，芈月形象中承載著年輕受眾們內在的社會文化心理，芈月的人生困境以及對於困境的突圍，何嘗不是今天的人們所面臨的共同問題。同時，小說閱讀的私密性，也決定了小說創作相對較大的自由度。而恰恰是這種相對較大的自由度，則可以容許對人物形象做全方位展示。

美國學者喬治．布魯斯東說：「在電影中，社會力量在最終的成品中留下的痕跡，比在其他任何藝術中更為明顯。」[6]在這個問題上，電視劇和電影是相同的。與《史記》、《戰國策》等歷史實錄性記載相比，與網絡小說的私人化創作相比，電視劇是合作的產物，要在各種社會力量組成的程式中取得平衡。這些社會力量包括：謀取利潤的需要、來自國家和電視劇工業本身的官方和非官方的檢查、大眾口味的迎合以及觀看方式的家庭性等。因此，電視劇要在各種力量中尋求最大公因數，尋求的結果是電視劇的主角必然是正能量的，芈月被塑造成完美的「高大上」形象也就在所難免。正如電視劇《萬曆首輔張居正》，張居正被塑造成高大上的清官一樣。鄭曉龍導演似乎頗為自豪的說：「我知道有四世同堂一起追劇，這說明我們的片子是符合大眾價值觀的。」[7]是好事乎？壞事乎？

（二）創作主體的文化認知與藝術追求不同

芈月形象的變異，除了與傳播媒介的屬性不同有關外，與各自創作主體的文化認知與藝術追求也有很大的關係。

《戰國策》、《史記》屬於中國的官方史學著作，代表了主流意識形態的意志，它們

6　〔美〕喬治．布魯斯東著，高駿千譯：《從小說到電影》北京：中國電影出版社，1981年，頁38。

7　〈《芈月傳》導演：「芈月」與「甄嬛」沒有可比性〉。http://news.sohu.com/20160121/n435267433.shtml

秉承「實錄」的修史精神。而要做到實錄，必然要淘汰細節抓住主幹。因而對歷史人物的記載總是與當時的歷史大線條相吻合，記載多是粗線條的。因而羋月無論在《戰國策》，亦或是集大成著作《史記》中都是一生行事重大行為事跡的粗線條勾勒。同時有趣的是，史學著作中居然還記載了三條與大秦宣太后私生活有關的事跡，其中與義渠君和韓國使者的對話，如果與重大歷史有關的話，晚年寵愛魏丑夫則是純粹的「春秋筆法」，以「微言大義」的形式體現了官方對這位政治女強人私生活的微詞，同時也代表了男權社會的士大夫們的微詞。

網絡小說《羋月傳》是女性作家蔣勝男的作品，她說：「我其實不喜歡宮鬥和辦公室政治。因為這個時代有互聯網，是更加開放的，每個人都有機會，那麼在辦公室政治消耗了你大部分精力時，你完全可以離開這個小圈子，因為就算你成了辦公室的老大，你依然是在這個辦公室裡。所以《羋月傳》我想表達的是，你不要做屋檐下的燕雀，要有鯤鵬之心，敢於離開牢籠，去迎接風雨。」[8]蔣勝男在《羋月傳》中所要表達的這種突圍心態，恰是對當前中國社會困境的一種突圍心態，是女性對男權社會束縛和壓抑的一種突圍心態。魯迅先生曾經說過：「文藝是國民精神所發的火光，同時也是引導國民精神的前途的燈火。這是互為因果的。」[9]由於電影的昂貴和觀看方式的不便，戲劇早已淡出人們的視線，文學閱讀逐漸式微，電視劇在目前的中國社會是非常有影響力的一種文藝形式，近幾年來，螢幕上的電視劇，除了「手撕鬼子」、「褲襠藏雷」等抗日神劇和雷劇外，主打螢幕的就是打架。從家庭打到職場，從現代打到古裝。正如學者石鍾山所說：「許多人熱衷於美劇和好萊塢的戲。我們細看這些影視劇，每部戲裡展示的都是強大的人文精神。這種強大，讓其國民有一種安全感和自豪感。再看我們為市場炮製出的戲，壓抑、醜惡、沒有希望；為了利益，我們沒有底線，爭來鬥去就是為了眼前的一點蠅頭小利，鼠目寸光，胸無大志。我們的情懷仍然實與人鬥，其樂無窮。」[10]有些人可能會說，這些電視劇缺乏藝術真實。確實如此，這些電視劇每每存在著敘事的漏洞與情感表達的虛假，然而裡面表達的情懷大致還是真實的。面對這種社會現狀，其實生存於期間的人們，期望突圍，生存於期間的女性，期望突破雙重圍困，就顯得非常真實了。蔣勝男筆下出現一個勇於善於在困境中突圍並不斷尋找自我價值的女人，不難理解。網絡點擊量也說明，這種思想和網民們是有共鳴的。

電視劇《羋月傳》沒有順著蔣勝男小說突圍困境的主題入手，導演鄭曉龍說：羋月是新封建階級的代表，她堅持商鞅變法和大一統，反對舊族分封制和世襲，鼓勵靠軍功、能力來得到社會地位……這樣的人物我希望她心靈和人性是乾淨的，（史料中）那

8 〈走進人物內心，書寫權力巔峰的女人：羋月傳原著作者專訪〉。http://book.sina.com.cn/371/2015/1228/36.html

9 魯迅：〈論睜了眼看〉，選自《墳》北京：人民文學出版社，1973年，頁199。

10 石鍾山：〈強大與瑣碎〉，2016年1月21日《今晚報》副刊登載。

種齷齪甚至骯髒的男女情感關係是對這個人物的傷害。退一萬步說，按史料拍審查都不可能通過，這是你到底給社會帶來什麼能量的問題。所以我覺得還是應該拍成一個人的成長歷史，從只有小兒女情懷變成有家國、有天下、有霸氣，一個女人成長勵志的過程。[11]鄭曉龍導演的認知和追求，決定了電視劇《羋月傳》的走向。

（三）受眾審美情趣的不同

任何創作都要面對受眾，才能完成它的使命，實現它的理想。

官方正史首先要面對的是龐大的官僚機器，其次是能夠讀懂它的任何人。其粗線條的宏大敘事能夠最大限度的保證它所傳達信息的真實性和客觀性。網絡小說首先面對的是網民，網民的特點是年齡上的年輕化和思想上的自由化。他們在網絡閱讀中希望彌補現實生活的不足。因而，網絡小說多是青春、玄幻、愛情等題材，理想的成分偏重，同時也希望獲得一些思想上的助益。蔣勝男《羋月傳》，通過大秦宣太后的一生，演繹了一個不斷突破牢籠實現自我價值的人生故事。懸想的成分大於歷史真實。其實，真實的羋八子是如何煉成太后的，濃濃的歷史迷霧一定不是這麼理想和激動人心。電視劇面對的受眾更加複雜，四世同堂看電視，不是神話而是現實。在中國電視劇製作沒有分層，觀眾沒有分眾的情況下，最大限度的抓住觀眾成為電視劇主創們的必然追求。雖然眾口難調，也要最大限度的調和。要有日常生活的瑣碎以滿足世俗情趣；要有生生死死的愛情滿足人們對理想愛情的渴望；要有一定的知識性，以滿足部分人對歷史知識的熱情；要有一定的勵志性，還要有一定的思想性。關鍵是主角還不能是壞人。電視劇《羋月傳》是照顧這麼多受眾情趣之後的結果。從受眾反饋來看，一邊是居高不下的收視率，一邊是方方面面的吐槽。[12]實屬正常，眾口難調嘛！但是，優點多還是槽點多，大體還是可以看出一部作品的好壞優劣的基本傾向。做好壞優劣上的判斷，不是本文的研究內容，茲不贅述。

---

11 〈鄭曉龍：孫儷憑《羋月》應該可以拿視后〉http://ent.ifeng.com/idolnews/daxierenwu/special/zxlwxslzhmnshmyygky/

12 〈鄭曉龍親自剪掉十三集，《羋月傳》仍被吐槽灌水嚴重〉，http://www.chinadaily.com.cn/dfpd/dfwhyl/2016-01-11/content_14473430.html

中日民族始祖比較研究

王勇萍
安徽大學日語系

一 引言

我是誰？我從哪裡來？要到哪裡去？

這三個問題是人類永恆的話題，又是文明史的研究繞不開的論題。這是因為，這三個問題牽涉到全人類的未來。在文藝復興時期，人們將以上三個問題做了簡化，只留下一個問題：Qui vadi？（你往何處去？）人類是需要終極關懷的存在。人類的未來，不是別的，就是我們每一個人的未來，每一個地區的未來，也是每一個國家的未來。

人類自古對於自身的發生、發展充滿著好奇，渴求解開謎底並為此付出了不懈的努力。於是，希臘神話，中國神話，印度神話，阿拉伯傳說等，這些集結了人類最初對於自身起源探究與追問的想像與思考的神話傳說便誕生了，並成為人類對一切文化與思想追源溯本的依據。故在過去的一個多世紀，神話研究在國內外都得到長足的發展並取得了令人矚目的成果。具體到對中國神話的研究，出現了諸如夏曾佑、茅盾、顧頡剛、芮逸夫、聞一多、袁珂、王孝廉、李福清（俄）、葛蘭言（法）、高本漢（瑞典）、安妮・博雷爾（美）等一大批中外研究者。而由於中日間文化上的深厚淵源，日本學者對中國神話的研究幾乎涵蓋所有領域，出現了大量有影響力的研究者，如井上圓了、高木敏雄、白鳥庫吉、津田左右吉、小川琢治、出石誠彥、森三樹三郎、御手洗勝、白川靜、林已奈夫、加藤常賢、大林太良、鐵井慶紀、伊藤清司、工藤元男、森雅子等。在進入二十一世紀的今天，伴隨著全球化的不斷深入，傳統文化與外來文化的碰撞；民族個體與人類整體；國家經濟與區域經濟乃至全球經濟之關係等等，人們的思想和生活遭遇了前所未有的衝擊，面臨著巨大的轉型。因此，二十一世紀的神話研究應在前人研究成果的基礎上，以更廣域的視角重新審視神話與區域乃至全人類思想、文化和經濟的關聯。本文擬以比較神話學研究的方法，希望通過對中日神話中民族始祖的比較研究，對兩國創世始祖神話在文化根性上的共通性有較為清晰的認識，思考日本在中國「一帶一路」經濟建設中的定位。

二 伏羲和女媧是中華民族的共同始祖

民族始祖研究屬於神話學研究，而神話畢竟是現實人生的摹寫。在過去的一個多世紀，神話學在其起源及演變軌跡方面的研究取得了令人矚目的成果。它們揭示了人類對於生活的訴求及思想情感是共通的，而這種共通即是基於人類對於社會發展的一種思辨，同時也是基於人員移動、技術傳播以及對於外來事物及文化的一種接納與包容的態度。也正因為此，人類才能戰勝極其惡劣的自然環境和極其低下的生產力，發展到今天擁有高度文明的社會。從目前掌握的材料來看，中國神話不同於希臘神話和印度神話敘事恢弘，體系性強。學界一致認為中國神話分散於各種古著，是碎片式的，呈無系統無條理狀態。因此，本節將在前人研究的基礎上，通過對文獻資料中伏羲和女媧傳說以及他們在中華民族起源中所起的作用進行疏通整理，以確認伏羲和女媧是中華民族的共同始祖。

首先考察伏羲神話。伏羲又名「宓犧」、「庖犧」、「伏戲」、「包羲」、「包犧」、「伏犧」、「炮犧」、「戲」等。[1]關於伏羲的記載，臺灣東華大學教授劉惠萍認為是在戰國中葉，因為，當時的典籍《管子》、《荀子》、《莊子》、《商君書》、《戰國策》中均有涉及伏羲的內容。劉教授同時還認為此時伏羲的身分是上古氏族的首領英雄。關於這一點，北京大學博士孫立濤在其論文《「伏羲」名號考析》中引用的《管子・第十六卷・封禪》亦載有：

> 古者封泰山，禪梁父者七十二家，而夷吾所記者十有二焉，昔無懷氏封泰山，善云云；宓羲封泰山，善云云；神農封泰山，善云云。[2]

這也為劉教授的主張提供了證明。其後，伴隨著「神話歷史化」，伏羲也由一歷史人物上升為帝王，成為上古三皇。如《風俗通義校注・皇霸篇》所載：

> 伏羲、女媧、神農，是三皇也。皇者天，天不言，四時行焉，百物生焉。三皇垂拱無為，設言而民不違，道德玄泊，有似皇天，故稱日皇。[3]

更由於伏羲「因夫婦，正五行，始定人道，畫八卦以治下」，[4]為人類創造了初始的社會制度。在人類的技術進步方面，伏羲還創造發明了伏牛乘馬、結網繩罟、書契、琴瑟、

---

1 袁珂：《中國神話傳說：從盤古到秦始皇》北京：世界圖書出版公司，2012年，頁56。

2 孫立濤：〈「伏羲」名號考析〉，《民族藝術》，2014年第1期，頁105。原文引自黎翔鳳撰，梁運華整理：《管子校注》，新編諸子集成本，北京：中華書局，2004年，頁952。

3 劉慧萍：《伏羲神話傳說與信仰研究》陝西：陝西師範大學出版公司，2013年，頁19。原文引自（漢）應劭撰，王利器校注：《風俗通義校注》卷一，北京：中華書局，1981年，頁2-3。

4 劉慧萍：《伏羲神話傳說與信仰研究》陝西：陝西師範大學出版公司，2013年，頁24。原文引自（宋）鄭樵：《通志》卷一，頁31。

以火熱食、文字符號、醫藥等。由於伏羲在人類文明進步上所建立的豐功偉績，在中國神話的歷史演進中，他不僅成為了三皇之首，也成為了人類所有文明的創造者，同時兼具了華夏民族共同始祖神的身分。

其次，考察女媧神話。曲阜師範大學教授李欣複通過戰國時屈原作〈天問〉已發出「女媧有體，孰制匠之」疑問， 以及列子書《湯問》中的女媧故事，[5]均認為可「從側面證明戰國時確已有關於女媧傳聞的古事和古竹簡《山海經》流行於世。」[6]劉慧萍教授在其《伏羲神話傳說與信仰研究》中也引用屈原的《天問》以說明女媧神話最早記載於《楚辭．天問》，並依據屈原這一問題是根據楚先王廟及公卿祠堂中的山川神靈、古聖賢及神怪行事圖提出的，認為在屈原時代，女媧已具創世神身分。

關於女媧的功績，《淮南子．覽冥訓》有如下記載：

> 往古之時，四級廢，九州裂；天下兼覆，地不周載；火爁炎而不滅，水浩洋而不息，猛獸食顓民，鷙鳥攫老弱。於是，女媧煉五色石以補蒼天，斷鼇足以立四級，殺黑龍以濟冀州，積蘆灰以止淫水。蒼天補，四極正，淫水涸，冀州平；狡蟲死，顓民生。[7]

從這裡我們可以看出，女媧對於人類開天闢地的功績為「除凶」、「止淫水」、「顓民生」。這樣的描述，雖然也有神話的成分，但是基本上採用的是紀實性的描述手法，神學的意蘊並不濃厚。關於女媧的神性，其實是在歷史典籍的生成過程之中，一步一步地累積和疊加起來的。再後來，便是《風俗通義》一書的出現。其中，有女媧摶土作人的記載：

> 俗說天地開闢，未有人民，女媧摶黃土作人，務劇，力不暇供，乃引繩於泥中，舉以為人。故富貴者黃土人也；貧賤凡庸者，繩人也。[8]

這段記載直接表明了，在天地開闢之時，正是女媧創造了最初的人類。女媧摶土造人，與基督宗教《聖經》的第一部經卷《創世紀》的記載幾乎如出一轍，上帝按照自己的形象用泥土造出了最初的人類，也是一男一女，男的叫亞當，女的叫夏娃。當產生於希伯來民族的《聖經》從東方傳佈到西方之後，《聖經》所代表的希伯來文化與西方原有的

5　李欣複：〈女媧神話之流布及現代解讀〉，《煙臺大學學報（哲學社會科學版）》，第19卷第4期，2006年10月，頁432。

6　同註5。

7　劉文典撰，馮逸、喬華點校：《淮南鴻烈集解》北京：中華書局，1989年，頁206-207。

8　常金倉：〈伏羲女媧神話的歷史考察〉，《陝西師範大學學報》，第31卷第6期，2002年11月，頁52。

古希臘文化相結合，從而形成了一種新的文化即「二希文化」（the Hebrew-Hellenic culture）之後，西方各國，儘管其民族構成紛繁而且大不相同，都如此看待自己的民族來源了。這一點可以在西方各國的早期文學中得到驗證。當代基督教研究，將此稱為造化工程（the Creation project）。既然世界各國都有類似的創世神話，而中國神話是世界神話的一個組成部分，日本神話也是世界神話的一個組成部分，那麼我們將中日兩國關於民族初祖的神話拿來進行比較研究，就是合情合理的了。這是本研究成立之理論根據。

復次，考察伏羲女媧與創世神話。一九四二年，湖南長沙子彈庫一號楚墓出土的《楚帛書》是中國現已發現的年代最早的帛書，也是中國迄今惟一見到的圖文並茂的關於創世神話的古文獻。濟南大學的蔡先金教授撰有論文〈中國創世神話圖景極其諸神譜系——以《楚帛書》為中心的探討〉。[9]在這篇論文中，蔡先金認為《楚帛書》中的神話創世過程，可劃分為以伏羲、女媧為首的原創世階段，以及以炎帝為首的再創世階段。他指出，《楚帛書》構建了創世諸神的譜系化、倫理化體系，其諸神的譜系化依次為伏羲—女媧—四時神—禹、契—帝俊—炎帝、祝融—共工。蔡教授的研究，釐清了中國創世神話的過程和脈絡，以及諸神在創世過程中各自承擔的工作和所起的作用，為後人的研究提供了極大的便利。

由此，我們關注到《楚帛書》記載了伏羲女媧作為創世始祖神先於天地萬物出現，結為夫婦後，化生出禹和契，開始創世。在創世之初，沒有日月，天地混沌，洪水氾濫，世界混亂。於是，禹和契通過步測創設出天地，再佈局山陵海川，接著創設「四時」日月，最終完成創世。至此，儘管其他古籍中有關伏羲、女媧為兄妹，成婚於洪水之後的記載，通過《楚帛書》，我們可以確定伏羲、女媧的夫妻關係古來有之，他們成婚後，創造人類，開天闢地的神話，在東漢時期已得到廣泛傳播，成為當時人們的普遍信仰。

綜上所論，可知伏羲和女媧的確是中華民族共同的始祖。

三　伊耶尊神是日本民族的共同始祖

本研究的文獻支撐如下：

迄今所知，《古事記》和《日本書紀》是日本最早的古典文獻，是研究日本神話必須的文獻資料。其中，《古事記》是日本元明天皇和銅五年（712），由朝臣萬安侶編輯而成。全書分上、中、下三卷，上卷為序及神話，主要記錄的是天地開闢、諸神誕生、國土創成以及天照大神、天孫降臨統治大地等神話故事；中卷與下卷收錄了自神武天皇

9　蔡先金：〈中國創世神話圖景極其諸神譜系——以《楚帛書》為中心的探討〉，《理論學刊》，第2期，總第216期，2012年2月。

至第三十三代推古天皇的家譜與事蹟。《日本書紀》完成於西元七二〇年（養老四年），由舍人親王等人所撰。記載著自神代至第四十一代持統天皇時代的歷史，全書共三十九卷，採用的是漢字、編年體。

很顯然《古事記》和《日本書紀》看似內容相近，但實際卻存在著眾多的差異。一是兩書在成書年代、編撰者以及記錄的年代範圍存在差異；二是面向的讀者群也不一樣，《古事記》是面向國內，闡述天皇的正統性；而《日本書紀》是面向國外，主張日本國家的正統性，所以，《古事記》用的是日語，採用的是紀傳體，將「日本」稱為「倭」或「大和」；而《日本書紀》用的是漢文，按照年代記事，採用的是編年體。為了對《古事記》和《日本書紀》的差異有一個比較直觀的認識，筆者在前人研究成果的基礎上，將《古事記》和《日本書紀》的差異列表如下：

基本事項	《古事記》之記載	《日本書紀》之記載
天地和神的出現	先有天國高天原，然後有神，其次有地	混沌的天地分離後，出現神
創世原因	受命高天原的天神	陰陽作用，自發行為
天國	高天原，住著天神，統管地上世界	有，與地上對等
天照大神	高天原的主宰	僅僅是日神
伊耶那美	死後赴黃泉國	長生不死

如上圖所示，相對於《古事記》，《日本書紀》更具有日本正史的性質。《日本書紀》具有較多的正史性質，這是毋庸置疑的。至於其中的神話因素，那是早期歷史著作中常見的情形。這是因為，上古時代的人們，認為那些事與物是「真的」。歷史，history，就是 his story（他的故事），而「他的」就是「人類的」。至今在英文中 man 一詞，仍舊使用單數，意思就是「人類」。就《古事記》與《日本書紀》兩書在神話世界觀所體現的宗教傾向而論，筆者認為《日本書紀》與中國道教之間的關聯性更大一些。在《古事記》和《日本書紀》之間存在如此多的差異，儘管如此，它們畢竟同為日本最早記載日本本土神話與歷史肇始的古典文獻。以此之故，在下面的論述中，筆者將把《古事記》和《日本書紀》作為同等重要的基礎文獻。

於是，我們可以進行以下基本的推論。

伊耶那岐（ぃざなき）和伊耶那美（ぃざなみ）為日本民族的共同始祖。眾所周知，神世七代誕生的故事，講的是男神和女神。他們經歷了一個漫長的創世過程：由最初的性別抽象，到逐漸的分清性別，到知曉男歡女愛，最終結成恩愛夫妻。後來的日本民族也就是由這兩位伊耶尊神發源的。他們相認時的羞澀，結合時的勇敢，均與《聖經・創世記》中的亞當和夏娃非常類似。也就是說，到了第七代神，才完成了這一個艱難的過程。第七代神，無論在身體器官上，還是智慧上，都是最完美無暇的——他們性別清晰，智慧高超，知曉愛情，也懂得婚姻。

神世七代中最晚生成的一對神是伊耶那岐和伊耶那美。那時，大地尚未形成，如油脂一般漂浮不定。於是眾天神命令伊耶那岐和伊耶那美二神去加固國土，並授予他們天沼矛。伊耶那岐和伊耶那美遵命來到懸浮於天地之間的天浮橋上，將天沼矛插入下面的漂浮物中，來回攪動，再將天沼矛提起來，於是，海水自矛尖滴下，聚集凝固形成一個島，這就是淤能碁呂島。[10]

以上是「誕生國土神話」開頭的一段故事。當伊耶那岐和伊耶那美創造了日本的第一塊國土後，便來到該島並在島上結為了夫妻。其後他們又不斷地生出許多其他島嶼，最終完成日本國土的創造。

通常造完國土後，就該造人了。然而，日本神話中卻沒有關於造人的故事。根據《古事記》記載，伊耶那岐和伊耶那美在完成國土創造後，覺得島上沒有人不好，同時，又認為應該生些能夠使人幸福的神。於是，他們便生下了諸如：土地神、門神、樹神，山神，水神、海神，風神等諸多的神。這些神在降生後又各自生下自己管轄的兒子、孫子。而這些兒孫們迅速成長，並離開伊耶那岐和伊耶那美奔赴到其他地方。在諸神的誕生中，被日本人認為是自己祖先的天照大神（太陽神）的誕生方式與其他諸神不同。她是在伊耶那岐從黃泉國生還，在洗左眼的污穢物時，生出的神，並被伊耶那岐派去統治高天原。而就是由於這個天照大神與月讀神（月亮神）之間產生了不和，互不相見，分別出現，故從此有了白天和夜晚。後來，天照大神又派遣神靈天熊人下界，以查看那一具被月讀神殺死的保食神的屍體，從而獲得牛馬穀物等。於是，天照大神將這些穀物作為種子，開創了農業。

由此，我們可推測，最晚生成的伊耶那岐和伊耶那美是神世七代神中最完美的一對神——性別明顯，知曉愛，懂得結為夫妻。他們創造了日本國土後又創造了眾多的神。而今天的日本人便是這些神的子孫。同時，在天照大神的努力下，最終完成了社會的進化——開創農業生產，使日本進入了農耕社會。以此之故，伊耶那岐和伊耶那美是日本民族當之無愧的共同的始祖。

日本的創世神話與世界多數民族的創世神話有所不同。世界上多數民族的創世神話遵循神一次造人的模式，而日本民族的創世神話遵循多次造神的模式。這或許有助於解釋日本民族那濃郁的神國意識。日本民族的神國意識，與世界上的所有宗教意識一樣，既具有正面的認識價值，又具有不少負面的因素。它體現在日本民族的性格上，便如美國文化人類學者露絲・本尼狄克特（Ruth Benedict）在其論述日本文化的論著《菊與刀》（*The Chrysanthemum and the Sword: Patterns of Japanese Culture*）中所描述的那

10 〔日〕吉田敦彥：《日本神話的考古學》陝西：陝西師範大學出版公司，2013年，頁22。

樣：「日本人既好鬥又和善，既尚武又愛美，既蠻狠又有禮，既頑固又能適應，既馴服又惱怒被人推來推去，既忠誠又背叛，既勇敢又膽怯，既保守又好新。」[11]日本民族最早接觸的域外民族是荷蘭人，以此之故日本有一門特殊的學問，即蘭學。荷蘭人是一個典型的依靠海上貿易而起家的商業民族。固然商業民族也有種種缺點，然而他們也有一個最大的特點，那就是一切從現實出發、注重實際利益。而這種圍繞實際利益善變求新的特性也的確對荷蘭這個民族經久不衰的強盛起到了幫助的作用。在荷蘭征服海上世界的起初幾個世紀，他們在美洲等地擁有大量的殖民地，後來他們都放棄了。這是因為，侵略那些地方，耗資巨甚，得不償失。後來，荷蘭集中力量發展自己本土的經濟、科學、技術、文化和藝術，成為當今最具實力的歐洲強國之一。縱觀日本歷史，我們發現在為了實際利益善變求新這一點上，日本與之一直研究的對象荷蘭有著諸多的相似。關於這一點，由於本文篇幅有限，在此點到為止，不做展開論述。

四　中日民族始祖神話的宗教內涵

神話是在上古時代蒙昧初開，生產力尚且十分低下的境況中，現實生活在人們頭腦中所形成的帶有幻想因素的反映。抽象的自然力往往以人的化身出現，而那時的人，無論男女，都渴望具有更大的改天換地的本領。正如高爾基所說：「一般講來，神話乃是自然現象，與自然的鬥爭以及社會生活在廣大的藝術概括中的反映。」[12]人以想像征服自然力，這是外國文學史教科書上的一句名言。袁珂認為，神話和宗教存在密切的關係，神話源於宗教。那麼，本研究涉及的始祖神話與宗教又有著怎樣密切的聯繫呢？

首先，伏羲和女媧事蹟具有道教的內涵。在前面我們提到由於伏羲「因夫婦，正五行，始定人道，畫八卦以治下」等功績，在道教的經典中被奉為三皇之首。後在佛道教發展盛行時，被編入各自的經典，擔負了各自神系中身分。具體在道教經典中，伏羲成為了其神譜中的「天真景星真人」。更由於伏羲與女媧共同創造人類、開天闢地，成為中華民族的始祖而被人們普遍信仰。故自先秦至魏晉，伏羲女媧形象便頻繁出現在各種墓葬裝飾中。而此時也是道教較為昌盛的時期，道教信仰的陰陽五行，長生不老在民間有著廣泛傳播。因而，眾多學者便通過對考古發現的大量墓葬畫磚、畫石以及壁畫上伏羲女媧形象的研究，來發現伏羲女媧的道教內涵。

漢代的石刻畫像與磚畫中，常有人首蛇身的伏羲和女媧的畫像。這些畫像裡的伏羲和女媧，腰身以上通作人形……腰身以下則是蛇軀……兩條尾巴緊緊地親密地纏繞著。兩人的臉面，或正向，或背向。男的手裡拿了曲尺，女的手裡拿了圓規。或者是男的手

11 〔美〕露絲・本尼狄克特：《菊與刀》上海：上海三聯書店，2007年，頁2。

12 〔俄〕高爾基：《論文學》北京：人民文學出版社，1978年，頁97。

捧太陽，太陽裡面有一隻金烏；女的手捧月亮，月亮裡面是一隻蟾蜍。有的畫像還飾以雲景，空中有生翅膀的人首蛇身的天使們的翱翔。有的畫像更是在兩人中間挽著一個天真爛漫的小兒，雙足捲走，手拉兩人的衣袖。[13]

從以上描述，我們不難看出，畫像中的伏羲和女媧，代表著男與女、雄與雌的兩極。伏羲和女媧的這一身分特徵，充分地顯示了道教的陰陽思想。日月和圓規，則體現了道教五行思想。金木水火土五種元素，相生相剋，它們的永恆運動代表了自然力發生作用的過程，顯示了矛盾轉化的基本規律。關於此事，劉慧萍考證說：「漢代墓室的結構與畫像內容的主題意識，主要建立在陰陽五行與天人感應思想上。」[14]上述墓葬中的伏羲女媧形象正是這種陰陽五行調和、靈魂升天與生命永生的一種體現。其次，這種體現了家庭的圖像不僅頌揚了伏羲「因夫婦，正五行，始定人道，畫八卦以治下」以及他和女媧創造了人類的功德，同時也蘊涵了子孫昌盛，為後世子孫祈福的思想。

其次，伊耶神話具有神道教的內涵。神道教是日本的本土宗教，它由日本對天地自然及祖先崇拜的神祇祭祀發展而來。這種神祇祭祀活動由來已久，最早可追溯至繩文時代。隨著佛教的傳入與發展，在持統天皇時期，日本將佛教和神祇祭祀定為新生的日本國宗教的兩大基礎。並且，還模仿唐朝的《祀令》制定了《神祇令》，將日本的國家性的神祇祭祀理論化了，體系化了。[15]八世紀時，為了與佛教區分，日本的本土宗教取名為「神道」。最早出現「神道」一語的文獻是西元七二〇年編輯的《日本書紀》。為了增加神道教的權威性，日本人將記載日本神話最多的《古事記》和《日本書紀》奉為神道教的神典，亦即神聖的典籍。這樣一來，《古事記》和《日本書紀》便具備了正典（canon）的品格。神道信仰多神，相信萬物有靈。尤其值得注意的是，神道教認為，人神之間存在著血緣關係。天照大神是神道教的最高神，她既是高天原的主宰神，也是管理高天原——「葦原中國」（指日本）的秩序之神。天照大神從伊耶那岐左眼出生後，受命管理高天原，後又派天孫瓊瓊杵尊（《古事記》中叫邇邇芸命）去管理葦原中國。瓊瓊杵尊的曾孫日高佐野尊就是被日本皇室奉為第一代開國天皇的神武天皇，從此日本便一直由天照大神的子孫管理。天皇作為天照大神的血脈，是天照大神在人間的代表。故天皇是天照大神萬世一系之神裔的傳說便是由此而來。這也是占神道主體的神社神道主張神皇一體的根據。根據佐藤弘夫編的《概說日本思想史》，神社神道在天地開闢神話中，汲取了中國道家思想和宋學的宇宙觀並賦予其意義，給後來的神道思想帶來了極大的影響。

綜合上論，我們得知神道的起源與日本民族同時出現，並滲透到日本人民生活的各

13 袁珂：《中國神話傳說：從盤古到秦始皇》北京：世界圖書出版公司，2012年，頁57。

14 劉慧萍：《伏羲神話傳說與信仰研究》陝西：陝西師範大學出版公司，2013年，頁239。

15 〔日〕佐藤弘夫編：《概說日本思想史》日本：ミネルヴァ書房，2005年，頁25-26。原文為日語，中譯文為筆者所作。

個方面。神道通過神祇祭祀將日本各島嶼的創造與生活在這些島上的諸神聯繫在一起，體現了日本古老的宗教信仰與禮儀。伊耶那岐與伊耶那美作為日本神話的創世始祖，他們不僅創造了日本各島嶼，同時也創造了包括神道最高神——天照大神——在內的日本諸神。

五　結論

二十一世紀，在全球經濟連動越來越緊密，地球資源越來越枯竭的今天，對人類最初在生活訴求及思想情感上的共通性的再確認，將有利於我們構建全球經濟視域下的國別發展觀——積極合作、共同發展。本文圍繞這一基本的視點，運用比較神話學的方法，通過對中日民族始祖的比較研究，對日本國在中國「一帶一路」戰略中的定位做了一番思考。

由於中國和日本地理位置上的相近，自古對日本產生最為強大影響的是中國文化，而這種文化的傳播往往伴隨著農業技術的傳入，為日本的文明進步做出了貢獻，也為日本形成自己獨特的日本文化提供了幫助。而從另一方面講，正如日本學者吉田敦彥所示：就日本民族在最短的時間內攝取外來文化這一點而言，世界諸民族的確無出其右者。這句話也從另一個側面揭示了文化的傳播、交流與融合在人類文明進步中的重要性。

通過中日民族始祖的比較研究，我們再次確認了兩國創世神話在內容、結構以及宗教內涵上的相似性與關聯性。同時也再次證明了人類在生活訴求及思想情感上是共通的。通過這種確認，更加有力地證明了文化的傳播、交流與融合在人類文明進步中的重要性。重溫歷史是為了建設更好的現在和未來。古時，一條「絲綢之路」將中國與中亞、西亞以及歐洲連結起來，在繁榮了經濟的同時，也帶來了世界各民族文化的大交流，為世界的文明進步做出了極大的貢獻。如今，在全球經濟連動越來越緊密，地球資源越來越枯竭之際，發展世界各國經濟，改善地球環境是世界面臨的共同課題。在此意義上，中國推出「一帶一路」戰略便是對這一課題的積極回應。日本作為「一帶一路」的北端，具有重要的戰略地位。中日兩國人民都應該以積極的態度看待當今世界發展的大趨勢。「一帶一路」當是一條或許能夠使得日本擺脫長期的經濟低迷的可供參考的道路。

漢畫像石「射鳥圖」考論*

侯文華
北京語言大學人文學院

漢畫像石是漢代文化的重要組成部分，承載著豐富的文化信息，是我們研究漢代政治、經濟、宗教、藝術、風土民情的重要史料。漢畫像石圖像眾多，有些反映了漢代人對異域世界的想像和對長生不老的渴望，有些是歷史掌故、聖賢或英雄故事的勾勒，而更多的則是對當時政治活動和日常生活的描繪，如車馬出行、狩獵、採桑、耕織、馴獸、庖廚、擺宴、拜謁、講經甚至青年男女的婚戀等等。這其中有一類圖像特別引起了學者的關注，即「射鳥」圖。漢畫中的「射鳥」圖，通常是樹下有一二或兩三人開弓射箭，樹上有數隻或一群鳥棲息。樹上或有猴，樹下或有卸載的車馬、獵犬等。漢畫像石為什麼會有那麼多的「射鳥」圖？這些「射鳥」圖到底要表達怎樣的意蘊？雖然學界已經給予了較多關注，提出了多种解釋，但其可信性依然值得懷疑，需要我們進一步深入思考。

一

迄今為止，學界關於漢畫「射鳥」圖的爭論依然未停歇，可謂眾說紛紜。概而言之，主要有以下三種說法較為引人注目：

（一）漢畫射鳥圖為后羿射日圖。袁珂在《中國神話傳說詞典》中直接將河南南陽一幅畫像石射鳥圖命名為《羿射日》，[1]認為畫像石中的射鳥圖是后羿射日傳說的圖像反映。對此，日本學者林巳奈夫提出懷疑。他從射鳥人的穿著、舉止、神情等因素判斷此圖與后羿射日的故事毫無關聯。[2]

（二）「射鳥」等於「射爵」，「射猴」等於「射侯」，即象徵著射取官爵。此觀點為臺灣邢義田提出。在《畫為心聲：畫像石、畫像磚與壁畫》一書中，作者特別注意到漢

* 國家社科基金重大項目「中國上古知識、觀念與文獻體系的生成與發展研究」（11&ZD103）、教育部人文社會科學研究青年基金項目「先秦經典闡釋與文體研究」（16YJC751006）和北京語言大學青年自主科研支持計畫資助項目（中央高校基本科研業務費專項資金）「春秋知識階層的演進與文獻的生成及傳播研究」（13YBG32）成果

1 袁珂：《中國神話傳說詞典》上海：上海辭書出版社，1985年，頁303。

2 〔日〕林巳奈夫：《刻在石頭上的世界》北京：商務印書館，2010年，頁153-156。

畫像石中有一類是樹下有人彎弓射箭，樹上不僅有鳥，而且有猴的圖像。他結合《禮記》關於射義的記載以及中國古代善用諧音的傳統分析道：「侯與猴相通假……鳥與雀二字常互用……雀與爵相通假極通常……樹下之人射鳥，其實是射雀或鵲、射爵，象徵獵取官爵。」又引〈陳留耆舊傳〉「雀者，爵命之祥」和《禮記・射義》「故天子之大射，謂之射侯。射侯者，射為諸侯也。射中則得為諸侯，射不中則不得為諸侯」，得出結論云：「圖中之人在桂樹下彎弓射猴或射雀、鵲，應是取其射爵、射侯，以達富貴之義……『樹木射鳥圖』實宜正名為『射爵射侯圖』。」[3]筆者認為這一說法帶有較多臆想的成分，恐怕還需要進一步推敲。

（三）漢畫像石中的射鳥圖反映的是墓主人後代為準備祭祀祖先用的犧牲而在墓地的樹林中進行的狩獵活動。信立祥在《漢畫像石綜合研究》一書中，結合中國古代祭祀用「血食」的傳統，認為「祠堂後壁的樹木射鳥圖像，實際上表現的就是孝子賢孫為了準備祭祀祖先用的犧牲而在墓地樹林中進行的射獵場面。」[4]「樹下停放的車和馬是祠主往來地下墓室和祠堂之間的交通工具，樹木旁的狩獵者是為墓祭準備犧牲的祠主子孫。」[5]

中國古代祭祀確有「血食」傳統，漢代當然也不例外。《漢書・高帝紀》載高祖五年下詔云：「故粵王亡諸世奉粵祀，秦侵奪其地，使其社稷不得血食。」所謂不得「血食」，意味著國破家亡或者絕嗣，是頭等災難。古代祭祖用的犧牲中確實有「鳥」一項，但這是否足以說明漢畫像石中的射鳥圖反映的就是子孫為準備祭祖用的犧牲而去射鳥，並且是在墓地的樹林中？

假如射鳥圖誠如信立祥所言，反映的是子孫為祭祀而去射獵的話，那麼墓地的樹林是否為最合適的場所？漢代用於祭祀的鳥，通常是鳧、雁、鴇、鶚之屬，有食用價值。墓地通常是烏鴉所居之地，或亦有鶚，但祭祀常用的鳧、雁卻少。鳧、雁之屬，廣大的川林山澤恐怕比墓地要豐富得多。所以，如果要射獵祭祀用的犧牲，實在沒有必要來墓地。

另外，信立祥認為組成墓祭圖的各種圖像因素：樓閣、雙闕、馬、車、樹木、射獵等，都是墓祭祖先這一中心主題的有機組成部分。樹下車馬為墓主人從陰間到陽界所乘，射鳥即子孫因為祖先亡靈的到來而準備犧牲。如果此論成立的話，迎接亡靈和準備犧牲應該是在一個相對緊湊的時間內完成的。但是從時間上看，這恐怕難以成立：一個真正對祖先滿懷敬意的子孫，他為什麼不在祭祀之前早早準備好祭祀用的犧牲，而臨時跑去墓地現場打獵呢？此其一。其二，組成墓祭圖的樓閣、雙闕、馬和車、樹木、射獵

3　邢義田：《畫為心聲：畫像石、畫像磚與壁畫》北京：中華書局，2011年，頁177-178。

4　信立祥：《漢畫像石綜合研究》北京：文物出版社，2000年，頁99。

5　同上註，頁101-102。

等圖像因素也並不總是統一的整體，而僅僅是偶然的組合。此一點，邢義田所論甚詳。他將與射鳥有關的因素之間的組合情況進行梳理，總結出共有六種情形：樹木射鳥圖單獨出現；樹木射鳥＋樓閣；樹木射鳥＋馬；樹木射鳥＋樓閣＋車馬；樹木射鳥＋樓閣（或車馬、馬）＋其他；樹木射鳥＋其他—樓閣。[6]故而看來，信立祥所舉僅僅是諸多情形中之一種。其三，從射鳥人的妝扮看，他們並非顯貴階層之子孫。此一點，林巳奈夫早就論述過，信立祥在書中對此也予以認同。[7]漢代有能力有財力修建墓穴、繪製畫像石畫像磚的，一定不是細民階層。而射鳥人衣著粗樸，舉止輕佻，應該不是墓主人後裔；圖中所繪射鳥行為也應該不是出現在祭祀或其他莊嚴的儀式性活動中。

二

鳥在中國古代社會尤其是上古時期的用處是相當大的，祭祀、宴飲、君臣相見、諸侯會盟、歌舞表演、裝飾等各種場合和活動中都要用到鳥，或用其肉，或用其羽。這一點我們通過《周禮》即能得到印證。《周禮》的成書年代問題，一直是學術界一大公案，迄今尚無定論。但學者們根據書中所包含的祀典、刑法、田制、思想及其互相交融的程度等因素，推斷大概成書於戰國或漢初。[8]

《周禮》的記載中，光是專門針對捕鳥和養鳥的職官就有若干，如射鳥氏、羅氏、掌畜、羽人、翨氏等等。《周禮》對這些職官的職能及其徒屬均有明確的記載：

> 《周禮・夏官》：「射鳥氏，下士一人，徒四人」。「射鳥氏，掌射鳥。祭祀，以弓矢敺烏鳶。凡賓客、會同、軍旅，亦如之。」
>
> 《周禮・夏官》：「羅氏，下士一人，徒八人」。「羅氏掌羅烏鳥。蠟，則作羅襦。中春，羅春鳥，獻鳩以養國老，行羽物。」
>
> 《周禮・夏官》：「掌畜，掌養鳥而阜蕃教擾之。祭祀，共卵鳥。歲時貢鳥物，共膳獻之鳥。」
>
> 《周禮・地官》：「羽人，掌以時征羽翮之政於山澤之農，以當邦賦之政令。凡受羽，十羽為審，百羽為摶，十摶為縛。」
>
> 《周禮・秋官》：「翨氏掌攻猛鳥，各以其物為媒而掎之，以時獻其羽翮。」

6　邢義田：《畫為心聲：畫像石、畫像磚與壁畫》，頁143-173。

7　信立祥：《漢畫像石綜合研究》，頁98。

8　參看錢穆：〈《周官》著作年代考〉，《燕京學報》，1933年第6期；楊向奎：〈《周禮》的內容分析及其製作年代〉，《山東大學學報》，1954年第4期；顧頡剛：〈周公制禮的傳說和《周官》一書的出現〉，《文史》，1979年第6輯；彭林：〈《周禮》成書於漢初說〉，《史學史研究》，1989年第3期。

射鳥氏是專門負責射殺鳥類的職官，有下士一人，徒屬四人組成，都是低級武官。祭祀之前，用弓矢射殺鳥類以作犧牲。羅鳥氏也是專門負責捕鳥的職官，有下士一人，徒屬八人組成，其捕鳥的方式是設網羅捕鳥，跟射鳥氏不同。射鳥氏和羅氏從自然界中直接獵取鳥還不足以滿足人類對鳥的巨大需求，故又有「掌畜」一職，專門負責蓄養和繁育鳥類，供祭祀和膳饈之用。「掌畜」使鳥的供應有長足的保證。羽人和翨氏主要負責向朝廷進獻鳥羽：羽人向山澤之農徵收羽翮，羽翮可抵農人的賦稅；翨氏主要負責對付猛鳥，按時向朝廷進獻羽翮。猛鳥一般羽翼豐健，色澤華豔，可做裝飾用。但是猛鳥如鷹、隼之屬也難以捕捉。捕獵者往往將誘餌置於絹網中，待其入網，再將其腳套住，使其就擒。

雖然《周禮》所記載的職官僅僅是當時儒家知識階層對他們所嚮往的理想政治圖式的一種想像和設計，但這些職官的設想並非全然是空穴來風，一定跟當時的社會需求有著密切的聯繫。與射鳥、捕鳥、畜鳥相關的諸多官職的設置當然也是如此。這從一個側面反映出戰國或秦漢之際，社會對鳥的需求是相當之大的。

概括起來，鳥在上古社會被廣泛需要主要體現在如下幾個方面：

（一）祭祀時需要用鳥作犧牲

上古時期，天子諸侯等祭祀的牲禮一般是牛、羊、豕。三牲全備，稱為「太牢」；只有羊、豕，沒有牛，則稱為「少牢」。根據參祭者和祭祀對象的不同，所用牲禮的規格也有所區別。一般情況下，天子祭祀用太牢，諸侯祭祀用少牢。其實，鳥也常常被用作祭祀的犧牲。《周禮・夏官》載「射鳥氏」一職云：「掌射鳥。祭祀，以弓矢敺烏鳶。凡賓客、會同、軍旅，亦如之。」鄭玄注曰：「鳥謂中膳羞者，鳧、雁、鴇、鴞之屬。」賈公彥疏云：「以其會同皆有盟詛之禮，殺牲之事，軍禮亦有斬牲巡陣之事，故須敺烏鳶。」[9]這段材料告訴我們，鳧、雁、鴇、鴞之屬，皆可用作宗廟祭祀、軍禮和盟詛的牲禮。

（二）鳥是臣屬朝覲君主、士人相見以及訂婚聯姻時的摯禮

鳥類中如雁、雉、鶩、雞者，因各有其獨特的習性而被古人認可，當作有象徵意蘊的摯禮。《周禮・春官・大宗伯》：「以禽作六摯，以等諸臣。孤執皮帛，卿執羔，大夫執雁，士執雉，庶人執鶩，工商執雞。」鄭玄注：「雁，取其候時而行。雉，取其守介而死，不失其節。鶩，取其不飛遷。雞，取其守時而動。」賈公彥疏：「云『雁，取其

---

9 〔漢〕鄭玄注，〔唐〕賈公彥疏：《周禮注疏》北京：北京大學出版社，1999年，頁811-812。

候時而行』者，其雁以北方為居，但隨陽南北，木落南翔，冰泮北徂，其大夫亦當隨君無背。云『雉，取其守介而死，不失其節』者，但雉性耿介，不可生服，其士執之，亦當如雉耿介，為君致死，不失節操也。云『鶩，取其不飛遷』者，庶人府史胥徒新升之時，執鶩。鶩即今之鴨。是鶩既不飛遷，執之者，象庶人安土重遷也。云『雞，取其守時而動』者，但工或為君興其巧作，商或為君興販來去，故執雞，象其守時而動。」[10]雁是候鳥，秋去春來，候時而動，被當作卿朝覲君主的摯禮。雉中直耿介，不失其節，被當作士階層朝覲君主的摯禮。鶩和雞各因其不隨意飛遷和守時而動，分別被當作庶人和工商朝覲天子的摯禮。

《儀禮．士相見禮》:「士相見之禮。摯，冬用雉，夏用腒。」鄭玄注:「士摯用雉者，取其耿介，交有時，別有倫也。雉必用死者，為其不可生服也。」[11]士人之間相見，冬天所行摯禮即為雉，以其耿介敢死也。

雁在古代還常被用來作士人訂婚聯姻時的彩禮。《儀禮．士昏禮》曰:「昏禮。下達，納採用雁。」鄭玄注曰:「達，通也。將欲與彼合昏姻，必先使媒氏下通其言。女氏許之，乃後使人納其採擇之禮。用雁為摯者，取其順陰陽往來。」賈公彥疏:「昏禮有六，五禮用雁：納采、問名、納吉、請期、親迎是也，唯納征不用雁，以其自有幣帛可執故也。」[12]古代婚禮有六道程式，其中納采、問名、納吉、請期、親迎等五禮都要用到雁。

（三）宴飲時烹鳥以作饌食

《周禮．天官．冢宰》載「庖人」一職曰:「掌共六畜、六獸、六禽，辨其名物。凡其死生鱻薨之物，以共王之膳與其薦羞之物及后、世子之膳羞。共祭祀之好羞，共喪紀之庶羞，賓客之禽獻。凡令禽獻，以法授之，其出入亦如之。凡用禽獻，春行羔豚，膳膏香；夏行腒鱐，膳膏臊；秋行犢麛，膳膏腥；冬行鮮羽，膳膏羶。」鄭玄引鄭眾之語注曰:「六禽，雁、鶉、鷃、雉、鳩、鴿。」賈公彥又引杜預注疏曰:「羽，雁也。」[13]庖人掌管君主、王后及世子的膳食中有所謂「六禽」，鄭眾認為是大雁、鵪鶉、鷃、雉、鳩、鴿之屬。賈公彥和杜預認為冬季進貢於朝廷的「羽」主要是雁。儘管「六禽」具體包含哪些動物仍存爭議，但其中定然包含鳥類無疑。

〈天官．冢宰〉載「內饔」一職曰:「掌王及后、世子膳羞之割亨煎和之事，辨體名肉物，辨百品味之物……牛夜鳴則庮；羊泠毛而毳，羶；犬赤股而躁，臊；鳥皫色而

10 同上註，頁476-477。

11 同上註，頁111。

12 同上註，頁60。

13 同上註，頁86-90。

沙鳴，貍；豕盲眡而交睫，腥；馬黑脊而般臂，螻。」賈公彥疏：「『云鳥皫色而沙鳴』者，皫，失色也。沙，澌也。鳥毛失色而鳴又澌，其肉氣必鬱。鬱，謂腐臭。」[14]內饔專司君主、王后及世子膳食中的割亨煎和之事，鳥亦為其膳食之一。鳥色變聲咧則味變，不當食用。

〈天官・冢宰〉載「膳夫」一職曰：「掌王之食飲膳羞，以養王及后、世子……凡肉脩之頒賜皆掌之。凡祭祀之致福者，受而膳之。以摯見者，亦如之。」鄭玄注引鄭眾曰：「以羔雁雉為摯見者，亦受以給王膳。」賈公彥疏曰：「謂卿大夫以下新仕為臣者，卿執羔、大夫執雁、士執雉來見王。」[15]大夫、士、庶人、工商朝覲天子時所帶之摯禮，最後也會被送進廚房，烹作膳食。

古有食鴞之俗。鴞即梟。《莊子》書中曾提到「鴞炙」，即烤炙鴞鳥為食。〈齊物論〉：「且女亦大早計，見卵而求時夜，見彈而求鴞炙。」鴞，即鵩鳥，大小如雌雞，而似斑鳩，青綠色，其肉甚美，堪作羹炙。

（四）鳥羽可作旌旗、車馬鹵簿、棺槨、箱櫝、衣冠的裝飾，亦可作舞者的道具

翮即鳥類的羽根。〈冬官・考工記〉有「鍾氏」一職：「鍾氏染羽，以朱湛、丹秫，三月而熾之，淳而漬之。」〈地官〉記「羽人」曰：「掌以時徵羽翮之政於山澤之農，以當邦賦之政令。」賈公彥疏：「此羽人所徵羽者，當入于鍾氏，染以為後之車飾及旌旗之屬也。」[16]鍾氏專職染羽，羽人所徵羽翮也要送至鍾氏處上色。上色之後的羽翮可裝飾王后的車輿，或者作旌旗。《詩經・齊風・載驅》：「載驅薄薄，簟茀朱鞹。」傳云：「車之蔽曰茀。諸侯之路車，有朱革之質而羽飾。」[17]謂路車以皮革為質，其上又以翟羽為之飾。

鳥羽還被繫於旗幟，以作徽號。《尚書・禹貢》：「徐州貢夏翟之羽，有虞氏以為緌。」翟即長尾山雉，緌是旌旗的垂流。有虞氏以翟羽為緌。《周禮・春官》載「司常」一職：「掌九旗之物名，各有屬，以待國事。日月為常，交龍為旂，通帛為旜，雜帛為物，熊虎為旗，鳥隼為旟，龜蛇為旐，全羽為旞，析羽為旌。」鄭玄云：「全羽、析羽皆五采，繫之於旞旌之上，所謂注旄於干首也。」[18]司常掌旗。常、旗、旜、物、

14 同上註，頁90。

15 同上註，頁79-86。

16 同上註，頁420-421。

17 〔漢〕毛亨傳，〔晉〕杜預注，〔唐〕孔穎達正義：《毛詩正義》北京：北京大學出版社，1999年，頁352。

18 〔漢〕鄭玄注，〔唐〕賈公彥疏：《周禮注疏》，頁731。

旗、旟、旐、旞、旌等九種旗幟，以不同徽號表示不同等級和用途。其中旞、旌兩種是以鳥羽為飾。用完整的羽毛裝飾的旗稱為旞，用繐狀或曰流蘇狀羽毛裝飾的旗稱為旌。

古代諸侯葬禮用羽葆，以鳥羽聚於柄頭，形如華蓋。《禮記・雜記》:「升正柩，諸侯執綍五百人，四綍皆銜枚。司馬執鐸，左八人，右八人。匠人執羽葆御柩。」孔穎達疏云:「羽葆者，以鳥羽注於柄頭，如蓋，謂之羽葆。」[19]又《禮記・喪大記》:「君葬用輴，四綍二碑，御棺用羽葆。」孔穎達疏:「御棺用羽葆者，〈雜記〉云：諸侯用匠人持羽葆，以鳥羽注於柄末如蓋，而御者執之居前，以指揮為節度也。」[20]

鳥羽亦用於裝飾箱櫝。《韓非子・外儲說左上》:「楚人有賣其珠于鄭者，為木蘭之櫃，熏以桂椒，綴以珠玉，飾以玫瑰，輯以羽翠。鄭人買其櫝而還其珠。此可謂善賣櫝矣，未可謂善鬻珠也。」韓非子所舉買櫝還珠的故事中，鬻珠的楚人除「熏以桂椒，綴以珠玉，飾以玫瑰」外，還以翠色鳥羽裝飾箱櫝，使其華豔無比，以致鄭人買其櫝而還其珠。

鳥羽亦可飾衣冠。《左傳》昭公十二年，楚靈王「皮冠，秦復陶，翠被，豹舄，執鞭以出」。杜預注「復陶」云:「秦所遺羽衣也。」注「翠被」云:「以翠羽飾被。」[21]被即帔子。《左傳》僖公二十四年，「鄭子臧好聚鷸冠」。杜預注「鷸冠」:「聚鷸羽以為冠。」孔穎達疏引李巡語云:「鷸一名為翠，其羽可以為飾。」[22]

古有羽舞，即持鳥羽而舞之。翟鳥的羽毛是舞者所持的道具。羽或白色或彩色。《周禮・地官・舞師》:「舞師……教帗舞，帥而舞社稷之祭祀；教羽舞，帥而舞四方之祭祀。」鄭玄注:「羽，析白羽為之，形如帗也。四方之祭祀，謂四望也。……皇，析五采羽為之，亦如帗。」賈公彥疏:「羽舞用白羽，帗舞用五色繒，用物雖異，皆有柄，其制相類，故云『形如帗』也。」[23]帗即翇。《說文・羽部》:「翇，樂舞，執全羽以祀社稷也。從羽，犮聲。讀若紱。」又〈天官・掌次〉:「王大旅上帝，則張氈案，設皇邸。」鄭玄注「皇邸」云:「染羽象鳳皇色羽以為之」。[24]〈春官・樂師〉:「凡舞，有帗舞，有羽舞，有皇舞，有旄舞，有干舞，有人舞。」鄭眾注曰:「帗舞者，全羽。羽舞者，析羽。皇舞者，以羽冒覆頭上，衣飾翡翠之羽。」[25]

上述材料使我們看到了鳥在上古社會的巨大功用。這尚且是不完全歸納，鳥類在當時社會的功用恐怕遠不止如此。

---

19 〔漢〕鄭玄注，〔唐〕孔穎達疏:《禮記正義》北京：北京大學出版社，1999年，頁1218。

20 〔漢〕鄭玄注，〔唐〕孔穎達疏:《禮記正義》，頁1288。

21 〔周〕左丘明撰，〔晉〕杜預注，〔唐〕孔穎達正義:《春秋左傳正義》北京：北京大學出版社，1999年，頁1303-1304。

22 〔周〕左丘明撰，〔晉〕杜預注，〔唐〕孔穎達正義:《春秋左傳正義》，頁423。

23 〔漢〕鄭玄注，〔唐〕賈公彥疏:《周禮注疏》，頁319。

24 同上註，頁149。

25 同上註，頁596。

三

漢代對鳥的需求依然很大。《史記》、《漢書》、《後漢書》、《論衡》、《新語》、《說苑》等史書、子書和筆記類文獻中所記載的人類對鳥有所需求的材料不勝枚舉。也就是說，漢代社會在政治、宗教、禮俗、娛樂、裝飾及其他的日常生活方面，同樣對鳥有著巨大的需求。

（一）在漢代，各種鳥常被烹作饌食，這在很多文獻中都有直接或間接的反映。

東漢桓譚《新論・離事》：

> 天下有鸛鳥，郡國皆食之，而三輔俗不敢取之，取或雷霹靂起。原夫天不獨左彼而右此，其殺取時，適與雷遇耳。

國人食鸛在漢代是普遍現象，本是常事。三輔即京畿地區的人之所以不食，只是因為當地的獨特風俗使然。

賈誼《新書》卷六〈禮〉論「禮」時曾提及食鳥一事：

> 禮，聖王之於禽獸也，見其生不忍見其死，聞其聲不嘗其肉，隱弗忍也。故遠庖廚，仁之至也。不合圍，不掩群，不射宿，不涸澤。豺不祭獸，不田獵；獺不祭魚，不設網罟；鷹隼不鷙，睢而不逮，不出植羅；草木不零落，斧斤不入山林；昆蟲不蟄，不以火田。不麛，不卵，不刳胎，不殀夭，魚肉不入廟門，鳥獸不成毫毛不登庖廚。取之有時，用之有節，則物蕃多。

所謂「鳥獸不成毫毛不登庖廚」，就是說鳥獸還沒長成熟的話就不要宰殺它們。反言之，只要長大成熟了，就可以入庖廚，以作饌食。

漢人保持了先秦以來的食梟風俗。漢人之所以食梟，除因其味美之外，還為除惡。《漢書・郊祀志》引《封禪書》曰：漢武帝時，「後人復有上書，言『古者天子常以春解祠，祠黃帝，用一梟、破鏡……』」如淳注曰：「漢使東郡送梟，五月五日作梟羹以賜百官。以其惡鳥，故食之也。」[26]《說文解字》釋「梟」曰：「梟，不孝鳥也。日至捕梟磔之。」古人認為鴟鴞是惡鳥，鳥大食母，大不孝，故於五月五日這天作梟羹頒賜百官，既是除惡，又施揚了皇恩，籠絡了群臣。另外，我們注意到，漢畫像石、畫像磚數量眾多的庖廚圖中實不乏鳥類的身影。

---

26 〔漢〕班固撰，〔唐〕顏師古注：《漢書》北京：中華書局，1963年，頁1218。

（二）在漢代，鳥依然可以作為君臣相見的摯禮和婚俗中的彩禮。

西漢劉向《說苑・修文》載：

> 天子以鬯為贄。鬯者，百草之本也。上暢於天，下暢於地，無所不暢，故天子以鬯為贄。諸侯以圭為贄。圭者，玉也。薄而不撓，廉而不劌。有瑕於中，必見於外。故諸侯以玉為贄。卿以羔為贄。羔者，羊也。羊群而不黨，故卿以為贄。大夫以雁為贄。雁者，行列有長幼之禮，故大夫以為贄。士以雉為贄。雉者，不可指食籠狎而服之，故士以雉為贄。庶人以鶩為贄。鶩者，鶩鶩也。鶩鶩無他心，故庶人以鶩為贄。贄者，所以質也。

漢代君臣相見時，大夫、士、庶人朝拜君主所持之摯禮，與《周禮》所記完全相同，即分別持雁、雉、鶩。漢代官僚系統漸趨發達完善，君臣相見的機會應不在少數。雖然不是每次朝見都要持禮，但在一些正式的禮儀中，臣子持摯拜見君主是儒家儀禮傳統的必要內容。

漢代，雁依然是士人訂婚聯姻時的常用彩禮。納采、問名、納吉、請期、親迎等五禮都要用到雁。為什麼要用雁呢？《白虎通・嫁娶》論「贄幣」云：「贄用雁者，取其隨時而南北，不失其節，明不奪女子之時也。又是隨陽之鳥，妻從夫也。又取飛成行，止成列也。明嫁娶之禮，長幼有序，不逾越也。又婚禮贄不用死雉，故用雁也。」《白虎通》是東漢白虎觀經學會議之資料彙編，體現了當時上自天子、下迄儒生的學術共識，它對當時嫁娶用雁的解釋應該是符合當時社會的情形的。

（三）在漢代，鳥羽依然常被用作車輿、旗幟、服飾的裝飾物。

漢人延續了先秦傳統，常以鳥羽裝飾車輛或旗幟。漢代史書中常出現「羽葆」、「析羽」等詞。「羽葆」指帝王儀仗中以鳥羽聯綴為飾的華蓋。《漢書・韓延壽傳》：「建幢棨，植羽葆。」顏師古注曰：「羽葆，聚翟尾為之，亦今纛之類也。」[27]《後漢書・南匈奴列傳》載：「詔賜單于冠帶、衣裳、黃金璽、盭緺綬，安車羽蓋，華藻駕駟，寶劍弓箭……」所賜南匈奴單于諸物中有「安車羽蓋」，所謂「羽蓋」，即指車蓋以鳥羽為飾。《後漢書・輿服志上》載「乘輿法駕」之制云：「鸞旗者，編羽旄，列系幢旁。」鸞旗就是用鳥羽裝飾的系於幢旁的旗子。

鳥羽可作衣冠上的裝飾物。劉向《說苑・修文》引《樂記》云：

> 君子反情以和其志，比類以成其行。奸聲亂色，不習於聽。淫樂慝禮，不接心術。惰慢邪辟之氣，不設於身體。使耳目鼻口心智百體，皆由順正，以行其義。

---

27 同上註，頁3215。

> 然後發以聲音，文以琴瑟，動以干戚，飾以羽毛，從以簫管，奮至德之光，動四氣之和，以著萬物之理。是故清明象天，廣大象地，終始象四時，周旋象風雨。

劉向認為君子人格的形成，除了要錘煉修習內在的德行外，還要注重儀表儀容。「飾以羽毛」即以羽毛來修飾儀容形貌。

漢人亦著鳥衣。《後漢書・酷吏列傳》載酷吏李章的故事云：「光武即位，拜陽平令。時趙、魏豪右往往屯聚，清河大姓趙綱遂於縣界起塢壁，繕甲兵，為在所害。章到，乃設饗會，而延謁綱。綱帶文劍，被羽衣，從士百餘人來到。章與對宴飲，有頃，手劍斬綱，伏兵亦悉殺其從者，因馳詣塢壁，掩擊破之，吏人遂安。」李賢等注「羽衣」：「緝鳥羽以為衣也。」[28]這位叫趙綱的清河大姓竟直接披服羽衣赴宴，可能是對這場意料之中的「鴻門宴」早有準備。

漢代武人所戴冠有一種叫鶡冠。《後漢書・輿服志下》：「武冠，俗謂之大冠，環纓無蕤，以青系為緄，加雙鶡尾，豎左右，為鶡冠云。五官、左右虎賁、羽林、五中郎將、羽林左右監皆冠鶡冠，紗縠單衣。」鶡冠即用鶡羽作裝飾的冠。

（四）在漢代，祭祀也需要以鳥為犧牲。

漢畫像石、畫像磚諸多祭祀圖中，祭案上擺放鳥體者並不少見。據《漢書・王莽傳》記載，漢平帝元始元年正月，王莽曾諫太后以白雉祭祀宗廟。鳥牲的來源除了各地進貢外，主要來自上林苑。據《漢舊儀》載：「上林苑中以養百獸禽鹿，嘗祭祠祀賓客。」上林苑中負責供給祭祀犧牲的機構叫水衡都尉。除水衡外，少府屬下的「佽飛」也在上林苑中弋獵鳧雁以供祭祀。《後漢書・班彪傳》李賢等注「佽飛」引隋蕭該《漢書音義》云：「本秦左弋官也，武帝改為佽飛官，有一令九丞，在上林中。紡矰繳，弋鳧雁，歲萬頭，以供宗廟。」[29]佽飛在上林苑中獵獲禽牲數量可達到「歲萬頭」之多。

在漢代，鳥羽甚至被當做財富和實力的象徵。陸賈《新語・道基》：「夫驢騾駱駝，犀象玳瑁，琥珀珊瑚，翠羽珠玉，山生水藏，擇地而居，潔清明朗，潤澤而濡，磨而不磷，涅而不淄，天氣所生，神靈所治，幽閒清淨，與神浮沈，莫不效力為用，盡情為器。」陸賈將鳥羽與珠玉、琥珀、犀象、玳瑁等稀有之物相提並論，足見其珍貴。《後漢書・左周黃列傳》載延熹七年黃瓊上漢靈帝書云：「陛下初從藩國，爰升帝位，天下拭目，謂見太平。而即位以來，未有勝政。諸梁秉權，豎宦充朝，重封累積，傾動朝廷，卿校牧守之選，皆出其門，羽毛齒革、明珠南金之寶，殷滿其室，富擬王府，勢回天地。言之者必族，附之者必榮。」在這封給皇帝的上書中，黃瓊指出漢末梁氏專權的事實。他不僅把持朝政，而且擁有與王室相匹敵的財富，而鳥羽即其擁有財物的象徵之

---

28 〔南朝宋〕范曄：《後漢書》北京：中華書局，2011年，頁2492。

29 〔漢〕班固撰，〔唐〕顏師古注：《漢書》，頁1349。

一。羽毛本非稀有之物，但由於其在當時社會的巨大功用而為權貴所重視，相應地，也就成為財富和實力的象徵物了。

既然如此，為了滿足對鳥以及鳥羽的巨大需求，漢人就不能不設置專門掌管捕鳥的職官及辦事人員，上文中提到的水衡都尉和佽飛就是其中之二。漢畫像石及畫像磚雖有對異域神靈世界的想像，但更多的是漢代社會現實的反映。

四

漢畫像石中諸多的射鳥圖，大多沒有神幻誇張色彩，是現實生活的折射。它們所反映的，正是諸多捕鳥的職官為滿足對鳥肉及鳥羽的巨大需求而進行的射獵活動。上文中曾提到邢義田認為樹上有鳥和猴的射鳥圖是漢人「射爵」、「射侯」儀式的反映，我們之所以覺得這個觀點值得商榷，原因有二：

地點有偏差。古代行射禮的人員是天子、諸侯及所貢之士，地點是射宮、辟雍。天子于春季在射宮或辟雍行射禮，一為選擬卿士，二為順天地陽氣。《禮記．射義》曰：「古者天子以射選諸侯、卿、大夫、士。射者，男子之事也，因為飾之以禮樂也……古者天子之制，諸侯歲獻，貢士于天子，天子試之于射宮。其容體比於禮，其節比于樂，而中多者，得與於祭。其容體不比於禮，其節不比于樂，而中少者，不得與於祭。」《漢書．五行志》曰：「春而大射以順陽氣。」張衡〈東京賦〉亦云：「春日載陽，合射辟雍。」表明古者大射之禮在春季。《白虎通．鄉射》云：「天子所以親射何？助陽氣達萬物也。春，陽氣微弱，恐物有窒塞不能自達者。夫射自內發外，貫堅入剛，象物之生，故以射達之也。……射義非一也。夫射者，執弓堅固，心平體正，然後中也。二人爭勝，樂以德養也。勝負俱降，以宗禮讓，故可以選士。」從這些材料看，古代天子行射禮確為選撥人才之用。有資格參加天子射禮的往往是諸侯、卿、大夫、士，而非等閑民眾。行射禮之時，配以禮樂，心平體正，是莊嚴的儀式活動，絕不可輕褻。而從畫像石來看，射鳥之人往往舉止輕佻，穿著素樸，絕非諸侯、卿、大夫、士之輩。行射禮的地點或射宮或辟雍，而非鄉野。從這一點來看，射鳥圖所要傳達的意義恐怕和射禮無關。

以往學者們大概沒有注意到漢畫像石中還存在這樣一幅圖，即《中國畫像石全集》第三冊，圖一三七（見右）。此圖於一九九三年在山東莒縣東莞鎮東莞村出土，現藏於莒縣博物館。其相應的圖版說明云：「畫面有介欄分為七層……第七層：左邊為一重簷樓閣，樓下

一人彎弓射鳥；右邊為枝繁葉茂的連理枝，樹上有鳥獸。」[30]此圖的圖版說明寫得過於簡單，沒能將這幅圖最精彩的部分揭示出來。此圖描繪了如下景象：中央一株大樹，樹下有人開弓射箭。樹上有停歇著的鳥，同時也有一隻鳥中箭後正從高樹上往下跌落。而這時正好有一隻猴從左邊的屋頂上攀援上樹，接住了跌落的飛鳥。此圖形象地說明了畫像石中有鳥有猴的射鳥圖，其猴的作用是爬樹去取被射落的飛鳥。為什麼需要猴去取飛鳥呢？一方面當然是因為其攀援能力強，另一方面，是因為古代射鳥一般用弓繳弋射。〈齊風・盧令〉詩序曰：「刺荒也。襄公好田獵畢弋而不修民事，百姓苦之，故陳古以風焉。」孔穎達正義曰：「弋，繳射也。……用繩系矢而射鳥，謂之繳射也。」[31]矢後繫繩，鳥被射中後往往會拖著繩子掙扎一段時間後被掛在樹上，這時候由猴子爬上去把獵物取回來。在這幅圖中，除了那只接鳥的猴外，樹幹底部離射鳥人很近的地方還有兩隻猴，正往樹上攀爬，它們行動自如，毫無被獵人傷害過的跡象。猴子為靈長類動物，活潑靈動通人性，自古至今絕大多數中國人將其當做靈物來待，沒有對其刻意射獵的。所以，「射猴」等於「射侯」、「射鳥」等於「射爵」之說，實不可信。

漢畫像石和畫像磚中眾多的射鳥圖，除了反映滿足對鳥的需求以外，還有一些當是為了除惡。《周禮・秋官》：「庭氏，下士一人，徒二人。」「庭氏掌射國中之夭鳥。」鄭玄注：「庭氏主射妖鳥，令國中潔清如庭者也。」[32]庭氏專掌射獵國中的夭鳥，使得國中潔淨如庭院。所謂夭鳥，即發出惡聲之鳥，如鴟鴞之類。夭鳥往往晝伏夜出，難以射殺，故又有硩蔟氏專掌顛覆鳥巢，可謂斬草除根。《周禮・秋官》：「硩蔟氏，掌覆夭鳥之巢。」鄭玄注曰：「夭鳥，惡鳴之鳥，若鴞鵩。」[33]上文中所提及的山東臨沂吳白莊漢墓漢畫像石《搗鳥窩・晃鳥窩圖》（見左），圖下繪一株大樹，樹枝間一鳥宿於巢中。大樹下有一人用力晃樹，另一人執竿搗鳥窩。此圖或即是硩蔟氏履其「掌覆夭鳥之巢」職能的圖像反映。

古代社會常有鳥患，鳥雀多至成災，禍害莊稼。《太平御覽・卷九百一十四・羽族部》載《廣志》曰：「東齊多鳥爵，千百為群。小戶種穀，咸以爵為患。」爵即雀，雀多為患，故也需要射殺。《廣志》是中國古代一部具有很高學術價值的博物志書，約成書於南朝劉宋時期或北魏前期，作者為郭義恭。《廣志》所記是南

30 賴非編：《中國畫像石全集》第三冊，圖一三七圖版說明，濟南：山東美術出版社，2000年，頁46。

31 〔漢〕毛亨傳，〔晉〕杜預注，〔唐〕孔穎達正義：《毛詩正義》，頁348。

32 〔漢〕鄭玄注，〔唐〕賈公彥疏：《周禮注疏》，頁899。

33 同上註，頁985。

北朝時期事，去漢未遠。古齊國本來就是農業大國，亦惹雀患。而漢畫像石中的射鳥圖，多出現在山東省的畫像石中。據張從軍統計，全國關於射鳥的畫像石共有二十四幅，「河南一幅，四川一幅，陝西三幅，安徽二幅，江蘇一幅，山東十六幅。數量反映的現實是，射鳥畫像主要集中在山東地區，而又以山東南部和東南部地區最多」。[34]以此來看，山東地區畫像石中出現的諸多射鳥圖，未必與除鳥患毫無關聯。

綜之，我們認為漢畫像石和畫像磚中的「射鳥」圖所反映的內容，並非后羿射日的傳說，也並非孝子賢孫為準備祭祀祖先用的犧牲而進行射獵。樹上有鳥有猴的「射鳥」圖，也僅是在射鳥，而並非射猴，故而「射鳥」等於「射爵」、「射猴」等於「射侯」的說法自然也就不能成立。漢代社會對鳥有著龐大的需求。漢畫像石中的「射鳥」圖實是漢代人為滿足政治、宗教、宴飲、禮俗、裝飾等諸多現實生活需要以及除鳥害而進行的射獵活動的圖像反映。

34 張從軍：〈漢畫像石中的射鳥圖像與升仙〉，《民俗研究》，2006年第3期，頁153。

西晉「二十四友」集團形成時間考述

張愛波、王耀斌
山東交通學院國際教育學院

一　集團人物與形成

關於西晉「二十四友」集團的形成問題，一直以來在文學史上就有很大的爭議，而爭議的焦點則主要集中於「二十四友」集團的形成時間上。《晉書》上涉及到「二十四友」集團形成的史料主要有以下幾處：

> 崇（石崇）穎悟有才氣，而任俠無行檢。在荊州，劫遠使商客，致富不貲。徵為大司農，以徵書未至擅去官免。頃之，拜太僕，出為征虜將軍，假節、監徐州諸軍事，鎮下邳。崇有別館在河陽之金谷，一名梓澤，送者傾都，帳飲於此焉。至鎮，與徐州刺史高誕爭酒相侮，為軍司所奏，免官。復拜衛尉，與潘岳諂事賈謐。謐與之親善，號曰「二十四友」。廣城君每出，崇降車路左，望塵而拜，其卑佞如此。[1]
>
> 謐（賈謐傳）好學，有才思。既為充嗣，繼佐命之後，又賈后專恣，謐權過人主，至乃鎖系黃門侍郎，其為威福如此。負其驕寵，奢侈逾度，室宇崇僭，器服珍麗，歌僮舞女，選極一時。開閣延賓。海內輻湊，貴遊豪戚及浮競之徒，莫不盡禮事之。或著文章稱美謐，以方賈誼。渤海石崇歐陽建、滎陽潘岳、吳國陸機陸雲、蘭陵繆徵、京兆杜斌摯虞、琅邪諸葛詮、弘農王粹、襄城杜育、南陽鄒捷、齊國左思、清河崔基、沛國劉瑰、汝南和郁周恢、安平牽秀、穎川陳眕、太原郭彰、高陽許猛、彭城劉訥、中山劉輿劉琨皆傅會於謐，號曰二十四友，其餘不得預焉。……歷位散騎常侍、後軍將軍。廣城君薨，去職。喪未終。起為秘書監，掌國史。……尋轉侍中。領秘書監如故。[2]
>
> （閻纘）世俗淺薄，士無廉節，賈謐小兒，恃寵恣睢，而淺中弱植之徒，更相翕習，故世號魯公二十四友。……潘岳、繆徵等皆謐父黨，共相沈浮，人士羞之，聞其晏然，莫不為怪。今詔書暴揚其罪，並皆遣出，百姓咸云清當，臣獨謂非。但岳徵二十四人，宜皆齊黜，以肅風教。[3]

1　〔唐〕房玄齡等撰：《晉書》北京：中華書局，1998年，頁1006-1007。
2　〔唐〕房玄齡等撰：《晉書》北京：中華書局，1998年，頁1173。
3　〔唐〕房玄齡等撰：《晉書》北京：中華書局，1998年，頁1356。

> 岳（潘岳）性輕躁，趨世利，與石崇等諂事賈謐，每候其出，與崇輒望塵而拜。構湣懷之文，岳之辭也。謐二十四友，岳為其首。謐《晉書》限斷，亦岳之辭也。其母數誚之曰：「爾當知足，而乾沒不已乎？」而岳終不能改。[4]

> 劉琨，字越石，中山魏昌人，漢中山靖王勝之後也。祖邁，有經國之才，為相國參軍、散騎常侍。父蕃，清高沖儉，位至光祿大夫。琨少得俊朗之目，與范陽祖納俱以雄豪著名。年二十六，為司隸從事。時征虜將軍石崇河南金谷澗中有別廬，冠絕時輩，引致賓客，日以賦詩。琨預其間，文詠頗為當時所許。秘書監賈謐參管朝政，京師人士無不傾心。石崇、歐陽建、陸機、陸雲之徒，並以文才降節事謐，琨兄弟亦在其間，號曰「二十四友」。太尉高密王泰辟為掾，頻遷著作郎、太學博士、尚書郎。[5]

> 元康初，（嵇紹）為給事黃門侍郎。時侍中賈謐以外戚之寵，年少居位，潘岳、杜斌等皆附托焉。[6]

> 始欲聘后妹午，午年十二，小太子一歲，短小未勝衣。更娶南風，時年十五，大太子二歲。泰始八年二月辛卯，冊拜太子妃。妒忌多權詐，太子畏而惑之，嬪御罕有進幸者。……后暴戾日甚。侍中賈模，后之族兄，右衛郭彰，后之從舅，並以才望居位，與楚王瑋、東安公繇分掌朝政。后母廣城君養孫賈謐干預國事，權侔人主。繇密欲廢后，賈氏憚之。及太宰亮、衛瓘等表繇徙帶方，奪楚王中候，後知瑋怨之，乃使帝作密詔令瑋誅瓘、亮，以報宿憾。模知后兇暴，恐禍及己，乃與裴頠、王衍謀廢之，衍悔而謀寢。[7]（〈賈皇后傳〉）

根據以上資料，研究者得出了關於「二十四友」集團形成時間的三個結論：

一是元康元年說。姜亮夫《陸平原年譜》定在惠帝元康元年。

二是元康五、六年說。這個觀點為大多數學者所認可，其中有沈玉成《「竹林七賢」與「二十四友」》[8]、傅璇琮《潘岳系年考證》[9]具有代表性。在沈文中，他通過史料考證「二十四友」集團中的主要人物潘岳、石崇、陸機、劉琨四人在元康五、六年都在洛陽，而且他還對材料〈石崇傳〉和〈潘岳傳〉中被潘岳石崇「諂事」的廣城君，即賈充的妻子、賈后的母親郭槐進行了考證，據北京圖書館藏〈賈充妻郭槐柩銘〉，她死在元康六年。通過這個他認為二十四友「到元康五、六年間……正式形成了眾星拱月的局面」。

4　〔唐〕房玄齡等撰：《晉書》北京：中華書局，1998年，頁1504。

5　〔唐〕房玄齡等撰：《晉書》北京：中華書局，1998年，頁1679。

6　〔唐〕房玄齡等撰：《晉書》北京：中華書局，1998年，頁2298。

7　〔唐〕房玄齡等撰：《晉書》北京：中華書局，1998年，頁963-964。

8　沈玉成：〈「竹林七賢」與「二十四友」〉，載《遼寧大學學報》，1990年第6期。

9　傅璇琮：〈潘岳系年考證〉，載《文史》，第十四輯。

三是元康七、八年間說。張國星先生在〈關於《晉書．賈謐傳》中的「二十四友」〉[10]持有這個觀點。在這篇文章中，他從〈石崇傳〉和〈劉琨傳〉出發，通過考證石崇復拜衛尉和賈謐任秘書監的時間，認為「劉、石二傳相合，則『二十四友』的產生應在元康七年末到八年這一段時間。」而這個結論明顯地與史料〈賈謐傳〉和〈嵇紹傳〉所提供的元康元年和元康六年兩種資訊相衝突。張文在這裡沒有提及元康六年，而是通過分析〈嵇紹傳〉中「元康初」和賈謐任侍中當在元康八年或稍後，得出這兩個時間具有不可調和的矛盾性，同時他又通過六個方面的分析來論證「二十四友」形成於元康七、八年的正確性。

二　集團形成的時間考

由此可見，對於「二十四友」形成時間的爭議主要集中於元康元年，元康五、六年和元康七、八三個時段，從以上各家的論述來看，皆有所據，但若從全部資料提供的資訊來分析，卻又有諸多難以自圓其說之處：

首先，材料運用各有側重點。這包括著重運用某個或某幾個材料，如沈文中通過〈石崇傳〉和〈潘岳傳〉中提供的「廣城君」的資訊來考證元康五、六年，而張文卻通過合考〈石崇傳〉中石崇拜「衛尉」的時間和〈劉琨傳〉中賈謐任秘書監的時間來論證元康七、八年，沈文著眼於「廣城君」的卒年，張文側重的是石崇和賈謐的任官時間，從而使得同樣的資料，得出來了的結論卻是截然不同的。或者只運用了某個材料的一部分而不提另一部分，如張文中運用〈劉琨傳〉的下半部分結合〈石崇傳〉的「衛尉」部分得出元康七、八年的結論，但是卻沒有提到了〈劉琨傳〉上半部分中提供的元康六年時劉琨二十六歲和此時有「金谷雅集」這些資訊，這樣產生的觀點難免有些誤差。

其次，認為「二十四友」應該有一個具體的形成時間，而這個必須是以二十四人都在洛陽為前提的。張文認為「按照〈賈謐傳〉的說法，『二十四友』之稱的產生，必然是這二十四個人集中在賈謐周圍之時。這是一個先決條件」。同時他以聚集在洛陽為先決條件來考證元康七、八年「二十四友」的行蹤，得出可考知的在洛陽的有石崇、潘岳、陸機、陸雲、劉琨、左思、劉輿、王粹、鄒捷、牽秀十人，歐陽建一人可考不在洛陽，剩餘的其他人不見在其他地方而姑且以其在洛陽，這就是「二十四友」相聚洛陽人數最多的時間了。[11]因此，張文以此作為「二十四友」集團形成於元康七、八年的一個

---

10 張國星：〈關於《晉書．賈謐傳》中的「二十四友」〉，載《文史》，第二十七輯。

11 張國星：〈關於《晉書．賈謐傳》中的「二十四友」〉，載《文史》，第二十七輯，頁212：「元康之初，根據現存史料可以斷定時在洛陽的有郭彰、摯虞、和郁、左思、陸機、陸雲六人。由於史料不足，無從確考，但大體上可以推知應在洛陽，或不見其在其他地方而姑且以其在洛陽的有繆徵、崔基、陳昣、周恢、諸葛詮、牽秀、許猛、王粹、杜斌、杜育等十人。只有這十六人有與賈謐相交的

主要的依據。這種論證的方法在沈文中也用到了，在上文中，我們提到他通過史料考證「二十四友」集團中的主要人物潘岳、石崇、陸機、劉琨四人在元康五、六年都在洛陽，並把這個作為「二十四友」形成於元康五、六年間的一個論據。

而在事實上，把「二十四友」都在洛陽並聚集於賈謐周圍作為這個集團形成的前提，恐怕受到前人的一些影響，[12]並沒有非常充足理由的。我們再看〈賈謐傳〉中寫道：「（謐）開閣延賓。海內輻湊，貴遊豪戚及浮競之徒，莫不盡禮事之。或著文章稱美謐，以方賈誼。……皆傅會於謐，號曰二十四友，其餘不得預焉。」在這裡，「二十四友」「傅會」的方式主要是「禮事之」和「著文章稱美謐」這兩種，而其中任何一種方式也不是這二十四人一定要在賈謐周圍或非要有一次全體聚會才能實現的。實際上，在「二十四友」集團中，有的人跟賈謐走得更近些，像石崇、潘岳等，他們同時也有在賈謐周圍的條件，因此就可以作出像「望塵而拜」的事情。而有的人如左思、陸機與賈謐的關係並不是很近，他們或者因為賈謐的權勢而樂意傾向於他，或是賈謐因為這個人的名聲而樂意將其納入麾下，其可能性不一而足。而且在不在一地的情況下，他們完全可以採取政見附和、書信來往、詩文唱和等等「傅會」形式。而且從此時期「二十四友」中人物大量創作唱和詩的情況來看，這種現象是應該普遍存在的。更為值得思考的是，以上所列的所有史料，都是從幾個主要人物分傳中提及「二十四友」集團，並沒有「二十四友」共同聚集在賈謐周圍的任何資訊。至於「二十四友」名稱的由來，在〈石崇傳〉、〈賈謐傳〉、〈劉琨傳〉中都是「號曰『二十四友』」，只有〈閻纘傳〉中稱為「世號魯公二十四友」，張國星先生在其文章中認為「號曰」當是「二十四友」中人物的自謂，表示他們主動依附賈謐，如此則謂其「諂事」不誣；而「世號」則說明「二十四友」之稱當是時人對那些人同賈謐關係的一種評量，而「二十四友」中的人物有的就可能是屈事賈謐。其實，無論是諂事擬或屈事都是一種推測，關鍵是，「『二十四友』之稱

條件。……但是，到了元康八年，石崇復拜衛尉；潘岳於元康六年晚些時候還洛，開始與賈謐往來，「尋為著作郎」（本傳）；陸機於吳王郎中任，「六年冬急取歸」（〈思舊賦序〉），七年轉尚書中兵郎，八年為尚書郎；陸雲也於七年（乙太安元年作〈歲暮賦〉「去鄉六載」語推之）於吳王幕下召還任尚書郎；劉琨於七年遷著作郎；左思於元康八年被賈謐起為秘書郎（《世說》注引〈左思別傳〉）；劉輿先為王粹主簿，再轉宰相府尚書度支郎（本傳、〈劉毅傳〉）；鄒捷為常侍（〈傅祗傳〉）；牽秀則為「司空張華請為長史」（本傳）。唯有歐陽建一人不在洛陽。可見這些人第一次最為集中的時間，是在元康七年末至八年。三至七年間，石崇、潘岳、陸機、陸雲又先後在外，沒有聚首的機會。」

12 張金耀：〈金谷遊宴人物考〉，《復旦學報》，2001年第2期。頁131：「『二十四友』自身是一個鬆散的、內部充滿矛盾的集團，並非人人都與石崇交好而被邀請至金谷園，唐人韋應物〈金谷園歌〉『嗣世衰微誰肯憂，二十四友日日空追遊』只不過是浮泛詩語而已，許多文章甚至直謂『二十四友』為『金谷二十四友』，稱他們終日遊於園中，此說更是於史無徵。」此段雖論及的是時人對於「二十四友」遊宴金谷園的誤解，但用於此處也頗為得當。

的產生，必然是這二十四個人集中在賈謐周圍之時。這是一個先決條件」，[13]這個論斷本身就還值得商榷！

當然，這些問題的產生很大程度上是因為《晉書》關於「二十四友」的史料存在著嚴重的牴牾和訛亂，這是現實存在的，而且我們現在也還沒有確鑿的證據來確定幾個矛盾的史料中哪一個是正確的。譬如：〈賈謐傳〉、〈嵇紹傳〉、〈賈皇后傳〉中就存在著關於賈謐生平的很多矛盾記載。在〈嵇紹傳〉中所說的「元康初」顯然和「侍中賈謐」的記載矛盾，因為廣城君是在元康六年去世的（據北京圖書館藏〈賈充妻郭槐柩銘〉），通過〈石崇傳〉中可知賈謐任侍中應在元康六年以後，而據張國星先生所考，應該在元康八年或稍後，[14]總之與元康元年是牴觸的，而從〈賈皇后傳〉中可以得出賈謐弄權當在元康元年六月，賈后矯詔使楚王瑋殺太宰、汝南王亮，太保、菑陽公衛瓘之前，也就是「元康初」也有佐證，到底孰正孰誤，在沒有新的史料出現前，則多為推測，如張文中所論的「二十四友」形成時間問題，其實就是建立在兩個推測基礎上的，一是推測「二十四友」一定會在某一時間全體聚集在賈謐周圍，二是元康七、八年中除了可考的十人在洛陽外，其他不可考的人都推測在洛陽，而可考不在洛陽的歐陽建則被認為是「作為才譽之士因探望其舅石崇正在洛陽得以廁列其間」，[15]這樣的推測未免具有極大的偶然性！

但是，從現有與「二十四友」有關的史料中，有兩點我們是可以確定的：一是史料分散，缺乏大規模活動的記錄，這說明在「二十四友」集團的形成過程中，有的人向賈謐靠近早些，有的晚些，有的近些，有的遠些，有的活動積極些，有的消極些，有的被記載並保留下來多些，有的少些，但是他們都被看作是傾向於、追隨於甚至諂事於賈謐的文人，因此，他們成為了缺乏統一活動的、鬆散的文人集團。二是有關記載各時間段都有，從元康初，到元康五、六年，七、八年，最後到元康九年、永康元年都有關於「二十四友」的記載，這說明「二十四友」的活動時間貫穿了元康年間，其形成是一個過程。這一點在過去的研究雖然沒有人明確提出，但是有的研究者已經注意到了這個問題，如沈玉成〈「竹林七賢」與「二十四友」〉一文中認為：

> 「二十四友」這樣的集團，不同於近、現代的政黨或社團，建立時要發表綱領、公佈日期。它的形成是一個逐漸集合的過程。上面羅列的一些材料可以說明，大約在元康三年、四年間，有一批文人政客看準風向，向賈謐這個政治暴發戶靠近；到元康五、六年間，潘岳、石崇回到洛陽，以才和財作為資本不加掩飾地對賈家作勾結諂媚，賈謐其時年過二十，擴張各種欲望的要求變得更為自覺，於是

---

13 張國星：〈關於《晉書．賈謐傳》中的「二十四友」〉，《文史》，第二十七輯。

14 張國星：〈關於《晉書．賈謐傳》中的「二十四友」〉，《文史》，第二十七輯。

15 張國星：〈關於《晉書．賈謐傳》中的「二十四友」〉，《文史》，第二十七輯。

> 雙方一拍即合，正式形成了眾星拱月的局面。[16]

雖然在這段話中，這個形成過程最終歸結於「元康五、六年」，這個現在當然是無法論證的，但是最重要的沈文在這裡已經提出了「二十四友」是一個形成過程的問題。

這一點在陸侃如《左思練都考》中也得到了體現。其中，陸先生通過《晉書》、《文選》、《世說新語》和〈晉將相大臣年表〉所提供的資料結合考證：

> 左思之在司空府，可能從西元二九〇至西元二九一年起，直到西元二九六年——西元二九七年間，或更後些。他辭祭酒後，方做秘書郎。……左思與賈謐友誼的開始，可能在為秘書郎之前。二十四友的集團，自然不是一天組成的。……同卷又載潘岳為賈謐作〈贈陸機〉一首。所謂魯公贈詩，即岳代作。元康六年即西元二九六年，岳與機早已做了謐的門客。岳又有於賈謐坐講《漢書》詩，機也有講《漢書》詩。[17]大約當時二十四友中，為謐講《漢書》者大有人在，左思不過是其中之一。[18]

陸先生認為左思與賈謐的交往「可能在為秘書郎之前」，這樣就擺脫了左思在任著作郎後才能與賈謐交往的習慣性看法，因為，像左思這樣的中層士族，出入於宗王公府之間是他們主要入仕之路，也正因如此，左思能夠先後被隴西王泰、下邳王晃、張華辟為祭酒。在這期間，賈謐弄權，[19]雖不能開府，但並不妨礙左思通過各種形式與其交往，潘岳、陸機也是如此，因此陸先生認為「大約當時二十四友中，為謐講《漢書》者大有人在，左思不過是其中之一」，這就充分體現了「二十四友」集團人物與賈謐交往時間的延續性和方式的多樣性。

---

16 沈玉成：〈「竹林七賢」與「二十四友」〉，《遼寧大學學報》，1990年第6期。

17 潘岳、陸機詩分別見逯欽立：《先秦漢魏晉南北朝詩》北京：中華書局，1998年，頁629-630、673-674。

18 陸侃如：《陸侃如古典文學論文集》上海：上海古籍出版社，1987年，頁619-622。

19 沈玉成：〈「竹林七賢」與「二十四友」〉，《遼寧大學學報》，1990年第6期，頁42：「到惠帝初年賈后專權，據《惠賈皇后傳》泰始八年（272）賈午年十二歲，到元康元年僅三十一歲，其時賈謐充其量也不過十五六歲，接黨擅權，未免為時過早。」張國星：〈關於《晉書・賈謐傳》中的「二十四友」〉，《文史》，第二十七輯，頁211也持此觀點。本文認為：古人成熟較早，從史料（七）《晉書・惠賈皇后傳》看，賈南風十五為皇后，便「妒忌多權詐」，開始獨霸後宮，因此賈謐十五、六歲在賈后的支持下弄權而被文人所靠近並不稀奇。但是大規模的結黨卻是尚早，因為此時賈后的地位還沒有完全鞏固。但是元康初許多士人便向其靠近是可能的。

三　結論

綜上，把「二十四友」集團的形成時間定為元康元年或五、六年或七、八年都很難成立。更客觀地說，「二十四友」集團的形成經歷了這樣一個時間過程：元康元年賈后專權後，賈謐也開始弄權，但此時賈后地位還沒有完全鞏固，所以到三、四年間，許多文士都在觀望。到元康五、六年，多數文士趨勢而動，開始向賈謐靠近。元康七、八、九年，都是「二十四友」活動的高潮期，到永康元年隨著賈謐被誅，「二十四友」一時潰散。

隋文帝時期的主要自然災害及其救荒措施

官德祥

香港新亞研究所

一　前言

中國幅員廣大，由古至今都有無數自然災害的發生，輕者個別地區受影響，重則導致滅國喪邦。歷代政府領導人對來自「自然界」的挑戰，莫不憂心忡忡。史載隋文帝特別關心民瘼，他是如何應對自然災害及其引發的各種危機，便是本文研究的核心。本文將會從「時間」及「空間」兩個維度切入，探索文帝時期自然災害的特徵，並析論文帝及其政府曾作出的「預防」和「補救」性救荒策略。[1]

二　隋文帝時期主要自然災害發生概況

隋文帝政權包括開皇二十年及仁壽四年，合共二十四年。筆者主要根據下列正史，包括《隋書》、《北史》、《資治通鑑》所載，合共找出二十五條關於隋文帝時期的主要自然災害記錄。筆者認為此二十五條災害記錄，可視作為文帝時期自然災害發生的下限數目。實際的災害應比此數目為多，蓋因史書之記錄與實際是應有差距。假設以平均一年一災的標準來估計，隋文帝二十四年政權並發生了二十五次自然災害，又似乎合理，當然大前提是大家是否接受「平均一年一災」的看法。值得留意的是，開皇七年至開皇十一年並無任何主要自然災害發生記錄（見下表一），當中史書有否闕載似有可疑。

災害數字本身是量化數字，發災次數越多並不一定表示災害最嚴重。自然災害還是要端視該項災害的破壞程度，很可惜關於此方面的描述，史書所載多語焉不詳，只能靠有限的文字訊息去猜測及加以想像。儘管史料並不圓滿，然而仍有若干訊息留傳下來，俾我們能認識到隋代文帝時期所遭遇到的災情梗概，仍具有一定意義。

根據傳世材料，可以把隋文帝時期的災害分成兩個角度去探討。第一、是從「時間」分布切入進行分析。第二、是從「空間」分布去入手。希望能利用「時」和「空」兩個維度，為此時期的災害提供一個基本輪廓。

從「時間」上分布來看，隋文帝時期二十四年災害記錄共有二十五次，當中有十一

1　俞正燮曰：「國家荒政十二」，其為首者「救災」，足見其重要性，詳見俞正燮：《癸已存稿》瀋陽：遼寧教育出版社，2003年，卷9〈求雨說〉，頁266。

年沒有災害記錄（詳見表一）。而以開皇六年（586）為自然災害發災率最高一年，這年共有五次災害發生記錄，其在隋文帝二十餘年政權中，此年配稱上「自然災害之冠」。據史載，當年有三次水災、兩次旱災的出現。僅次其後為開皇四年（584）、二十年（600）及仁壽二年（602）都同樣有一年三次受災的記錄。由上述的分布可得到初步的印象，隋文帝時災害主要分布在文帝之前段及後段時期（詳見表一）。文帝的前段受災的記錄，包括了開皇二年（1次）、開皇三年（1次）、開皇四年（3次）、開皇五年（2次）、開皇六年（5次）。至於文帝的後段受災的記錄，主要有開皇二十年（3次）、仁壽元年（1次）、仁壽二年（3次）及仁壽三年（1次）。

表一　〈隋文帝時期主要自然災害時間分布簡表〉

年份	開皇元年	開皇二年	開皇三年	開皇四年	開皇五年	開皇六年	開皇七年	開皇八年	開皇九年	開皇十年	開皇十一年	開皇十二年	開皇十三年	開皇十四年	開皇十五年	開皇十六年	開皇十七年	開皇十八年	開皇十九年	開皇二十年	仁壽元年	仁壽二年	仁壽三年	仁壽四年
次數	0	1	1	3	2	5	0	0	0	0	0	0	0	2	1	1	0	1	0	3	1	3	1	0

至於文帝時期自然災害的「空間」分布，正史中載有明確地理位置共十九條，其內容如下：

（開皇四年）（正月）壬午，齊州水。[2]

（開皇四年）六月，以雍、同、華、岐、宜五州旱，命無出今年租調。[3]

（開皇四年）九月，甲戌，隋主以關中饑，行如洛陽。[4]

（開皇五年）（八月）甲辰，河南諸州水，遣民部尚書邳國公蘇威賑給之。[5]

（開皇五年），（郭衍）授瀛州刺史，遇秋霖大水，其屬縣多漂沒……[6]

（開皇六年）秋七月辛亥，河南諸州水。[7]

（開皇六年）京師雨毛，如髮尾。……是時關中旱，米粟涌貴。[8]

2 《隋書》卷1〈高祖上〉，頁21。《北史》卷11〈隋本紀〉，頁410。

3 《北史》卷11〈隋本紀〉，頁410。

4 《資治通鑑》卷175〈陳紀九〉，頁5474及《北史》卷11〈隋紀〉，頁411。

5 《隋書》卷1〈高祖上〉，頁23及《北史》卷11〈隋紀〉，頁411。

6 《隋書》卷61〈郭衍傳〉，頁1469。

7 《隋書》卷1〈高祖上〉，頁24及《北史》卷11〈隋紀〉，頁412。

8 《隋書》卷22〈五行上〉，頁642及《北史》卷11〈隋紀〉，頁412。

（開皇六年）八月辛卯，關內七州旱，免其賦稅。[9]

（開皇八年）秋八月丁未，河北諸州饑，遣吏部尚書蘇威賑恤之。[10]

（開皇十四年）五月辛酉，京師地震。關內諸州旱。六月丁卯，詔省府州縣，皆給公廨田，不得治生，與人爭利。[11]

（開皇十四年）（秋）八月辛未，關中大旱，人飢。上率戶口就食於洛陽。[12]

（開皇十六年）（六月）并州大蝗。[13]

（開皇十八年）其後山東頻年霖雨，杞、宋、陳……等諸州，達於滄海，皆困水災，所在沉溺。十八年，天子遣使，將水工，巡行川源，相視高下，發隨近丁以疏導之。困乏者，開倉賑給，前後用穀五百餘石。遭水之處，租調皆免，自是頻有年矣。[14]

（開皇十八年）河南八州大水。[15]

（開皇二十年）（十一月）京都大風，發屋拔樹，秦、隴壓死者千餘人。[16]

（開皇二十年）（十一月）戊子，天下地震，京師大風雪。[17]

（仁壽二年）夏四月庚戌，岐、雍二州地震。[18]

（仁壽二年）九月……壬辰，河南、北諸州大水，遣工部尚書楊達賑恤之。……隴西地震。[19]

（仁壽三年）十二月癸酉，河南諸州水，遣納言楊達賑恤之。[20]

筆者綜合上述史料，歸納出以下的幾點看法：

第一點，水災發災頻率最集中的地區多位於河南、北兩岸各州，故常有「河南諸州水」、「河南北大水」之載述，其他次等嚴重「山東頻年霖雨」、「山南荊、淅七州水」及「齊州水」等。第二點，旱災方面，則以關中為主要發災地區，當中包括「京師頻旱」、「關中旱」、「雍、同、華、岐、宜五州旱」及「關內七州旱」等記載（詳見表

---

9 《隋書》卷1〈高祖上〉，頁24及《北史》卷11〈隋紀〉，頁412。

10 《隋書》卷1〈高祖上〉，頁31及《北史》卷11〈隋紀〉，頁414。

11 《隋書》卷2〈高祖下〉，頁39及《北史》卷11〈隋紀〉，頁419。

12 《隋書》卷2〈高祖下〉，頁39及《北史》卷11〈隋紀〉，頁419。

13 《隋書》卷2〈高祖下〉，頁41及《隋書》卷22〈五行上〉，頁652。

14 《隋書》卷24〈食貨志〉，頁685。

15 《隋書》卷22〈五行上〉，頁622。

16 《隋書》卷22〈五行志〉，頁655。

17 《隋書》卷2〈高祖下〉，頁45。

18 《隋書》卷2〈高祖下〉，頁47。

19 《隋書》卷2〈高祖下〉，頁47-48。

20 《隋書》卷2〈高祖下〉，頁52。

二)。旱災直接導致農作物歉收、引發飢荒、造成人命傷亡等的主兇。第三點，關於地震發災地區，如「隴西地震」、「岐雍地震」及「京師地震」等，地理上皆分散不集中。第四點，各類自然災害記錄南北不平衡，集中載錄黃河流域災情，對於長江以南一帶則似付闕如，這與撰史者如何篩選史料或有關係，這點於後面談及蝗災時會再有進一步討論。

總的而言，按已有的災害史料看，隋文帝開皇、仁壽二十四年間，中國百姓曾遭受到各類不同災禍，包括有地震、風災、大雪、水災、旱災及蝗災。當中主要以水災和旱災發災率較頻，成為隋文帝政府的最大天敵。[21]（詳見表二）

> 附帶一說，根據一般常識認為蝗災與旱災是分不開。楊振紅在其〈漢代自然災害初探〉一文認為：「旱、蝗災發生最為頻密，……兩種災害具有共發性特徵。」楊氏認為旱、蝗災有共發性的關係，其理解與班固無異。[22]持相近類看法的還有日本氣象學家田村專之助。田村氏認為蝗災發生多在降水量低的時候；在其大著《中國氣象學史研究》中亦臚舉一連串例子說明此現象；總之，旱災和蝗災是具共發性的特徵。[23]

雖然楊氏和田村氏研究對象是漢代蝗災，但旱蝗「共發性」的通則是否可應用於其他朝代包括本文所討論的隋朝，值得深思。昆蟲學家馬世駿認為蝗災是發生水旱兩者交替中，因為水旱使沿河、濱海、河泛及內澇地區出現許多大面積的荒灘或拋荒地，即直接形成了適於蝗災發生並猖獗的自然條件。筆者根據蝗蟲的生態條件，認為水災、旱災及蝗並非獨立事件，水旱的發生時間多與蝗災有關。[24]而隋文帝時期水災和旱災特多，共有八次發生，僅一次蝗災。據此，水旱之出現次數實合乎自然規律，只是筆者認為蝗災發生比預期少。[25]或者，南方由於各種情報不靈通與及地方消息因偏遠隔閡，在資料缺乏情況下，撰史家只好闕載。筆者認為後者南北資料不平衡的可能性較高。以蝗蟲的生態環境審之，南方也是蝗蟲活躍區。蝗災資料因地處南方故此失載。

21 《隋書》卷24〈食貨志〉，頁673。

22 見楊振紅：〈漢代自然災害初探〉，載《中國史研究》，1999年第4期，頁49-59。

23 見田村專之助：《中國氣象學史研究》下卷，京都：中國氣象學史研究刊行會，1977年1版，頁749，頁752-753。

24 關於蝗蟲爆發於水與旱之間的討論，可參見官德祥：〈兩漢蝗災述要〉，載《中國農史》，2001年第3期及其姊妹篇〈再論兩漢蝗災〉，載《新亞論叢》，2002年第4期。

25 見馬世駿：《中國東亞飛蝗蝗區的研究》北京：科學出版社，1965年初版，頁25-26。另外，近人譚蔭初亦研究水旱蟲災，其研究範圍主要在湖南。參考其文，見〈歷史上湖南的水旱蟲災發生特點及並原因〉，載於《農業考古》，1986年第1期。

表二　〈隋文帝時期主要自然災害簡表〉

自然災害種類	地震	風災	水災	旱災	蝗災
發生次數	4	3	9	8	1

三　隋文帝政府的預防性救荒措施

隋文帝政府對於自然災害的基本處理手法，大抵上有兩個方向：一是屬於「預防性」，另一是屬於「補救性」。現先言預防性的措施，主要圍繞著兩個地方：漕運及義倉。

（一）漕運

隋文帝早已認識到京師倉廩的底子是薄弱，故有建渠以利漕運的想法。而一旦自然災害爆發，漕運則有利加強救荒的效率和效能。隋文帝在渭水之南開鑿一條漕渠用來運輸漕糧。下詔宇文愷率水工鑿渠之事。宇氏引渭水，自大興城東至潼關，三百餘里，名曰廣通渠。[26]轉運通利，關內賴之。救荒時更益重要。又，令郭衍開渠引渭水，漕運四百里以實關中。[27]足見關中的糧食補給是當時預防性救荒政策之「重中之重」。

「隋文帝開皇三年（583），以京師倉廩尚虛，議為水旱之備，詔蒲、[28]陝、虢、熊、伊、洛、鄭、懷、邵、衛、汴、許、汝等水次十三州，置募運米丁，又於衛州置黎陽倉」，即為此事。[29]洛州置河陽倉，陝州置常平倉，華州置廣通倉，轉相灌注。[30]廣通倉位於渭河口附近的渭河南岸，因為其地望之利，自然成為漕船停舶的碼頭。[31]過去不

26 隋代漕渠的渠首段經由大興城北，其實隋大興城北也就是漢長安城南，這與西漢漕渠的線路完全一樣。漕渠開成，最初命名為廣通渠，又名富民渠。參見辛德勇：《舊史輿地文錄》北京：中華書局，2013年，頁243。關於大興城，另參見辛氏〈大興城外郭城築成時間辨誤〉，載氏著《隋唐兩京叢考》北京：三秦出版社，1991年，頁5-7。據湯承業考曰：「此渠之長，按《食貨志》所載為三百餘里，〈郭衍傳〉所記為四百餘里，很可能宇文愷率水工所鑿者為三百餘里，郭衍又率水工堵鑿百餘里，合為四百里。」參見湯承業：《隋文帝政治事功之研究》臺北：中國學術著作獎助委員會，1967年，頁179。

27 參見史念海《河山集》七集，西安：陝西師範大學出版社，1999年，頁84及〈隋代及唐前期漕糧的供給地區圖〉載氏著《中國歷史人口地理和歷史經濟地理》臺北：臺灣學生書局，1991年，頁167。

28 楊尚希在蒲州「引瀵水，立堤防，開稻田數千頃，民賴其利」，見《隋書》卷46〈楊尚希傳〉，北京：中華書局，1973年，頁1253。另見，馮惠民編《通鑑地理注詞典》〈蒲州〉條，山東：齊魯書社，1986年，頁454。

29 參見馮惠民編：《通鑑地理注詞典》〈蒲州〉條，山東：齊魯書社，1986年，頁35。

30 參見馮惠民編：《通鑑地理注詞典》〈蒲州〉條，山東：齊魯書社，1986年，頁164。

31 參見辛德勇：《舊史輿地文錄》北京：中華書局，2013年，頁253。

少學者都留意到此方面，筆者無需贅言。總之，隋帝國糧倉的設立及米糧的漕運早在開皇初便有「議為水旱之備」的構想，為日後救荒工作做準備。

（二）義倉

隋代「義倉」是一種全民性的糧食賑濟措施，它由國家出面承辦，由社會各界負擔倉穀，賑災面向社會大眾。[32]義倉之始置見《隋書》卷四十六〈長孫平傳〉謂開皇三年（583）。其文載曰：「開皇三年，（長孫平）徵拜度支尚書。平見天下州縣多罹水旱，百姓不給，奏令民間每秋家出粟一石已下，貧富差等，儲之閭巷，以備凶年，名曰義倉」。[33]而《隋書》卷一〈高祖紀上〉及卷二十四〈食貨志〉均謂開皇五年（585）。[34]湯承業對此有所考證，結果如下：「考之紀傳，三年時平為度支尚書，五年時已轉為工部尚書。任度支尚書時曾建議此事（約在三、四年之交）五年正式下詔設立者。故本文從〈高祖紀〉及〈食貨志〉所載。復按：其三年設者為官倉，五年設者為義倉，兩者非同時設者也。」[35]據此可知，隋文帝政權初期已有「官倉」和「義倉」兩種分別。

至於民間義倉設立之原因，從工部尚書孫平的上奏內容能知梗概。

開皇五年（585），工部尚書長孫平奏：「古者三年耕而餘一年之積，九年作而有三年之儲，雖水旱為災，人無菜色，皆由勸導有方，蓄積先備。請令諸州百姓及軍人勸課當社，共立義倉，收穫之曰，隨其所得，勸課出粟及麥，於當社造倉窖貯之。即委社司，執帳檢校，每年收積勿使損敗。若時或不熟，當社有饑饉者，即以此穀振給。」自是諸州儲峙委積。[36]

總之，義倉的成立初衷是為「救荒」，為饑饉者賑給糧食。其「令諸州百姓及軍人勸課當社」，故稱義倉為「社倉」，負責人即委「社司」，職責在執帳檢校。總之，「義倉」或「社倉」意思相同。此制度由開皇五年（585）一直發展下來，到開皇十四年（594）關中旱災後始產生變化。

《隋書》卷二十四〈食貨志〉載曰：

> 至（開皇）十五年，以義倉貯在人閒，多有費損，詔曰：「本置義倉，止防水旱，百姓之徒，不思久計，輕爾費損，於後乏絕。又北境諸州，異於餘處，靈、

---

32 見卜鳳賢：《同秦漢晉時期農業災害和農業減災方略研究》北京：中國社會科學出版社，2006年，頁257。

33 《隋書》北京：中華書局，1973年，卷46〈長孫平傳〉，頁1254。

34 《隋書》卷1〈高祖上〉曰：「五月甲申，詔置義倉。」，頁22。

35 見湯承業：《隋文帝政治事功之研究》之第5章〈財政經濟制度〉〈注〉中國學術著作獎助委員會，1967年版，頁193。

36 杜佑：《通典》北京：中華書局，1988年（點校本），卷7〈食貨〉，頁289-290。

> 夏、甘、瓜等十一州，所有義倉雜種，並納本州，若人有旱儉少糧，先給雜種及遠年粟。」[37]開皇十六年（596）二月詔：「社倉准上、中、下三等稅，上戶納穀一石、中戶不過七斗，下戶不過四斗」。杜佑《通典》所載更詳，其文曰：「十六年，又詔，秦、渭、河、廓、豳、隴、涇、寧、原、敷、丹、延、綏、銀等州社倉，並於當縣安置。又詔，社倉准上中下三等稅，上戶不過一石，中戶不過七斗，下戶不過四斗。」[38]

《通典》比《隋書》詳細，記下十四州之名。詔令社司移交州縣，自此義倉改民辦為官辦。

民辦義倉流弊漸生，政府便轉之為官辦。至於官辦賑災是否辦得妥善，這可從幾年後即開皇十八年一次開倉賑給事件，或得到答案。《隋書》卷二十四〈食貨志〉載曰：

> 其後山東頻年霖雨，杞、宋、陳……等諸州，達於滄海，皆困水災，所在沉溺。十八年，天子遣使，將水工，巡行川源，相視高下，發隨近丁以疏導之。困乏者，開倉賑給，前後用穀五百餘石。遭水之處，租調皆免，自是頻有年矣。[39]

從此例可見官方救災確比起義倉較能全面，義倉只能解「一時一地」的糧食問題，但遇上特大災情，官方能從宏觀角度設計出最妥善方案，救災措施因而較靈活和全面。水災一旦發生，政府率先派「遣使」者巡察災情，了解全局和制定救災的方案，如「將水工」、「發近丁」去疏導。針對受災的百姓「困乏者」便開倉賑給。最後，還有「免租調」的措施以紓解民困，上述各項措施絕非義倉制度所能涵蓋得到。

四　隋文帝的補救性救荒措施

現代科技雖然發達，但想有效應付各種不同類型的自然災害，平日防災工作決不可少。儘管如此，許多時天災仍是防不勝防，尤以古代科技比今天相對落後，因此事後的「補救性」工作，反成為問題的核心。筆者根據史書所載，大致能歸納出隋文帝所採用的補救性救荒措施有以下七類：

---

37 杜佑：《通典》北京：中華書局，1988年（點校本）卷7〈食貨〉，頁290。

38 杜佑：《通典》北京：中華書局，1988年（點校本）卷7〈食貨〉，頁290。

39 《隋書》卷24〈食貨志〉，頁685。

（一）運粟賑救

早在開皇初期隋文帝及其政府官員已為如何處置自然災害所引發飢荒問題定了調。「關右饑餧，陛下運山東之粟，置常平之官，開發倉廩，普加賑賜，大德鴻恩。」[40]由此可見，首步救荒政策就是「運粟救民」，當時是「運山東之粟」。此乃秦統一至隋幾百年以來解決飢荒的通行辦法，結果就是「依靠關東的接濟」。

史念海對關中平原曾作出以下評鑑：「在這幾個富庶的農業地區中，關中平原為隋唐兩代的都城所在，尤為重要。都城為人口集中地區。在一定人口的比例下，所生產的糧食是能夠滿足當地的需要。人口增加了，就難免感到匱乏。這在隋初就已經顯示出來，越到後來，就越嚴重。隋唐兩代都曾以伊洛下游的洛陽為東都。關中遭下荒歉，甚至連皇帝也得到東都來就食。雖然直到玄宗開元末年起再未因此東行，但並不等於說關中的糧食問題已經得到完滿解決。從隋時開始，解決關中的糧食問題主要是靠關東接濟，偶然也從巴蜀運輸過……。」[41]

由此可見，關中糧缺是一個長遠的歷史問題，再加上自然災害的逼迫，無論隋唐政府，「關東接濟」的救荒格局一直治用無變。[42]

（二）派官救濟

大抵隋文帝時期，國內幾次的特大河南水災及因其引發的饑荒，救災工作都是落在尚書肩膀上。當中五次涉及的尚書包括有「民部」、「工部」和「吏部」尚書，重要人物包括下列各尚書：

（八月）甲辰，河南諸州水，遣民部尚書邳國公蘇威賑給之。[43]

---

40 《隋書》卷46〈長孫平傳〉，頁1254。

41 參見史念海：《河山集》第七集，西安：陝西師範大學出版社，1999年，頁83。

42 史念海謂「此種模式超過八百年未有改變。」見史念海著：《中國歷史人口地理和歷史經濟地理》臺北：臺灣學生書局，1991年，頁126。也有例外：魏青龍三年：「關東飢，帝運長安粟五百斛輸於京師（洛陽）。……」，參見卜鳳賢：《同秦漢晉時期農業災害和農業減災方略研究》北京：中國社會科學出版社，2006年，頁263。

43 《隋書》卷1〈高祖上〉，頁23及《北史》卷11〈隋紀〉，頁411。又，《隋書》卷43〈觀德王雄傳〉：「雄時貴寵，冠絕一時，與高熲、虞慶則，蘇威稱為『四貴』。」另可參考（日）谷川道雄著，李濟滄譯：《隋唐帝國形成史論》上海：上海古籍出版社，2004年，頁260-261及張偉國：《關隴武將與周隋政權》廣州：中山大學出版社，1993年，頁159。《北史》卷11〈隋紀〉載：「遣戶部尚書蘇威賑給之。……」（頁411）另，張澤咸說：「這些遭水災的黃淮海地區，都有豐富的存糧」，見氏著《隋唐時期農業》臺北：文津出版社，1999年，頁48。另，關於蘇威事可參見岑仲勉：《隋書求是》北京：中華書局，2004年，頁29。又，「凡隋紀作民部者，北史皆作戶部，乃知百官志此文，二月乙酉，山南荊、淅七州水，遣前工部尚書長孫毗賑恤之。[44]

秋八月丁未，河北諸州饑，遣吏部尚書蘇威賑恤之。[45]

九月……壬辰，河南、北諸州大水，遣工部尚書楊達賑恤之。[46]

十二月癸酉，河南諸州水，遣納言楊達賑恤之。[47]

由隋朝政府中央高級官員直接處理荒政，「尚書省，事無不總」，救荒當是其中之一，高官如蘇威、孫毗、楊達等人，皆能有效調動國家糧食、糧水等資源，迅速地賑恤受災區，把災害減至最低程度。[48]文帝派出中央高級官員指揮救災，無疑加強災民對政府救災的決心。民心自能趨向安定，避免出更大岔子。

（三）開倉賑災

隋初已有「官倉」和「義倉」兩種分別，詳見前文。「（開皇）五年（585），（郭衍）授瀛州刺史，遇秋霖大水，其屬縣多漂沒……」[49]當時郭衍任瀛州刺史，遇秋霖大水，郭衍「先開倉賑恤，後始聞奏」。當時隋文帝對於郭衍的「先斬後奏」並無懲罰，史載隋文帝反應是「上大善之，選授朔州總督」。這說明文帝初年，已為「官倉」的救災方案開了「綠燈」，亦再一次從側面反映文帝如何關心民瘼。

另外，隋文帝為了預防地方上的災荒，遂接納臣子提意設置「義倉」，未雨綢繆。文帝採用工部尚書長孫平之策，「……去年（四年）亢陽，關內不熟，陛下哀愍黎元，甚於赤子。運山東之粟，置常平之官，開發倉廩，普加賑賜。」於是奏令諸州百姓及軍人，勸課當社，並立義倉。」又，「（長孫）平見天下州縣多罹水旱，百姓不給，奏令民間每秋家出粟麥一石已下，貧富差等，儲之閭巷，以備凶年，名曰義倉。」[50]

下列各條史料便載述有關義倉的具體發展：

二月，又詔社倉，准上中下三等稅，上戶不過一石，中戶不過七斗，下戶不過四

實應作『尋改度支尚書為民部尚書』，志成於高宗朝，已奉民部改戶部之詔，修史者敬避帝諱，故以當代之名稱。……」同見岑氏：《隋書求是》，頁29。

44 《隋書》卷1〈高祖上〉，頁23。

45 《隋書》卷1〈高祖上〉，頁31及《北史》卷11〈隋紀〉，頁414。

46 《隋書》卷2〈高祖下〉，頁47-48。

47 《隋書》卷2〈高祖下〉，頁52。

48 《隋書》卷26〈百官下〉，頁774。

49 《隋書》卷61〈郭衍傳〉，頁1469。

50 《隋書》卷46〈長孫平傳〉，頁1254。另參見雷家驥：《隋史十二講》北京：清華大學出版社，2012年，頁97。

斗。[51]

又，「正月，又詔秦、疊、成康、……等州社倉，並於當縣安置。」[52]

隋代地方「私營」義倉衰像漸生，政府唯有思變。「二月，詔曰：『本置義倉，止防水旱，百姓之徒，不思久計，輕爾費損，於後乏絕。又北境諸州，異於餘處，雲、夏、長、靈、鹽、蘭、豐、鄯、涼、甘、瓜等州，所有義倉雜種，並納本州。若人有旱儉少糧，先給雜種及遠年粟。』……」[53]由於義倉設立的本意失去，「百姓之徒，不思久計……於後乏絕」，隋政府要想辦法去處理。

總結隋朝實行了十多年義倉制度，由「私營」轉為「官營」。到了開皇十八年（598）便有「開倉賑給」的例，而當時所開的倉便是「官倉」。《隋書》〈食貨志〉載道：「……十八年，天子遣使……。困乏者，開倉賑給，前後用穀五百餘石。……」[54]即為其證。

（四）天子祭祀

清俞正燮《癸巳存稿》卷九〈求雨說〉條討論古今皇帝「親祀雨師」的事情，對於求雨本身他不反對，但絕不贊成「妄作法術」，以迷惑世人。俞氏曰：「如果欲求雨，只宜各存誠心叩禱而已，何必種種作法……借求雨之名妄作法術，即以妖言惑眾治罪」。[55]雖然俞氏生於清，距隋一千幾百年，但天子祭祀求雨的古今現象一直未止，而且更廣泛流傳到地方民間。俞氏所言：「……存誠心叩禱」很重要，尤以隋文帝向天求雨，大收宣傳之效，一可表示皇帝知悉災情，兼關心民生。二可展視其與天的密切關係，有利強化皇權。

開皇三年（583），發生了旱災。隋文帝便親自於國城祀雨，希望透過皇帝的誠心能打動蒼天，《隋書》〈高祖上〉便載：「（夏四月）甲申，旱，上親祀雨師於國城之西南。」，便是其中一例。[56]又，開皇十五年（595）「庚午，上以歲旱，祠太山，以謝愆咎。大赦天下。」[57]上述除了皇帝親祀外，還有「大赦天下」的舉動。一般而言，「大赦天下」主要在皇帝即位、冊立皇后、冊立太子及赦免罪犯。但在此「以謝愆咎。大赦

---

51 《隋書》卷24〈食貨志〉，頁685。

52 《隋書》卷24〈食貨志〉，頁685。

53 《隋書》卷24〈食貨志〉，頁685。

54 《隋書》卷24〈食貨志〉，頁685。

55 參見俞正燮《癸巳存稿》瀋陽：遼寧教育出版社，2003年，卷9〈求雨說〉，頁264-266。

56 《隋書》卷1〈高祖上〉，頁19及《北史》卷11〈隋本紀〉，頁409。

57 《隋書》卷2〈高祖下〉，頁39。

天下」，實在語焉未詳，筆者難判斷其「大赦」是否如一般學者說法，包含有赦舊時罪人，開新秩序之意。

(五) 設酒禁

旱災發生，禁酒是朝廷常用的行政手段。任重、陳儀認為「歷代莫不通過各種辦法，保障糧食供應的安全性。有時當災荒比較嚴重時，為了保障糧食的安全供應，還會在一定範圍內禁酒如元嘉二十年……翌年……『……并禁酒』，一直到元嘉二十二年九月年景見好，才開禁。……齊武帝……永明十一年四月，『以旱故，都下二縣、朱方、姑孰權斷酒』。北魏太安四年『……春正月丙午朔，初設酒禁』……」。[58]

隋文帝時京師有饑荒發生。《隋書》卷三十八〈劉昉傳〉載曰：「後遇京師饑，上令禁酒」。[59]當時，劉昉身為高官卻仍「當壚沽酒」，故受到治書侍御史梁毗劾奏，其文曰：「臣聞處貴則戒之以奢，持滿則守之以約。昉既位列群公，秩高庶尹，……何乃規糵之潤，競錐刀之末，身昵酒徒……若不糾繩，何以肅厲！」治書侍御史梁毗劾奏是本著「禁酒保糧」的精神，使我們能從劉昉的反面教材，見到隋朝政府都認為「禁酒」是應對饑荒的重要手法之一。

(六) 減免賦稅

自然災害的發生影響最大的社群往往是老百姓。他們平日無風無浪，仍可勉力應付政府的稅收。一旦受到旱災或水災，他們束手無策，等待政府的救援。而隋政府認識到此方面，故有災害發生，朝廷都會以減免賦稅作為紓困措施。隋文帝時期便有以下幾個例子：

> （開皇四年）六月，以雍、同、華、岐、宜五州旱，命無出今年租調。[60]
>
> （開皇六年）八月辛卯，關內七州旱，免其賦稅。[61]
>
> （開皇十四年）五月辛酉，京師地震。關內諸州旱。六月丁卯，詔省府州縣，皆

58 詳見任重、陳儀：《魏晉車北朝城市管理研究》北京：中國社會科學出版社，2003年，頁230。另外，可參見林尹註譯：《周禮今註今譯》臺北：臺灣商務印書館發行，1992年，卷3〈地官司徒第二〉中「荒政十二條」，頁99。

59 《隋書》卷38〈劉昉傳〉，頁1132。

60 《隋書》卷24〈食貨志〉，頁684及杜佑《通典》卷7〈食貨〉（點校本），頁289-290。

61 《隋書》卷1〈高祖上〉，頁24及《北史》卷11〈隋紀〉，頁412。

給公廨田，不得治生，與人爭利。[62]

（開皇十八年）……瀆水之處，租調皆免，自是頻有年矣。[63]

不過，有些自然災害如水災多突發性，政府的減賦稅、免租調策略實難解燃眉之急。至於旱災，則不如水災那麼來勢急速，故減賦稅、免租調的方法相對地奏效的。

（七）移民就食

隋文帝開皇十四年（594）有富爭議性的「移民就食」。事源在當年「（秋）八月辛未，關中大旱，人飢。上率戶口就食於洛陽。」[64]

根據傳世文獻載，開皇十四年（594）有大旱災。發災地為關中，乃京師心臟地帶。是次旱災導致關中人口缺糧，「關中大旱，人飢」，最後出現「地區性」饑荒。[65]需要補充一點是，開皇十四年關中地區發生的旱災其實不止一場。查《通志》卷十八〈隋紀〉載：「（開皇）十四年……五月辛酉京師地震，關內諸州旱，……八月辛未關中大旱人飢，行幸洛陽，并命百姓山東就食。」[66]由此可知，開皇十四年的旱災，非單一事件，而是連串天災的頻發生。[67]

隋文帝正「行幸洛陽，并命百姓山東就食……」，這說明了文帝政府亦有採用了「移民就食」的方法救災，要百姓移身到山東近糧食的地區覓食。儘管，此次救荒的手法受到別人的質疑。無論如何，「移民就食」於歷史上亦是眾救荒手段中較可行的一種。關於此，筆者贊成史家雷家驥的精扼說法，他說：「關中因戶口膨脹，遇災荒則需

62 「六月，工部尚書蘇孝慈等以為，所在官司，因循往昔，皆以公廨錢物出舉興生，惟利是求，煩擾百姓，奏皆結地以營農，迴易取利皆禁止。」參見點校本《通典》卷7〈食貨〉，頁97。另參見雷家驥：《隋史十二講》北京：清華大學出版社，2012年，頁96-97。查宋正海所編之書，未知是漏錄抑或認為十四年旱災不夠重大，故不收錄，見宋正海編：《中國古代重大自然災害和異常年表總集》廣州：廣東教育出版社，1992年，頁171。

63 《隋書》卷24〈食貨志〉，頁685。

64 《隋書》卷2〈高祖下〉，頁39及《北史》卷11〈隋紀〉，頁419。

65 滿志敏認為「旱澇等級編制的基礎是建立在有關文獻中記載的旱澇災情的文字描述之上的，依靠文字記載描述的情況來判斷旱澇災害的嚴重程度，從而定出旱澇等級的值。……不同目的的災害描述，出於不同的需要，會影響到災害程度所用的語言……」，詳見滿志敏：《中國歷史時期氣候變化研究》山東：山東教育出版社，2009年，頁293。張建民、宋儉把饑荒發生分成不同類型「有遍及整個國家或者至少一大片地區的全面性饑荒；有限於國內某一特定地區的地方性或地區性饑荒；有限於人口中某一群體、階層或階級的階級性饑荒……」，詳見張建民、宋儉：《災害歷史學》長沙：湖南人民出版社，1998年，頁26。

66 宋鄭樵《通志》北京：中華書局，1987年，卷18〈隋紀〉，頁348。

67 張建民、宋儉討論到「災害的群發、并發以及次生災害問題」，詳見張建民、宋儉：《災害歷史學》長沙：湖南人民出版社，1998年，頁66。

就食於洛陽。……」[68]歷史時期就食洛陽的情狀應是司空見慣。[69]

五　結語

隋文帝在位二十四年，自然災害平均一年一次交煎相迫，尤以「水災」與「旱災」為最常見之禍害。災害無疑對楊隋政權的安穩性有所威脅。幸好，隋文帝時，國庫充裕，他本人雖被評性格吝嗇，但在救災方面卻肯大破慳囊。姑勿論其救災本意是維護已之政權抑或真心為百姓。總而言之，他所做的救荒措施能有效地救黎民於水火，化險為夷，實功不可沒。故筆者對隋文帝救災工作評價相當高。當然，曾有人質疑開皇十四年旱災的救荒手法。[70]此一問題，筆者已有另文討論，於此不贅。[71]

許多天災的發生是無可避免，最重要是人的處理是否得宜。從上文可見，隋文帝對自然災害的挑戰都深表關切，而且能配以實際行動作適切的回應。在預防性方面，文帝政府能預早在漕運及設倉庫等硬件上加強。在補救性方面，文帝政府實施多元化的救荒手法，包括有（1）運粟賑救、（2）派官救濟、（3）開倉賑災、（4）天子祭祀、（5）設酒禁、（6）減免賦稅及（7）移民就食等七道「因時」和「因地」制宜的救荒板斧。

當然，文帝政府很清楚明白若對災害處理不善，引致百姓饑餓，流離失所，隨時引發嚴重的政治後果；「百姓饑饉，相聚為盜」的現象是有其普遍因果律。[72]屆時，楊隋歷史或被改寫，亦不可料。事實上，中國歷史時期便有不少例子說明某政府面對自然災害時處理失當，結果間接把其社稷斷送。就以隋文帝的繼任人煬帝，便屢因救災不力，不肯開倉賑救，導致民怨沸騰，這豈止是天災，還包含人禍於其中。[73]

---

68 參見雷家驥：《隋史十二講》北京：清華大學出版社，2012年，頁179。

69 不過山東也有受災的時候，在煬帝時，「山東、河南大水，漂沒四十餘郡，重以遼東覆敗，死者數十萬。因屬疫疾，山東尤甚」，山東也有自身難保的一天。見《隋書》卷24〈食貨〉，頁688。

70 唐太宗便在《貞觀政要》中大力批評隋文帝「不憐百姓，惜倉庫」。參見（唐）吳兢撰，王炳文、王晶評注：《貞觀政要》北京：中華書局，2014年，頁147-151。

71 參見官德祥：〈隋文帝與開皇十四年旱災〉，載《中國農史》，第35卷第1期，2016年，頁69-84。

72 《隋書》卷43〈楊子崇傳〉，頁1215。

73 「是時百姓廢業，……無以自給。然所在倉庫，……吏皆懼法，莫肯賑救，由是益困。」《隋書》卷24〈食貨〉，頁688。又，「代王侑與衛玄守京師，百姓饑饉，亦不能救。義師入長安，發永豐倉以賑之，百姓方蘇息矣。」《隋書》卷24〈食貨〉，頁689。

表三　〈隋文帝開皇年間「災害及救災」簡表〉[74]

年份	內容	資料來源
開皇二年（582）	「關右饑餒，陛下運山東之粟，置常平之官，開發倉廩，普加賑賜，大德鴻恩。」 （五月）己酉，旱，上親省囚徒。其日大雨。	魏徵等《隋書》北京：中華書局，1973年，卷46〈長孫平傳〉，頁1254。（後從略） 《隋書》卷1〈高祖上〉，頁17及《北史》卷11〈隋本紀〉，頁406。
開皇三年（583）	「（夏四月）甲申，旱，上親祀雨師於國城之西南。」 「（長孫）平見天下州縣多罹水旱，百姓不給，奏令民間每秋家出粟麥一石已下，貧富差等，儲之閭巷，以備凶年，名曰義倉。」[75]	《隋書》卷1〈高祖上〉，頁19及《北史》卷11〈隋本紀〉，頁409。 《隋書》卷46〈長孫平傳〉，頁1254。
開皇四年（584）	（正月）壬午，齊州水。 工部尚書、襄陽縣公長孫平奏曰：「……去年（四年）亢陽，關內不熟，陛下哀愍黎元，甚於赤子。運山東之粟，置常平之官，開發倉廩，普加賑賜。」於是奏令諸州百姓及軍人，勸課當社，並立義倉。收穫之日，隨其所得，勸課出粟及麥，於當社造倉窖貯之。	《隋書》卷1〈高祖上〉，頁21。《北史》卷11〈隋本紀〉，頁410。 《隋書》卷24〈食貨志〉，頁684及杜佑《通典》卷7〈食貨〉（點校本），頁289-290。

74 本表製成除依據各史乘所載外，另參考近人著作如袁祖亮主編，閔祥鵬著：《中國災害通史——隋唐五代卷》鄭州：鄭州大學出版社，2008年及張波等編：《中國農業自然災害史料集》西安：陝西科學技術出版社，1994年。

75 參見雷家驥：《隋史十二講》北京：清華大學出版社，2012年，頁97。

年份	內容	資料來源
	六月，以雍、同、華、岐、宜五州旱，命無出今年租調。	《北史》卷11〈隋本紀〉，頁410。
	九月，甲戌，隋主以關中饑，行如洛陽。[76]	《資治通鑑》卷175〈陳紀九〉，頁5474及《北史》卷11〈隋紀〉，頁411。
	京師頻旱。時遷都龍首，建立宮室，百姓勞敝，亢陽之應也。	《隋書》卷22〈五行上〉，頁636。
開皇五年（585）	（八月）甲辰，河南諸州水，遣民部尚書邳國公蘇威賑給之。[77]	《隋書》卷1〈高祖上〉，頁23及《北史》卷11〈隋紀〉，頁411。
	「（開皇）五年，（郭衍）授瀛州刺史，遇秋霖大水，其屬縣多漂沒……。」	《隋書》卷61〈郭衍傳〉，頁1469。
開皇六年（586）	二月乙酉，山南荊、淅七州水，遣前工部尚書長孫毗賑恤之。	《隋書》卷1〈高祖上〉，頁23。
	秋七月辛亥，河南諸州水。	《隋書》卷1〈高祖上〉，頁24及《北史》卷11〈隋紀〉，頁412。

76 《北史》〈隋紀〉載：「甲戌，隋主以關中饑，行幸洛陽」，頁411，同見元大德刊本《北史》上（百衲本二十四史）臺北：臺灣商務印書館，2010年新版，頁172。《北史》的「幸」和《資治通鑑》的「如」意思應同。

77 《隋書》卷43〈觀德王雄傳〉：「雄時貴寵，冠絕一時，與高熲、虞慶則，蘇威稱為『四貴』。」另可參考（日）谷川道雄著，李濟滄譯：《隋唐帝國形成史論》上海：上海古籍出版社，2004年，頁260-261及張偉國：《關隴武將與周隋政權》廣州：中山大學出版社，1993年，頁159。《北史》卷11〈隋紀〉載：「遣戶部尚書蘇威賑給之。……」，頁411。另，張澤咸說：「這些遭水災的黃淮海地區，都有豐富的存糧」，見氏著《隋唐時期農業》臺北：文津出版社，1999年，頁48。另，關於蘇威事可參見岑仲勉：《隋書求是》北京：中華書局，2004年，頁29。又，「凡隋紀作民部者，北史皆作戶部，乃知百官志此文，實應作『尋改度支尚書為民部尚書』，志成於高宗朝，已奉民部改戶部之詔，修史者敬避帝諱，故以當代之名稱。……」同見岑氏：《隋書求是》，頁29。

年份	內容	資料來源
	京師雨毛，如髮尾。……是時關中旱，米粟涌貴。	《隋書》卷22〈五行上〉，頁642及《北史》卷11〈隋紀〉，頁412。
	八月辛卯，關內七州旱，免其賦稅。	《隋書》卷1〈高祖上〉，頁24及《北史》卷11〈隋紀〉，頁412。
開皇八年（588）	秋八月丁未，河北諸州饑，遣吏部尚書蘇威賑恤之。	《隋書》卷1〈高祖上〉，頁31及《北史》卷11〈隋紀〉，頁414。
開皇十四年（594）	五月辛酉，京師地震。關內諸州旱。六月丁卯，詔省府州縣，皆給公廨田，不得治生，與人爭利。[78]	《隋書》卷2〈高祖下〉，頁39及《北史》卷11〈隋紀〉，頁419。
	（秋）八月辛未，關中大旱，人飢。上率戶口就食於洛陽。	《隋書》卷2〈高祖下〉，頁39及《北史》卷11〈隋紀〉，頁419。
	是歲關中饑，帝令百姓就糧於關東。	《隋書》卷22〈五行上〉，頁665。
開皇十五年（595）	庚午，上以歲旱，祠太山，以謝愆咎。大赦天下。	《隋書》卷2〈高祖下〉，頁39。
	「二月，詔曰：『本置義倉，止防水旱，百姓之徒，不思久計，輕爾費損，於後乏絕。又北境諸州，異於餘處，雲、夏、長、靈、鹽、蘭、豐、鄯、涼、甘、瓜等州，所有義倉雜種，並納本州。若人有旱儉少糧，先給雜種及遠年粟。』……」	《隋書》卷24〈食貨志〉，頁685。

78 「六月，工部尚書蘇孝慈等以為，所在官司，因循往昔，皆以公廨錢物出舉興生，惟利是求，煩擾百姓，奏皆結地以營農，迴易取利皆禁止。」參見點校本《通典》卷7〈食貨〉，頁97。另參見雷家驥：《隋史十二講》北京：清華大學出版社，2012年，頁96-97。查宋正海所編之書，未知是漏錄抑或認為十四年旱災不夠重大，故不收錄，見宋正海編：《中國古代重大自然災害和異常年表總集》廣州：廣東教育出版社，1992年，頁171。

年份	內容	資料來源
開皇十六年（596）	正月，又詔秦、疊、成康、……等州社倉，並於當縣安置。	《隋書》卷24〈食貨志〉，頁685。
	二月，又詔社倉，准上中下三等稅，上戶不過一石，中戶不過七斗，下戶不過四斗。	《隋書》卷24〈食貨志〉，頁685。
	（六月）并州大蝗。	《隋書》卷2〈高祖下〉，頁41及《隋書》卷22〈五行上〉，頁652。
開皇十八年（598）	其後山東頻年霖雨，杞、宋、陳……等諸州，達於滄海，皆困水災，所在沉溺。十八年，天子遣使，將水工，巡行川源，相視高下，發隨近丁以疏導之。困乏者，開倉賑給，前後用穀五百餘石。遭水之處，租調皆免，自是頻有年矣。	《隋書》卷24〈食貨志〉，頁685。
	河南八州大水	《隋書》卷22〈五行上〉，頁622。
開皇二十年（600）	（十一月）京都大風，發屋拔樹，秦、隴壓死者千餘人。	《隋書》卷22〈五行志〉，頁655。
	（十一月）戊子，天下地震，京師大風雪。	《隋書》卷2〈高祖下〉，頁45。
仁壽元年（601）	壬辰，驟雨震雷，大風拔木，宜君湫水移於始平。	《隋書》卷2〈高祖下〉，頁46。
仁壽二年（602）	夏四月庚戌，岐、雍二州地震	《隋書》卷2〈高祖下〉，頁47。
	九月……壬辰，河南、北諸州大水，遣工部尚書楊達賑恤之。……隴西地震。	《隋書》卷2〈高祖下〉，頁47-48。

年份	內容	資料來源
仁壽三年（603）	十二月癸酉，河南諸州水，遣納言楊達賑恤之。	《隋書》卷2〈高祖下〉，頁52。

淺論杜甫成都草堂前期詩歌

俞　凡
中國人民大學國學院

乾元二年（759）年末，杜甫辭去在華州的職務，幾經輾轉來到成都，居於浣花溪畔草堂中。直至寶應元年（762）離開成都，這一時期一般作為杜甫在成都草堂的前期（以下簡稱「草堂前期」）。這兩年的安定閒適在杜甫的漂泊生涯中是少見的，這一時期杜甫的詩歌也有其特色。

一　草堂前期詩歌的題材內容

這一詩歌的創作題材，受環境變化的影響，相較於其他時期，有較大變化，具體而言可以分為以下幾方面：

（一）描摹景物詩

寧靜清幽的環境、閒適自在的生活，使杜甫對周圍的山川草木產生了極大的熱情。草堂前的柟樹，親自栽種的桃樹、李樹，門前飛過的燕子、黃鸝等，杜甫都一一描繪：

> 柟樹色冥冥，江邊一蓋青。近根開藥圃，接葉制茅亭。
> 落景陰猶合，微風韻可聽。尋常絕醉困，臥此片時醒。(〈高柟〉)

佇立在江邊的柟樹，其枝葉如車蓋般寬大，詩人乘便在周圍種植藥圃。落日斜照、微風徐來，如淺唱低吟。雖醉臥於此，亦片刻能醒。因其高大，日夕其陰猶合，因枝葉寬大，微風可聽韻。雖不直言，而柟樹之高大歷歷可現。詩人描寫之細可見之。李因篤由此曰：「處處寫其高，筆意甚大，卻自不絕」，「日夕則陰移，落景而陰猶合，風細則響絕，微風而韻可聽，柟樹之高可知，無一字虛下」。[1]

對成都的雨，杜甫亦十分關注。剛於浣花溪畔住下後，詩人是初見梅雨：

1　蕭滌非主編：《杜甫全集校注》北京：人民文學出版社，2013年，頁2288。

南京西浦道，四月熟黃梅。湛湛長江去，冥冥細雨來。
茅茨疏易濕，雲霧密難開。竟日蛟龍喜，盤渦與岸迴。（〈梅雨〉）

「公在北方，無此蒸濕之象，故特以首句全領通篇，志風土也。」[2]新到一地，總是會對新的風土充滿好奇。詩人雖謂之「細雨」，然這冥冥細雨與湛湛長江相比，毫不顯勢弱，天邊層層疊疊堆著難以散開的雲霧，詩人甚至擔心這新蓋的不密不厚的茅屋能否抵擋這來勢洶洶的大雨。相比之下，春日的雨則充滿生機：

好雨知時節，當春乃發生。隨風潛入夜，潤物細無聲。
野徑雲俱黑，江船火獨明。曉看紅濕處，花重錦官城。（〈春夜喜雨〉）

春乃萬物生長之時，雨隨春而發、出入無聲。云「潛」、「細」，點出春雨無聲細膩，與「好」相應。而「野徑」二句，看似無關，實則天色俱黑，惟在江船火光中，凸顯萬籟俱寂，詩人才可借這微弱的燈火感知「潛入」之雨，與上文應之。待到黎明時分，花朵經過細雨的滋潤，灼灼盛開，映襯之下的成都顯得更加美麗。又與上聯形成對比，更顯景之麗，襯詩人之「喜」。通篇未云「喜」，然無處不見詩人內心之喜。

可以看出，這一時期，杜甫的描摹景物詩中出現了很多純詠物詩歌，其中多是就物寫物，而無更多興寄的內容。〈高柟〉，寫樹之高大；〈梅雨〉，嘆雨之勢大；〈春夜喜雨〉，讚春雨也。並且其描寫深入細緻，可見投入了詩人極大的情感。這些借物寫物兼抒情而無進一步的興寄所感的詩歌，在這一時期的杜詩中占了相當比重。而這樣頻繁細致地對周圍景物的描摹，在成都之前特別是在長安十年流離的生活中，是不多見的。杜甫入蜀前的作品，多是托物寓意的詩歌。特別是在寓居秦州時期，詩人創作了數首托物寓意的詩歌：〈歸燕〉、〈促織〉、〈蒹葭〉、〈苦竹〉、〈病馬〉、〈蕃劍〉、〈螢火〉等，這些景、物的描寫，多是詩人為了藉以嘆興、感時政，是詩人表達的單純載體，而非最終對象，是詩人思緒的反映。如〈銅瓶〉（乾元二年）：「側想美人意，應非寒甃沉。蛟龍半缺落，猶得折黃金」，詩人見一舊瓶，遂想到當初的主人，大概也不會想銅瓶如今的境遇，蛟龍雖缺猶折黃金，詩人於此感世事無常，嘆興廢之落。蓋托物寓意之作。

（二）議事敘情詩

草堂生活的閒適，使得這一時期的議事敘情詩亦充滿了濃厚的生活氣息。〈卜居〉云：

2　〔清〕浦起龍：《讀杜心解》北京：中華書局，1961年，頁404。

> 浣花流水水西頭，主人為卜林塘幽。已知出郭少塵事，更有澄江銷客愁。
> 無數蜻蜓齊上下，一雙鸂鶒對沉浮。東行萬里堪乘興，須向山陰上小舟。

浣花流水、林塘清幽，居於此處，詩人可少塵事、銷愁緒。蜻蜓上下、鸂鶒浮沉，詩人欲東行萬里，效仿王子猷，「乘興而行，盡興而返」。在這樣的環境，詩人對於新家的營建充滿了熱情，親自向友人求樹苗和裝飾，在暮春時節草堂終於建成：

> 背郭堂成蔭白茅，緣江路熟俯青郊。榿林礙日吟風葉，籠竹和煙滴露梢。
> 暫止飛烏將數子，頻來語燕定新巢。旁人錯比揚雄宅，懶惰無心作解嘲。
> （〈堂成〉）

白茅蓋成的草堂背靠著城郭，俯臨著青蔥的郊原，足見草堂環境之幽靜。為建房而奔走，詩人對沿江的路已經十分熟悉。榿林遮擋著日光，葉子在微風中吟詠，籠竹和著輕煙，青翠欲滴，露水滴在樹梢上，草堂周圍景物亦賞心悅目。從宏觀的「榿林」到微觀的「風葉」，再從宏觀的「籠竹」到微觀的「露梢」，大小結合，寫景細緻精妙可見。頸聯以「烏鴉」寓人，以烏鴉帶領著小鴉寓大人帶著小孩，畫面感強烈，形象生動。燕子的喃喃低語，又增添了生活氣息。別人將詩人比作揚雄，詩人卻覺得揚雄不如自己，然又懶得辯解，詩人之自信躍然紙上。這首詩通過對草堂周圍環境和人物的敘說，一幅熱鬧的草堂浣花圖躍然眼前，充滿煙火氣息。

杜甫有時也會想到戰火未歇的京師：

> 野老籬前江岸迴，柴門不正逐江開。漁人網集澄潭下，賈客船隨返照來。
> 長路關心悲劍閣，片雲何意傍琴臺。王師未報收東郡，城闕秋生畫角哀。
> （〈野老〉）

江岸曲折，柴門隨著岸勢而開。漁人集於潭中下網捕魚，日暮船急，似隨返照而來。杜甫想到劍閣艱險，恐叛軍由此作亂。且唐軍尚未平叛，京師以東尚未完全收復。曾經是司馬相如彈琴之處，秋日聞畫角聲，更平添哀傷。「臨江晚望而成。始望而得野趣，久望而動愁腸也」，[3]詩人趁晚興而出，由眼前景，及故園情，繼而滿腹愁腸。雖是憂國之作，然野老離岸、漁人夕歸，正是生活之景。

這一時期詩人的議事敘情詩更多地描寫生活中的瑣事，或筆調輕快，或疏野狂放，或滿含愁緒。即使有諫諍、憂民之作，也往往由生活而出。詩人反對朝廷改曆，只在〈草堂即事〉首句中提及「荒村建子月，獨樹老夫家」，蜻蜓點水、而無下文。似〈建

3 〔清〕浦起龍：《讀杜心解》，頁618。

都十二韻〉那樣的直接諫諍的文章並不多見。而在入蜀之前的敘事詩，則往往有大篇幅的敘事，刻畫詳盡深刻。如〈兵車行〉（天寶十載）：「君不聞漢家山東二百州，千村萬落生荊杞。縱有健婦把鋤犁，禾生隴畝無東西。……君不見，青海頭，古來白骨無人收。新鬼煩冤舊鬼哭，天陰雨濕聲啾啾」，直接描述戰爭之後的慘狀，展現百姓對戰爭的控訴。杜甫從洛陽回華州的路上所作的「三吏」、「三別」，更是這之中的代表作。

（三）交遊應和詩

杜甫居住在浣花溪畔期間，創作了很多的交遊應和詩作。無論是新鄰或是舊友，這一時期詩人的交遊應和詩突出的特點便是有真情。

住在詩人南邊的是一位「錦里先生」：

> 錦里先生烏角巾，園收芋栗不全貧。慣看賓客兒童喜，得食階除鳥雀馴。
> 秋水纔深四五尺，野航恰受兩三人。白沙翠竹江村暮，相對柴門月色新。
> （〈南鄰〉）

錦里先生頭戴黑色的角巾，他家園子每年可以收到芋頭和板栗，生活並不算十分貧困。對錦里先生的好客，詩人並未直接刻畫。先是以小見大——他家的兒童習慣了賓客的到來，甚至鳥雀都被馴服了，顯然家裡經常有客人。黃生曰「蓋富翁好客不難，貧士好客為難，貧士家人不厭客為尤難，非平日喜客之誠，浹入家人心髓，何以有此？」[4]又以一個細節點出：日暮送客。時值秋日，雖然水未深、船不大、時已晚，仍不能阻擋其送客的熱情。短短幾句便刻畫了一個耿介、孤僻而又誠懇、熱情的隱者形象。顯然詩人對於居住在南邊的這位鄰居十分有好感。

說起朋友，給予杜甫最多幫助和歡樂的當屬嚴武。他在〈遭田父泥飲美嚴中丞〉中寫到：

> 田翁逼社日，邀我嘗春酒。酒酣誇新尹：「畜眼未見有！」
> 迴頭指大男：「渠是弓弩手。名在飛騎籍，長番歲時久。
> 前日放營農，辛苦救衰朽。差科死則已，誓不舉家走！
> 今年大作社，拾遺能往否？」叫婦開大瓶，盆中為吾取。
> 感此氣揚揚，須知風化首。語多雖雜亂，說尹終在口。

4　蕭滌非主編：《杜甫全集校注》，頁2020。

春社臨近，杜甫受邀到田翁家飲酒。田翁讚頌新上任的府尹即嚴武，說這樣的好官他從未見過。他的大兒子原來是弓箭手，服兵役年月長久，前幾日他得以回家務農幫助田翁。田翁說即使差役賦稅再重，因為有這樣好的官吏，他也絕不舉家搬走。杜甫很受感動，認為愛民就當如此。詩人雖未直接描寫嚴武，但是從田翁的口中我們得以看見這樣一個愛民如子的好官。志趣相投、性情相近，這樣的交遊和生活對詩人而言，輕鬆而愜意。

這一時期的交遊詩作，多如上所述輕鬆而愜意。即使因為生計杜甫有時不得不向朋友求援：他曾向高適求助：「百年已過半，秋至轉飢寒。為問彭州牧，何時救急難」（〈因崔五侍御寄高彭州一絕〉），亦曾因為魏侍御給他送來買藥，就得寫詩贈予他：「有客騎驄馬，江邊問草堂。遠尋留藥價，惜別到文場」（〈魏十四侍御就弊廬相別〉）。然這些時即使有求於人，仍不失其傲氣。相比之下，入蜀前的詩歌，以長安時期交遊詩較多。仕途上的不得已，杜甫作了很多投贈干謁詩，如〈贈比部蕭郎中十兄〉（天寶九載）、〈病後過王倚飲贈歌〉、〈投簡咸華兩縣諸子〉（天寶十載）、〈奉贈韋左丞丈二十二韻》（天寶十一載）、〈奉贈鮮于京兆二十韻〉（天寶十二載），生活的艱難、仕途的不順，都在詩中有所顯現：「家人憂幾杖，甲子混泥途」，「頭白眼暗坐有胝，肉黃皮皺命如線」，「長安苦寒誰獨悲？杜陵野老骨欲折」。以至於詩人不得不折其傲骨，希望對方能夠給自己多點照顧和提攜。那時詩歌的整體基調是壓抑而深沉的。

二　草堂前期詩歌的情感表達

草堂前期的詩歌，其情感表達也有其獨特之處。杜詩所展現出的情感，主要可以分為輕鬆、愁苦兩種。但人的情緒是複雜的，很多情況下，輕鬆和愁苦是交織在一起，形成獨特的苦樂交織的情感表達。

（一）輕鬆

生活環境安寧，詩人的心情亦輕鬆愉悅。有相當多的詩歌，都展現了詩人生活的愜意悠閑和心情的愉悅。如〈江村〉：

> 清江一曲抱村流，長夏江村事事幽。自去自來堂上鷰，相親相近水中鷗。
> 老妻畫紙為棋局，稚子敲針作釣鉤。多病所須唯藥物，微軀此外更何求？

創作這首詩時杜甫剛在浣花溪畔住下。清江流過，鄉村的夏日簡單而幽閒。燕子來去徘徊，鷗鳥在水中相親相近。老妻在一旁畫紙作棋局，稚子敲針用作魚鉤。詩人將身邊的瑣事寫得細膩而親切。在這樣悠閒的環境中，老妻和稚子並不無聊，而是有自己的精神寄託。而身在其中的杜甫，亦一樣輕鬆愉悅——除了治病之藥物而別無他求。有客至，詩人也是一副欣喜的姿態：

舍南舍北皆春水，但見群鷗日日來。花徑不曾緣客掃，蓬門今始為君開。
盤飧市遠無兼味，樽酒家貧只舊醅。肯與鄰翁相對飲，隔籬呼取盡餘杯。
（〈客至〉）

春水散漫，群鷗徘徊。詩人以此起興。客將至，詩人因而灑掃。但因離市遠，杜甫家裡拿不出兩樣好菜，酒也是舊醅。然無好酒好菜，卻也更顯出客與主人的親近。怕客人覺得人不多，還欲邀鄰居對飲。賓主盡歡、氣氛愉悅，正是「村居留客，質樸多情，色色如畫」。[5]寒食時分，大家聚在一起，亦十分歡樂：

田父要皆去，鄰家鬧不違。地偏相識盡，雞犬亦忘歸。（〈寒食〉）

在浣花溪畔的日子，杜甫遠離官場煩憂，生活寧靜幽閒，人情質樸溫暖，美景如斯，不覺沉醉。因而這一時期詩人創作了大量展現生活的幽閒、景色的宜人、人情的溫暖、心情的愉悅的詩作。相較入蜀之前，詩人或遊歷交遊，或求仕干謁，其情感或躊躇滿志，或抑鬱不得、惆悵滿懷，很少有這樣的安寧閒適。

（二）愁苦

愁苦是這一時期杜詩藝術特徵的另一重要方面。

詩人的愁苦是複雜的、層層交織的。初到成都，雖有喜悅與新奇，然正逢亂世、遠離故國、親人四散，詩人內心始終有淡淡的愁緒：

但逢新人民，未卜見故鄉。大江東流去，遊子去日長。
曾城填華屋，季冬樹木蒼。喧然名都會，吹簫間笙簧。
信美無與適，側身望川梁。鳥雀夜各歸，中原杳茫茫。
初月出不高，眾星尚爭光。自古有羈旅，我何苦哀傷。（〈成都府〉）

雖不斷遇到陌生人，卻不知何時再能見到故鄉。看大江東流，客居歲月漫長。側身遠

5　蕭滌非主編：《杜甫全集校注》，頁2136。

望，只見鳥雀歸巢，看卻不到戰火中音信渺茫的中原。詩人只得自寬。本詩中，詩人運用對比，以成都的繁華與故鄉相比，以自己和羈旅的遊子相比，雖云自寬，亦深深反映詩人對故鄉的不捨與思念。詩人在〈恨別〉中又寫到：

> 洛城一別四千里，胡騎長驅五六年。草木變衰行劍外，兵戈阻絕老江邊。
> 思家步月清宵立，憶弟看雲白日眠。聞道河陽近乘勝，司徒急為破幽燕。

洛陽城在四千里之外，安史之亂亦五六年餘。兵戈阻斷、思念家鄉和親人，難以入睡。隨著時間逐漸加深的，是詩人與日俱增的對故土的思念和對家國的擔憂。詩人急切地希望官兵早日直搗幽燕，結束叛亂。思鄉和家國之恨相聯繫，愁苦更加深厚。

而看現實，杜甫本來依靠故人的接濟度日，故人的厚祿斷絕，詩人的生活便日益窘迫。杜甫曾向高適求助，亦因魏侍御為其買藥就寫詩感謝他。生活的窘迫，在〈茅屋為秋風所破歌〉得到了集中體現：

> 俄頃風定雲墨色，秋天漠漠向昏黑。布衾多年冷似鐵，嬌兒惡臥踏裡裂。
> 床床屋漏無乾處，雨腳如麻未斷絕。自經喪亂少睡眠，長夜沾濕何由徹。

秋天的晚上，茅屋為秋風所破。布被蓋了多年，又冷又硬，小孩頑皮又將其蹬裂。大雨之後，屋內沒有乾的地方，而雨水仍舊不斷流下。詩人經歷喪亂，睡眠減少，長夜漫漫如何捱過。而即使如此，詩人心中亦不忘生民之憂：

> 安得廣廈千萬間，大庇天下寒士俱歡顏，風雨不動安如山！嗚呼！何時眼前突兀見此屋，吾廬獨破受凍死亦足！（〈茅屋為秋風所破歌〉）

由己及人，杜甫由此想到天下萬千寒士，「因一身而思天下，此宰相之器，仁者之懷也」。[6]然雖思及此，詩人此時卻是有心無力，不由得更覺愁悶。

在浣花溪畔的日子雖然輕鬆，然生活的困頓、進取無望、對故鄉親人的思念、對故園的憂慮、對天下生民的關切，一直縈繞在詩人心頭，這些愁緒層層交織，形成這一時期杜詩區別於其他時期的獨特情感表達。

6　蕭滌非主編：《杜甫全集校注》，頁2348。

（三）苦樂交織

苦與樂沒有絕對的分野，杜詩在這一時期的情感表達並非只是簡單劃分為輕鬆與愁苦，這兩種情感經常是互相交織的。

營建草堂之後，杜甫曾作〈為農〉一首：

> 錦里煙塵外，江村八九家。圓荷浮小葉，細麥落輕花。
> 卜宅從茲老，為農去國賒。遠慚勾漏令，不得問丹砂。

圓荷浮葉，細麥輕花，這是避世煙塵外的鄉村景致，在近郊的鄉村隨處可見。詩人於此，甚至想要為農求道，告別官場。然觀其尾聯，詩人言及葛洪，葛洪聞交趾出丹，欲為勾漏令，上不許。詩人以葛洪自比，實為自傷年老，不得求進。「不得問丹砂」，不是為榮而求仕，實則詩人仍有進仕之心。不仕而隱，固非詩人本志。煙塵外之景致、為農問道，本為輕鬆之語，然詩人難忘其志而自嘲，實輕鬆中帶有愁苦。

又〈狂夫〉一首：

> 萬里橋西一草堂，百花潭水即滄浪。風含翠篠娟娟靜，雨裛紅蕖冉冉香。
> 厚祿故人書斷絕，恒飢稚子色淒涼。欲填溝壑唯疎放，自笑狂夫老更狂。

草堂周圍的景色優美秀麗，有潭水可觀，有翠篠相伴，有紅蕖清香，本是一派祥和景象。然故人接濟中斷，小兒子餓得直叫、神色淒慘，生活又面臨困頓，杜甫本應埋怨，卻又轉而自嘲，亦自寬也。「言有堂可居，有水可濯，竹之淨，蓮之香，又足以從吾所好，吾復何求於世哉！是以故人問絕，稚子恒飢，甚則一身填於溝壑，以惟此疏放而已，其老而更狂如此」，「此公自詠其狂以見志也」。[7]輕鬆之中夾雜愁苦，又疏狂以自嘲，可見詩人心緒之複雜，終究是意難平。

可詩人終有不能疏解之時，背鄉思親，家國之愁，生活艱辛，民生之憂，層層交織。可解愁者，莫過詩酒，酒固易尋，然知己難尋：

> 花飛有底急，老去願春遲。可惜歡娛地，都非少壯時。
> 寬心應是酒，遣興莫過詩。此意陶潛解，吾生後汝期。（〈可惜〉）

花飛如此急，蓋惜春也。來到這歡娛之地，已非少壯之時，不能再有所作為。可寬心遣

7　蕭滌非主編：《杜甫全集校注》，頁1959。

興的大概就是詩酒了。以此高世者，詩人看來，惟陶潛而已，然生不同時。「今惟借詩酒以寬心遣興，此意惟陶潛能解，而恨予生之晚也。」[8]邵傳曰：「愚謂公人品才思，遠媲陶潛，潛值晉祚之陵替，公當唐運之中微，蕭條異代，固曠百世而相感，豈特悲老愁春已哉！題曰〈可惜〉，其旨深矣！」[9]詩人歎自己垂老無成，將要以詩酒自終，竊比陶潛。如此，詩人心中終是會多些寬鬆。然陶潛既已不可尋，受佛教和陶潛隱居的影響，杜甫甚至產生了避世的想法。草堂前期，杜甫經常遊覽佛寺，「老夫貪佛日，隨意宿僧房」(〈和裴迪登新津寺寄王侍郎〉)，寺中的日色春光，令全滅客愁，杜甫稱之「捨此復何之」(〈後遊〉)。他在〈贈蜀僧閭丘師兄〉中寫道：

天涯歇滯雨，粳稻臥不翻。漂然薄遊倦，始與道旅敦。
景晏步脩廊，而無車馬喧。夜闌接軟語，落月如金盆。
漠漠世界黑，驅驅爭奪繁。惟有摩尼珠，可照濁水源。

久雨不停，詩人謂厭倦了漂泊的生活，與佛門伴侶感覺親近。「而無車馬喧」，用陶潛〈飲酒〉句，寫佛寺生活之寧靜。而世界黑暗無邊，人們為利益爭奪不休。「摩尼珠」，寶珠也，佛教謂其至濁水，泠然洞徹矣。詩人以此感歎世事艱難，欲以佛法來渡己。慨佛法之好，即厭塵世之惡，詩人欲有隱士之想法也。

然殊不知杜甫對進仕有多強烈的渴望，長安十年的磨難也不能稍削減其意志，他甚至冒著生命危險，離開妻兒，只為去效忠帝王。如陳貽焮所說，杜甫「到底不是陶淵明」，「老杜有理想有抱負，一生為實現他救世濟人的壯志……有著這種精神的人，為了排遣內心莫大的苦悶，『當閑適時機道自露』……須知老杜雖極諳閑適之趣，奈何他並非真正的曠達之人！這正是他的痛苦和悲哀」。[10]欲解而不得，現實的困頓和閒適生活的誘惑造成詩人內心的掙扎：

落日在簾鉤，溪邊春事幽。芳菲緣岸圃，樵爨倚灘舟。
啅雀爭枝墜，飛蟲滿院遊。濁醪誰造汝，一酌散千憂。(〈落日〉)

步屧深林晚，開樽獨酌遲。仰蜂粘落絮，行蟻上枯梨。
薄劣慚真隱，幽偏得自怡。本無軒冕意，不是傲當時。(〈獨酌〉)

春事幽幽，芳菲滿園，鳥雀爭舞，本是幽景，詩人卻無意於此，只讚其酒：濁醪誰造

8 〔唐〕杜甫撰，〔清〕仇兆鼇注：《杜詩詳注》北京：中華書局，2015年，頁668。
9 蕭滌非主編：《杜甫全集校注》，頁2209。
10 陳貽焮著：《杜甫評傳》(第二版) 北京：北京大學出版社，2011年，頁537，頁546。

汝，一酌散千憂。「此以落日起興，當閑適之景，而意有不能適者，此其借酒以自寬也」。[11]詩人走到林中，看到蜂粘花蕊，蟻行枯梨。「真隱」，南朝何尚之曾退隱並著〈退居賦〉，後還攝職，人作〈真隱傳〉以譏之。「薄劣，自愧之詞」，「公正自慚不能為真隱也」。「軒冕」，卿大夫軒車冕服，代指官位爵祿。「此獨酌時所感，皆用反語自釋」。[12]仇兆鼇云：「下四句，輾轉說來，有自憐自慰意。言才劣見棄，非同真隱，但對此幽勝，聊以自怡耳。才薄劣，故無軒冕之志。非真隱，又何敢笑傲當時乎？」。[13]杜甫知自己非真隱士，故面對這閒適之景，只能聊以自怡，不能做到真正釋懷，甚至需要杜康解憂。輕鬆與愁苦的交織，理想與現實的差距，造成了詩人內心巨大的掙扎。又如〈進艇〉所述：雖不能忘卻自己的理想抱負，然現實的安穩詩人亦無法抵擋：

> 南京久客耕南畝，北望傷神坐北窗。晝引老妻乘小艇，晴看稚子浴清江。
> 俱飛蛺蝶元相逐，並蒂芙蓉本自雙。茗飲蔗漿攜所有，瓷罌無謝玉為缸。
> （〈進艇〉）

開篇云「傷神」，傷故土、念親人、悲己之不遇，然觀其尾聯，以茶為飲，以蔗為漿，隨所居而攜在舟中，且以瓷罌盛之，其潔白不讓謝玉之缸也。謝傑引〈測旨〉云：「其始也傷神，其既也怡神。雖不能忘君臣之憂，而且安於父子夫婦之樂，卒亦無入而不自得者」。[14]君臣之憂，父子夫婦之樂，一憂一樂，交織纏繞在詩人心頭，無從取捨，只暫相得也。

草堂前期的情感表達，既有輕鬆也有層層疊加的憂愁，還有苦樂的相互交織，這樣複雜而深刻的情感，正是由於這一時期獨特的環境和時期而形成，亦構成了杜詩在這一時期的獨特之處。

三　草堂前期詩歌的藝術特徵

草堂前期的杜詩有別於其他時期，在藝術特徵方面亦有其獨特屬性。具體而言，體現在意境、詩歌風格和表現方法等方面。

---

11 蕭滌非主編：《杜甫全集校注》，頁2198。

12 蕭滌非主編：《杜甫全集校注》，頁2204-2205。

13 〔唐〕杜甫撰，〔清〕仇兆鼇注：《杜詩詳注》，頁669。

14 蕭滌非主編：《杜甫全集校注》，頁2298。

（一）意境

草堂前期杜詩呈現出一種輕鬆中帶有愁苦，但是又努力擺脫而不得的精神風貌，表現出來的意境便呈現出生活之愜意、愁苦抒發以及憂慮民生三種境界。

這一時期的杜甫，正處於仕途上的失意灰心階段，面對悠閒自在的生活，不免有所放鬆。然老杜不能放棄其抱負，因而其只能「薄劣慚真隱，幽偏得自怡」，不忿、希冀、孤傲、失意等情緒交織在一起。而安史之亂的爆發，是其出走蜀地的直接原因，與親人和故鄉的分離，思及正處於戰火中的生民，不免憂慮重重。這也正是這一時期杜詩的獨特的原因之所在。

生活愜意如〈江村〉：「清江一曲抱村流，長夏江村事事幽。……多病所須唯藥物，微軀此外更何求？」浣花溪畔環境清幽，有老妻稚子相伴，生活簡單而悠閒，除了身體不好需要藥物之外，似乎別無所求。這樣的詩歌是輕鬆的。至於愁苦之抒發，生活的困頓、有志難酬的不忿、對故鄉親人的擔憂與思念，都是這一時期縈繞在詩人心頭的愁緒，所以才有「濁醪誰造汝，一酌散千憂」（〈落日〉）的感歎。而憂慮民生之作在這一時期雖不多見，卻並不乏佳作，典型便如〈茅屋為秋風所破歌〉、〈建都十二韻〉，前者是以己及人，後者是就事而感。

（二）詩歌風格

杜甫的詩歌風格，最為人熟知和稱道的當屬沉鬱頓挫。然這一時期杜詩的風格以自然、質樸、清新為主，節奏較舒緩、輕快。生活環境的變化，蜀地悠閒自在的生活，和諧寧靜的氛圍，詩人對周圍環境興趣大增，創作了大量描寫田園風光和景物、記敘生活小事的詩作。其風格與沉鬱頓挫差異甚大。如〈漫成〉二首：

> 野日荒荒白，春流泯泯清。渚蒲隨地有，村逕逐門成。
> 只作披衣慣，常從漉酒生。眼邊無俗物，多病也身輕。（其一）
>
> 江皋已仲春，花下復清晨。仰面貪看鳥，迴頭錯應人。
> 讀書難字過，對酒滿壺頻。近識峨眉老，知余懶是真。（其二）

第一首乃對景怡情，頗有超然俗世之感。「荒荒」，空曠冷澹之意，「泯泯」，寂靜無聲也。日色荒荒，日將落而晚煙漸生，春流泯泯，盡言無聲。蒲之生意可觀，村中曲折，各有其徑。寥寥數語，描繪出一副日晚鄉村圖景。因其自適，詩人亦有無他求之意。第二首隨時抒興，仲春十分，清晨花下，仰面觀鳥則顧此失彼，可見詩人之慵懶。幾句則詩人之形態俱出。讀書對酒，樂在其中，知「懶是真」。這二首詩歌既無嚴整的篇章佈局，又無用典之詞華麗之語，然通篇讀下，一副田園生活圖景，一個慵懶無求的詩人形象立現。語言平淡、流暢、質樸，詩歌風格亦如其語言般自然清新。

又如〈江畔獨步尋花七絕句〉，浣花溪畔春意盎然，群芳競發，詩人信步流連其中，沉醉其間。以第六首為例：

黃四娘家花滿蹊，千朵萬朵壓枝低。留連戲蝶時時舞，自在嬌鶯恰恰啼。

黃四娘家花兒長滿了小路，千朵萬朵壓低了枝頭。眷戀的彩蝶時時飛舞，自在的黃鶯恰恰嬌啼。杜甫並未對花之鮮妍明麗過多著墨，只點明了花之多之盛，便轉而描寫蝶、鶯，然短短四句，對便將黃四娘家花開之景表現地淋漓盡致。詩人用語自然，並無華麗辭藻，卻完美地展現了這樣一副華麗的花開滿園圖。語言輕快自然，風格清新明快。

（三）表現手法

在表現手法上，杜詩善敘事，有「詩史」之譽，其中的「三吏」、「三別」更是其中經典。而草堂前期的杜詩，則以描寫為主，以鄉村生活的一景一物、生活中的瑣事為描寫對象，並善於從細節處和側面著手。在情感的表露上，善於借景抒情，借事寓情。

如〈田舍〉：

田舍清江曲，柴門古道旁。草深迷市井，地僻嬾衣裳。
櫸柳枝枝弱，枇杷樹樹香。鸕鷀西日照，曬翅滿魚梁。

這首詩寫江村閒逸之景。田舍坐落於清江之曲，地僻草深，而無俗事。櫸柳、枇杷、鸕鷀，田舍之樂，自在其中。上四句寫田舍之荒僻，下四句寫景物之幽深，皆用描寫。下四句對村居景物的描寫，從細節處著手，抓住櫸柳、枇杷這些事物，短短幾筆便勾勒出鄉村田舍之中的景物情態，富有情趣。亦藉此表現詩人對鄉村生活的熱愛與滿足。

又有〈徐步〉：

整履步青蕪，荒庭日欲晡。芹泥隨燕觜，花蕊上蜂鬚。
把酒從衣濕，吟詩信杖扶。敢論才見忌，實有醉如愚。

本詩從「徐步」這一瑣事出發，上四句寫庭內景物，下四句抒徐步之情。徐步荒庭之中，日色欲晡。頷聯佳句，本當是燕銜泥至，蜂採蕊回，然詩人以芹泥和花蕊為先，

「隨」、「上」二字，更是寫出燕蜂情態，極為形象。雖是荒庭，然青蕪多生，燕蜂飛舞，生機勃發。把酒吟詩，衣濕杖扶，詩人之態可現。然論才見忌，是不憤也，有醉如愚，是自謙也。借景抒情，詩意婉轉。

又如〈遣興〉：

> 干戈猶未定，弟妹各何之？拭淚霑襟血，梳頭滿面絲。
> 地卑荒野大，天遠暮江遲。衰疾那能久，應無見汝期。

此詩抒發對弟妹的思念，夾雜著國亂與衰老病痛之嘆。首聯即直抒胸臆，點出對弟妹的思念。尾聯詩人再次抒情，相見無期，令人斷腸。本詩中間二聯運用描寫，一方面是一個因思念而痛苦流涕、因愁苦而頭絲滿面的詩人，另一方面是天地之廣大。全篇氣象由此而宏大。天地愈大，則顯得人愈渺小，詩人的愁苦則顯得愈發沉重。頸聯側面描寫的運用，可見其功用。

在這一時期，詩人善於描繪周圍的事物，運用描寫、抒情的方式，展現這一時期的生活、精神風貌。這也區別於其他時期的記敘方式和沉鬱頓挫的風格。

由此觀之，在成都草堂前期，杜詩在題材內容、情感表達、藝術特徵等方面皆有其特徵。正是這些區別使其得以區別於其他時期而具有獨特性。

悲哀的輪回

——李商隱遊仙詩中體現的生命意識

胡秋月

中國人民大學國學院

遊仙詩，是古典詩歌中的一個重要類型，從魏晉時代開始就有了這種詩歌體，其主題多為求仙、道教修煉和隱逸文化。相較於之前的遊仙詩，唐代遊仙詩無論是從內容上還是表現形式上都有很大的發展，而其中，晚唐詩人李商隱的遊仙詩則因其獨特的創作風格為遊仙詩增添了新的質素：「晚唐文人遊仙詩中出現了朦朧多義，難以確解的仙人意象，這些意象主要出現在李商隱的遊仙詩中。」[1]李商隱以神仙作為題材的詩歌很多，他的遊仙詩與李白飄逸張揚的尋仙問道主題大有不同，呈現著非典型的特點，即主要通過神話故事寄託他個人的某些情懷，將道教的話語系統引入詩歌中，用彼岸世界的想像建構此岸世界，所以在李商隱的遊仙詩中，透過朦朧多義的仙人意象，往往體現出他個人對於生命的體會和把握。劉學鍇先生在評點義山的〈無題（紫府仙人號寶燈）〉一詩時有這樣一句話：「讀後又覺得詩中所言，並不僅僅限於這種愛情的虛幻杳渺，舉凡人生、仕途、交誼，種種可望而不可即的祈望追求，都近似於詩中所寫情境。」[2]其實這就是李商隱很多遊仙詩所呈現的特點，表達朦朧、涵義豐富，令人十分費解。詩歌解讀雖是見仁見智，但若只以某一主題某個方面去討論，往往不夠完整而深刻，難以透析義山之本意。故嘗試以李商隱整體的人生態度與生命意識去解讀這類詩歌，以期能在促狹的猜測中，生發出更深層次的理解。

錢誌熙先生曾在他的《唐前生命觀和文學生命主題》中系統的探討過從先秦到南北朝文學作品中體現的典型生命觀念，並概括性的提出：

> 所謂生命觀念，是指那種上升到哲學層次的生命思想，它主要包含生命本體觀和生命價值觀兩個部分。前者是對生命本身的性質的認識，後者則是對生命應有價值的把握和判斷，後者往往是建立在前者的基礎上的。[3]

1　榮海濤：《唐代文人遊仙詩仙人意象論稿》吉林：吉林大學碩士學位論文，2004年，頁31-32。

2　劉學鍇，李翰：《李商隱詩選評》上海：上海古籍出版社，2003年，頁177-178。

3　錢誌熙：《唐前生命觀和文學生命主題》北京：東方出版社，1997年，頁1-7。

也就是說生命意識其實是如何看待死，又如何對待生的問題。李商隱身歷了敬宗、文宗、武宗、宣宗四朝，一生伴隨著逐漸沒落的晚唐王朝，又生存於牛李黨爭的政治夾縫之中，十歲喪父，一生漂泊困頓，可以說生命歷程波折而動蕩。李商隱的詩歌往往晦澀而難懂，比如大量令人費解的無題詩，對於解讀這類詩歌中體現的生命意識，往往比較困難；反觀他的遊仙詩，分析起來則較為容易。李商隱將他對於生命的獨特感受與認知，通過遊仙詩中的神仙典故、仙人意象朦朧地表現出來，他的這類借歌詠仙境或仙人故事來抒發個人情感與觀點的遊仙詩，共有三十餘首。仔細分析他的遊仙詩，統而觀之，這些詩歌大致體現了他三類生命意識：如何面對生命本體的生死問題，他用一種樸素的生命本體觀去面對時光流逝、生命消逝和生命永恆地痛苦煩惱；在人生的價值上，他雖看透懷才不遇與世道不公，卻仍然追求仕途功業上的立身處世；最後，他借助對求仙問道的批判和諷刺，隱喻了個人的生命追求，在清醒與冷峻的生命視野和熱切的個人追求之間糾葛，呈現出悲哀的生命色彩。在李商隱的遊仙詩中，對於仙道、人生的反覆叩問，對於生命價值的反覆摸索，不僅使他的遊仙詩呈現出哲學思辨性的光輝，亦最終暗合了他對於人生困境的悲哀、悵然的生命覺識。

一　樸素的生命本體觀

（一）死生乃自然之道

古往今來，古人對自然死亡的認知已經從一種神秘現象轉化為自然現象，在很多文學作品中，古人早已深刻地認識到時間短暫不復回的生命道理，如孔子望大川曰：「逝者如斯夫，不舍晝夜。」莊子在〈知北遊〉中論：「人生天地之間，若白駒過隙，忽然而已。」在宗教與自然哲學的博弈中，如何去面對生命短暫而渺小的無力感，是追求「養生」、相信「鬼神」、還是直面生死？在李商隱的遊仙詩中，雖討論的作品不多，但卻有很突出的體現，他的遊仙詩看似帶著神秘的色彩，其內涵卻是將生死簡單化，透露出其理性的生命意識，總的來說，他秉持著一種自然樸素的生死觀，在他的詩歌中通過對神仙世界的冰冷論述和描寫表現出來。

很多註家總是試圖註出李商隱遊仙詩背後類比、隱喻的事件，但事實上嘗試用生命意識去理解詩歌本身，似乎更能接近詩人所想表達的深邃的人生話題。比如〈謁山〉一詩：「從來繫日乏長繩，水去雲回恨不勝。欲就麻姑買滄海，一杯春露冷如冰。」馮浩箋註此詩為：「謁山者，謁令狐也。次句身世之流轉無常，三句陳情，四句相遇冷淡也。」[4]認為此詩隱喻李商隱謁見令狐綯，張耳則認為是令狐綯見李商隱。其實擺脫這

4 〔唐〕李商隱著，〔清〕馮浩箋註：《玉谿生詩集箋註》上海：上海古籍出版社，1979年，頁374-376。

些具體事件性的猜測，將此詩理解為拜謁某座道教聖地之山的登高傷逝之作，則更貼合於原詩中的情境。李商隱登高而見日落雲回，慨嘆時間難以留駐而世事變化無常，亦可引申為他對自己的身世流轉之嘆，此應為前二句之合理見地。面對時間的難以把握，他緊接著提出了一種試圖解決不完滿的方法：向麻姑求仙。李商隱根據麻姑「已見東海三為桑田，向到蓬萊」[5]的神話傳說想像滄海為麻姑所有，故「欲向其求購，大約就是為了不讓白雲入海，從而阻止時間流逝」，[6]最後卻事與願違，只得「一杯春露冷如冰」。「一杯春露」已有多家解釋為滄海之水經過流轉變遷最後已少到只剩一杯之意，但還有一種可能的解釋是隱喻漢武帝用「仙人承露盤」[7]接飲甘露以延年卻不得的典故，「春露」與「承露盤」契合，而向麻姑買滄海與武帝求長生都同為求仙之意。其實不管是滄海終變為甘露，還是如武帝一樣愚蠢的求仙卻不得，都體現了一個終極的道理：想讓時間留駐乃是一場虛幻。滄海不能買，長生亦不可得，劉學鍇評說：「一個『冷』字，揭示出時間的無情、自然規律的冰冷無情和詩人無可奈何的失望情緒」。[8]李商隱冷靜而理性地面對生命的短暫不復，他直露地揭示出自然規律無法打破的道理。同是寫人世間時空流轉瞬息萬變，李賀的〈夢天〉就有著明顯的不同，「遙望齊州九點煙，一泓海水杯中瀉。」只是寫出仙道世界的奇幻，同時較為深沈地透露出一種滄桑之感，卻少了李商隱詩歌中的幻滅感，這種幻滅感，恰是來源於李商隱對道教長生神話的看破。

這種幻滅感在〈華山題王母祠〉中更加直露，「好為麻姑到東海，勸栽黃竹莫栽桑。」神仙也難以阻止滄海桑田的變遷，長生與求仙又豈能真的獲得？一個「勸」字，寫盡長生破滅的虛幻。李商隱熟練的玩弄著道教話語系統，卻早已將這系統中的根基都全盤否定，他向我們傳遞了他的生死觀，即死生乃自然之道，長生乃是虛幻。事實上，從這兩首詩中，我們都無從得知李商隱到底追求的是長生不老還是別的什麼，那麼是否可以理解為，李商隱運用神仙之故實，喻寫他所追求嚮往的東西，不管是時間永駐，亦或是長生不死，這些追求嚮往的結果，他都一一將其打破，最後表現為失望落空的無盡悲哀。他在這類遊仙詩中表達了他樸素自然的生死觀，又通過仙人事例用哲學思辨的方法去證明生死之道，發出滄海不可買，長生不可得的慨嘆。

（二）煩惱——永恆的生命表徵

除生死壽夭之外，生命本體觀的第二個層次，是永恆的煩惱與苦痛。《莊子．齊物論》中曾提到：「一受其成形，不亡以待盡。與物相刃相靡，其行盡如馳而莫之能止，

5 〔晉〕葛洪撰，錢衛語釋：《神仙傳》北京：學苑出版社，1998年，頁59-71。

6 劉學鍇，李翰：《李商隱詩選評》上海：上海古籍出版社，2003年，頁220-222。

7 考之《文選》，李善註引《三輔故事》曰：「武帝作銅露盤，承天露，和玉屑飲之，欲以求仙。」

8 俞平伯等著：《唐詩鑒賞辭典》（引）上海：上海辭書出版社，2013年，頁1343-1344。

不亦悲乎！終身役役而不見其成功，苶然疲役而不知其所歸，可不哀邪！」[9]也就是說，人生不僅要面對死亡的厄運，還要承受來自各方的痛苦，直到精疲力竭也不知最後的歸宿。所有的宗教、哲學都起源於現實世界悲苦慮罪的不完滿，如何填補這種不完滿便成為很多人思慮的生命問題。如果〈謁山〉一詩是表達追求生命永恆無法成為一種可能的話，那麼李商隱用〈嫦娥〉這首詩則回答了即使長生成為可能之後的另一種悲哀，還有煩惱苦痛無法消除，煩惱將是一種永恆的生命表徵，即便真的進入神仙的理想之境，也無法解決苦痛的常伴性。

李商隱的詩歌往往晦澀而朦朧，總是隱藏其觀點和態度，令人難以琢磨其用意，〈嫦娥〉便是這樣一首詩歌。蘅塘退士曾總結過各家對此詩的看法：

> 有人以為歌詠意中人私奔，有人以為是直接歌詠主人公處境孤寂，有人以為是借詠嫦娥另外有所寄託，有人以為是歌詠女子學道求仙，有人以為應當作「無題」。[10]

如此多不同解讀，主要來源於對「碧海青天夜夜心」的認識，此夜夜心到底是什麼心？李商隱要借夜夜心表達什麼樣的態度？無爭議的是詩歌直用「嫦娥」為題，引用嫦娥偷吃不死之藥飛升的典故，假想其在天上的孤寂生活。然而回到詩句本身，會發現此詩並非全用嫦娥視野。「雲母屏風燭影深，長河漸落曉星沈。」鑲嵌著雲母石的屏風顯然是擺放在室內的，而要見到星河則需轉向室外，空間上發生了轉移；而時間也從燭影搖曳的深夜，移動到曉星下沈的黎明時分，很明顯這描寫的是詩人面對長夜難寐所發生的實景。面對著時間的流逝、天空的變化，此冷清的情景，詩人不禁聯想到嫦娥此時之心也應如我，是孤單孤寂之心吧。對詩中具體意境的重構可知此詩將詩人夜晚失眠看星空，與神話中嫦娥獨坐夜空兩個情境連類起來，發出了「夜夜心」的慨嘆，故可以得到一個結論，嫦娥之心，乃是商隱之心，且為孤寂之心。

而這孤寂之心的含義，若簡單以何綽的註解：「自比有才反致流落不遇」，[11]不可說不恰當，卻未免想得過於狹窄了。葉嘉瑩認為：「一方面既對彼高遠之理想境界常懷有熱切追求之渴望，一方面又對此醜陋、罪惡而且無常之現實常懷有空虛不滿之悲哀，而此渴望與不得滿足之心，更復不為一般常人所理解，真正的詩人，都有一種極深的寂寞之感。」[12]葉嘉瑩先生的解讀，已然非常深刻而貼近詩人之本意了，但恐怕此詩中李商隱的原意，還不止於此。嫦娥因不滿於自己所處的現狀，才會偷靈藥以至飛升月宮，月

---

9 陳鼓應：《莊子今註今譯》北京：中華書局，1983年，頁46。

10 〔清〕蘅塘退士編：《唐詩三百首》合肥：黃山書社，2011年，頁175-176。

11 〔唐〕李商隱著，〔清〕馮浩箋註：《玉谿生詩集箋註》上海：上海古籍出版社，1979年，頁717。

12 熊燁編著，葉嘉瑩傳：《千春猶待發華滋》南京：江蘇人民出版社，2014年，頁95-96。

宮可以看作是一種理想之境，然而當理想之境變為現實，卻依然有著無盡的孤寂與煩惱。嫦娥，乃是人之原型，象徵人不滿現實，逃脫現實到虛擬理想之境的心理結構，然而這種心態卻成為一個悲哀的輪回，因煩惱而逃脫至理想，理想中亦有煩惱，又如何再逃脫嗎？深解此詩可察，在李商隱的生命觀裡，人生之煩惱與苦難永遠無從消解，故嫦娥「應悔」，此悔乃是對於人生煩惱無盡頭的悔悟。長生之神仙，也將面臨永恆之寂寞，況乎吾凡人哉！同樣，在〈寄遠〉這首詩中，「姮娥擣藥無時已，玉女投壺未肯休。何日桑田俱變了，不教伊水向東流。」李商隱也是將仙界的美好無憂屢屢打破，嫦娥永遠需要搗藥，玉女不能停止投壺，什麼時候滄海桑田可以變遷到河流不再向東流呢？答案是否定的。縱然千萬年的變遷，縱是看似無憂的仙界，也改變不了水向東流，煩惱永遠無從消解的苦難。理想之境的再度破滅，是李商隱對於永恆的生命煩惱的悲哀的徹悟，是他對於生命苦難無涯的基本生命意識。

（三）此岸與彼岸永隔

除了他對於煩惱與不完滿無窮無盡的徹悟以外，面對生命的消逝，生死別離的問題，在他的遊仙詩中也有突出體現。他在〈七夕〉一詩中用仙界的重逢慨嘆生死離別，「鸞扇斜分鳳幄開，星橋橫過鵲飛回。爭將世上無期別，換得年年一度來。」此詩是其悼念亡妻之作。古人詩歌中用牛郎織女典故的，多歌詠二人愛情，但李商隱卻借神仙之相逢反襯人間死別不再逢的悲哀。織女牛郎一年一度尚得相見，而商隱與夫人生死一別，再見無期，只剩下無窮無盡痛苦的回憶。這首詩透出他對於死亡的態度，真想將世上所有的無期別，換成年年能夠相見的別離，然而這種幻想再次破滅，此岸世界與彼岸世界沒有鵲橋相連、永相隔離。讀起來李商隱因與亡妻永別而感到悲慟，但是現實的無可奈何使他不得不一次次打破奢望重回現實，在他的生死觀中，死亡因為別離而鍍上了濃重的悲怨之色。

二　立身處世的人生價值觀

面對短暫、偶然、決絕、不可回復的短暫生命，如何向死而生，古人往往有很多種對待生命的態度。最常見的是儒家的倫理價值生命觀，「立身行道，揚名於後世，孝之終也。」[13]儒家歷來倡導「立功、立德、立言」以在世間留名的生命價值觀；亦有道家老莊式的追求「保身、全生、養親、盡年」的處世之道；也有如南朝齊梁宮廷文學裡體現出的享受、放縱生命的及時行樂人生觀；以及如佛道等提倡的隨緣順世等擱置生命問

13 〔唐〕李隆基註，〔宋〕邢昺疏：《孝經註疏》上海：上海古籍出版社，2009年，頁1-5。

題的態度。那麼，李商隱是如何把握生命，對待生命的呢？面對人世浮沈，因為李商隱反覆無常的政治生命，在他的遊仙詩中，也大致可以看到兩種反覆而回轉的基本態度。一方面他承受著懷才不遇、仕途坎坷的苦悶，另一方面又秉持著恪守禮法、追求功業的立身之道，這使得他在面對現實中的困境時渴望發洩，卻又不得不時時保持克制與約束。他依靠神仙世界的人物故事發洩身世浮沈的苦悶，或者隱晦地表達個人的政治祈求。他雖然靠天生的稟賦清醒地認識不公的世道，但卻因為積極的生命追求而又無法達到內心真正的寧靜，故在其遊仙詩中便呈現出了謀求仕途的掙扎和仕途困頓迷惘的愁怨之色。

（一）懷才不遇、身世浮沈的苦悶

「古來才命兩相妨」，這是從「忠而被謗」的屈原開始就有的「士不遇」文學主題，古往今來有很多文人抒發過「懷才不遇」的人生感受，而身世浮沈、因夾雜在「牛李黨爭」中始終未得到重用的李商隱，對此更是有著深刻的人生體悟。在他的神仙詩中，有大量的作品在隱斥著「不遇」的無奈和世道的不公。比如〈鈞天〉一詩中：「上帝鈞天會眾靈，昔人因夢到青冥。伶倫吹裂孤生竹，卻為知音不得聽。」趙簡子不懂律呂卻因夢遊於鈞天，而制定音律精通音樂的伶倫卻不得賞識而聞鈞天廣樂。楊致軒對此評語頗為精妙：「賢者不必遇，遇者不必顯，人世浮榮，況同一夢。」[14]馮浩則引徐逢源的說法：「暗誚子直，兼自傷也」。其實不論李商隱是否隱晦地諷刺令狐綯，此詩都是在用天上事喻人間事，首先抒發人世浮沈、懷才不遇的悲憤，同時暗斥庸才卻能位居高位的不公世道。周建國先生作了一個引申極妙：「這篇〈鈞天〉詩，如果也能『不作實事解』，不拘囿於一人一事，將其看做是對大中初期斥逐功臣賢才、擢用黨私庸人的政治現象的批判，就更符合作者登第入仕以來，坎坷沈浮，輾轉幕府的憤懣之情。」[15]由仙及個人，再到整個政壇社會，李商隱批判了政治亂象，卻又只能表達知音不遇仕途不合的悲憤與苦悶。同樣，還有一些詩歌，因為可以詳細考察其中借喻之本事，聯繫李商隱具體生平，而更能領悟其中妙趣。在〈辛未七夕〉中：「豈能無意酬烏鵲，唯與蜘蛛乞巧絲。」程夢星曰：「七夕詩多矣，義山系之以年，必有時事。考辛未為大中五年（851），義山在徐州，為盧弘正書記（按，程說誤），時令狐綯當國，」[16]結合當時李商隱的處境，可大致推測此詩借牽牛織女鵲橋相見之事，以借慨李商隱對於令狐綯「清

14 〔唐〕李商隱著，〔清〕馮浩箋註：《玉谿生詩集箋註》上海：上海古籍出版社，1979年，頁318-319。

15 周建國編選：《李商隱集》南京：鳳凰出版社，2007年，頁38-39。

16 劉學鍇：《李商隱詩歌接受史》合肥：安徽大學出版社，2004年，頁130-140。

漏漸移相望久，微雲未接過來遲」的怨念以及李商隱對自己在徐州盧弘正幕下個人功多而未得厚報的遭遇的嘆息。

義山一路仕途輾轉坎坷，當他遭受人生的不遇和困境時，喜作遊仙詩以自我開解或是表達抱怨或是批判世道，他將這人世間的既定規則和偶然多變看得非常透澈，卻仍然難以釋懷和放下，所以他依靠遊仙詩隱晦地表達自己所面對的生命困境。除了對不遇之苦悶的吐露，面對懷才不遇和人生困境，李商隱的遊仙詩中也偶爾懷有道家隱逸式的態度和情懷。他在〈東還〉中歌詠道：「自有仙才不自知，十年長夢采華芝。秋風動地黃雲暮，歸去嵩陽尋舊師。」可見，李商隱對自己的才華始終是非常自信和自愛的，他篤信自己有超凡脫俗的才華，然而卻時命不濟，四舉進士不第，半生流落十年長夢，他最後決定要重歸嵩陽尋師訪道。馮浩曰：「義山應舉，至是將十年。」[17]面對科場上的屢屢失意，李商隱產生了歸隱避世之念，這種隱逸式的人生設想，亦可以看作是他對於擺脫自己生命困境的一種嘗試。

（二）立身之道：追求功業

雖然遭受仕途之不遇的層層打擊，受儒家倫理生命觀影響的李商隱，卻依舊汲汲於仕途上進，秉持著士階層追求「立身揚名」價值的生命觀，不輕忽生命，他在政治上始終沒有放棄。他的遊仙詩中，多體現其追求仕途功業的政治選擇。如同他在〈霜月〉裡描寫的唯美意境：「素女青娥俱耐冷，月中霜裡鬥嬋娟」，拋開豔情詩、詠物詩這些將此詩單一化的標籤，其實我們可從「耐冷」、從「鬥」字中看到李商隱千錘百煉的生命意志。儘管已時到深秋霜重，儘管「瓊樓玉宇，高處不勝寒」，神女們依然在寒冷中盡顯仙姿綽約的美，而這也如同屢屢走入政治寒冬的李商隱，從來不願接受宿命的安排，始終有志於經受寒冬的考驗，在渾濁的現實裡嚮往美好與光明。

在〈霜月〉等遊仙詩中或得以暗合義山積極的人生態度，那麼還有好幾首遊仙詩則可以非常明確地表達李商隱的政治人生訴求。〈重過聖女祠〉是一首爭議較大的詩歌，「白石巖扉碧蘚滋，上清淪謫得歸遲。一春夢雨常飄瓦，盡日靈風不滿旗。萼綠華來無定所，杜蘭香去未移時。玉郎會此通仙籍，憶向天階問紫芝。」在黃世中的註疏中總結了四類寫作意圖：「一是抒遷謫之怨；二是隱寓與女冠戀情；三是戲聖女之追隨玉郎；四是為久謫歸朝者作。」[18]那麼到底是何寫作意圖呢？考察作此詩時李商隱的處境，當時他的幕主柳仲郢被內徵為吏部侍郎，職掌官吏銓選。與〈嫦娥〉一詩相似，此詩亦將聖女祠神女的遭遇與自身的身世連類，神女淪謫「得歸遲」，而自己也終於隨同柳仲郢

---

17 〔唐〕李商隱著，〔清〕馮浩箋註：《玉谿生詩集箋註》上海：上海古籍出版社，1979年，頁39。
18 黃世中註疏：《類纂李商隱詩箋註疏解》合肥：黃山書社，2009年，頁382。

命運將迎來轉機與改變。神女憶起貶謫的日子裡夢雨飄瓦、靈風不吹，李商隱這半生亦是壯志難酬，功名蹭蹬，常飄不滿。汪辟疆曰：

> 回憶開成二年經過此地，正令狐綯助己登第之年。當時自謂平步青雲、上清同證，今則全付夢中，寧堪回首乎！[19]

結合當時的情境，「天階」、「上清」等意象應為仕途的隱喻，而「淪謫」二字也完全體現此描述為功名之路，故此詩與敘寫女冠戀情關係應該不大，反而是借一位淪謫不歸、漂泊無依的神女形象，寄託對自己身世沈淪的慨嘆，同時用神女自況，將自己重登仕途的希望寄託表白於柳仲郢。李商隱用仙家班列隱喻自己的功名仕途，「得歸遲」、「問紫芝」等都充分地體現了他對於個人政治生命的積極追求，雖然一路如浮夢飄忽，卻依然難以放下紫芝之願，此詩中淒迷朦朧的意境，也正如李商隱來去無常的政治生命。

因為政治的複雜多變性，和個人一生為牛李黨爭所累的經歷，故李商隱的很多政治選擇與政治態度，往往不得直露地表達，他只能通過一些遊仙詩，隱射現實世界中的真實故事。比如〈海客〉：「海客乘槎上紫氛，星娥罷織一相聞。只應不憚牽牛妒，聊用支機石贈君。」假使此詩僅從字面意思去解讀星娥對於牽牛的背叛，是對李商隱詩歌背後深意地輕佻與莽撞。此詩前後之事其實可考：

> 宣宗大中元年（847），李商隱三十六歲。時白敏中當政，百計排陷李相所重之人，商隱欲入翰苑視草制誥之徑遂窒。而鄭亞固衛公所厚者，商隱亦拳拳於衛公者，與其依心地險辟之牛黨諸子為活，不如隨鄭亞遠征南天，主賓相洽，猶大有可為也。[20]

詩歌以「海客」為題，時鄭亞又恰好遠赴南國，李商隱打算如「星娥」相從「海客」，馮浩曰：「海客比鄭，星娥自比，支機石喻己之文采，牽牛比令狐也，孰知其遙妒之深哉！」[21]因此，這首詩是用仙人之事喻托李商隱個人的政治選擇。亦可見得李商隱對自我價值的絕對認可，既然自己有「支機石」般珍貴的才華，和賞識自己才華的鄭亞，便「不憚」牽牛之遙妒。李商隱對於自己的政治選擇還是比較清晰而篤定的，理性地選擇自己所要追隨之人，理性地遠離在政治上不賞識自己之人。另外還有〈壬申七夕〉一詩中，用「已駕七香車，心心待曉霞」暗暗寄寓自己已跟隨柳仲郢承辟的經歷，

---

19 胡可先：《小李杜》北京：中華書局，2010年，頁56。

20 吳慧：《李商隱研究論集》北京：社會科學文獻出版社，2013年，頁107。

21 〔唐〕李商隱著，〔清〕馮浩箋註：《玉谿生詩集箋註》上海：上海古籍出版社，1979年，頁280-281。

用「成都過卜肆，曾妒識靈差」以暗示自己昔時昔日仕途上的不順利。李商隱雖然將官場浮沈懷才不遇這種事看得非常透澈，也承受了很多貶謫不受重用的政治打擊，但他如同絕大多數士人一樣，仍然需要保持積極與樂觀地在仕途上奔波勞碌，仍然要輾轉痛苦地作出政治上的選擇，仍然要在自我克制與隱忍之中追求「制靜守成」，他在政治生命上雖然反覆而無常，依然秉持追求仕途功業的立身之道。

（三）悵然人情遇合靡定

除了政治生命上的浮沈，李商隱在其遊仙詩中對世間交際遇合之事，亦用彼岸之事表達慨嘆。在〈白雲夫舊居〉中，他追憶了當時相交之人，「平生誤識白雲夫，再到仙檐憶酒壚。墻外萬株人絕跡，夕陽唯照欲棲烏。」此詩中白雲夫是誰始終有爭議，馮浩引徐逢源觀點認為「此『白雲夫』，當是楚。」[22]此類觀點認為李商隱此時「重過彭陽舊宅，追思其父，深憾其子矣。」[23]而程夢星則認為：「詩有『仙檐』字，白雲夫當幽棲之道流耳。」[24]此類觀點以為李商隱是有悔於平生未獲仙訣。其實不管「白雲夫」是指令狐楚還是隱逸之人，都是李商隱在追憶曾經相交之人，別離半生再見而未得重逢。「憶酒壚」可見二人曾經交好甚歡，如今重到仙檐，半生迷離流轉，再難逢友，酒壚之歡已不可復得。同樣，〈武夷山〉這首詩，「武夷洞裡生毛竹，老盡曾孫更不來。」亦可理解為借山詠人事，空中簫鼓，一去不回，曾孫老盡，無緣再見，「嘆遇合之不可期」。[25]其他詩歌如，〈丹丘〉裡：「丹丘萬里無消息，幾對梧桐憶鳳凰」亦應是在慨嘆舊友舊識如曾棲息於梧桐樹的鳳凰一樣，似早已遠赴丹丘再無消息，再多的想念與牽掛都是徒勞無功的。從這些詩歌中均可見得李商隱對待人情之相見相識相離相別似乎十分地淡然，但像「應共三英同夜賞，玉樓仍是水精簾。（〈月夜重寄宋華陽姊妹〉）」的詩句中又有表達對曾與舊交同賞月的懷念，在人事聚散離合的歌詠中，悲哀與懷念相結合，詩歌於唇齒之間，又縈繞著遲遲不散去的迷惘與愁怨。對人情舊識的追憶與嘆息，同時亦可顯現商隱重情重義之個性。

三　清醒與熱切之間：悲哀的輪回

李義山少年時曾隱居王屋山、玉陽山一帶學習道教，「學仙玉陽之時間，當在父喪既除之後，大和三年干謁令狐楚於東都之前……學仙時年齡當不至過少，或即在大和

22 同上註，頁413。

23 吳慧：《李商隱詩要註新箋》北京：方志出版社，2010年，頁761。

24 劉學鍇：《李商隱詩歌接受史》合肥：安徽大學出版社，2004年，頁130-140。

25 同上註，頁123。

元、二年左右。」[26]此時李商隱應該在十五、六歲。唐朝後期，道教繼續發展，在修身治國原則之下重提神仙長生，從君主到貴族，服丹藥求長生達到了著迷的程度。唐敬宗「訪異人」、「求仙藥」，武宗寵信道士，喜好「長年之術」、「志欲學仙」，這都是李商隱所身歷的沈迷於求仙問道的唐朝君王。求仙玉陽的經歷和對虛妄求仙的社會風氣的反感，使李商隱不僅嫻熟於運用神仙故事，亦有助於他表達對晚唐帝王和整個社會求仙風氣的諷刺與批判。然而，深而揣度，其實求仙問藥，不僅代表著古人對延長生命的訴求，同時也隱喻著詩人心中所追求之事，是李商隱生命追求與期望的象徵。李商隱對待求仙的態度始終是理性而清醒的，一如他對於個人人生追求的態度，也是冷酷而清醒的，他洞悉生命的短暫與苦難，在詩歌的世界中加以哲學思索，表現出超過常人的理智。然而這與他不能自抑的熱切追求發生矛盾，表現在仕途上的反覆掙扎與詩歌中真摯的悲切之上，清醒與熱切的衝突，成為他生命悲哀的根源，同時又反覆困擾著李商隱，使他的詩歌呈現了輪回而無邊際的悲哀色彩。

古人為了延長生命解脫煩惱，往往寄望於養生、長生和求仙。李商隱很早就看透了道教求仙之虛妄，在其遊仙詩中直刺求仙。如〈海上〉：「石橋東望海連天，徐福空來不得仙。直遣麻姑與搔背，可能留命待桑田！」此詩結合了秦始皇派徐福東渡求仙之不遇，和蔡經遇到仙人亦不能長命的兩個典故直接諷刺了求仙問道的虛妄，譏刺武宗派方士求仙的愚蠢。姚培謙箋曰：「此又是喚醒癡人，透一層意，莫說不遇仙，便遇仙人何益。」[27]還有如〈武夷山〉：「武夷洞裡生毛竹，老盡曾孫更不來。」亦譏刺神仙之不足信，表達對求神仙也無法彌補人類生命不完滿的態度。加上前面對遊仙諸詩的分析解讀，都可以見得有過學仙經歷的李商隱，對待求仙問道的態度是非常堅決而清醒地批判與否定的。

然而，除了對於求仙的譏刺與批判，這些遊仙詩往往還寄託著李商隱更深層次的自我生命追求。「桂水寒於江，玉兔秋冷咽。海底覓仙人，香桃如瘦骨。紫鸞不肯舞，滿翅蓬山雪。借得龍堂寬，曉出揲雲發。劉郎舊香炷，立見茂陵樹。雲孫帖帖臥秋煙，上元細字如蠶眠。」李商隱在此用漢武帝求仙之故實，寫其最後也只是徒留空冢墓樹，子孫後代亦紛紛埋在寒煙之中，當年上元夫人求仙秘訣上的文字早就模糊不清。當年當日汲汲所求，今時今日全部落空，這才是最最深刻地幻滅。這首詩首先非常明確地譏刺了求仙之不實虛妄，亦有對中晚唐皇帝一個接一個妄求長生的尖銳諷刺，這層含義用劉學鍇的說法已經非常準確：「詩未必專為武宗而發。當時繼位的宣宗『務反會昌之政』，卻偏偏不反武宗的求仙，即位不到幾個月便受三洞法籙於鍋山道士劉玄靜（事見《通鑒》會昌六年）。這自然引起詩人很深的感慨和憤懣。」[28]唐武宗已經求仙不成，唐宣宗偏

26 劉學鍇，余恕誠：《李商隱詩歌集解》北京：中華書局，1988年，頁2086-2090。

27 〔唐〕李商隱撰，〔清〕姚培謙箋註：《李義山詩集箋註》北京：中華書局，1918年。

28 劉學鍇，余恕誠選註：《李商隱詩選》北京：人民文學出版社，1997年，頁109。

偏繼續求仙問道，「雲孫帖帖」不反思看清，反而繼續愚蠢虛妄，最後當然逃不過橫臥秋煙的命運。除了對求仙的清醒批判，此詩更深刻地表達了李商隱那份不確定的自我追求。葉嘉瑩先生在論註〈海上謠〉這首詩歌時，有一段非常精妙的論述：

> 由於前數句表現了對神仙的期望，所以下面乃承以「劉郎舊香主，立見茂陵樹」兩句，以寫求仙之落空的結果……此二句所表現之情調，實在應當是對於詩中所有求仙之喻說的一個總結之語，謂此種追求尋覓之終必歸於虛幻落空死亡沈滅之下場而已。這種悲感當然也正是義山詩一向所慣有的情調。[29]

李商隱的諸多遊仙詩中，都隱含著對於自我的追求與尋覓最終落入虛幻的悲涼之感，借求仙的落空表達了個人對所求嚮往之事不得的悲哀。

同樣，用譏刺求仙隱晦地表達自我追求落空的遊仙詩，還有如〈瑤池〉一詩。「瑤池阿母綺窗開，黃竹歌聲動地哀。八駿日行三萬里，穆王何事不重來？」〈瑤池〉這首詩，敘寫了周穆王曾到瑤池與西王母三年為約最終卻沒來赴約的神話故事，一層層推進，最後卻只有一個問句，沒有給答案。西王母推開綺窗期盼穆王歸來，卻只聽聞周穆王所作的哀民之歌，到底穆王為何沒有復來？是因為周穆王已死？還是因為穆王已經變心？還是因為民生未得治而不能返？清代紀昀評此詩說：「盡言盡意矣。而以詰問之詞吞吐出之，故盡而未盡。」[30]其實不管是因何緣由穆王未得重來，這首詩都淋漓盡致地諷刺了求仙之虛妄，西王母雖貴為仙家，亦有期盼之不可得之事。結尾李商隱雖然沒有給出答案，但這些可能都指向一個結論：期望的落空，穆王求仙終究落空，西王母渴望的愛情最終落空，人間民生得治亦無情地落空。那份渺遠的追求與嚮往，伴隨著〈黃竹歌〉，最終化為悲哀的泡影。這個中的言意未盡，吞吐哽咽，可以理解為李商隱對自己不確定的人生追求的焦慮與痛楚，隱含著深重的悲苦之情。

基於對李商隱的遊仙詩的深度分析，我們可以看到他的整個生命意識呈現出異常清醒而冷峻的色彩。面對生老病死等永恆的宇宙問題，他擺脫了非理性的神秘主義生死觀，走向樸素的生命本體觀。他透析時間流逝、生命短暫的自然規律，用遊仙詩表達長生之不可得，時間不能留駐的悲哀，同時衍生出煩惱無處消解、苦難無邊無涯的基本生命意識，以及面對生死永隔時由內生發的無盡悲慟。這樣的生命本體觀使得他的詩歌中籠罩著無邊無際的悲哀與抑鬱，沈重婉轉到令人窒息。同樣在具體的人生價值追求上，他也看透了官場的黑暗、世態的炎涼和仕途的不遇，他用遊仙詩隱晦地進行痛訴、自我開解或者意圖尋求歸隱的解脫之道。尤其在面對生命的困頓，曾經有過學仙求道經歷的

29 葉嘉瑩：《迦陵論詩叢稿》北京：北京出版社，2008年，頁349。

30 俞平伯等著：《唐詩鑒賞辭典》上海：上海辭書出版社，2013年，頁1311-1312。

他也並沒有依靠虛幻的神仙世界去找尋解脫，而是清醒地認識到求仙問道的虛妄，尖銳地諷刺與批判晚唐時期統治者們虛腐無知的求仙行為。正是因為他本身對於生命的透徹而理性的思索，使他形成了冷峻而清醒的生命意識，付諸於遊仙詩中生發出很多深刻而尖銳的議論，呈現出犀利的批判精神，發人深省。

然而，他還有一部分無法自控的熱切生命追求，與他的清醒冷峻發生矛盾與衝突，使他不得不在這種自我鬥爭中反覆糾纏與困頓。在具體的現實追求層面，雖然他洞悉人事，又遭遇政治生涯反覆的重大挫折，卻依然堅持著求取功名以立身修德的儒家倫理生命價值觀，汲汲追求仕途上進，他在自己構建的神仙世界中不斷地暗示自己的政治選擇與追求，借神仙隱喻個人仕途中的實事。筆者認為他的這種熱切追求，是他對自我價值的一種積極認定，因為在古代中國的社會普適價值觀裡，只有官場上的成功才是得到普遍認可的成功，這一點上李商隱亦不能免俗。在宦海的苦苦浮沈，如何去追尋自己生命的價值，他時而發出清醒的譏刺與自我開解，時而又體現無法自抑的熱切追求，他痛苦於官場的失意，又欣喜於短暫的仕途得意，使得他在遊仙詩中往往表現出矛盾的雙重態度。除了這具體層面上可以追溯到的熱切追求，他的遊仙詩中又時時隱晦地指向他那些不願開口與人訴說的生命追求。比如〈海上〉中「石橋東望海連天」,〈謁山〉中「欲就麻姑買滄海」等詩句，以對時空的掙脫，對界限的打破，用誇張而高遠的筆調，寄託著李商隱內心深處的那份渺遠的追求與嚮往。而恰是這份對自我的期待，對個人追求的渴望，使得本身就有著深重悲哀色彩的生命觀，更摻雜進了矛盾與糾結。在藝術表現上，因為涉及了神仙世界的描寫，他的這類詩歌大量運用了誇飾和想像的手法，在藝術效果上呈現出濃郁的浪漫色彩，具有感動人心的力量。

從現實世界到神仙世界，李商隱遊仙詩中呈現出的所有的生命態度，同時指向或者暗合了他的一個最為深層的生命意識：悲哀的輪回。輪回的含義有二層，一是生死本身的流轉輪回，如前面所討論的，李商隱秉持著樸素的生命本體觀，反對人可以長生不老的反自然觀點，生命的短暫不復與煩惱無窮就是宿命本身悲哀的現實。二是悲哀如同車輪一樣旋轉，循環不已，不得解脫。在清醒與熱切之間，李商隱的政治生涯坎坷曲折，寂寞之心無人回應，在遊仙詩中那些被他藏在深處不願言語的生命追求與嚮往，被一次次地打破。他嘗試在遊仙詩中拋出問題，到神仙世界中去解決問題；他不滿現實，到虛擬的理想之境去逃脫現實，然而最終所有的生命煩惱，不斷的反覆難解，相互糾纏，一重加上另一重。使得他對於生命的把握，恰如我們對他詩歌的把握一樣，充滿著不確定性。試想假如他清醒地看透生命的悲哀而能置之不理，他能通過反覆自我勸慰而得到釋懷，那麼至少他能將這悲哀淡化、從煩惱中解脫。但正是因為他始終也走不出這層追求的重障，便生發出生命本身的悲哀之外的悲哀。「如何雪月交光夜，更在瑤臺十二層？（〈無題——紫府仙人號寶燈〉）」瑤臺十二層上恐怕難有他追求一生的美好理想，那些生命中所遇的美好的人事，政治上糾結的宿敵親仇，都化作了若即若離、南柯一夢的人生境遇，只剩下了悲涼的迷惘、幻滅與糾纏，然而在這消極的絕望中，他仍然對生命堅毅不屈的張開幻想的翅膀，堅守著不屈的意志。在他的遊仙詩中，李商隱面對生命的困境，所有複雜難解的生命意識，最終都只得用一句詩概括，那就是——「碧海青天夜夜心」。

詔書事件

——周武帝滅佛之原因探析

周智源

北京師範大學哲學學院

一　詔書事件及其原因分析

建德三年（574）五月丙子（十七日），北周武帝宇文邕下詔，斷滅佛道二教，「經像悉毀，罷沙門、道士，並令還民。並禁諸淫祀，禮典所不載者，盡除之。」[1]

然而僅月餘，六月戊午（二十九日），周武帝便下詔設立通道觀。詔書曰：

> 至道弘深，混成無際，體包空有，理極幽玄。但歧路既分，派源逾遠，淳離樸散，形氣斯乖。遂使三墨八儒，朱紫交競；九流七略，異說相騰。道隱小成，其來舊矣。不有會歸，爭驅靡息。今可立通道觀，聖哲微言，先賢典訓，金科玉篆，秘賾玄文，所以濟養黎元，扶成教義者，並宜弘闡，一以貫之。[2]

如此重大的事件，如此突兀的表現，讓人不得不疑竇叢生：究竟發生了什麼，周武帝竟要下詔禁斷佛道二教，造成佛教史上的法難；又發生了什麼，他要在月餘之後便下詔設立通道觀，復興道教。這些問題都令人匪夷所思，想要獲得答案，必須一探究竟。

接下來，我們就來考察事件的來龍去脈。

據《廣弘明集卷第七・辯惑篇第二之三》記載周武帝最初是信奉佛教的，「初重佛法，下禮沙門」。但當時有讖緯謠傳黑衣當王——此一謠傳起自較早，當初齊文宣王以為黑衣天子乃是佛門稠禪師，想要殺了他。稠禪師說：最黑的莫過於漆。於是文宣將其七弟關入地牢，後又殺之。這一謠傳，不只北齊相信，北周也相信。周太祖宇文泰說：「我名黑泰，可以當之。」[3]進入關中，乃改用黑皂。朝野章服，一令改成黑色。並且命令出家僧眾穿黃衣，以與讖緯不符。而周武帝雄武大志，對此謠傳初不在意。並且崇信佛法，致敬沙門。

1　《周書・帝紀第五・武帝上》北京：中華書局，1971年，頁85。

2　《周書・帝紀第五・武帝上》北京：中華書局，1971年，頁85。

3　《廣弘明集六》，〔唐〕道宣：《廣弘明集》卷第八，大正藏第52冊，頁135下。

但天和二年（567），有還俗僧人衛元嵩上書周武帝，請省寺減僧。書表中云：

唐虞之化，無浮圖以治國，而國得安；齊梁之時，有寺舍以化民，而民不立者，未合道也……然齊梁非無功於寺舍而祚不延，唐虞豈有業於浮圖而治得久，但利民益國則會佛心耳……嵩請造平延大寺，容貯四海萬姓；不勸立曲見伽藍，偏安二乘五部。夫平延寺者，無選道俗，罔擇親疏；愛潤黎元，等無持毀。以城隍為寺塔，即周主是如來。用郭邑作僧坊，和夫妻為聖眾。勤用蠶以充戶課，供政課以報國恩。推令德作三綱，遵耆老為上座。選仁智充執事，求勇略作法師。行十善以伏未寧，示無貪以斷偷劫。於是衣寒露、養孤生、匹鰥夫、配寡婦、矜老病、免貧窮，賞忠孝之門，伐凶逆之黨，進清簡之士，退諂佞之臣。使六合無怨紂之聲，八荒有歌周之詠。飛沈安其巢穴，水陸任其長生……[4]

衛元嵩在上書中，首先將上古唐虞之世與南朝齊梁之世相比較，指出唐虞之世雖無佛教，但是利民益國，故能長治久安，且會於佛心；而齊梁之世雖佛教興盛，但其行政與大道不合，故不能延續國祚。從而得出結論：治理國家並不一定要靠佛教，只是教化百姓，使民心合於大道而已。[5]接著祈請周武帝建造平延大寺（喻指一統天下之帝國），容納四海萬姓。平延寺中，沒有修道者和俗人的差別，也沒有親疏遠近的不同，一律平等對待，共同化育。如此一來，祭祀用的城隍廟就是這平延寺的寺廟和寶塔，周武帝本人即是寺主如來。城郭家宅就相當於僧人安居之所，一家之主的夫妻就是和合的僧眾。男耕女織，應徵交稅，就是上報國恩，修道立業。可以推選有德操的長者來承擔教化的責任，舉薦有智勇的賢達來主持具體事宜。眾人都行持十善業道，自然地方安寧，無有盜賊。這樣一來，就可以做到讓遭受寒冷、露宿街頭的人有衣服穿、有地方住，鰥寡孤獨之人都有所歸養、有所託付，老病之人、貧窮之人都能得到照顧和免稅。獎賞忠孝之家，討伐凶逆之徒，推舉清白樸素之人，遣退讒佞宵小之臣。如此，便可天下大安，四方同慶。還能仁及草木，澤被禽獸，使飛禽走獸各安巢穴，水生陸長盡其天年。則百物各得其所，萬物各得其平。如此，方與平延大寺之名相合。

周武帝本有宏圖大志，想要「包舉六合，混同文軌」[6]，得到衛元嵩的上書，正與其心意相符。恰在此時，又有道士張賓，「譎詐罔上，私達其黨。以黑釋為國忌，以黃老為國祥。」以讖緯謠傳說於武帝，並且認為「僧多怠惰，貪逐財食，不足欽尚。」[7]

---

4 《廣弘明集卷第七・辯惑篇第二之三》，頁131下。

5 《廣弘明集卷第七・辯惑篇第二之三》：「國治豈在浮圖，但教民心合道耳。」頁131下。

6 《周書・帝紀第五・武帝上》北京：中華書局，頁106。

7 《廣弘明集卷第七・辯惑篇第二之三》，頁131下。

於是周武帝信受其言，自此以後，通道輕佛，還親自登壇受符，穿著道門衣冠。《集古今僧道論衡二》中記載這一段史實云：

> 周武初信於佛，後以讖云「黑衣當王」，遂重於道，躬受符籙。元冠黃褐，內常服用，心忌釋門，志欲誅殄；而患信佛者多，未敢專制。有道士張賓譎詐罔上，私達其策，潛集李宗，排棄釋氏。又與前僧衛元嵩，唇齒相副，共相菹醢。帝納其言。[8]

雖然史實如是，但是這明顯將周武帝滅佛事件的主要責任推到了讖緯謠傳以及衛元嵩和張賓二人身上。[9]但事實絕非這麼簡單，周武帝也並非魯莽輕信之人，不可能僅僅因為他人之煽惑而行使如此重大的事情。他之所以滅佛，一定有他自已更為深遠的考慮。

史書記載周武帝的性格和平生行事：

> 帝沉毅有智謀。……克己勵精，聽覽不怠。……性既明察，少於恩惠。凡布懷立行，皆欲踰越古人。身衣布袍，寢布被，無金寶之飾，諸宮殿華綺者，皆撤毀之，改為土階數尺，不施櫨栱。其雕文刻鏤，錦繡纂組，一皆禁斷。後宮嬪御，不過十餘人。勞謙接下，自強不息。……履涉勤苦，皆人所不堪。……見軍士有跣行者，帝親脫靴以賜之。每宴會將士，必自執杯勸酒，或手付賜物。至於征伐之處，躬在行陣。……故能得士卒死力，以弱制強。……若使翌日之瘳無爽，經營之志獲申，黷武窮兵，雖見譏於良史，雄圖遠略，足方駕於前王者歟。

而且他在臨終遺詔中自述平生志向：「將欲包舉六合，混同文軌」。事實確實如此，他在「破齊之後，遂欲窮兵極武，平突厥，定江南，一二年間，必使天下一統，此其志也。」有此等志向，又居於帝王之位，平生行事處處要逾越前人。既如此，怎會輕信他人言傳？

隋朝盧思道在《後周興亡論》中評述周武帝一生：「高祖棄奢淫，去浮偽，施一德，布公道；屏重內之膳，躬大布之衣；始自六宮，被於九服，令行禁止，內外肅然。」[10]

余嘉錫先生在其論文〈北周毀佛主謀者衛元嵩〉中認為盧思道「此言最得其實」，

---

8 《周高祖武皇帝將滅佛法有安法師上論事第一》，〔唐〕西明寺釋氏，大正藏第52冊，頁372上。

9 余嘉錫：〈北周毀佛主謀者衛元嵩〉，《現代佛教學術叢刊》第5冊，臺北：大乘文化基金出版，1980年，頁245-276。

10 轉引自：余嘉錫〈北周毀佛主謀者衛元嵩〉，《現代佛教學術叢刊》第5冊，臺北：大乘文化基金出版，1980年，頁253。

從而認為周武帝毀廢佛教，不是因為黑衣之讖，而是從強國富民的角度所實施的政治決策。[11]

周武帝本重佛法，禮敬沙門，但經過衛元嵩與張賓以讖緯謠傳及「釋氏立教，本貴清淨，近世以來，糜費財力」[12]之言煽惑後，思及本圖，遂生疑忌沙門、排斥佛法之心。

但茲事體大，不可輕言廢立。再加上周武帝本信重佛法，尤須謹慎行事。於是而有後面微服考察、七次廷議之事。《廣弘明集》中記載這一段史實道：

> 帝召百僧，入內七宵行道。時既密知各加懇到，帝亦同僧寢處覘候得失。或為僧讀誦，或贊唄禮悔，僧皆懍厲，莫不訝帝之微行也。既期已滿，無何而止。

周武帝為了考察僧眾、一探究竟，竟然微服私訪，與百位僧眾七夜行道。僧眾們既已提前知曉這一消息，便在行道之時，倍加懇切。周武帝難以抓到把柄，只得不了了之。但他疑忌之心已起，甚至可以說排佛之心、抑佛之心已生，否則不會在其後多次召集三教門徒、文武百官商討三教次第，並且總以儒道為先、佛教為後。越到後面，態度越為堅定，甚至發展為毀佛、滅佛之勢。最終佛道二教並廢，再重設通道觀以弘道教，以暢其本懷。由此而可見周武帝沉毅深謀、謹慎遠慮之性格特點。[13]

當然，除去性格原因之外，另一方面也是環境使然。因為在保定和天和年間，周武帝雖然貴為一國之君，但真正執掌權柄的卻是大冢宰宇文護，周武帝只是傀儡皇帝。宇文護的母親是位虔誠的佛教徒，宇文護為了討母親的歡心，崇興佛教，周武帝自然不能實施滅佛計畫。直至建德元年，周武帝在娘舅衛公直的幫助下殺死宇文護，真正執掌權柄之後，才最後落實。

關於周武帝召集三教門徒、文武百官討論三教教義或次第的廷議情況，各種典籍記載稍有不同，較為系統者為《廣弘明集》，但其中只記載了五次廷議，還需其他資料加以補正。

《廣弘明集》中的記載具體如下：[14]

> 至天和四年歲在己丑三月十五日，敕召有德眾僧名儒道士文武百官二千餘人。帝御正殿量述三教：以儒教為先，佛教為後，道教最上。以出於無名之前，超於天地之表故也。時議者紛紜，情見乖咎，不定而散。
>
> 至其月二十日，依前集論。是非更廣，莫簡帝心。帝曰：「儒教道教，此國常

11 余嘉錫：〈北周毀佛主謀者衛元嵩〉，頁253。

12 余嘉錫：〈北周毀佛主謀者衛元嵩〉，頁253。

13 《周書．帝紀第五．武帝上》北京：中華書局，頁107。

14 《廣弘明集卷八．辯惑篇．周滅佛法集道俗議事》，《弘明集廣弘明集》，頁142。

遵；佛教後來，朕意不立。僉議如何。」時議者陳理，無由除削。帝曰：「三教被俗，義不可俱。」

至四月初，更依前集。必須極言陳理，無得而從。又敕司隸大夫甄鸞，詳度佛道二教，定其深淺辯其真偽。天和五年鸞乃上《笑道論》三卷，用笑三洞之名。

至五月十日，帝大集群臣，詳鸞上論，以為傷蠹道法，帝躬受之。不愜本圖，即於殿庭焚蕩。時道安法師，又上《二教論》。云：「內教外教也：練心之術名三乘，內教也；教形之術名九流，外教也。道無別教，即在儒流，斯乃易之謙謙也。」帝覽論以問朝宰，無有抗者，於是遂寢。

乃經五載至建德三年，歲在甲午五月十七日。初斷佛道兩教，沙門道士並令還俗。三寶福財散給臣下，寺觀塔廟賜給王公。餘如別述。

這五次廷議，第一次是在天和四年三月十五日，周武帝量述三教：「以儒教為先，佛教為後，道教最上。以出於無名之前，超於天地之表故也。」這是明顯的尊儒崇道抑佛。

第二次緊隨其後，時間是在三月二十日，前後僅隔五天，周武帝明確給出自己的態度：「儒教道教，此國常遵；佛教後來，朕意不立。」「三教被俗，義不可俱。」

第三次、第四次都在其後連續兩月之內分別召開，主要是商討甄鸞所上《笑道論》和道安法師所撰《二教論》。結果也是不了了之。

這四次都是在天和四年（569）召開的，最後一次是在建德三年（574），之間經過了五年的時間。這一次，「歲在甲午五月十七日。初斷佛道兩教，沙門道士並令還俗。三寶福財散給臣下，寺觀塔廟賜給王公。」這已經是具體的行動了。

然而據《周書．帝紀第五．武帝上》記載，周武帝第一次召集二教門徒與文武百官討論釋老之教義的時間，應該是在天和四年二月。史書載：「戊辰，帝御大德殿，集百僚、道士、沙門等討論釋老義。」之後才是《廣弘明集》中記載的三月十五日，周武帝量述三教，「以儒教為先，佛教為後，道教最上」的情況。這應該是第二次關於三教的廷議。接下來，是五天後的三月二十日的廷議，周武帝明確表達，不立佛教。但「議者陳理，無由除削。」之後是第四次廷議，時間是在四月初，要求大家極言陳理，但未有人附和。並要甄鸞書面評論二教得失。不久，甄鸞上《笑道論》三卷，以笑三洞之名。[15]至五月十日，帝大集群臣，以討論《笑道論》，因不符周武帝的本圖，故而當場焚燒了這篇文章。這是第五次廷議。

此後，約在同年九月，道安大師上《二教論》，倡三教合一，佛教最上。[16]

---

15 《廣弘明集卷九．辯惑篇．笑道論》，良渚沙門宗鑒集：《釋門正統第四》，大正藏第75冊，頁310上。

16 《續高僧傳卷二十四．釋道安傳》，《高僧傳合集》頁306。

天和五年五月十四日，周武帝作《二教鐘銘》，銘文曰：「弘宣二教，同歸一揆」、「二教並興，雙鑾同振」。[17]這是周武帝首次顯露三教會通之思想。

建德二年十二月癸巳，「集群臣及沙門道士等，帝升高座，辯釋三教先後，以儒教為先，道教為次，佛教為後」。[18]這是第六次廷議，態度與前稍有不同：以儒教最先，以佛教最後。自然招致僧眾反對：有僧猛法師，躬抗帝旨，言頗激切。僧人靜藹、道積，也詣闕直陳。[19]

建德三年（574）五月十六日，周武帝在太極殿升高座，大集僧道，令雙方互辯優劣。結果道士失敗。周武帝便升高座，指責佛教三寶不淨，「意將除之，以息虛幻」。結果有僧人直言相駁，武帝面有怒色，退入內室。[20]第二天，即五月十七日，周武帝下詔，「初斷佛道兩教，沙門道士並令還俗。三寶福財散給臣下，寺觀塔廟賜給王公」。

所以自天和四年二月戊辰，首次廷議三教教義以來，直至建德三年五月十日，最終下詔廢除佛道二教。周武帝廢佛一案總共經歷了前後七次廷議，其中之關鍵又在建德元年誅殺宇文護一事，使其能真正執掌權柄，一展本圖，才最後能實施其廢佛計畫。

從這七次廷議，可以看出周武帝對待儒道與佛教之態度判然有別。無論是第二次的「以儒教為先，佛教為後，道教最上」，還是第三次的「儒教道教，此國常遵；佛教後來，朕意不立」；無論是第六次的「以儒教為先，道教為次，佛教為後」，還是第七次的「佛法中有三種不淨……朕意將除之，以息虛幻。道法中無此事，朕將留之以助國化」；以及最後下詔同廢佛道，旋又敕令設立通道觀以保存道教，在在顯示周武帝對待儒道與佛之態度有別。

至於這種判然有別之原因，前文論及是為富國強民。但從其保存道教的事實來看，則又不只是僅為富國強民這麼簡單，應該還有更為深層的原因。

其實細細分析七次廷議中周武帝陳述的觀點，就可以約略知曉一二。比如第三次廷議中，他說「儒教道教，此國常遵；佛教後來，朕意不立」。意思是說儒道是本有的，而佛教是外來的，所以不立。這有區別胡漢、分別夷夏的味道。再看發佈的禁斷佛道的詔書，其中有「禁諸淫祀，禮典所不載者，盡除之」一語。這裡的淫祀，主要是指北方胡民在進入中原之前和之後所舉辦的各種宗教祭祀活動。關於這一點，武帝之前的很多君王均有詔書，敕令廢除。由此可以看出，周武帝是將佛教與胡民所信奉的其他宗教同等對待的，所以才一併去除，而獨保留華夏本有的儒道，以顯其正統形象。

在廢佛詔書下達之後，武帝曾向道士嚴達詢問佛道之別：

---

17 《廣弘明集卷二十八・啟福篇》，頁330上。

18 《周書・帝紀第五・武帝上》，頁83。

19 《續高僧傳卷二十四・釋靜藹傳》，《高僧傳合集》，頁304。

20 《續高僧傳卷二十四・釋智炫傳》，《高僧傳合集》，頁309。

據《混元聖記》卷八云：周武帝建德三年（574）五月丙子，除浮屠教，悉毀經像。又下議欲廢道教。詘道士嚴達，問曰：道與釋孰優？達曰：主優客劣。帝曰：主客奚辨？曰：釋出西域，得非客乎？道在中夏，得非主乎？帝曰：客既西歸，主無送耶；達曰：客歸則有益於胡土，主在則無損中華。圯者不追，居者自保，不亦可乎？帝嘉其對。

對於嚴達從胡漢之別的角度來區分佛道二教的觀點，周武帝也是表示贊同的。

建德六年（577），周武帝攻佔北齊，並在北齊境內推行滅佛政策。十一月，任道林上表，為佛教求情。周武帝回信，坦明其滅佛的真正原因：

佛生西域，寄傳東夏，原其風教殊乖於中國。漢魏晉世似有若無，五胡亂治風化方盛。朕非五胡，心無敬事，既非正教，所以廢之。[21]

這一段話語，近之於是對前面所述滅佛之真實原因的總結了：首先，佛生西域，非中華本有之教，是外來之教，故可除之；其次，佛法之傳教與中華之禮儀有別，風教乖於中國，故當除之；再次，五胡亂華，佛教方盛，佛乃五胡所信之教。周武帝自認並非胡人，故可不立。

總結而言，就是：佛教是胡教，周武帝乃華夏之人，故可不信；而佛教與華夏之禮儀不合，並非華夏子民正統之教，故當廢除。

從這裡，可以看出周武帝滅佛真正的原因，很明顯是從區別夷夏、對立胡漢的角度來看待佛道二教的，而不只是簡單地從讖緯謠言、富國強民、個人信仰等角度來實施此項決定的。因為武帝謹慎，絕不可能偏聽讖緯謠言，否則也不會微服考察。歷代儒釋道三教並倡無過於大唐，大唐不廢佛道，依然有其富國強民，故宗教實無影響。武帝大志，更不可能但憑個人之信仰，就做出如此重大之決策。真正起到關鍵作用的因素，正是胡漢之別這一角度。而這也正是周武帝在歷次廷議中所陳述的一貫主張，後來的諸種陳詞也並未偏離這一主線。當然也並不能一概否定讖緯謠傳、富國強民、個人信仰等因素的作用，但這些並不是主要的。

故而在並廢佛道之後，周武帝很快設立了通道觀，這也是其順理成章的做法。正如他在第七次廷議時所說的：「道法中無此事，朕將留之以助國化。」「無此事」只是藉口，「助國化」才是關鍵。因為無論從統一大業的角度出發，還是從亂世百姓的心態出發；無論從君主教化的角度出發，還是從個人信仰的角度出發，周武帝及其百姓都是需要佛道之教的。只是周武帝更多地從夷夏之別、胡漢之別的角度出發，選擇了道教，而

21 〈周高祖巡鄴除殄佛法有前僧任道林上表請開法事〉，頁154上。

廢除了佛教。不只周武帝從區分胡漢的角度做出了這樣的決策，北朝諸帝大多都從這一角度做出過類似的決定，這跟北朝的歷代統治者均為胡民的身分有關。關於這一點，我們將在後文詳細討論。

總之，正是從這樣的角度出發，周武帝實施了毀滅佛教的政策，成為歷史上「三武一宗」滅佛事件中的第二位。同時又下詔設立通道觀，保存道教，以助國化。

二　深層原因之探討

這份詔書可作如下之理解：

大道至深，它的本初狀態是一種「不可致詰、混而為一」的恍惚混沌的情狀，遍滿了整個虛空。它的體性是空無一物，難以清楚地言說；卻又能化育萬有，成為萬物存在的內在根據。理上極深，不可憑著心思口議來測度它的幽妙難思之處。這就是道的本初狀態。而後混沌既分，淳離樸散，形上之道展開為一形下的物質（經驗）世界，豐富多元，而又和諧共存。但是隨著人類文明之發展，在價值觀念上逐漸出現了一種混亂的狀態：諸家各執一詞，互不相讓，難以調和。大道被小小的理論所遮蔽，人們滿足於各自所確立的學說，不再探討大道的幽妙、形成統一的共識。面對這種狀況，若不來一場觀念領域的變革，做一次大的會歸融通，這種爭執的現狀不知道還要持續多久。而今，可設立通道觀（取「道通為一」之意），但凡先賢之聖典、大道之玄文，只要有助於百姓之生存化育、世風之淳樸改善、大道之要義開顯的，都可以一併收錄整理，站在道的高度融會貫通，調和為一。

詔書充分地說明了周武帝設立通道觀的目的：以道家思想為主，融合各派之思想，形成統一的可作為全體社會成員共同遵守的實踐原則和精神指南。

我們可將之分為三層來理解：第一層，大道的本初形態及其形下的經驗展開；第二層，經驗世界中諸家思想交競之現狀，以及會歸之必要；第三層，具體可設立通道觀，以道家思想為主導來完成思想領域的會歸大業。這裡主要是交代了設立通道觀的原因及其主旨：一是會歸之必要，二是設立通道觀、並以道家思想為主導來完成會歸大業。

然而面對這個結論，我們不得不產生疑問：周武帝設置通道觀，為什麼要以道家思想為主導來完成會歸大業？由這個問題又引申出一些別的問題：

第一，周武帝是誰？一個鮮卑人，為何能成中華皇帝？他的根據是什麼？

第二，這個鮮卑人設置通道觀，為什麼以道家思想為主導來完成會歸大業？

第一個問題，實際是要探討周武帝身分轉換的契機和根據——身分認同；第二個問題，實際是要探討周武帝的文化認同。

關於身分認同和文化認同，此處可作如下之簡單理解：

在民族形成的過程中，民族認同起到了關鍵性的作用，是民族構成中最核心、最穩定的要素。民族認同包含兩個層次：第一個層次是對人們之間作為一個民族的關係的認同，這是民族身分認同；第二個層次是對一個民族的表現形式——文化的認同，這是民族文化認同。文化認同是民族認同的核心和靈魂。[22]

在探討周武帝身分認同和文化認同之前，還必須探討這種轉換發生的契機，那就是時代大背景——五胡亂華和北朝建政，正是在這樣的時代背景下，一個鮮卑人才有可能成為中華領土的皇帝。但是鮮卑民族當時的發展階段畢竟是遠遠落後於中華文明的，故而民族文化的差別和差距帶來了一系列的矛盾和衝突。少數民族政權為了實現穩定和統一的目標，不得不主動、積極地向漢文化學習，實現對自身的改造。特別是一些具有時代先見的胡族精英領導者，更是主動地拋棄自身民族中落後的因素，全面學習漢文化，對漢民族和漢文化產生了深深的景仰和認同。這樣一些特點，逐漸改變了胡族的文化落後狀況，使其慢慢向漢族靠近。當然，漢化的同時，胡化也在進行，最終以漢文化為主，吸收胡文化的部分特徵，形成新的時代文化，導致了新的民族共同體的產生，實現了民族的大融合。

具體而言，中國史上之亂，無過魏晉南北朝。近四百年之間，除去西晉短暫的統一之外，其他都處在分崩離析之間。戰亂頻仍，百姓在亂世之下，顛沛流離，朝不保夕。生命尚不得保，更何況衣食榮辱，更成奢談。曹操在〈蒿里行〉中描述當時情景：「白骨露於野，千里無雞鳴。生民百遺一，念之斷人腸。」

究其原因，則是由於胡人的內遷和建政，引起了北方各民族間激烈的衝突，使得北方中國陷於激烈的戰亂之中，也給當時的人民帶來了極度悲慘的命運。但是衝突的背後也為各民族間的交流和融合提供了重要的契機。

因為自東漢以來，胡人逐漸內遷，但大多保持著聚族而居的狀態，其語言、風俗習慣和部落組織並沒有太大的變化。除了貴族階層受漢文化影響較深以外，其他胡人在心態上、文化上並沒有太多改變，甚至像鮮卑禿髮部和匈奴鐵弗部還過著遊牧生活。但是十六國建立之後，這種情況漸漸發生了改變。

因為隨著十六國政權的建立、管理區域的擴大，不得不分散族人的聚居，從而改變了原來的生活模式；並且戰爭的頻繁造成兵源的極度不足，不得不大量徵召漢人入伍和使用其他民族的軍隊，這就大大加速了民族的交流和融合。而軍隊之中，漢人數量最多、文化層次最高，使得軍隊迅速漢化。並且胡人建立政權之後，為了穩定和長久，一方面建立太學和郡國學，接納豪門貴族子弟入學，學習漢族文化；另一方面尋求漢族知識分子的配合和加入，網羅漢族宿學名儒和官吏士人，比如石勒建立「君子營」，苻堅

22 段銳超：《北朝民族認同研究》鄭州：鄭州大學2014年博士學位論文，頁1-25。

重用王猛。但是漢人設計的理想模式必然是漢式管理體系，具體而言，就是南方東晉模式。這種模式與胡人本身的發展情況是遠遠不符的，這就大大加深了胡人內部的矛盾和分化，也進一步促進了胡人的漢化。所以五胡建立政權之後，開始了與漢人的深入交流；隨著政權的瓦解，民族共同體也隨之解體。而作為民族特徵的語言和風俗習慣，在其共同體解體之後，失去了存在的社會基礎。隨著語言和風俗習慣的消失，民族心理也隨之泯滅。於是隋唐以後，中國歷史上再未出現五胡政權，內遷五胡全部融入漢族之中。

具體來說，胡人的內遷引起了北方各民族間激烈的民族衝突，同時也帶來了新的民族融合的契機。由於民族身分認同的差異和民族文化的異質，必然因民族利益的糾紛而引發民族間的矛盾和衝突；但是在民族認同和民族利益逐漸趨於一致的情況下，又會帶來民族間的融通與整合。新的民族間的融通與整合，又為新的民族共同體的形成奠定了基礎。一旦新的民族共同體形成，就會產生統一的要求，而不期望彼此分離。同時，民族的統一又為內部進一步的交流與整合提供了平臺，就會更加增進民族間的融合，從而增強民族認同，使新的民族共同體更具凝聚力和向心力。五胡十六國和北朝時代的情況正是如此。

胡人的內遷必然因為利益的爭奪和文化的異質，而與北方漢族人民發生衝突。但是一旦胡人開始建立北方政權，為了政權的穩固和長久，必然要尋求北方世家大族的支持與配合。特別是到了北朝時代，經過五胡十六國時期的了解和學習，少數民族統治者已經更加清楚地認識到了本民族在文化上與漢族之間的差異。一方面積極尋求漢族世家大族和知識分子的配合和加入，另一方面更加主動深入地學習漢文化，以更好地實現對廣大漢族人民的統治、更長久地穩固自身的政權，也使自身不致永遠處在落後和蠻荒之中。所以他們對漢文化的學習、對自身的改造越到後來，越呈現一種積極主動的態勢。到了孝文帝時期，更主動遷都，並在新都實行全面漢化的政策，以使鮮卑族更能融於這片華夏中土。儘管這種改革由於六鎮鮮卑的南下受到短暫的破壞，但並沒有改變歷史的大勢，後來的北齊、北周沿著北魏的路進一步漢化，甚至以漢族子孫自居、以華夏正統自居，不承認自己的胡人身分——不惜以極端的方式避開自己與胡人之間的瓜葛。

當然這個過程是非常漫長的，再加上胡人作為佔領者和統治者的優越感，在自卑與自傲之中，艱難地走過了幾百年的時間，最終把自己同化為漢民族，成為新的民族共同體的一員。這個過程，對於胡人來說，很不容易。對於漢族人民來說，更不容易。在幾百年的戰亂流離之中，北方的世家大族在學會與胡人統治者的交往與配合中，承擔起保存文化、改造異族的重責，比起南方的名士們更加得不易而偉大。最終學習並超越了南方的名士文化，和南方雄厚的經濟實力一起，為隋唐的輝煌奠定了堅實的國基。漢族的下層民眾更是苦難深重，無所依避，只能仰賴宗教的救護，獲得身心的所依，在苦難深重的時代，尋求暫時的安寧。然而很快，新的戰亂接踵而至，生命沒有保障，最基本的溫飽需求都難以實現，更遑論其他更高的追求。

與此同時，胡人雖是侵佔者，屬於統治階層，但是為了政權的穩定和長久，也深知自身文化的淺陋，不得不實行對自我的改造、向漢族主動靠近，這種自覺和努力必然使自己面臨更多的考驗，特別是來自胡人內部的阻力，使具有前瞻意識的領導者在改革途中面臨重重的困難。然而即便最後在民族交往的過程中，胡人逐漸放棄自己的文化，實行了全面的漢化政策，成功地融入到漢人的群體之中，卻也最終帶來了無可挽回的損失。比如一些少數民族整體性地消失在歷史的煙塵之中，連語言和文字都一起隕滅。這種災難恐怕是改革者始料未及的。

當然，漢化的同時，胡化也在進行，胡人的很多因素也被吸收進漢人的文化之中，為隋唐文化的豐盛和絢爛增添了亮麗的風景。

要結出豐碩的果實，必然要經歷長久的深埋。經過了幾百年風霜的磨礪和雨雪的摧折，才終於開出隋唐絢麗的花朵。而作為醞釀期的魏晉南北朝，卻充滿了數不盡的災難。特別是五胡十六國和北朝時期，對於胡人、對於漢人，都是積屍蔽江、流血染地。有幸活過來的，也是在生死的邊沿上掙扎了無數回，遍體鱗傷，苟延殘喘。然而在這樣的時代，仍然有人在堅持著，為文化保存一縷血脈，為生命尋求一種意義，挺立起時代的脊樑，使這個苦難深重的時代不致淹沒於歷史之中，無所追尋。

當時的人們為尋求安寧和統一而做出了種種努力，特別是這些少數民族政權的領導者為了實現穩定和統一，而採取漢化之路。要達成漢化的目標，首先需要對漢文化產生深深的認同，這包括身分認同和文化認同兩個層次。身分認同是對漢民族的民族身分產生認同，也就是認定自己是華夏子孫，而非異族成員。這一點至關重要，這是為其政權提供合法性的保障。不只是政權的合法性，而且在政權林立、群雄逐鹿的情況下，獲得正統的身分也至關重要。為此，必須確定自己是真正的華夏子孫，才能獲得廣大漢人的情感認同。於是，產生了身分認同的必要性。身分認同具體包括血緣認同和地域認同兩個層面，從血統和故鄉兩方面確立自己華夏子孫的身分。而文化認同更為關鍵，正如陳寅恪先生所言：「漢人與胡人之區別，在北朝時代文化較血統尤為重要。凡漢化之人即目為漢人，胡化之人即目為胡人，其血統如何，在所不論。」[23]故而文化認同才是身分認同的關鍵──核心和基礎。

在一個胡漢政權並存的時代，要確立華夏正統的身分，必須取得一個共同的標誌，這個標誌就是漢文化──華夏文明。這是與當時漢民族社會發展的實際情況相適應的，不可能用胡人低級的制度和文化來改造更高級的華夏文明，故而只有積極地學習和效仿漢族政權管理模式和用華夏文明來改造自身，把自己提高到與漢人同等的層次，才有可能為自身政權的存在和發展提供合法性和先機。故而獲得正統性至關重要，這個正統性就來自於對漢魏或魏晉政權的繼承。既然要延續歷史的脈絡，確立自身是前代政權的合

---

23 陳寅恪：《唐代政治史述論稿》上海：上海古籍出版社，1997年，頁16、17。

法繼承者，就自然要採取與前代政權一樣的治理模式，並且在身分上還需要一脈相承。為此，胡族統治者不得不一方面在身分上確定自己是華夏子孫，另一方面在文化上確定自己是合法政權，是正統的所在。在此，我們將這兩方面分別稱為是對漢民族和漢文化的身分認同和文化認同，並且文化認同是身分認同的核心和基礎。只有具備了文化認同，完成了文化改造，才真正實現了身分認同。一旦真正實現身分認同，也說明徹底完成了對自身的文化改造，把自己變成了一個漢人。

正是在這樣的時代背景下，周武帝作為時代的精英也主動以華夏子孫自居、以華夏正統自居，而摒棄異族身分和異族文化，以華夏思想主導完成會歸大業。這也與他對全國一統的追求一脈相承，是其一統思想在文化領域的深刻反映。

三　總結

故可總結而言：周武帝滅佛，有其表面的和深層的原因，是經過了長期而審慎的考慮之後做出的決定。既有其時代特徵的烙印，也有其個人信仰的痕跡。正是在這兩方面條件的共同催生下，周武帝最終作出了崇儒興道滅佛的決定，並迅速付諸行動。但是實踐證明：這種依靠政治的力量強行滅除宗教的行為，並不是可行的。故而周武帝去世不久，佛教就在北方的中華大地上重新復興起來。

秦觀家族世系考辨

余國江

揚州城大遺址保護中心

一　引言

關於秦觀的先世，我們知之甚少。其所撰文字中，除了《書王氏齋壁》云：

> 皇祐元年，余先大父赴官南康。[1]

幾乎不見其他具體記載。秦觀第二十八世裔孫、清代乾嘉時期的秦瀛編《淮海先生年譜》，其中皇祐元年（1049）條云：

> 大父承議府君，諱某。父元化公，諱某，師事胡安定先生援，有聲太學。

熙寧三年（1070）條云：

> 叔父定，登葉祖洽榜進士第，授會稽尉。

其下按語稱：

> 大音先生鏞云：「《高郵譜》：定，先生諸父，仕至端明殿學士」。[2]

故學界一般據此等文獻考訂其父祖二代，而且姓名等信息多不詳。如徐培均先生《秦少游年譜長編》：

> 大父某，承議郎，曾官於南康。……父元化公，曾遊太學，事胡援。……叔父定，中進士第，歷官會稽尉、渤海知縣、司農寺丞、江南東路轉判官，終端明殿

1　秦觀撰，徐培均箋註《淮海集箋註》後集卷六，上海：上海古籍出版社，1994年，頁1529。

2　秦瀛：《淮海先生年譜》，收入北京圖書館編：《北京圖書館藏珍本年譜叢刊》第20冊，北京：北京圖書館出版社1999年，頁539、544。

> 學士。[3]

周義敢、程自信、周雷編註《秦觀集編年校註》：

> 他的祖父秦承議，曾做過州縣屬官。父親秦元化曾遊太學，從名儒胡援學習經書，不幸早逝。叔父秦定，神宗熙寧三年進士，曾任會稽尉，京東路轉運判官，豪州知州。[4]

其他關於秦觀的專業論文和通俗文章亦多同此。

二　秦觀世系考

翻檢典籍，筆者發現還有一條未被學界充分利用的史料，即《紹興十八年同年小錄》所載秦淵的家世，據之可推知秦觀的父祖。

秦淵為南宋紹興十八年（1148）二甲進士第十九人，《紹興十八年同年小錄》記其家世等信息，云：

> 年三十六，……曾祖詠（故內殿崇殿，贈左朝議大夫），祖定（故朝奉大夫，贈左中奉大夫），父規（故右朝奉大夫）。本貫揚州高郵縣武寧鄉左廂里。[5]

顯然秦淵即秦觀之族侄，因為：一則兩人本貫相同，都是高郵武寧鄉左廂里，二則秦淵祖父與秦觀叔父都是秦定，三則秦規與秦觀二弟秦覯、秦覿之名都屬見部，四則紹興十八年秦淵年三十六，即生於政和三年（1113），年齒幼於秦觀。當然，秦觀生於皇祐元年（1049），年長秦淵六十四歲，叔侄年齡相差如此之大，似不合理。不過也並非絕無可能，因為秦觀為長子，與其叔秦定年齒相差不太大。據《續資治通鑑長編》載：

> 權殿中侍御史鄧棐言：「新除京東路轉運判官秦定，頃緣侄觀與蘇軾、蘇轍厚善，遂權監司。乞罷新命。」詔定知豪州。[6]

3　徐培均：《秦少游年譜長編》卷首《傳略》，北京：中華書局，2002年，頁5-7。據《續資治通鑑長編》卷四八四元祐八年五月甲寅條，「轉判官」當作「轉運判官」。

4　周義敢、程自信、周雷編註：《秦觀集編年校註》前言，北京：人民文學出版社，2001年，頁1。

5　《紹興十八年同年小錄》，收入《宋代傳記資料叢刊》（46）北京：北京圖書館出版社，2006年，頁50。

6　李燾；《續資治通鑑長編》卷五〇三，北京：中華書局，1993年，頁11982。

此事在元符元年（1098）。此年秦定還能外放知州，其年齡當在五、六十餘歲。十餘年後，六、七十歲時得孫秦淵，亦屬可能。

《紹興十八年同年小錄》秦淵條的記載不但可以增補秦詠、秦定等人的官職信息，而且使秦觀先祖世系更為清晰。結合《宋史》秦觀本傳等資料，可列出秦觀家族世系如下：

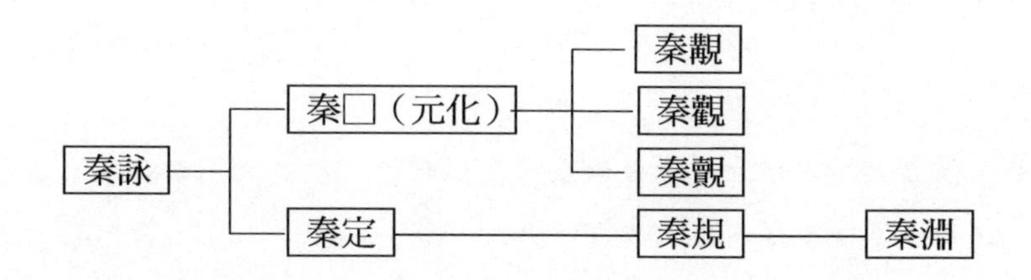

這個世系表尚很簡略，且與徐培均先生在《秦少游年譜長編》中對秦觀先世的推測有很大不同。徐先生的推測如下。《淮海集》卷四〈送少章弟赴仁和主簿〉云：

> 我宗本江南，為將門列戟。中葉徙淮海，不仕但潛德。先祖實起家，先君始縫掖。議郎為名士，余亦忝詞客。風流以及汝，三通桂堂籍。

徐先生認為：

> 「江南」，係指南唐。……則少游之宗，至少曾任下都督或州官。然稽之於新舊《五代史》及馬令、陸游之《南唐書》，俱不載。……五代入宋之秦氏可考者唯有秦羲，蓋即少游詩所謂「吾宗本江南」者也。

並據《宋史》卷三〇九秦羲本傳，認為：

> 秦羲由南唐入宋，歷事太祖、太宗、真宗三朝。其先世秦本、秦進遠、秦承裕，皆仕南唐，為州郡長官，即少游所謂「為將門列戟」者也。[7]

徐先生據此繪出的世系簡表如下：

7 徐培均《秦少游年譜長編》，頁3-5。

秦本（唐時）……秦進遠（唐時）——秦承裕（南唐時）——秦義（宋初）[8]

這一推測提出後，在學界產生了一定的影響，如許偉忠編《悲情歌手秦少游》就照搬了這一說法，說「秦羲由南唐入宋，歷事太祖、太宗、真宗三朝，其先人秦本、秦進遠、秦承裕，都曾在南唐為官，即少游所謂『吾宗本江南，為將門列戟』」。[9]

且不論這一推測是否成立，我們可以先將徐先生的世系簡表更完善一下。《宋史》秦羲本傳載：

秦羲，字致堯，江寧人。世仕江左。曾祖本，岳州刺史。祖進遠，寧國軍節度副使。父承裕，建州監軍使、知州事。

宋人王禹偁曾撰有〈右衛將軍秦公墓誌銘並序〉，對誌主世系記載為：

曾祖某，唐末事吳，以功為武昌軍節度使，事見本國史。祖太，岳州刺史。父進遠，宣州節度副使，贈右監門衛率府率。公即率府之長子。……以公為壽昌殿使充建州監軍使、知軍州事。[10]

兩相對照，可知「右衛將軍秦公」即秦羲之父秦承裕。秦承裕「曾祖某」為秦裴，其事見《九國志．吳．秦裴傳》：「（天祐）九年，加武昌軍節度使。」如此，則秦羲以上的世系如下：

秦裴——秦本（秦太）——秦進遠——秦承裕——秦義（秦羲）

誠如徐先生所言，秦裴至秦羲的江寧秦氏世仕南唐，官位顯赫，與秦觀自言的「我宗本江南，為將門列戟」十分相合。但這裡也有數點牴牾難合之處。

第一，如徐先生自己也承認的，「然羲而下傳至少游大父承議公，則不可考」。[11]其推測的世系表有斷裂之處。

8　徐培均《秦少游年譜長編》，頁17-18。這裡只轉引了簡表的部分內容。原表有說明：虛線表示間接關係，實線表示直接關係。

9　許偉忠編：《悲情歌手秦少游》上海：上海辭書出版社，2010年，頁24-25。許偉忠引用《宋史》時，將「秦羲」誤作了「秦義」。

10　王禹偁：《王黃州小畜集》卷二十九，頁735-736，《宋集珍本叢刊》影印本。「祖太」當即是秦本，〈右衛將軍秦公墓誌銘並序〉中秦羲作「秦義」，皆因形近而誤也。

11　徐培均：《秦少游年譜長編》，頁5。

第二，元祐八年（1093），秦觀被擢為秘書省正字，寫有《謝館職啟》，其中提及自己的先祖：

> 竊觀前史，具見鄙宗：西蜀中郎，孔明呼為學士；東海釣客，建封任以校書。[12]

東海釣客即秦系。《新唐書．隱逸傳》載：

> 秦系，字公緒，越州會稽人。天寶末，避亂剡溪，北都留守薛兼訓奏為右衛率府倉曹參軍，不就。客泉州，南安有九日山，大松百餘章，俗傳東晉時所植，系結廬其上，穴石為研，註《老子》，彌年不出。……張建封聞系之不可致，請就加校書郎。……其後東度秣陵，年八十餘卒。[13]

秦系最後定居江寧（秣陵），成為江寧秦氏的始祖。其後代雖不清楚，但應該仕於定都江寧的南唐，後來遷居高郵，成為秦詠至秦觀一系高郵秦氏的祖先。而《九國志．吳．秦裴傳》載秦裴為「慎縣人」，〈右衛將軍秦公墓誌銘並序〉載秦承裕為「廬江人」，《宋史》稱秦羲為「江寧人」。唐末五代時，慎縣屬廬州，廬江亦屬廬州，即秦裴一系原為廬州秦氏。楊行密「起合淝」後，秦裴為帳下之兵。秦裴先仕楊吳，南唐代吳後，其子孫又仕南唐。南唐都於江寧，故秦裴後代由廬州秦氏變為江寧秦氏，即《宋史》所稱秦羲為「江寧人」。由此可知，秦羲一系的秦氏和秦詠一系的秦氏源頭有別。

第三，據《宋史》本傳，秦羲「天禧四年，代還。道病卒，年六十四」，即生於南唐保大十五年（957），卒於北宋天禧四年（1020）。秦觀生於皇祐元年（1049），其祖父秦詠當生於咸平三年（1000）前後。從年齒推算，若秦詠為秦羲後代，則當是子輩或孫輩。若秦詠為秦羲之子，則〈送少章弟赴仁和主簿〉所謂「中葉徙淮海，不仕但潛德。先祖實起家」就不符合了，因為秦羲仕途頗顯。若是秦羲之孫，即使秦詠之父一代不仕，那秦詠任「承議郎，曾官於南康」，也不能稱為「先祖實起家」。換言之，秦詠一系為秦羲後代的推測難以成立。

第四，《九國志》載，楊行密據有揚州後，以秦裴「知揚子縣」，「歷高郵、無錫令，俱有能名」。〈右衛將軍秦公墓誌銘並序〉載秦承裕曾任「淮南六州巡檢使」。《宋史》本傳載秦羲曾「決獄於淮南諸州。……遂與允恭同為江、淮制置……淮南榷鹽，二歲增錢八十三萬餘貫」。可見秦裴至秦羲一系與高郵、淮南、揚州頗有淵源。若秦觀為秦羲後裔，而詩文中無一字提及，只說「中葉徙淮海，不仕但潛德」，一筆帶過，恐怕於理難通。

---

12 秦觀撰，徐培均箋註：《淮海集箋註》卷二十八，頁928。

13 《新唐書》北京：中華書局，1975年，卷一九六〈隱逸傳〉，頁5608。

三　結論

總之，筆者傾向於認為秦詠一系的高郵秦氏與秦裴至秦羲的廬州秦氏並無關聯。南唐時，兩系雖都居於江寧，同為南唐軍將，但並非同一世系。根據現有文獻資料，秦觀先世還只能推到其祖父秦詠。

北宋詩僧釋守卓頌古詩初探

葉德平
香港中文大學專業進修學院

一 緒論

「詩」與「禪」之間自來有著一層微妙的關係。從作者而言，兩者都是作者的「沒有定義，只是情與感的直接表述」的活動；從讀者而言，兩者均要求受眾直覺地感悟其中「境界」。而這個境界，在詩曰「詩境」；在禪曰「禪境」。

詩境與禪境有其不可磨滅的融通處。兩者最大的共同點，就是「直觀直感」。「直觀直感」是指詩與禪同樣要求讀者從其直接觀察之象，感受直接得到之感。故此，詩與禪都只能通過「心傳領悟」的方式傳授；受者對所直觀直感之詩境與禪境的領會也唯有是心領神會，絕不能言喻，也沒有理性標準可言。

這兩種境界是極為相似，但實際是不同的，兩者確實存在著一定距離的，尤其是詩僧所創作的僧詩。僧詩是僧尼領悟佛法的途徑，也是他們用以開悟學人的一種方式。而這種獨特的詩體，詩人不一定能理解。要拉近這段距離，必須倚靠一位兼明詩境與禪境的作者，用詩的手法，闡述禪的思想，築起僧與俗的橋樑。

本文的主角——釋守卓，既是詩人，亦是高僧。此特殊的雙重身分，讓他能兼善詩境與禪境，能以詩歌作為傳法的手段。

作為黃龍宗（臨濟宗在北宋以前，分出兩大支派：黃龍宗與楊岐宗）的第四代傳人，釋守卓對黃龍宗的貢獻，不光在中國大陸，甚至遠及東瀛日本。其中最為人所樂道的是他的門下弟子釋榮西。[1]釋榮西曾兩次渡海入宋求法，後來把宗法傳到日本，成為日本臨濟宗的創始人；而他也就是釋守卓的第五代弟子，受法於守卓門下釋懷敞。[2]

---

1 釋榮西，又號容西、葉上房、千光祖師、千光禪師。榮西，日本備中吉備津人，俗姓賀陽，字明庵。因初學顯密二宗於「日本佛教聖山」比叡山，為葉上流之祖，故號葉上房。榮西於南宋乾道四年（1168）、淳熙十四年（1187）兩次入宋求法，與黃龍宗諸僧交往甚殷。後拜入黃龍宗守卓法脈釋懷敞門下，成為黃龍宗釋守卓以下的第五代傳人。榮西對黃龍宗的發展也有極大幫助。當年，其師懷敞建造天童閣，榮西即回國運來大量巨型木材協助寺閣建成。在南宋求得臨濟黃龍之法後，榮西遂回國傳法，開日本臨濟宗建仁寺一脈，並融合禪與茶，為日後日本茶道奠下根基。

2 根據《日本禪僧師承圖（臨濟宗）》所載，榮西在黃龍宗的師承系統是這樣：釋守卓→釋介諶→釋曇賁→釋從謹→釋懷敞→榮西禪師。作為黃龍宗第八代傳人、守卓的第五代弟子，榮西繼承了黃龍宗的法脈，開創日本臨濟宗的宗門。榮西鼓吹茶禪合一，不但使黃龍宗成為日本禪宗的主流，更對後來日本文化中的茶道影響甚深。

作為一個詩人，釋守卓的創作數量，乃至作詩歌水平，也不遜他人。據《全宋詩》的紀錄，釋守卓共創作了一百六十二首頌古詩歌，創作數量幾可雄視北宋同期。而且，其詩歌類型與題材，也豐富得他人難及。因篇幅所限，今只以守卓的頌古詩為例，說明一下這位重要而不名顯於世詩僧的詩歌特色。

二　釋守卓生平概述

現存載述釋守卓的文獻不多，除清乾隆年間編修的《泉州府志》[3]及上世紀九十年代由傅璇琮主編的《全宋詩》[4]外，現存只有十四部文獻記載了有關釋守卓的事蹟。而這十四部文獻中，全都屬於禪宗經籍，收錄在佛教叢書《大正新脩大藏經》[5]之中。十四本分別是：《東京天寧萬壽禪寺長靈卓和尚語錄》、《聯燈會要》、《嘉泰普燈錄》、《五燈會元》、《續傳燈錄》、《指月錄》、《宗統編年》、《聖箭堂述古》、《禪林寶訓順硃》、《禪林寶訓筆說》、《五燈嚴統目錄》、《教外別傳》、《五燈全書目錄》、《禪宗雜毒海》。

《東京天寧萬壽禪寺長靈卓和尚語錄》是篇幅最多、記載最詳的一部；而且，也是最早的一個版本。同時，這部語錄是釋守卓的嗣法弟子──釋介諶編撰，所以資料上也比諸書可靠。基於篇幅最多、記載最詳、時間最早及編撰者的關係最親密這四點，本文將以此作為主要參考文獻。[6]

守卓是黃龍宗二傳弟子靈源惟清禪師（1040-1117）的法嗣。其實，在拜入惟清門下以前，守卓曾從南禪清雅禪師、遵式禪師學習，努力鑽研《華嚴經》。據《行狀》記

3　乾隆版《泉州府志》卷六十五記載了守卓宣和五年坐化的事蹟。《泉市府泉》一共有九個版本，第一個版本於南宋嘉定（1208-1224）間編撰，而清乾隆二十八年是最後一次編修，而後來在清同治八年（1869）重印，一共七十六卷。

4　《全宋詩》卷一二八四及一二八五收錄了釋守卓的全部詩歌，並附有其個人小傳一部。而該個人小傳，僅有二百六十六字，十分簡約。全文如下：釋守卓（1065-1124），俗姓莊，泉南（今福建泉州）人。弱冠遊京師，肄業天清寺，試大經得度。遊學至三衢，見南禪清雅禪師。舍去，抵姑蘇定慧寺，從遵式禪師，通《華嚴》。時靈源清禪師住龍舒太平寺，道鳴四方，遂前往依從。清禪師遷住黃龍寺，守卓隨侍十載。既而又至太平寺，佛鑑懃禪師請居第一座。後主舒州甘露寺，又遷廬州能仁資福寺，終住東京天寧萬壽寺。稱長靈守卓禪師，為南嶽下十四世，黃龍清禪師法嗣。徽宗宣和五年十二月二十七日卒，年五十九。有《長靈守卓禪師語錄》（收入《續藏經》）。事見《語錄》所附介諶《行狀》，《嘉泰普燈錄》卷一〇、《五燈會元》卷一八有傳。」詳見傅璇琮等主編，北京大學古文獻研究所編：《全宋詩》北京：北京大學出版社，1995年，冊22，頁14519。

5　本文以《大正新脩大藏經》為本。《大正新脩大藏經》是《大正藏》的一個版本。日本大正十三年（1922），大正一切經刊行會開始編輯校勘，於一九三四年印行完成。《大正新脩大藏經》以《再刻高麗藏》為底本，輔以《聖語藏本》、《宮本敦煌寫本》等校勘而成。雖然校訂不全之處頗多，但因它收錄佛教資料甚全，所以也十分受到重視。

6　因篇幅所限，本文不會詳細論述該十四部文獻的狀況。有關論述，詳可參閱葉德平：〈北宋閩詩僧釋守卓生平考述〉，《新亞論叢》，總第十五期，2014年12月，頁193-199。

載，守卓其後，通悟了《華嚴經》之奧妙處，連遵式亦「敬異之」。[7]《華嚴經》的內容主要是發揮大乘瑜伽思想，中心內容是從「法性本淨」的觀點出發，對大乘佛教理論的發展有很大的影響。故此，守卓「臻《華嚴經》的堂奧」一事，一方面說明了《華嚴經》經義之熟稔，另一方面，亦可以看出他並不抗拒文字；而這也是臨濟宗黃龍一脈「不離文字」的特色。不過，黃龍宗雖然是不離文字，但是卻很反對學者沈溺於接入之文字，迷頭認影，囿於其中。故此，惟清禪師告誡守卓禪師必須要戒守緘默[8]。從這些記載之中，我們可以歸納三個重點：一是釋守卓精深義學；二是釋守卓不抗拒文字；三是釋守卓縱然精通義學，卻不執於文字的態度。

後來，守卓應舒州太守孫傑之請，入主當時儼如「荒村破院」[9]的甘露寺（今安徽省青陽縣）。在守卓的開化下，舒民「亦翕然信向，樂於不斁」，一座「荒村破院」在眾人的努力下竟變為「寶坊」。其業師惟清禪師得悉此事後，則嘉之曰：「吾之責可付，而積翠之風，可追矣」，意即認為守卓可傳其衣缽，更能振興黃龍宗。〈行狀〉收錄了惟清當時的一首偈語：

> 即此用，離此用，一鏃離弦墮喝中。紅心心裡中紅心，發我江西大機用。
> 付爾宜將振祖風，荷擔勿憚千鈞重。鍛聖鎔凡善放收，會應不與諸方共。

又曰：

> 世稱承紹者，多名存而實亡。予於此時，法爾不能忘，有望於汝，汝亦能不法爾所慮哉。

並勉勵他道：

> 執善應之樞，處會通之要，理須遵古，事貴適時。委靡結佗緣，孤標全己任，是必自勉，不待吾言也。

惟清認為當時所謂嗣法者、得衣缽者多名不副實，故囑咐守卓必須遵黃龍宗訓，適時行

7 《東京天寧萬壽禪寺長靈卓和尚語錄・行狀》：「游學至三衢，見南禪清雅禪師。一日以所得白雅，雅即印可之，師心易之。舍去，抵姑蘇定慧，從遵式禪師，通華嚴，遂臻其奧，式敬異之。」詳見〔宋〕介諶編：《東京天寧萬壽禪寺長靈卓和尚語錄》，《卍續藏》，冊69，經號1347，頁257-272。

8 《東京天寧萬壽禪寺長靈卓和尚語錄・行狀》。詳見〔宋〕介諶編：《東京天寧萬壽禪寺長靈卓和尚語錄》，《卍續藏》，冊69，經號1347，頁257-272。

9 《東京天寧萬壽禪寺長靈卓和尚語錄・行狀》。詳見〔宋〕介諶編：《東京天寧萬壽禪寺長靈卓和尚語錄》，《卍續藏》，冊69，經號1347，頁257-272。

事，期望他能夠「發大機用」、「振祖風」，振興黃龍一脈。

守卓其後又應邀遷往廬州能仁資福寺，最後住持於東京天寧萬壽寺。宣和五年十二月二十七日（1124年），長靈守卓禪師辭卻眾人安坐而化，享年五十九歲。按《嘉泰普燈錄》卷十〈東京天寧長靈守卓禪師〉記載：

> 宣和五年十二月二十七，奄然示寂……皇帝遣中使賜香，持金盤求設利、爇香，罷盤中鏗然。視之五色者數顆大如豆，使者馳還。上見大悅，而京城傳為盛事。

當時北宋的皇帝，即宋徽宗，十分重視守卓。宋徽宗特在其示寂之日，差遣了使者「賜香持金盤」，求取他的舍利子。由此可見，守卓縱然不是最著名的僧侶，但最少也是當時皇帝十分重視的一員；而皇帝的重視，更是印證了守卓之名滿天下。

三　頌古詩的特質

頌古是宋代詩僧常用的詩歌體裁，有著兩項明顯的特徵讓它與別的詩歌體裁區分：第一、頌古須以一則公案作為語境書寫；第二、頌古寫作目的須是闡釋該公案，換個角度說，即是藉闡釋該公案說禪理。故此，頌古其實是離不開禪門公案，必然會聯繫上其中一則。因為以「頌贊古代公案」，故它們被稱為「頌古」。

內容方面，守卓的頌古與他人的一樣，都是針對前代某一件公案發表見解；體制方面，它們多數以古詩形式出現，平仄、韻律要求鬆散；而語言方面，除了必然地使用禪家語彙外，為便於傳播，這類詩歌一般會使用一些較淺白的文字，不避白話。頌古是禪門特有的創作體制，也是守卓重要的傳法工具。

作為擁有高僧與詩人雙重身分的詩僧，守卓創作了大量的頌古。他一生創作了三十三首頌古，佔其詩作之兩成。頌古數量眾多，卻不易解讀。最主要原因是其引述公案之意涵，不易解讀。因為頌古是藉公案說禪的作品，禪師創作時使用的意象、營造的意境，統統都與該公案有著直接及必然的關係，於是在解讀詩歌的時候，讀者須同時對其所針對的公案有透徹的認識。這樣一來，對讀者本身的要求也比一般詩歌的高——讀者必須是認知公案的人，否則只是緣木求魚，看了也不會明白。

頌古關涉的題材，一般都是大同小異，都是禪門公案。公案是禪門經典的說理故事，已成定案，沒有需要討論之處。頌古最堪賞玩之處，在於禪師的表現模式及其藉公案引出的禪理。能力高的詩僧，能用不同的意象造出不同的意境，讓讀者自行感悟其理；能力低的詩僧，則只是直接把道理指出，告訴讀者所謂的「悟境」。前者的作品，就是所謂的「活句」，而後者的，則被稱為「死句」。守卓心思縝密，文字功夫深厚，能靈活地運用文字，從不同角度去解說禪理，是典型的「活句」。他的「頌古」謹守前人定下的「繞路說禪」之宗旨，利用不同的意象去闡明禪理。而這些意象大都是非邏輯的，而且極具象徵性及暗示性，目的是要截斷兩頭、不觸不背，斷去學人的差別思路。

(一）守卓頌古公式：先賢公案＋個人思想＝守卓頌古

守卓頌古有一個既定的公式：先賢公案＋個人思想＝守卓頌古。守卓的頌古詩歌都有一個一致的步驟——先是引述先賢前人的公案故事，引入議論，然後用先賢的語境對公案略略解說，最後就以自己的宗門思想結尾。而這思想也很一致，只有一條——就是道本不能言喻，也自足在身，所以求道是不能依靠持修。

1 頌古詩例一：〈世尊指天地〉

其中著名的例子有〈世尊指天地〉：

> 周行七步便稱尊，家醜那堪放出門。祇向母胎度人畢，也須一棒一條痕。

這首詩歌的敘述對象，學人甫看，很多時會以為是指釋迦牟尼佛初生時之異象。《祖堂集》曾引述《普曜經》的一段說話說明這個異象：

> 佛初生時，放大光明，照十方界，地湧金蓮，自然捧足。東西南北，各行七步，觀察四方，一手指天，一手指地，作師子吼：「天上天下，唯我獨尊」。又偈曰：「我生胎分盡，是最後末身。我已得解脫，當復度眾生。」

這裡說佛祖在初生的時候，上天便降下異象，而在他周行了七步之後，便一手指天，一手指地，說道「天上天下，唯我獨尊」。〈世尊指天地〉的第一句「周行七步便稱尊」就是寫這個故事。一般人或以為守卓所據之公案就是「佛祖初生」，可是，事實卻並非如此。這首詩歌所據之公案其實來自唐末五代的一位禪僧——雲門文偃。文偃曾據「佛祖初生」的故事開悟學人，他說：

> 我當時若見，一棒打殺與狗子吃，貴圖天下太平。[10]

雲門文偃這一句說話在表面看來是一個對佛祖大不敬之語，然而後來不少禪師卻不以為然，反而加以引用，並為其創作「頌古」。據《頌古聯珠通集》所記，有關這宗公案的

10 〔宋〕法應集：《禪宗頌古聯珠通集》，載《卍續藏》，冊65，經號1295，頁481。

詩就已有三十三首之多，而且各人的體會都不一樣。其中，當然包括了守卓禪師。

守卓的〈世尊指天地〉試圖詮釋雲門文偃當時對「佛祖初生」的想法。他認為：佛祖說「唯我獨尊」的那個「我」並不是一般認知的「我」，這個「我」是指「真我」；可是人們總是對佛祖的無上智慧不能理解，反而天天去談神說異，膜拜佛像，這實在是捨本逐末的做法。於是，雲門文偃才會說要一棒打殺與狗子吃掉，省卻天下向著虛妄的佛像天天膜拜。守卓詩中最末兩句說：「祇向母胎度人畢，也須一棒一條痕」，說的就是同雲門文偃一個道理，指眾生仍在母胎之時，佛性早已備足，與生俱來，不假外求。這也就是黃龍宗常說「父母未生前的本來面目」。然而，眾生生活在大千世界之下，那「真我」往往給蒙蔽了，所以欲令眾生開悟，還是需要祭出臨濟的殺著──「德山棒」，去接引學人。

這首〈世尊指天地〉是典型的頌古詩歌，守卓藉解說雲門文偃的公案去說明禪門道理。創作的時候，守卓把代入了「公案主角」文偃的角色，從他的角度去思考，代替文偃進一步說明他當時要釋述的道理──佛早在自身，不必往外追求。

2 頌古詩例二：〈維摩不二〉

守卓三十三首頌古，所據的前代公案各有不同，有趙州從諗禪師的，也有投子大同禪師的；有雲門文偃禪師的，也有說南泉普願禪師的。儘管「公案」不同，但守卓要說明的道理卻很一致──都是指出「佛性本來自足在心，學人只須認祖歸宗，返來本來面目就可以」這道理。造成這個現象的原因，主要是因為學人在參悟前代公案時，多執迷於公案所說的道理。然而，這其實反倒入迷障，把「活句」參成「死句」。於是，守卓一方面代古人發言，借當時語境表述想法；同時，他也藉此告試學人要反求諸已，不要執迷於公案的義理。〈維摩不二〉也是這樣的詩歌：

> 洞門常啟客來稀，碧草叢邊野蕨肥。可笑流年空老大，慚無一德報恩知。

守卓以《維摩詰所說經》的「何等是菩薩入不二法門」的公案為本，說明佛性本身自足在身的禪理。此公案出自《維摩詰所說經》：

> 如是諸菩薩各各說已，問文殊師利：「何等是菩薩入不二法門？」文殊師利曰：「如我意者，於一切法無言無說，無示無識，離諸問答，是為入不二法門。」於是文殊師利問維摩詰：「我等各自說已，仁者當說何等是菩薩入不二法門？」時維摩詰默然無言。文殊師利歎曰：「善哉！善哉！乃至無有文字、語言，是真入不二法門。」[11]

11 〔晉〕鳩摩羅什譯：《維摩詰所說經》，載《大正藏》，冊14，經號475，頁551。

文殊師利菩薩問維摩詰居士「何等是菩薩入不二法門」，維摩詰不以語文、文字應對，只報以「默然無言」。這就是自禪宗西天祖師迦葉尊者傳下來的「以心傳心」，也即是後世禪師常常推許的「言語路斷」之理。守卓根據這個公案，一路闡釋，一路加以發揮。他說：「洞門常啟客來稀，碧草叢邊野蕨肥」。所謂「洞門常啟」，是指佛性自足在胸，除了不用外求，也不用刻意去尋求，因為它一直歡迎著你的到來；可是，眾生卻迷頭認影，往往只尋求一些外力，故洞門雖常開，但「客來稀」。守卓接著說出空求外力之流弊——「可笑流年空老大，慚無一德報恩知」，最後只會是鏡花水月，一切都只會落空。這首「頌古」的寫法也一如守卓「頌古」詩歌的公式，最後以「不靠持修」的宗門思想結尾。

3 頌古詩例三：〈珊瑚枝枝撐著月〉、〈國師三喚侍者〉、〈外道問佛〉、〈不許夜行投明須到〉

頌古落在守卓手上，公案已成為一個「引子」，只是用來引入自己的議論之中。守卓不重視闡釋公案的內容，只是利用其義去說理。他常常用頌古詩歌去抒發自己對修道方法的看法，當然這看法與他的其他頌古詩一樣統一，都是提倡「不假外求，只須返本溯源就可」之說。守卓的〈珊瑚枝枝撐著月〉就強調「道」是不可以刻意追求的，「僫重三千不可圖」，而且這個名稱是千古以為強行加諸上去，「從教千古強名模」。千古以來，「道」這個名稱都是強加上去，因為「道」本來是無形無相的，所以從來沒有一個合適的名稱，用黃龍慧南的說法：「大道無中，復誰前後？長空絕跡，何用量之！空既如是，道豈言哉？」。

「道」是無形無相，自我們生而為人以來，已存在我們心中，但我們有時卻受著花花世界的影響。守卓也注意這個情況，故在另一首頌古〈國師三喚侍者〉說：「喚處分明應處親，不知誰是負恩人」，其實「道」從出生的一天已存在心，並且常常在呼喚著我們；它與我們十分親近，因為它本來就在身體裡面，可是我們卻因種種因由而著了邪道，用了錯的方法去求道。這是一首頌古，當然必定是建基於一則公案。這禪詩亦是有關禪宗〈國師三喚〉公案，故事中的國師三喚侍者，侍者也三次回應國師的呼喚，國師因此感歎地說：「將謂吾辜負汝，元來卻是汝辜負吾！」故事中的侍者明顯是執著了文字的表相，迷頭認影，未能真正悟道。針對這種情況，守卓認為為師必須要想法子用語言文字而不執於語言文字，只接引而不開示。守卓在〈外道問佛〉：

外道麤心慣崄夷，老胡鞭影露針錐。行人拾得東門兔，誰管韓獹精力疲。

這首詩是針對著名公案〈外道問佛〉而寫，公案原文是：

外道問佛：「不問有言，不問無言。」世尊良久。外道讚歎云：「世尊大慈大悲，開我迷雲，令我得入。」外道去後，阿難問佛：「外道有何所證而言得入？」佛云：「如世良馬，見鞭影而行。」

外道向佛祖問如何成佛，佛祖給予的答案只是「良久不語」，一般人看來並沒有答案，但外道卻認為佛祖「開我迷雲，令我得入」。何以如此？皆因佛祖早知外道機緣已熟，只須接引一下，便可悟道。守卓所說「老胡鞭影」就是這個意思。不過，要留意一下，這裡其實揭示了悟道的兩個必要條件：第一條要機緣成熟，這就是黃龍宗所倡的悟道前的修行；第二條就是接引，在黃龍宗而言，接引之機除了「德山棒」、「臨濟喝」，就是用「活句」去接引學人。另外，這首禪詩也寄寓了守卓對世人迷於枝節，捕風捉影的遺憾。本詩最後一句「誰管韓獹精力疲」用了「韓獹逐塊」的典故，說明人們的迷於水月鏡花。「韓獹」是戰國時代韓國的名種犬隻，牠雖然資質優良，但是人們向牠投擲土塊，牠卻同樣是礙於見識而誤認土塊為食物，競相追逐。「韓獹逐塊」就好比〈國師三喚侍者〉的侍者過於執迷，反被迷惑的情況。

守卓在他的頌古詩歌反覆提醒學人「道」的真正意思，反覆勸誡學人不要迷頭認影，最後認賊作父，落下圈套。他開示了最理想的接引方法，就是不執於文字，反對參死活，主張參活句。做了一切該做的以後，守卓認為學人也要盡自己的努力。他指出悟道之前當然是黑暗，但只要堅持走下去，最終能當下即悟。他在〈不許夜行投明須到〉說：

虛空產生鐵牛兒，頭角分明也太奇。踏破澄潭深處月，夜闌牽向雪中歸。

這首禪詩的詮釋對象是〈投明須到〉公案。這則的原文很簡短：

趙州從諗問投子大同：「死中得活時如何？」投子答：「不許夜行，投明須到。」

投子大同就是唐末舒州投子山大同，趙州從諗問他「死中得活」的情況是怎樣的，他很簡單地只回答了「不許夜行，投明須到」。表面上，這是問人面臨生死時候的感覺，但事實上，卻是蘊含了其他意思。按守卓這首頌古去理解，其實是在問投子大同「悟道」的情況與感覺。在禪宗的國度，這樣的一句問題，並不好回答，因為「道」根本是不可言喻，守卓這是「虛空產生鐵牛兒，頭角分明也太奇」，從虛空生出的「鐵牛兒」，本來無一物，故根本不可能出現分明的頭角兒。投子大同若是回答了一個確切的對話，則落了下乘，故他只說「不許夜行，投明須到」。這個答案跟問題，在語意上、在邏輯上，都沒有任何關聯，平常人看來彷彿答非所問，可是，這樣的回答才是妙到毫巔。所謂

「夜行」大概是還在無明煩惱中摸索，或者是在沒有光明下，沒法看到自身與他人，極易迷途。故「不許夜行」就是不應被世道人事迷惑，守卓把它形容為「踏破澄潭深處月」，意即把水中月打破，別被鏡花水月迷糊著。至於「投明須至」就是要擺脫這種黑暗的行為，「須」即是必須，意思是要一直走下去，直至成佛，不能淺嚐即止，半途而廢。守卓利用「夜闌牽向雪中歸」這詩句形容這「夜行」景況，而「雪中歸」則更進一步點明，路向其實並非向外，相反是向內回歸，反求諸已。

四　結論

總括而言，頌古與別不同之處，在於它必須以一則禪門公案作為根本去論述，並代替古人闡釋。而禪宗思想也被高度地壓縮在公案之內，所以十分便利詩僧借題發揮或者延伸拓展。情況就好像古典詩詞用典一樣，也是運用了典故暗示昔今的情狀，加強讀者的共鳴感。從傳教的角度看，該宗教概念被賦予當下的情狀，使學人更容易去體會、感受其中理念；從寫作的角度看，作者的感知被賦予了更博大深遠的時空意義，情感也因而變得深厚沉實，增添了詩作本身的魅力。故此，頌古成為最受詩僧的詩歌體裁。

守卓也是很喜歡創作頌古詩歌。他一共創作了三十三首。從現存的頌古詩歌看，可以推論出他的一個創作模式：「先賢公案＋個人思想＝守卓頌古」。而他在創作的時候，也理所當然地沿著一個步驟去寫：（1）以先賢的一則公案故事作為引子，利公案的高度壓縮性的特質引起學人的思考；（2）當學人開始思考的時候，他開始加入自己對此公案的看法，激活學人的思維；（3）前兩個步驟都是與公案有一個直接的關聯，到了最後這一步，就完全是守卓的個人看法。他會以自己想法收結。在此必須要留意，作為一個黃龍宗高僧，守卓這個想法其實也即是黃龍宗的宗門思想；而由於詩歌是守卓接引學人之用，所以這個思想很一致，都是告誡學生「道」是無形無相，不靠持修，只能頓悟。

守卓的詩歌，句式十分靈活，有七言、五言，甚至三言。而在這三十三首「頌古」詩歌中，有十八首卻是句式工整的七言絕詩。從這個現象，我們可以看出兩點：第一，守卓傾向寫作七絕，而這種詩體更接近傳統以來的近體詩體制，與時下士大夫創作的詩歌也無異。第二，守卓十分擅長詩歌寫作，因為他在開堂說法之時，隨時隨地都能運用時下的詩體賦詩說教；而這一點正正展示了他既是高僧又是詩人的特殊性。

明前期理學家的異端之辨和儒學傳播

劉　洋

北京師範大學文學院

李澤厚指出，中國思想史的歷程是「由巫而史」的日益理性化進程，孔子將源自巫術祭祀時虔誠的心理狀態，賦予「情」和「仁」的儒學修養內涵，進而規範化為個體內在自覺。其中，巫術禮儀在周初徹底分化後，一方面發展成後世的巫、祝、卜、史專業官職，另一方面流入民間，形成小傳統。[1]異出同源的道家、民間信仰，加上後續傳入中國，擁有迥異宇宙觀和思維趨向的佛教，經由歷史進程的選擇和打磨，形成中國古代思想史上歷時久遠的重要現象——儒釋道三教合流。以儒學為中心，佛、道兩大宗教為輔的三教合流說充斥於明代思想、文學研究和社會研究領域，尤見於明代思想史研究。理學的誕生本就在三教辯證的背景之下，宋佩韋曾云，「宋儒矯漢唐溺於詞章訓詁之弊，又受佛道兩家的影響，遂產生儒、佛、道混合的理學」。[2]明前期確立儒學為主，三教合流的上層意識形態，其中儒學是被明帝國認可的正統信仰，程朱理學對儒士們的影響力並不遜於心學，並且在明前期大部分理學家的理念中，信奉佛道自得其樂的文化精英和違背國家祀典擅從淫祀的百姓一樣，都需要用儒家信仰來為其祛魅化俗，以歸於正。

當今學術界對明代思想的相關研究成果大都聚焦在熱度極高的陽明心學及其後學，而從明代開國至心學之前思想界的狀貌向來不受重視。在閱讀明前期理學家們各自創作的散文別集、子部著作及年譜、傳記等史料的過程中不難發現，因長期被以祖述程朱學說以概之，導致明前期思想界的理論緣由和現實情勢、地域學術集團對程朱理學的選擇性傳承傾向、明前期理學家異端之辨和儒學傳播活動等等問題及其相關的事實難以得到確切展現。本文以明前期理學家的詩文文本和相關歷史資料為據，結合理學傳承進程和明代社會環境，探究活躍在明洪武至成化年間的著名理學家對待異端的態度以及駁斥佛老思想、化導民間信仰的原因、表現方式、影響力度，進一步借明代理學家為代表的儒門士人的思想狀況，管窺儒學在文化精英和民間傳播過程中的各自側重。

一　明前期理學家的異端觀

明太祖洪武年間，解縉上書，以關、閩、濂、洛之書上接唐、虞、夏、商、周、

1　李澤厚：《由巫到禮・釋禮歸仁》北京：生活・讀書・新知三聯書店，2015年，頁28-29。

2　宋佩韋：《王守仁與明理學》上海：商務印書館，1931年，頁1。

孔，「隨事類別，勒成一經」，[3]是理學成為官方思想的先聲，永樂十二年，明成祖授意以程朱理學為標準編纂《五經大全》、《四書大全》、《性理大全》的目的正是出於「家不異政，國不殊俗」、「紹先王之統，以成雍熙之治」[4]的意識形態統攝需求。三部大全刊印並頒布天下，法令所載、科舉所依、學院所傳，程朱理學的正統地位自此分明。即便後來佛、道等其他思想學說對帝王或士大夫影響再大，理學的正統之尊從未更易。正統思想掌控社會思潮大局的要求歷代不變，與正統思想相悖的異端傳播亦永不消歇。在正統思想的秉持者們眼中，異端思想離散人心，貽害正道，正如薛瑄所謂「異端、邪誕、妖妄之說，惑世誣民、充塞仁義，為害不可勝言，自古如此。」[5]歷代思想史中被正統思想視作異端的思想活動，既包括大型宗教信仰如佛、道二家，亦包括在思想界的小傳統中生生不息的民間信仰。

儒家歷來對待異端思想的態度有三種，其一，駁斥抵制。儒家士人以儒門信仰中的宇宙觀、生命觀和世界運行法則為準，以文化精英的身分駁斥異端思想的理論根基、揭露活動儀式中的矛盾之處，論證異端思想的荒誕；其二，參與其中。儒家士人參與異端信仰活動，既有直接參與民間信仰相關儀式，也有通過間接的文學書寫和講學傳述表達對民間信仰的支持態度；其三，掌控利用。儒家士人們根據現實需求，賦予異端思想或民間供奉的偶像以儒家倫理人格，為其言行冠以儒家的道德善惡標準，借以推廣儒家倫理秩序。落實到具體的對話群體身上，因為有「大傳統」和「小傳統」之別，於是其一是對同為儒門士人的社會精英們思想中異端的駁斥；其二則是對社會大眾，普通百姓思想習俗中民間信仰的祛魅。

對於明前期大部分理學家來說，公認的異端主要指佛道二家，尤其是佛教。然而，明初理學家面對民間信仰和異端時，在延續傳統儒家對異端思想的態度基礎上，基於個人身分、際遇和理學傳播理念，又形成不同的態度和對象層次。就態度而言，生活在易代之際的開國文臣宋濂有儒門士人的基本身分認同，但並不排斥佛老，不但從事與佛老相關的活動，而且參與閱讀佛道經典，為佛道相關的宗教場作文吟詩。宋濂師承自宋以來理學重鎮金華學派，同時宋濂卻未曾排斥佛老，宋濂現存文集，僅《宋學士文集》中，佛像贊銘、寺廟記、功德碑文、佛經序跋等與佛教有關的文章計一百二十餘篇，占文章總數的十分之二。宋濂的佛學修養在金華學派內部被視作學派衰微的徵兆，全祖望曾云，「婺中之學，至白雲而所求於道者疑若稍淺，觀其所著，漸流於章句訓詁，未有深造自得之語，視仁山遠遜志，婺中學統之一變也。義務諸公師之，遂成文章之士，則

3　〔清〕張廷玉等編纂：《明史》卷一四七，北京：中華書局，1974年，頁4115。

4　〔明〕朱棣：〈五經四書性理大全序〉，《明太宗實錄》卷一六八，臺北：中央研究院歷史語言研究所，1962年，頁1874。

5　〔明〕薛瑄：《薛瑄全集》太原：山西人民出版社，1990年，頁1324。

再變也。至公（宋濂）而漸流於佞佛者流，則三變也。」[6]宋濂在為佛教經典所作記體文中稱佛教菩薩為「西方聖人」，甚至在記體文中出現「我佛如來」等稱呼，對佛教信仰的接受程度儼然超出了醇儒的身分。相反，劉基、曹端、方孝孺、薛瑄、章懋、羅倫、莊昶、吳與弼、胡居仁則排斥佛老思想，於其理學語錄或傳世詩文文本中，攻伐佛老的言辭不一而足，曹端一生身體力行，言辭行為皆力主傳播儒家禮制規範和學說，以儒家信仰化俗，其傳世著作除《太極圖說述解》、《通書述解》、《西銘述解》三部理學經典注疏之外，其餘《夜行燭》、《家規輯略》皆為正化鄉俗、於民間推廣儒家信仰而作；胡居仁的《易像鈔》、《日知錄》和詩文寫作中充斥著大量駁斥佛道等異端流弊及虛偽化的文辭，《日知錄》中列專卷對佛道異端集中駁斥；其中曹端、吳與弼、胡居仁甚至因不願違背儒士身分和儒學信仰而杜絕參與宗教活動。與之相反，明初宋濂、劉基、陳獻章皆未曾以激烈抵制的立場對待佛道思想，他們結交僧道，詩文往來，並借鑒佛道的境界體悟以反觀儒學修養工夫。

就駁斥異端和化俗對象的層次而言，方孝孺、薛瑄、吳與弼、胡居仁、章懋、羅倫、莊昶等人，無論是經籍注解，還是面對的則是大傳統中秉持佛老等異端理論的儒門士人，著力於精英文化圈中整肅儒家信仰；曹端的言行主要面對小傳統中的百姓和師友、學生，著手在底層民俗中貫徹儒家信仰，但他們對佛老思想的反感是一致的。曹端曾引朱熹語錄言異端之弊：「這些邪見（佛道），壞世間多少好人，破卻世間多少好事。」[7]方孝孺直指異端學說中以佛教為禍首，「今之叛道者莫過於二氏，而釋氏尤甚。」[8]胡居仁在此基礎上進一步將功利和異端之害相較，認為佛道異端之禍害正道更勝功利：

> 竊意聖道之大害有二：功利、異端也。功利之害人雖眾，然皆中人也，其失易知，故其害亦淺；老佛所引陷者皆中人以上之人，其才高，其說妙，非窮理精者莫能窺其失，以二氏論之，佛氏之害尤大。老氏只是虛靜無為，佛氏又做存養工夫，其精微高大，善引誘人，又善駕馭人，故上者被其引化，中者被其驅駕，下者被其誣誑，所以滔天之禍盡歸於佛氏。[9]

於此，胡居仁又解釋了另一個問題，異端中的佛教之害尤大，因其理論學說和修習方式對智力、學識皆過於常人的文化精英們感染極大。「中人以上之人」一旦相信異端，因此產生的異端推廣和傳播後果不可估量，為之祛魅的過程也並不容易。但是，理學家們

6 〔清〕全祖望：《結埼亭集外編》卷十九，清嘉慶十六年刻本。
7 〔宋〕朱熹：《晦庵集》卷四十一，四部叢刊本。
8 〔明〕方孝孺：《遜志齋集》寧波：寧波出版社，1996年，頁310。
9 〔明〕胡居仁：《胡文敬公集》，景印文淵閣四庫全書。

自啟蒙始便受儒家經典浸潤，承續儒家學統，其理學修養不僅是儒家教義的理論化，也是一種可以標明身分和話語權的儒學信仰。自古以來，涉及到信仰的論辯之激烈程度可以想見，更遑論將對方信仰視作異端的駁斥，對部分儒者或僧道來說，無不如此。方孝孺曾提到，在言辭中但凡論及佛教時，「稍有所論，述愚僧見之，輒大恨，若詈其父母，毀詘萬端。」[10]即便如此，駁斥佛教異端依舊是儒士的責任所在，道義所出，不可因怨謗毀詈而猶豫不前，所謂「士之行事，當上鑒千載之得失，下視來世之是非。苟可以利天下、裨教化，堅持而不撓，必達而後止，安可顧一時之毀譽耶！」[11]而無論是基於儒家教義的深入思考研究，還是出於理學家的身分需求，多數理學家們都會運用話語權力，借助個人影響力來佐證儒家學說，推廣儒學修身方式。詩文寫作和語錄傳播，便是理學家們借以發聲，為同僚、友朋、弟子等儒門士人醇正心思和修養的工具。

二　對文化精英佛老思想的辯斥方式

自唐代以來，大部分詩文別集主要在文士等業內人士組成的群體之中輾轉流傳。同樣，理學家們詩文寫作時，預設的隱含讀者群體以教育背景類似、教育程度相仿的儒門士人為主。因此在針對同為儒門士人，文化精英的異端駁斥，記錄在類屬於經、子部的經解、語錄中，如胡居仁《易像鈔》、薛瑄《讀書錄》等；同時亦存在於文學書寫活動裡，如類屬於集部的序跋、論說、奏疏等文體中，通過借題發論來傳達排除異端的目的。理學家們在行文和語錄中，面對士人群體的駁斥方式，有否决理論根源、揭示異端內部悖論、提醒儒士身分三種。

士人群體自幼接受儒家教育，較普通民眾而言，如胡居仁所說「其才高，其說妙」，加上其思宏深，自恃不凡，因此，駁斥士人群體思想中的異端，說服儒門士人摒棄異端學說，需要提供相對縝密完善的理由，從理論根基著手擊潰異端便十分必要。由此，佛道兩家基於他在世界的宇宙論和道家絕聖棄智，釋家萬法皆空的本體認識常被作為駁斥的對象。曹端〈輪回詩〉批駁的便是佛家思想的本體論：

> 空家不解死生由，妄說輪回亂大猷。
> 不有天民先覺老，孰開我後繼前修？[12]

曹端在儒家生命觀的立場上指出佛教生命輪回的悖論之處，質問佛教在民間推廣的教義中，既然宣揚生命皆由輪回而來，那麼輪回的原點，最初的生命來源於何處。這恐

10 〔明〕方孝孺：《遜志齋集》寧波：寧波出版社，1996年，頁324。

11 〔明〕方孝孺：《遜志齋集》寧波：寧波出版社，1996年，頁350。

12 〔明〕曹端著，王秉倫點校：《曹端集》北京：中華書局，2003年，頁22。

怕是對佛學知曉體悟未深的儒者們無法解答的問題，因而頗有說服力。胡居仁《居業錄》中就幻化現實世界程度對比佛教道教的本體論：

> 老氏之學，是見得一個物事在窈冥昏黙中，遂指為太極；釋氏是見得自己一個精神知覺在光明不昧中，遂指為心性，然皆非真物。
>
> 老氏以有生於無，是不識前一截；佛氏曰空，前一截後一截俱不識。故佛氏背逆顛倒甚於老氏。[13]

當然，胡居仁的敘述對老子亦知曉未深，有斷章取義之弊，但是在胡居仁等儒家經濟天下的入世哲學眼中，幻化現實等同於逃避社會責任，追求一已精神愉悅，是極端自私的行為。儒家的修身治學，其目標在於理論上為社會、時代和君主、家國提供意義，並能夠躬行實踐，表率世間——這是儒門士人，文化精英的基本道義擔當和職責。而佛道兩家否認入世意義，受佛道異端影響的儒門士人將修身正已的目的視作形而上的本體探尋，與經世濟民的儒家教義背道而馳。胡居仁在體用之辨的言辭中，對佛教空體絕用，模糊是非的行為大加批評：

> 體用一源，非二事。人言老佛有體無用，此不然。豈有有體而無用者？老佛空其體而絕其用，禪學工夫蓋緣體不立，故絕去外物以求虛靜，使本體不昏，譬如伐去其木之枝幹，而專培養其根。伐之之久，則外之生意既絕，內之根本亦枯，所以培之者，適以速其朽壞，故禪學滅絕天理最速且盡，老氏次之，功利者又次之也。[14]

從本體上駁斥佛老異端泯滅經世原則的同時，佛道兩家的修習意義也在儒家道義擔當的呼聲中隨之消解，儒家的意義標準隨著強調得到提升。胡居仁在語錄中嘗言真理的唯一性，那就是理，所謂「天下只有一個是非，順理則是，背理則非。莊子卻要忘其是非，不加省察，儒者只尋個是處。」[15]

與胡居仁相比，方孝孺在〈答劉子傳〉中認同「攻異端如攻病，當追求其本」的方式，但方孝孺反對將精力放在批判針砭上，以為花費心思攻擊佛老是一種自我損耗的不明智選擇。方孝孺追求之「本」，是深入研習儒家學說，培植內源，探求理道，儒家學養和體悟愈加醇厚，境界清明，則自然不會為異端所惑：

---

13 〔明〕胡居仁：《胡文敬公集》，景印文淵閣四庫全書。

14 同上註。

15 同上註。

> 魁然巨夫，非自耗其元氣，病何由入之？今病已深，善養生者當補元氣，元氣既完，病即易去耳。不然，雖日有針砭，我之元氣愈自損，何能愈耶！元氣者，斯道是也。自朱子歿，斯道大壞，彼見吾無人，是以滋肆。當今之世，非大賢豪傑不足振起之，苟無其力，雖有志何益邪！[16]

方孝孺以為，解決儒家傳承過程自身理論存在的問題，方為駁斥異端、振興儒學的正途，同時，培養醇儒並非易事，現下儒門士人中雖有志者不乏，但足以成為「大賢豪傑」者甚寡。繼朱子對儒學進行系統化整理並發揚之後，尚無可基於當下時空將傳統儒學、理學發揚光大者，也正因此，佛道思想才有機會趁虛而入，搶奪儒家士人的精神空間，方孝孺於此亦感慨任重道遠。對儒學面臨的現實，薛瑄亦曾慨歎「如佛老之教，分明非正理，而舉世趨之，雖先儒開示精切，而猶不能祛其惑」[17]的現實狀況，並將這種蒙蔽和疑惑確定為後天形成的「氣質之弊」，且「氣質之蔽最深，民不可使知之，是皆蔽之深，不能有以開其識也」[18]，氣質之弊的背後，對應著士人的際遇及其相關的精神世界。

此外，曹端、方孝孺、胡居仁、薛瑄等理學家注意到佛道思想在樹立權威及流傳散布的過程當中，存在著邏輯上的悖論和謬誤，於是這些悖論便成為理學家駁斥異端的重要證據。佛、道思想流傳過程中較明顯的悖論，一方面是本體虛空和「法」之空的矛盾，若一切皆空，則法亦為空，泯滅修習意義便摧毀了自身存在價值，正如上文中提到曹端對佛家輪回觀的悖論揭示；另一方面，則是佛、道教義的傳播者本身解構宗教神聖意味的道德缺陷。以胡居仁為例，在儒家的道德標準面前，道家修身的工夫論被有目的地利用時，難免有虛偽奸詐的成分，胡居仁便借此消解道家先聖老子的崇高感：

> 老子最奸，待人處事皆要處其下、居其後，非真有謙遜自卑之心，蓋見剛而居高者多危，僭而居前者多凶，又見穀之卑下虛空，眾流之所趨，故欲為天下穀，而專一守其卑下，居柔處懦，其心實欲高於人，先於人，勝於人也。其心詐，其機玄，其阱深，為害甚酷。後世用兵者多祖之以取勝，流禍不窮也。[19]

有史以來，每一個哲學體系，經由社會流傳和現實應用後，都會被不同立場、心性、目的、悟性的傳播者自覺或不自覺地重新解釋，在解釋過程中同樣難免因為個體差異及應用範圍而將本意引入極端的方向，亦難免染上與傳播個體匹配的性格缺陷。道家

16 〔明〕方孝孺：《遜志齋集》寧波：寧波出版社，1996年，頁395。

17 〔明〕薛瑄：《薛瑄全集》太原：山西人民出版社，1990年，頁1339。

18 同上註。

19 〔明〕胡居仁：《胡文敬公集》，景印文淵閣四庫全書。

淡薄寡欲，清心無為的生命追求一旦成為服務於圓滑處世的工具，成為謀取利益過程中示弱圖強的手段，便流於虛偽。劉基〈竹川上人集韻詩序〉一文亦直指部分僧人標榜高世絕俗的虛偽實質，雖說「離世絕俗，而自外乎人群以為高」，實際卻「營營汲汲，每生死利欲，殆有甚於俗人，蓋舉天下皆若是矣。」[20]胡居仁和劉基的批駁，直指佛道清虛高潔的修身方式和趨利避害，明哲保身的修身目的之間的矛盾，矛盾針對的群體十分明確——儒門士人、文化精英。追逐功名，建功立業本是儒家士人分內之事，光明正大無需遮掩，而在道家的價值判斷中，追逐功名利祿並不明智，也並不光彩。於是，夾在二者之間的那批求仙問道的儒士，便易陷入這兩種價值判斷的牴牾之中。儒家對倫理道德十分看重，道德標準是判斷是非的權威，因此在理學家眼中，異端的禍福報還思維，是作為宗教對崇高感的自我戕伐，正如胡居仁《易像鈔》中解釋《易》理探尋的功用談到「易以神明之理設教，初不以鬼神能為禍福設教。」[21]儒家經典的研習傳播皆為明曉天理，而非為直接轉化成禍福，將目標和意義侷限在淺易的關聯思維當中。

佛道異端作為宗教的性質，還存在一個容易被攻伐的悖論——無法驗證。正如胡居仁所謂「釋氏見道，只如漢武帝見李夫人，非真見者也；釋氏只想像這道理，故勞而無功，儒者便即事物上去窮究。[22]」儒學的本體「仁」和理學的宇宙本體「理」、「氣」雖皆無可直接感觸的實體，但可以置諸生活經驗、人事中進行驗證，儒家的修身目標是有史可徵的君子聖賢，其精神偶像可以通過歷史記載來呈現，但佛教、道教最終的修身目的是脫離現實世界，成為西方極樂世界的佛祖和太虛世界餐風飲露的神仙，與儒家相比，除卻修行者之外，在普通人的經驗現實世界中難以憑藉知覺去證實，由此一來，佛教、道教本身的存在已經脫離現實，其意義也隨之被消釋。

明前期理學家大都期待醇儒的身分立世，對儒學的信仰毋庸置疑，因此在攻伐異端，尤其是為本該有共同信仰的儒士們驅除心中魅惑時，提醒儒門士人的身分和責任感是常見的切入方式。章懋在〈兵部員外郎鶴山陸君墓誌銘〉[23]一文的主體部分描繪符合儒士身分的生活方式，如「築室白鶴山中，日讀諸經史傳」、「慨然有志於天下，凡古今事變，經濟大略，一皆理會，以為天下事無不可為者」「不作佛事」，潛心讀經史、有志於經濟天下、摒棄異端三個明確標籤被突出，可以說是儒士身分的正面界定，遵循儒家禮制，喪葬不用佛事已經與經濟天下的修身目標並列標舉，從中亦可想見明代民間喪葬禮制受佛道影響之大。

明前期理學家在駁斥異端的過程中，對儒士身分最著意者莫過於曹端。曹端勸止友人、學生參與異端的宗教活動時，不斷提醒其儒士身分和理學信仰。永樂四年，曹端勸

---

20 〔明〕劉基著，林家驪點校：《劉基集》杭州：浙江古籍出版社，1999年，頁6。

21 〔明〕胡居仁：《易像鈔》，景印文淵閣四庫全書。

22 〔明〕胡居仁：《胡文敬公集》，景印文淵閣四庫全書。

23 〔明〕章懋：《楓山集》卷三，景印文淵閣四庫全書。

阻彭、鄭二先生勿赴水陸會前引用朱熹言辭時，一再明確信仰界限，並以儒士責任道義警示：

> 竊見僧不為道醮而廢齋，道不為僧齋而廢醮，是彼各知重也。
> 為儒家者，祖天地，宗帝王，師周孔，將以正人心，扶世道，反為齋醮而廢禮，是自輕耳！寧無愧乎？[24]

對於言行嚴重違背儒士身分的學生，曹端曾公開驅逐出門。永樂二十年，曹端斥責欲在葬禮上做佛事的學生，對學生讀儒書，以儒生的身分立世間，卻以違背流俗為非的行為深表痛心，鳴鼓召諸生，當眾宣布從民間巫覡祭祀的學生「非吾徒」。

三　儒學民間推廣及對民間信仰的祛魅實踐

儒家信仰和禮制規範脫胎自巫術儀式的理性化，並且從未放棄將認知範圍內的理性推廣至民間信仰的嘗試。及至理學誕生後，隨著宋代以來印刷出版行業的技術提升、講學活動的普及，傳播範圍和參與群體更加廣泛。然而，民間信仰依舊在很大程度上沿襲著古老記憶，身處小傳統中的普通民眾，其思維方式和邏輯層次不但保留了較為原始的痕跡，亦停留在簡單的反應程式中。曹端和胡居仁一生皆任職於地方官學，對民間信仰和地方儒學普及程度相對熟悉，通過言行對民間信仰化俗祛魅是其推廣理學修身方式，樹立儒學權威的過程中的重要環節。尤其是被奉為「明初理學之冠」的曹端，直接面向化俗的著作《夜行燭》、《家規輯略》，對儒學體悟、實踐的執著篤信和化俗歸正的熱忱，為民間信仰祛魅的力度和深度皆足稱道。

在這個反應程式中，祭祀和膜拜對象，無論是儒家聖賢等歷史人物，還是佛祖神仙，抑或是動物圖騰，一旦放到被祭祀的位置，那麼所有被祭祀之人或物的功用只剩下一個——祛病消災，賜福降吉。結局是否靈驗，取決於崇拜之心是否虔誠，「崇拜神鬼之心誠，就會達到『心誠則靈』的效果；崇拜鬼神之心切，就會收到『有求必應』的實惠」[25]事後，若祈禱之事偶然實現，則崇拜偶像的奇幻色彩會隨著顯靈故事迅速傳播，偶像在民眾心中可信度倍增，並且經過傳播漸形成穩固的保護神形象；若祈禱之事並未如願，百姓會對導致未能如願的原因產生兩種認定，其一，崇拜之心不誠；其二，所尊崇偶像的法力不足。針對第一種原因，百姓會增加供奉價值、祈禱次數，面對第二種原因，則是更換祈禱對象。這個思維程式的流程如下圖所示：

---

24 〔明〕曹端著，王秉倫點校：《曹端集》北京：中華書局，2003年，頁261。

25 烏丙安：《中國民間信仰》上海：上海人民出版社，1996年，頁7。

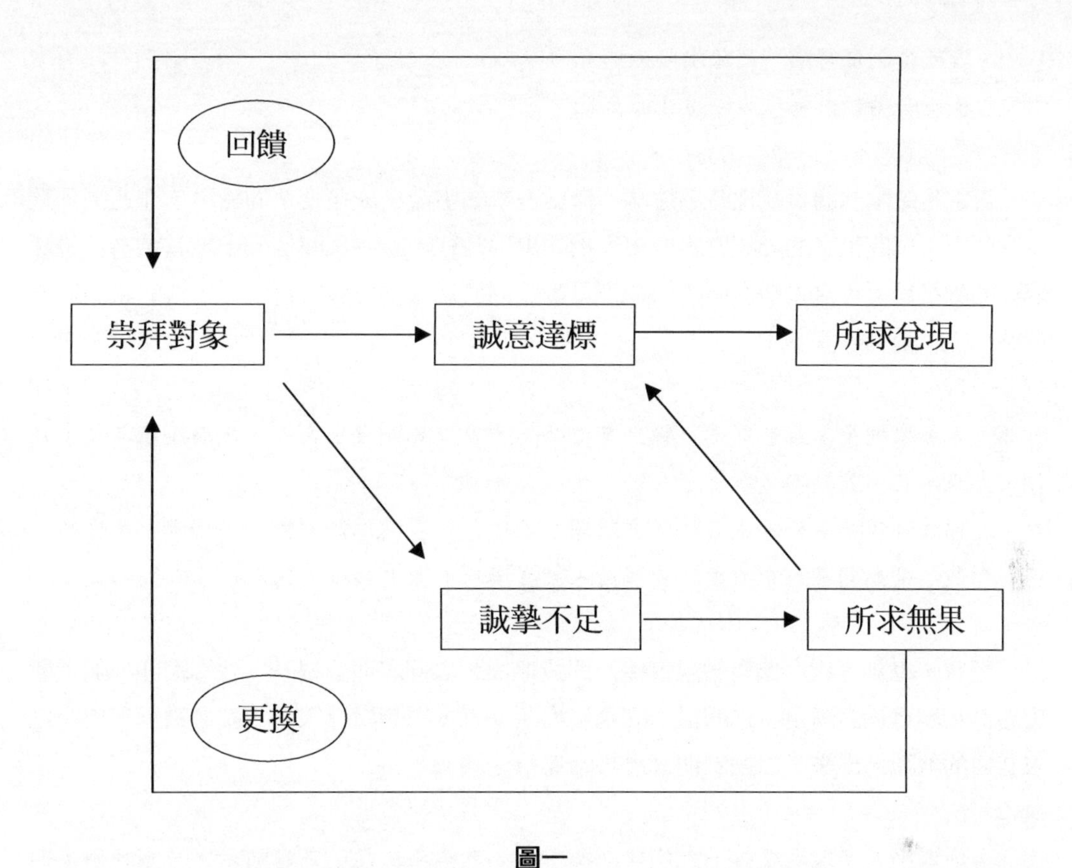

圖一

民間信仰就在這種思維邏輯的主導下，根據祈禱結果實現的偶像頻率，並參照曾出現過的宗教而不斷改變崇拜儀式，增刪尊崇對象，樂此不疲地綿延了數千年。其間，雖然在活動過程中存在著諸多不合情理的邏輯漏洞，夾雜著諸多悖論，但是依舊具備頑強的生命力，這種現象令人費解，也自有其不得不存在的原因。有研究指出，通過這個小傳統，即民間信仰所反映的社會空間，能夠以全息的視角觀測到多重疊合的動態的社會演變的「時間歷程」。[26]而曹端的祛魅的標準為儒家宇宙、生命、倫理觀，具體的化俗方式，則針對民間信仰的思維程式予以各個擊破。首先，以儒家造化生命理論否認生命存在之外的神秘現象，否認民間信仰膜拜偶像的存在。曹端延續朱子以來理學正統的天地造化和生命運行觀念，認為天地和生命都是在理的主導下，經由「氣」的陰陽動靜、聚合凝散的結果，天地的壽命和廣度無極，而人生軌跡是單向的，所謂「人生陰魄陽魂，未嘗相離，譬則形影。然魂氣上升，魄氣下降，魂魄離則死矣」[27]自生起始，迄死終結，並無輪回之說，也不存在任何生命可以超越生死，擺脫理和氣的制約而存在於冥冥之中。曹端《太極圖說述解》中〈死生詩〉便是其生命觀的寫照：

26 鄭振滿、陳春聲主編：《民間信仰與社會空間》福州：福建人民出版社，2003年，頁3。
27 〔明〕曹端著，王秉倫點校：《曹端集》北京：中華書局，2003年，頁264。

陰陽二氣聚時生，到底陰陽散時死。
生死陰陽聚散為，古今造化止如此。[28]

否定生命輪回的實在性時，曹端不僅從理學的生命構成角度正面論證，亦追溯佛教東傳歷史、民間供奉的神祠對應歷史人物的出現時代，說明民間信仰中虔誠供奉，寄託禍福的神祗是近世之人塑造而出，並不具備等同於儒家聖賢般來自上古三代的崇高與神秘感：

人氣聚則生，氣散則死，猶旦晝之必然，安有死而復生為人，生而復死為鬼，往來不已，為輪回哉？[29]
佛法自漢明帝始入中國，漢去開闢數千餘年，豈漢以前無輪回，獨漢以後有輪回哉？神如關某，李冰等，皆漢世人，豈漢以前無主禍福，獨漢以後有禍福哉？[30]

否定圖騰、鬼神等崇拜偶像的現實性，即毀掉民間信仰之理論根基，曹端隨即亦通過歷史追溯和現實驗證斷定，民間信奉的判決場所地獄、理想境界天堂，都是被別有用心之人有目的地編造出來，以控制他人思想的無稽之談：

物本乎天，人本乎祖，人能敬天而不違，尊祖而繼志，是謂報本。若事神佛，則言行違禮，何云報本？
所謂天堂、地獄安在？自古及今，誰見乎？不過僧家設之以嚇愚民爾！使人皆事佛，不夫婦，乾坤內不過百年無人類矣，佛法將安施？[31]

消解民間信仰的偶像實在性後，針對民間信仰把禍福寄託在供奉偶像之虔敬程度的習慣，曹端通過儒家生命意義的闡釋否認民間信仰中令生命不朽的現實手段，用儒家的倫理道德修為替代供奉偶像的虔誠，把民間寄託的對象——虛空轉移到現實，從而亦將面對困窘災難時消極被動的態度，轉向力所能及的理性範疇。於是決定人生命長短和禍福走向的，是個體自身可以操控、把握的倫理道德，所謂「天堂無則已，有則君子登。地獄無則已，有則小人入。」[32]民間信仰的禍福報應說會放棄個人道德，把標準寄託在供奉多寡和祈禱誠摯程度的機率事件、盲目被動中，與儒家的立世原則背道而馳，正如曹

28 〔明〕曹端著，王秉倫點校：《曹端集》北京：中華書局，2003年，頁22。
29 同上註，頁290。
30 同上註，頁293。
31 同上註。
32 同上註，頁297。

端所批駁，「如不分君子、小人，苟能事佛，一概升天堂，苟不事佛，一概入地獄，決無此理！」[33]

用儒家道德倫理標準將民間信仰中的禍福觀重塑時，曹端同時指向民間信仰傳播過程中存在的大量漏洞和矛盾事實，批判民間信仰將尊崇對象功利化、世俗化的現象。曹端是明前期理學家中為批駁民間異端思想實踐最多者，自青年時代起，曹端為民間信仰脫魅的努力可謂身體力行。黃宗羲《學正曹先生端》與邵陽張信民所撰《曹月川先生年譜》將其具體的化俗行為列入其中：

表一　曹月川先生化俗行為

洪武二十九年	二十一歲	辭辟釋教
洪武三十一年	二十三歲	勸族人勿用堪輿術
洪武三十二年	二十四歲	勸父勿賽神
洪武三十五年	二十七歲	請毀淫祠
永樂二年	二十九歲	重病，拒用巫覡
永樂四年	三十一歲	勸友人勿參與齋醮之事
永樂十八年	四十五歲	拒赴齋醮
永樂十九年	四十六歲	折郡吏，不信鬼神之問
永樂二十一年	四十八歲	以道責諸生欲作佛事者
永樂二十二年	四十九歲	責門人欲從淫祀者
宣德三年	五十三歲	作《太極圖述解》時在序後附氣化、死生、輪回、辨戾詩

曹端的理學思維中，主宰天地造化，統攝人心禍福的唯一「理」字，「理」執行的是儒家倫理中善惡之標準，凡言行舉動合乎理，便可無所畏懼，便有足夠的自信排斥民間信仰中流行的因得罪鬼神而獲罪的魅惑。曹端一生運用儒家信仰化導民間思維的力度，在明前期理學家之中可以稱得上力專且久，在曹端影響力所及之處，影響和效果頗為可觀，但是，明代前期理學的修身方式依舊在傳統儒學的範圍之內，隱含受眾依舊偏向貴族、精英，與民間普通百姓的認知領域以及解決現實問題的想像期待皆無法高度吻合。從時代思想發展的整體狀況來講，民間信仰中簡單質樸的思維方式依舊在綿延不衰，而且，直至今日，任何一種純粹的主流意識形態都未曾將其消解祛除，任何一種成體系的宗教理論亦無法將其化歸一統，更何況是在自然科學尚未開始大規模傳入，儒學傳統面臨理論推進困窘的明前期。曹端，已經是那個時代竭力為生民立命的勇士了。

33 同上註。

四　明前期儒學傳播的困境及成因

在明代前期儒學傳播的過程中，無論是明前期理學家的異端批判和祛魅化俗的過程，還是參與或利用異端思想的背後，都存在不同程度的儒家信仰尷尬。從前面三節的論述中能看到，對於駁斥抵制異端思想的曹端、胡居仁、方孝孺、薛瑄、羅倫等人來說，唯一的天地正道——儒學信仰正在腹背受敵；對於參與異端思想的宋濂、劉基等人來說，需要解釋模糊了界限的思想狀況與儒士身分之間的矛盾；對於掌控利用異端思想者如陳獻章來說，融匯釋家教義入儒學修身方式時必須審慎把握尺度。而造成這種困境的成因主要有三，其一，明前期以太祖朱元璋為代表的帝王政治手段；其二，儒學本身的理論盲點與受眾傾向；其三，民間信仰約定俗成的互動力量。

明初永樂年間，儒學被確立為官方意識形態，早在元代，天文領域已經明確區分「實測之數」和占驗符說之別，「焚陰陽偽書，破世俗迷信」，[34]但是顯然，確立者們並未以身作則地貫徹儒家信仰，反之，禍福報應論的身影無處不在。明開國之初，朱元璋對佛道二教採取整頓、利用的方式，因其深知佛道二教對政權的價值，擔心「若棄絕之而杳然，則世無神鬼，人無畏矣，王綱力用焉」，於是以儒釋道三教並行作為思想控制手段，「於斯三教，除仲尼之道，祖堯舜，率三王，刪詩制典，萬世永賴，其佛仙之幽靈，暗助王綱，益世無窮。」[35]永樂十二年之後，儒家作為官方思想正統的地位確立，但三教並行狀況和統治策略並未真正停止，直至成化二年羅倫的廷策中，[36]依舊將以史為鑒，崇儒家正道，去佛道邪說鄭重寫入對明憲宗的規勸中。對於政治權力來說，民間信仰的社會控制功用向來是其存在價值之一，歷代儒家信仰通過政治權力來選擇民間信仰的尊崇對象、執行祭祀，進而推廣秩序，教化百姓。朱元璋曾在頒布的詔令中言「天神祠不應祀典者，淫祠也，有司毋得致敬」[37]祀典儼然成為一道為國家意志所控制的「封神榜」，在官方祀典中沒有允許備案的偶像崇拜是為「淫祠」，遭到禁令、拆毀。而官方承認的祭祀意義，也是因為有功有德，予以紀念旌表，利用民間對祭祀對象的崇拜效法來強化倫理道德修養。朱元璋起於草野，並無儒家信仰，更不在意三家學說教義內部的合理性，仁宗之後的帝王雖從小接受儒家教育，但釋道學說依舊可以作為統治手段，無傷大雅。但對於儒門士子，尤其是理學家們來說，儒學是最接近天理的途徑，儒學的傳播過程所承受的漠視和曲解會嚴重影響儒家信仰的正統地位，必須加以矯正。

佛道異端和民間信仰之所以能夠具備一定的生存空間，與儒家本身存在的理論侷限和受眾傾向社會精英有關。儒家發展至宋代理學，語錄體等口語化的傳道文本與聚眾講

34 朱文鑫：《十七史天文諸志之研究》北京：社會科學出版社，1965年，頁38。

35 〔明〕朱元璋：《明太祖禦制文集》卷十一，〈三教論〉，景印文淵閣四庫全書。

36 〔明〕羅倫：《一峰集》卷一，景印文淵閣四庫全書。

37 〔明〕朱元璋：《明太祖禦制文集》卷十一，〈三教論〉，景印文淵閣四庫全書。

學的方式已經大大有利於民間傳播，但是理學的化俗功能依然有限，儒家理論本身源自貴族教育、自覺體踐及理性化要求，對普通民眾來說是個奢望。對此明前期理學家們也在不斷反思，他們於繼承和解釋程朱理學同時也指出，異端猖獗本於儒學不振。如莊昶〈定山和老癡韻〉一詩感慨「道無孟子」，將「世有異端」的原因歸結於儒學本身：

斯文無地與狂瀾，到處浮屠到處山。世有異端終自惑，道無孟子托誰閑。
風光冉冉聊隨伴，今古寥寥只靦顏。安得從人南海上，太虛歸後便東還。[38]

儒道兩家同源自巫術禮儀，北宋以來興起的理學在佛教哲學體系的影響下，凸顯的本體認知「無極」、「太極」，世界的物質構成「氣」、「五行」的範疇皆與道家的言說系統重合，繼續上溯，則是共同的原始巫術經驗。[39]但儒道兩家與後續傳入的佛教相比，佛教的哲學思辨對儒家的主要傳播群體——文化精英來說更具吸引力，正如方孝孺在〈送浮圖景暉序〉中就此分析佛教為儒士群體接受的理論優勢時所說，「釋氏之術其深若足以通死生之變，其幽若可以運禍福之權，惟其深也，故過於智者悅焉，惟其幽也，故昏愚之氓咸畏而謹事之。」方孝孺承認佛教在思想體系於形而上層面的思考深於儒家，能夠以幽深吸引關注，並且傳播者們能做到「苦身勤行」，這種意志力又非儒士們對儒家信仰的堅持所能比，佛學思想進入儒士的精神空間也不足為怪。

此外，明前期理學家認為儒士從學的意志力和經世濟民的責任感缺失背後，與教化方式不力有莫大關聯，如胡居仁、羅倫曾指出《小學》之教的薄弱，是他們公認的儒家官學教育缺陷導致化俗力度不足，一方面基礎的灑掃應對及理論修養不扎實，後續窮理功夫必然無法歸入正道，「自心要收，又難收，故厭紛擾，喜虛靜，又惡思慮之多而遏，絶之久則必空，所以多流於禪也。」[40]另一方面是儒士個人的求學方法不當，「今日異端，經程朱辟後本不能害人，是學者不會做工夫，自流入去。病在不於《小學》、《四書》、《近思錄》上用功。」[41]但對民眾來說，民間信仰中佛道盛行的局面，是儒家教化不昌之過。再有，儒家的修身意義在於入世濟世，對致力於仕宦經營或濟世抱負、意志力和領悟力皆超凡的士人如方孝孺者來說，佛老思想入主信仰的可能性並不大，但是，儒士在入仕之後往往要面對政治規則中儒家理想和信仰所不曾教會他們應對的具體局面，特別是經歷世事浮沉之後，對個體而言選擇自適自娛，抒懷宣洩既是出自本能的精神指向，也遠比選擇儒家居陋巷不改其志般矢志不渝的責任擔容易得多。追求審美的精神愉悅是條捷徑，佛道提供的精神愉悅境界更容易契合儒士的精神需求。

38 〔明〕莊昶：《莊定山集》卷四，景印文淵閣四庫全書。
39 李澤厚：《中國古代思想史論・孫老韓合說》北京：人民出版社，1985年，頁72。
40 〔明〕羅倫：《一峰集》卷一，景印文淵閣四庫全書。
41 〔明〕胡居仁：《胡文敬公集》，景印文淵閣四庫全書。

民間信仰傳播歷程中既積累了不少源自宗教教義的習俗，亦潛移默化地滲透入社會生活，成為儒士生活方式中約定俗成的內容。儒士和佛道中人的交往是儒士生活中常見的現象，也是理學家們信仰中頗為尷尬的部分。劉基雖然未研讀佛理佛經，但通過詩文、書畫與大量僧人結交唱和，為方外人士詩集、文集所作序文也不在少數。與之相應，涉及方外人士和場所的應用文，如廟觀記文、功德碑文等文體擺在理學家面前時，儒士身分和異端交際之間的矛盾，使得理學家們不得不將與異端思想的交際劃定在日常消遣的範圍內，或者從三教共通之處（往往是形而上和倫理內涵兼備的制高點「善」，或者普世價值）為對應的行為正名，作一個無傷大雅，無妨大局的界定。例如薛瑄天順六年為河津縣僧人修佛殿所作的《豐岩寺增修記》[42]中引韓愈既抵制佛老對儒家正統權威的侵蝕，同時亦「作文送浮屠文暢師」的矛盾事實作為自己的擋箭牌，並引經據典以一個共通的「善」字將三教異端皆統歸於一，但善的標準，則是儒家經典《書》、《傳》、《易》與孔子之語。方孝孺亦曾在《學士亭記》中為恩師宋濂與宗教人士的交往辯解，將宋濂結交佛道人士解釋為懷才逢亂世，不得已「往來山水間，著書以自娛」的消遣行為和無奈之舉，與信仰並無關聯。方孝孺的解釋本身是回應儒士身分的舉措，將宋濂的佛道修養從思想信仰的區域劃出，歸入娛情的範圍。進一步而言，方孝孺對佛教的態度較同期其餘理學家更為冷靜客觀，化大於駁，他並未在各自教義的立場辨析優劣權衡利害，而是站在統攝者、調度者的角度，取其本體價值的共通之處，展現儒家理論的包容力度：

> 孔子之道猶天，然豈以其同稱而損哉！有一善可取，孔子且猶進之，聖人之容物固如是也。況釋氏設教一本乎善，能充其說，雖不足用於世，而可使其身不爲邪僻，不猶愈於愚而妄行者乎！故儒之於釋，縱不能使歸之於正，姑容之、恕之，誘之以道，傳之以文，然後可使慕入焉。[43]

儒學之道既為天道所在，便當有海納百川，融匯萬家的胸襟，凡是本於善者，皆可容納，主張採取「誘之以道，傳之以文」的方式對異端進行引導、傳化。方孝孺為宋濂親傳弟子，宋濂的佛學修為和思想傾向，方孝孺再清楚不過，採取誘之以道的方式，堅持儒家絕對主體地位，以慕而化之的懷柔方式統率異端，一方面是對恩師的尊重，更重要的另一方面，是立足思想史和當下社會思想狀況，在儒學傳播過程中面對釋道和民間信仰的理智應對方式。

---

42 〔明〕薛瑄：《薛瑄全集》太原：山西人民出版社，1990年，頁1360。

43 〔明〕方孝孺：《遜志齋集》寧波：寧波出版社，1996年，頁486。

五　結語

在明代前期理學家們傳播儒學、對民間信仰理性化的過程中，「理」是其攻伐異端理論根源、修習方式與生命意義的終極依據，在理學家們的認識中，只要憑藉理學傳承及居敬、格物等實踐方式窮究天地、生死、鬼神、古今之理，遵循儒家的善惡、倫理標準處世，個體便可獲得足夠的自信，達到明澈磊落的人格境界。然而，在實際的傳播過程中，儒家脫魅程度的侷限性和儒家理論的受眾傾向注定其面對異端和民間信仰時難以完全契合不同個體的精神需求，因此，理學家在儒學傳播的過程中，不得不面對來自儒學信仰本身的尷尬局面。及至弘治年間，繼之而起的陽明心學援佛為用，「心外無理」的認定和「致良知」的修習方式一定程度上開放了受眾群體，將儒家信仰在現實社會中對應的精神空間拓寬，方孝孺所期待的「容之、恕之，誘之以道，傳之以文」於此經由王守仁之手，以一種以退為進的方式登上思想史舞臺。

「三言」與明代因果報應觀念

楊永漢
香港樹仁大學

一　前言

明初政府雖然以儒學思想為正統思想，但仍保護其他宗教，使佛教、道教、甚至伊斯蘭等都有一定的發展。朱元璋曾出家為僧，對佛教的發展更有「情意結」，且深知宗教思想能「陰翊王道」。由於元末喇嘛教的流毒及於整個朝廷及社會，太祖轉向推廣及整頓中原傳統佛教，建立善世院及設大禪師領釋教事。[1]洪武十六年（1384）於京師設僧錄司用以「掌天下僧教事」，各地亦設不同司職掌釋教，如僧綱、僧正等。[2]太祖更分僧人為禪、講、教三類，務求各盡其份。洪武五年（1375）設立度牒制，免納丁錢；翌年，請度者須加以考試，當時僧尼、道士、女冠約五萬七千二百餘人。[3]寺院數目，亦由政府控制，各地禁止私建寺院。其後，各朝政府亦曾發出禁建寺院之令。

寺院及僧人的數目多少直接影響政府收入，明政府汲取教訓，寺院佔田方面，均有限制，如建文帝時限每僧五畝、[4]景泰年間，每寺限留六十畝為業。[5]由於明世宗信奉道教，一度禁絕佛教，除強令尼僧還俗外。更查革京藏僧侶封號。明思宗時，正值內憂外患，思宗一度皈依天主教，拆毀宮中佛像、道像。

當然，明朝諸帝中，亦有支持佛教的君主，如成祖、宣宗、英宗、景帝等特尊藏傳佛教。成祖曾召噶瑪噶舉派第五世活佛噶瑪巴卻貝桑布入南京，宣宗亦封宗喀巴[6]弟子釋迦也失為大慈法王。由於明初太祖改革佛教，限制了佛教的全面發展，例如教僧，只在超渡亡魂用事，少了明心見性的功夫，令佛教漸趨專事經懺、超渡等事務，思想修行

1　《明太祖實錄》，卷29，頁500，〈洪武元年（1368）正月庚子〉條：「立善世院，以僧慧曇領釋教事；立玄教院，以道士經善悅為真人，領道教事」。

2　釋幻輪：《釋鑒稽古錄續集》，卷2，轉引自南炳文、何孝榮：《明代文化研究》北京：人民出版社，2006年，頁281。

3　卿希泰、唐大潮：《道教史》江蘇：人民出版社，2006年，頁287。

4　《明太宗實錄》，卷12下，頁224，〈洪武三十五年（1402）九月甲辰〉條：「建文時，……嘗建言天下僧止令畜四五畝，無田者，官給之。」

5　《明世宗實錄》，卷83，頁1861，〈嘉靖六年（1527）十二月戊申〉條：「景泰中令各寺觀田土每留六十畝為業。」

6　宗喀巴（1357-1419），是藏傳佛教格魯派（黃教）創始人，其弟子克珠傑開班禪轉世之先河，弟子根敦朱巴即達賴轉世之初尊，他是藏傳佛教一代祖師，被藏族人認為是文殊菩薩的化身。

方面漸式微。雖然明代亦有高僧大德，但其盛況終不如前代。另一方面，佛教義理卻直接影響明代理學。王守行所創立的「致良知」理論，就是受佛教明心見性的修行理論所影響。王氏更有參禪學佛的經驗，故其學說受佛學影響是意料之內。

明初，道教與佛教的發展非常接近，太祖設道錄司，掌管道教，隸屬禮部，地方上，亦設不同職司負責管理道教事務，如道紀司、道正司等。明太祖及成祖均不相信方術，太祖革除張天師號，改稱真人，但為鞏固統治，也利用神仙說暗喻自己是上天認定的天子。明成祖特別崇拜「玄武」神，據說與成祖的「靖難之變」有關。成祖因道衍和尚之故，借助天兵出戰，而天兵的元帥即真武大帝。其後，成祖為帝，在武當山大興土木，於永樂十年（1412）始，發軍民工匠十多二十萬人，用六年時間興建龐大道教建築群。並將武當附近閒田，賜予武當，發徙流犯人充當佃戶。[7]如此花費鉅大的建築，其原因至今仍是學者研究的問題。

道教除明世宗一朝大盛外，[8]基本上在政治上的發展是停滯不前。就因為這樣的環境，道教的多神崇拜、內丹修煉、向善積福等觀念與修持，漸在民間流播發展。從「三言」故事就得到證實，凡涉宗教的故事，九成以上都是與道教有關。明代的道教除祭祀本身傳統的神祇外，更吸收其他民間神靈，如關帝、呂祖、玄帝、天妃、城隍等盡成為道教的神。民間流行各類型的勸善書，扶乩降神之風日盛。可以說，此時期的道教思想已揉合儒家的道德觀、佛教的生死及宇宙觀。明代的文學創作，包括小說，都吸收了這種觀念。民間的宗教思想漸漸世俗化，漸有佛、道不分的趨勢。正統的全真、正一派思想，反而逐漸式微。

回教又稱伊斯蘭教，在「三言」各故事中，沒有提及此宗教。回教自唐至明中業，都在中國流行。元代更普遍傳播各地，中書省及行中書省、路等均有穆斯林分布，但路以下則未能普遍。明初對伊斯蘭教的優容，使穆斯林流向中小城市鎮及農村。據研究，明中業以後，內地大部分一級行政單位、三分之二的二級行政單位及二分之一的三級行政單位都見穆斯林的分布。[9]明中業以後，由於西方強國成為海上霸權，加上瓦剌又阻斷中原與西北的交通，終止了大規模的回教民族來華。相信此亦是「三言」沒有記載回教原因之一。

在沈小霞的故事中，曾提及「白蓮教」。此教創於南宋初年，可謂歷史悠久。初稱「白蓮宗」，以佛教教義為宗，信徒半僧半俗，戒殺念佛。白蓮教在元代一度被承認，後宣揚「明王出世」及「彌勒佛當有天下」的言論，轉為秘密組織。明政權建立後，立

7　卿希泰、唐大潮：《道教史》江蘇：人民出版社，2006年，頁290-292。

8　明世宗甚好符籙秘方、祈風喚雨等方術，重用道士邵元節及陶仲文等。邵官至禮部尚書，賜一品服，陶更「一人兼領三孤」，事見《明史》，卷307。

9　王友三：《中國宗教史》濟南：齊魯書社，1991年，頁643。

律禁止白蓮教、明教等民間組織活動。[10]白蓮教曾多次組織抗明行動，包括明初蘄州王玉二、漢中高福興、江西李法良等；明中業劉通、李原等聚眾達百萬人；明末有徐州徐一平、福建吳建等。白蓮教之擾攘，可謂終明之世，無日無之。其中值得注意是嘉靖年間，山西羅廷璽之活動，與沈小霞同期。其他民間組織包括羅教、黃天教、聞香教等都曾在明代流行，由於未有記錄在「三言」故事內，故不作介紹。

宗教思想是跨朝代發展的，本章所選的「三言」故事，先引用以明代為背景者；其次是該故事有明顯與佛道思想、因果報應等有關，其足以反映中國傳統的因果觀念，亦當引用。

二 因果說之由來

因果報應之說，在中國流傳已久。若以商周文化為中國核心文化之始，則因果之說商周時期尚未流行。商代人相信，先人死後會成為神，繼續保祐其家族。人類智慧未足理解自然界時之時，對突發現象都會出現驚恐，例如地震、雷電、水災等，繼之以為宇宙有統治者，控制人類禍福。人類透過巫、覡可以與鬼神接觸，[11]而萬物四方均有相關神祇負責，如《左傳》記五行之官[12]及《周禮》記祭祀之方。[13]古代農業社會，對天地四方的變化，產生無力感，惟有通過祭祀祈福。另一角度，則顯示中國思想始與大自然融和之始。

所謂「神」，是擬人的，是具有人格的神，神能降福受享。中國古代基本上是多神，所以說「制神之處外位次主」。當時專門事神的官，應是部落中較高級的主權。在

10 《大明律集解附例》卷十一：「凡師巫假降邪、神書、符咒水、扶鸞、禱聖、自號端公、太保、師婆及妄稱彌勒佛、白蓮社、明尊教、白雲宗等，會一應左道亂正之術；或隱藏圖像，燒香集眾，夜聚曉散，佯修善事，扇惑人民為首者絞，為從者各杖一百流三千里。若軍民裝扮神像，鳴鑼擊鼓，迎神賽會者，杖一百罪坐為首之人。里長知而不首者各笞四十，其民間春秋義社不在禁限。」〈http://ctext.org/wiki.pl〉，瀏覽日期：2016年12月1日。

11 《國語．楚語》載昭王問觀射父言：「……古者民神不雜，民之精爽不攜貳者，而又能齊肅衷正，其知能上下比義，其聖能光遠宣朗，其明能光照之，其聰能聽徹之，如是神明降之。在男曰覡，在女曰巫。……於是乎有天、地、神、明、類物之官，謂之五官，各司其序，不相亂也。」

12 《左傳．昭公二十九年》：「夫物，物有其官，官修其方，朝夕思之，一日失職，則死及之，失官不食，官宿其業，其物乃至，若泯棄之，物乃坻伏，鬱湮不育，故有五行之官，實列受氏姓，封為上公，賜為貴神，社稷五祀，是尊是奉。木正曰勾芒，火正曰祝融，金正曰蓐收，水正曰玄冥，土正曰后土。」

13 《周禮．春官》：「以禋祀祀昊天上帝；以實柴祀日月星辰；以槱燎祀司中、司命、風師、雨師。」（祀天神）又載：「以血祭祭社稷，五祀、五嶽；以貍沉祭山林川澤；以融辜祭四方百物。」（地祇）又載：「以肆獻祼享先王！以饋食享先王，以祠春享先王，以禴夏享先王，以嘗秋享先王，以烝冬享先王。」（人鬼）

祭祀中，表達誠意，如此，則個人、家庭、甚至整個國家就受到諸神祇的庇護。故史家說「商人尚鬼」。

至於因果報應之說，始見於《易・坤・文言》：「積善之家必有餘慶，積不善之家必有餘殃」。這裡的「家」不是指個人，而是家族。往後中國討論因果往往將此節解作個人的因果報應。

《太平經》承負說（卷十八，三四「解承負訣」）：

> 凡人之行，或有力行善，反常得惡，或有力行惡，反得善。[14]

又載：

> 力行善反得惡者，是承負先人之過，流災前後積來害此人也。其行惡反得善者，是先人深有積畜大功，來流及此人也。能行大功萬萬倍之，先人雖有餘殃，不能及此人也。因復過去，流其後世，成承五祖。[15]

《太平經》中稱為承負，即累世積集下來的福報和善報。福報即餘慶，惡報即餘殃，主要是餘殃。更明確指出，行惡而有善報，是祖上積福；行善而得惡報，是由於祖上積惡。我們認為這是道教思想，可是，此思想卻又很明顯來自儒家。這種因果關係又不盡同於佛教，佛教是「自作自受」，沒有理由「你的惡，我來受」。道教認為人只有修道才能除去「故氣」、戾氣，轉禍為福。這裡我們要特別注意道教的「因果報應」不是一個人的事，而是一個家族的問題。此與中國傳統宗法制度有莫大的的關係，亦是儒家提出「積善之家，必有餘慶」的家，指的是家族。宗法制度是繼承法一種，與封建制度互相依持。中國敬祖的思想，就在這環境下出現，古者有「五世而親盡」的理論，太平經亦言「成承五祖」，即我們的善惡業報，受五世祖先的影響。

《太平經今注今譯》卷四十〈努力為善法〉：

> 既生，年少之時，思其父母不能去，是一窮也。適長，巨大自勝，女欲嫁、男欲娶，不能勝其情欲，因相愛不能相離，是二窮也。既相愛，即生子，夫婦老長，顏色適不可愛，其子少可愛，又當見養，是三窮也。其子適巨，可毋養身，便自老長不能行，是四窮也。[16]

---

14 《太平經》。

15 《太平經》。

16 楊寄林譯注：《太平經今注今譯》河北：人民出版社，2002年，頁170。

人有四窮而不行善，死後會受到地府的刑問，變成「愁苦鬼」；行善則成為「樂遊鬼」。東漢末，地府受刑之說出現。

〈四行本末訣〉指出大善之行與大吉後果，大惡之行與大凶後果，不善不惡與不凶不惡，一善一惡無常之行與吉凶莫測的後果。[17]《太平經》已開始界定善惡之報。

《抱扑子》亦言：

> 人欲地仙，當立三百善；欲天仙，立千二百善。若有千一百九十九善，而忽復中行一惡，則盡失前善，乃當復更起善數耳……又云：積善事未滿，雖服仙藥，亦無益也。[18]

要求成仙，亦必須行善，否則沒法有成就。

至於佛教的因果論，可從傳入中國第一本經《四十二章經》理解一二，《四十二章經》：

> 佛言。眾生以十事為善，亦以十事為惡。何等為十？身三、口四、意三。身三者：殺盜婬；口四者：兩舌惡口妄言綺語；意三者：嫉恚癡。如是十事，不順聖道，名十惡行。是惡若止，名十善行耳。[19]

佛以身、口、意十惡為人常犯的錯誤，若不行十惡，即為十善，又載：

> 佛言。人有眾過，而不自悔，頓息其心，罪來赴身，如水歸海，漸成深廣。若人有過，自解知非，改惡行善，罪自消滅，如病得汗，漸有痊損耳。[20]

行惡則有過，有過則罪來赴身，是因果報應的觀念。佛甚至舉例，人所作因，如向天吐涎，必自受。因果之間，必有緣，因此又稱因緣果。意思是有因，但必須緣熟，果才出現。可以報於今，可以報於來世，今所受之果，俱緣於前世之因，故又稱「三世因果」。

其後，佛教各經典傳入中國，綜合小乘佛教的理論，可分為六因五果[21]：能作因、

---

17 同上註，頁215-220。

18 王明：《抱扑子內篇校釋（增訂本）》北京：中華書局，2002年，頁53。

19 竺法蘭譯：《佛說四十二章》，見國際文化出版社編：《佛教十三經》北京：國際文化出版社，1993年，頁126。

20 同上註。

21 一、能作因，又名所作因、隨造因，即某物生時，凡一切不對其發生阻礙作用之事物，皆為某物之能作因，其範圍至廣。二、俱有因，又作共有因、共生因，為俱有果之因，即輾轉同時互為因果者，又稱共因，是指心與心所更相佐助，如兄弟同生互相成濟。三、同類因，又作自分因、自種

俱有因、同類因、相應因、遍行因、異熟因、異熟果、等流果、增上果、士用果、離繫果。

道教的因果觀，發展至宋、明期間，道教的因果觀受到佛家的深遠影響，宋朝的〈太上感應篇〉載三尸神每到庚申日，便向天曹言人功過，又認為三尸神會向灶君報說記錄，而灶神則稟報上天。三尸就是業力的因：善念、惡念、執念；而業力就是果。[22]道教成道要靠三種方法：

1. 以力證道
2. 斬三尸
3. 功德成聖

斬三尸了斷因果，就是其中成道的一種法門。三尸寄託在人的三魂七魄之中，所生的果與業，輪回也不消去。這種理論又明顯與佛教法相宗的輪回理論相似。法相宗認為人除眼、耳、鼻、舌、身、意六識外，尚有末那識和阿賴耶識，而潛藏在第八識中的業，會隨著人的輪回而不去。法相宗創立於唐朝，初祖為玄奘法師，而〈太上感應篇〉流行於宋代以後，相信內裡所論，或多或少受法相宗影響。發展至現代，〈太上感應篇〉的內容常被佛教諸賢引用說明輪回報應。修煉必須行善，否則服食仙藥也沒有功行。[23]

其中行善，又以忠、孝、和、順、仁、信為本：

> 欲求仙者，要當以忠、孝、和、順、仁、信為本。若德行不修，而但務方術，皆不得長生也。……人欲地仙，當立三萬善；欲天仙，立千二百善。[24]

因，是指過去與現在之一切有漏法，以同類相似之法為因，故稱同類因，如善法為善法之因，乃至無記法為無記法之因是。四、相應因是指認識發生時，心及心所必同時相應而起，相互依存，二者同時具足同所依、同所緣、同行相、同時、同事等等，故稱相應因。五、遍行因，又稱一切遍行因，是指能遍行於一切染汙法之煩惱而言，此遍行因由心所中之十一遍行生一切之惑。六、異熟因，又稱作報因，乃指能招致三世苦樂果報之善惡業因，這些善惡業因能招善惡之果，因果異類而熟，故其因稱為異熟因，其果稱異熟果。七、異熟果，異熟果，即以惡業招來世三惡之苦果，以善業招來世人天之樂果。苦樂之果性，皆為無記，與業因之善與惡之性異。自六因中之異熟因而來。八、等流果，又作依果、習果。依前之善心而轉生後之善心，依前之噁心而益生後之惡業，依前之無記而生後之無記，等於果性因性而流來者。九、增上果，即因助而生增上緣，依增上緣所得的結果。又指能作因所得的結果，即依助業之增上力所生的結果，亦即藉業餘勢而顯現的結果。十、士用果，又作士夫果、功用果，係五果之一。謂由士夫之作用所得之果。「士」謂「士夫」，指人，「用」謂「作用」，指造作，此謂人使用工具所造作之各類事情，實指「俱有因、同類因」所引起之果，因其力強，故稱為士用果。十一、離繫果，依涅槃之道力而證之者。涅槃離一切之繫縛，故云離繫。此法常住，非自六因而生者，唯以道力而證顯，故雖與以果之名而非對於六因之因體。資料來源維基百科：〈zh.wikipedia.org/zh-tw〉（瀏覽日期：2016年12月15日）。

22 〈太上感應篇〉，http://www.bfnn.org/book/books/0477.htm。

23 王明：《抱朴子內篇校釋（增訂本）》北京：中華書局，2002年，頁53。

24 《抱朴子內篇．對俗》。

《道教義樞》卷三《因果義》引靈寶經說：「善惡報應，正由心耳。」因果觀念是道教推行善道教化，勸善行善的思想基礎。可是，道教繼承中國傳統強烈家族觀念，個人是「小我」，家族是「大我」。每個人的功德是與過去世父母有關，亦影響後世的子孫。《太上洞玄靈寶三元品戒功德輕重經》有解釋生者與死者之間的關係：

> 道君稽首敢問天尊：功德輕重，拔度階級，高下次第，何者為先？先世負重責，為止一身，為流及子孫。己身行惡，為身自受報對，為上誤先亡。如今所見百姓子男女人，見世生身，充受塗炭，百苦備嬰，不能自解。又見死者形魂憂惱，流曳三途五苦之中，長河寒庭，風刀萬劫，不得解脫。經傳或云先身行惡，殃流子孫。或云己身罪重，上誤先亡。或云善惡各有緣對，生死罪福各有命根。如此報應善惡緣對，則各歸一身，不應復有延誤之言。又云自非功德拔度，先世謫魂則無由解脫。功德既建，則生死開泰。若各有緣對，行惡之者，死則長淪萬劫，長繫幽夜，何緣復得建此大功，以自拔贖。若子孫建功，上為亡者，則與延誤，理無復異。愚情淺狹，所未能了。[25]

其中「經傳或云先身行惡，殃流子孫。或云己身罪重，上誤先亡。」正好反映這種家族血脈相聯的關係。

自漢代佛教思想流入中國，與本土儒、道兩家思想常有衝突，發展至明代，三家基本上互相融和，各攝所長。

綜括儒、釋、道三家的因果觀最大差別是，儒家勸人積善，是以善待人，人必以善待之。理論是基於融洽的社會人際關係，會帶來合理的對待，例如提出「人之有技，若已有之；人之彥聖，若已有之」的大我思想，及相信人性有向善的動力；釋教是自承因果，很難有替代者；而道教是祖上積德，自己也要行善，才避免惡果，無疑是將個人，擴展至整個家族。「三言」甚多故事涉及因果，本章所選故事，均足以反映中國的民間宗教觀念及信仰。

〈鬧陰司司馬貌斷獄〉（《喻》三十一）最能顯現中國傳統的因果觀，故事記載司馬貌到陰司處理一件千古難斷的案件，是漢初劉邦、項羽、彭越、韓信、英布等諸人的恩怨情仇，糾纏不清。這些風雲人物，轉世為劉備、關羽、孫權、曹操等，各隨因緣，重新再會一次，一報前世善惡行為。說明中國的因果觀念，受佛家影響至深，所謂「萬般帶不走，只有業隨身」，縱然糾纏數百年，亦步亦趨，必然出現。

〈遊酆都胡毋迪吟詩〉（《喻》三十二）記載胡毋迪在陽間不知因果，常埋怨仕途不

---

25 太上洞玄靈寶三元品戒功德輕重經。撰人不詳，約出於東晉，原出於《靈寶經》章節，單行為一卷。網址：〈http://ctext.org/wiki.pl?if=gb&chapter=214533〉（瀏覽日期：2016年12月16日）。

濟。直至遊酆都，始知萬事因果不爽，越王錢鏐第三子，是後世的趙構，滅宋一半江山。其餘如歷代宦官、奸臣等，在陰間受盡酷刑，死而復甦，甦而受刑至死等慘報，再次說明在世的榮華富貴，若得之不義，將受地獄之報，內容甚具勸善功能。

酆都是道教的地獄的司法機關，陶弘景的《真靈位業圖》列「酆都北陰大帝」在神階第七。道教負責陰界的掌司還有東獄大帝，與酆都大帝功能甚近。道教的地獄觀與佛教五百地獄的概念，非常接近，都是生前作惡，死後受刑。

佛道的因果觀念，在民間的信仰發展過程中，逐漸互相融和。我們且不討論宗教的真實性，只談宗教的效能。法國社會學家涂爾幹（E. Durkheim）認為在日常生活中，人們沒有可能不與其他人共同分享自己的道德信仰，在互動的情況下，建立一定的道德標準，這樣可稱為「集體意識」。[26]同樣地，因果報應，當中應包括輪回轉世，三世因果等觀念，普遍流傳在中國人的意識中。若信以為實，則會提升其道德行為，在某角度來看，有些行為無非是害怕惡報而不敢作，但的確令社會有共同的道德信仰行為不至於「太過分」。故大部分社會學家，是不會輕視宗教的社會功能。當然，馬克斯（K. Marx）[27]認為宗教思想是民眾精神鴉片，亦有他的理據。

三　「三言」與惡報

〈呂大郎還金完骨肉〉(《警》五)，開首有一詩：

> 毛寶放龜懸大印，宋郊渡蟻占高魁。世人盡說天高遠，誰識陰功暗裡來。

內文記載兩個典故，一是毛寶，二是宋郊。毛寶是晉朝大將，豫州刺史，據說毛寶見漁民捕獲白色龜，心生憐憫，購買白龜並放回江中，後因此功德，屢獲遷升，至豫州刺史。[28]最後守邾城戰敗溺死。第二個故事是記載宋代宋郊因見大雨將毀蟻洞，恐傷無數蟻命，因此編竹成橋而救蟻。後考科舉，中狀元，原名次應為他弟弟宋祈將得，太后認為弟在兄前，不合禮度，以兄為狀元。[29]

兩段故事都是說明，做「好事」，將會有「好報」。若以比例而言，「三言」內的故事惡報較多。

---

26 M. Haralambos & M. Holborn, *Sociology: Themes and Perspectives* (London: Collins Educational, 1991), p.648.（原文是英語，由筆者翻譯）

27 馬克斯認為宗教是社會思想的鴉片，麻醉人類對現實不滿的情緒，使之默然承受所有不公。

28 〔明〕楊臣諍：《龍文鞭影．四支》。

29 事見〔明〕涂時相：《養蒙圖說》。

(一)毒害的果報

〈呂大郎還金完骨肉〉(《警》五)卷首開端即引浙江嘉興金鐘事，說明因果報應之不爽。金員外與妻單氏老來得子，家道殷實。只這金員外一毛不拔，好利自私。其妻常布施善物與鄰近福善庵，金鐘得知，竟布施毒餅與庵內僧眾。最後，竟毒死自己兩個兒子，金鐘後悔不已。事末記有一詩，以言因果：

> 餅內砒霜那得知？害人番害自家兒。舉心動念天知道，果報昭彰豈有私。

〈太上感應篇〉首句就是:「禍福無門，惟人自召；善惡之報，如影隨形」,更說出有三尸神將善惡之行告之天界，由天界定奪。〈太上感應篇〉:

> 又有三尸神，在人身中，每到庚申日，輒上詣天曹，言人罪過。月晦之日，灶神亦然。凡人有過，大則奪紀，小則奪算[30]。

據以上所論，則金員外的果報，是天界諸神對他的懲罰。行善者必有善報，行惡者必有惡報的觀念，已根植在普遍中國人的內心。

這裡，我們看到的報應是報在兒子身上，因父的慳吝而喪失生命，似乎不合理。可是，以中國傳統家族觀念本看，這是對當事人最大的懲罰。《孝經》云:「不孝有三，無後為大」。故事的情節，亦符合傳統中國人的思想,「積不善之家，必有餘殃」的觀念。家族是「大我」,每個個體只是家族中的一部分。

(二)失信的果報

〈計押番金鰻產禍〉(《警》二十)計押番釣得金鰻，金鰻開口說若加害於己，卒令計家死於非命。計押番帶金鰻回家，計妻誤殺金鰻，玆後引出多人喪命。內文所涉惡行包括貪色、嫉妒、謀財害命等，所有涉及惡行的人物都得到應得的報應。其中以詩記載：「善惡到頭終有報，只爭來早與來遲」這種「遲早有報應」的思想，其實亦普遍存在現代中國人的心內。直至現在，中國人遇到不平的事，多以此論作為安慰。又有詩記：

> 李救朱蛇得美姝，孫醫龍子獲奇書。勸君莫害非常物，禍福冥中報不虛。

---

30 〈太上感應篇〉全文：http://www.bfnn.org/book/books/0477.htm。

此詩是勸喻世道人心，對非常之物應加愛惜，切莫無端殺害。行善必有好報，行惡之報只在遲或早而已。

作者在文末再次解釋為何殺一鰻，而引發多條性命，似乎此報報得過分。作者說：

> 只合計押番夫妻償命，如何又連累周三、張彬、戚青等許多人？想來這一班人也是一緣一會，該是一宗案上的鬼，只借金鰻作個引頭。

最終的解釋是「各有各因緣」，金鰻只是個引頭。這種說法，近似佛家的因緣論。因果之間必須有緣，即因成了，要有緣才有果出現，故有三果：現果、來果及後果。現果指現世即報的果，來果指來生報的果，而後果是指多生以後所出的果。此故事中的果報，除計氏夫婦因殺金鰻所得的果報是現果外，其餘的因都不涉及金鰻，在此情況下，金鰻只是他們果報的緣。

（三）壞名節的果報

中國女性甚重名節，在傳統道德觀中，敗壞女子名節是極惡行。自漢朝劉向《列女傳》出，〈貞順〉一章讚揚多位女性，這樣，「貞順」就成為中國婦女美德之一。發展至宋朝，程頤所說「餓死事小，失節事大」的理論出現後，殉夫及從一而終的風氣漸盛。明太祖刻意推行貞一思想，明清兩代的婦女，幾將貞節視為宗教，不可侮犯。故在「三言」中有關壞人名節事，亦必得惡報。

〈呂大郎還金完骨肉〉：

> 次日天明，呂寶意氣揚揚，敲門進來。看見是嫂嫂開門，吃了一驚。房中不見了渾家，見嫂子頭上戴的是黑髻，心中大疑，問道：「嫂嫂，你孀子那裡去了？」王氏暗暗好笑，答道：「昨夜被江西蠻子搶去了。」呂寶道：「那有這話？且問嫂嫂如何不戴孝髻？」王氏將換髻的緣故，述了一遍。呂寶捶胸只是叫苦，指望賣嫂子，誰知倒賣了老婆！江西客人已是開船去了，三十兩銀子，昨晚一夜就賭輸了一大半，再要娶這房媳婦子，今生休想。（《警》五）

文中有一詩：「本意還金兼得子，立心賣嫂反輸妻。世間惟有天工巧，善惡分明不可欺。」這是自食其果的報應，要賣守節的嫂嫂，卻將自己妻子賣掉。

小說之所以具有宗教勸善的功能，據周策縱先生分析，小說原有「勸說、說服或說得聽的人高興喜悅」。[31]這種情節的確令讀者有「喜出望外」的感覺。

31周策縱：〈傳統中國的小說觀念及宗教關懷〉，收在《文學遺產》，第五期，1996年。

另一故事〈陳御史巧勘金釵鈿〉(《喻》二)記梁尚賓冒魯學曾身分，向顧阿秀騙財騙色。後來，顧阿秀自盡，梁尚賓挾資離去。後得陳御史識破，將梁發還本縣監候處決。梁妻田氏因顧阿秀鬼魂上身，令孟夫人收其為義女，並改嫁魯學曾。魯入贅顧家，承受顧家家私，繼嗣兩姓，而梁尚賓一脈無繼。

此果報甚烈，梁尚賓冒名奪人貞操，使顧阿秀自殺。後更挾資做生意，露出破綻，而被定罪。除世間司法判刑外，上天更令其絕嗣。中國傳統思想，無後是一大慘報。據此，則梁的報應，是合乎傳統的天理，其報當劇。

(四)劫殺的果報

〈蘇知縣羅衫再合〉(《警》十一)記蘇雲往金華府蘭谿縣赴任，途上遇徐能劫殺。蘇雲在海上漂流，被陶公救回。妻鄭氏懷孕，被徐用救出，逃難中，近婢朱婆殉主。鄭氏誕下嬰兒後出家。徐能追之，以為天賜兒子，抱回撫養，改名徐繼祖(蘇泰)。十九年後，繼祖遷御史，鄭氏出狀紙告徐能。繼祖查探之後，得知自己身世。為父復官，並重判當日強盜。

蘇泰得知自己身分後，判當日劫殺罪犯徐能、趙三、楊辣嘴、沈鬍子、姚大等死刑。文末以詩記曰：

> 月黑風高浪沸揚，黃天蕩裡賊倡狂。平陂往復皆天理，那見凶人壽命長？

殺人劫貨，十九年後受報，但故事有一事矛盾：徐能害蘇家父子分離，但始終將蘇泰養育成材，且得功名，此因果沒有交代。

(五)不報恩的果報

〈桂員外途窮懺悔〉(《警》二十五)記桂富五賣田經商失敗，遇施濟得子欲酬神恩。將三百兩銀交與桂生，並將桑棗園及四十畝送給桂氏夫婦。後桂生在銀杏樹下得銀，回鄉買田地。後施家家道中落，到桂家救助，受盡白眼並拒認婚事。元末，天下大亂，桂生又受尤滑稽所騙，失去錢財。後，夜來得夢，知其妻及二子轉生為犬，終信輪回之報。桂遷覺悟，將女嫁與施濟為妾。己則誠心向佛。

當日桂富五落拓，得施濟資助而中興家園，夫妻曾在水月觀音殿起換誓：「今生若不能報答，來生誓作犬馬相報」。最後，桂妻及二子俱轉世為犬，而自己有夢，亦變為犬在施濟妻前討食。心生後悔，自此信佛。

此章言及畜生之報，是本書其他篇章沒有言及。佛家認為輪回有六道，上三道是天、阿修羅、人；下三道是畜生、餓鬼、地獄。當然，輪回下三道，的確是惡報。桂妻所起的誓，最終實現，轉生畜道，有點「不輕言諾」的味道。

在「三言」故事中，多提及的都是現報，主要是損壽折福，但此節很明確指出輪回為畜生的惡果。由此推論，明代的道教思想與佛家思想已有相當程度的融和，甚至無甚差別。

（六）貪色、行淫的果報

〈喬彥傑一妾破家〉(《警》三十三）記喬俊往東京賣絲，在南京上新河遇建康周巡檢新亡，家小扶靈回山東。喬俊戀上其小妾春香，納之為妾，其後喬俊女兒、周氏與董小二通姦。喬往外做生意失敗，回家後知道娘子、小娘子及女兒因董小二被殺，身死於牢裡。喬一無所有，投河而死，並魂附王青身，以報此仇。

中國傳統上納妾並非是好淫行為，此章所指，是喬俊不應在新喪人家，納人為妾，令人有種強迫感覺。此類的果報，又與中國家族觀有關，納人之妾為妾，已女被誘姦，破壞名節。上文已討論過，名節在明代被視為神聖不可侵犯。喬女被誘姦，對喬俊來說，是極大的報應。

文末記喬俊一無所有，投河而死，鬼魂上王青身報仇。內文這樣記載：

> 只見王青打自己巴掌約有百餘，罵不絕口，跳入湖中而死。眾人傳說此事，都道喬俊雖然好色貪淫，卻不曾害人，今受此慘禍，九泉之下，怎放得王青過！這番索命，亦天理之必然也。後人有詩云：喬俊貪淫害一門，王青毒害亦亡身。從來好色亡家國，豈見詩書誤了人？

從上文可知，作者亦認為喬俊沒有害人命，只是貪色，以致全家受罪，所報甚烈及不公，對此亦寄予同情。故有附身王青，為己報仇的事情發生。此章所提出的觀念是，貪色的果報，其大者可亡家。

〈月明和尚度柳翠〉(《喻》二十九）載柳宣教怪責玉通禪師不來參見，使歌妓吳紅蓮用計破玉通戒身。玉通知道真相後，入滅轉世為柳宣教女兒柳翠，並身入妓院，賣身渡日，以破壞柳宣教的家聲。柳宣教以色淫破玉通禪師戒身，玉通亦以女身敗其家聲，可算是以惡報惡。後由法空長老接引，見月明和尚，月明三喝柳翠，令其往水月寺。柳翠洞悉因果，即夜坐化。

我們可從上列故事知道，明代社會普遍是重視貞節，故視貪色行淫是道德上的一大缺失，故果報亦非輕。

四　「三言」與善報

（一）錯行善行的果報

〈老門生三世報恩〉（《警十八》）記蒯遇時愛少賤老，鮮于同五十七歲尚未中舉。蒯偶選鮮于同為首卷，後悔不已。考禮經一節，蒯原想選個後生年輕的，誰知又是選中鮮于同。會試鮮于同因夢改選詩經，蒯遇不批禮經，以避鮮于同，卻又選了鮮于同為第十名正魁。蒯遇得罪劉吉，得鮮于同幫助，得輕判。蒯氏家鄉爭墳地，亦得鮮于同公正處理。其後更力薦蒯悟神童，三代報恩。

此章情節十分吸引，合乎小說創作中的「偶合」情節。蒯遇所得的果報，幾乎是想像之外。當然，這與鮮于同的性格，他是有恩必報的人。但這種果報，在佛教亦有言及。佛言六度波羅密：布施、持戒、忍辱、精進、禪定、般若。其中布施的福報很大，蒯遇無意提攜了鮮于同，可算是布施，佛言「應無所住生其心」布施，當然，蒯遇的布施是全無善意的，其福報大，可說是道教的「陰德」。

文末有詩記曰：

利名何必苦奔忙，遲早須臾在上蒼。但學蟠桃能結果，三千餘歲未為長。

將所有的福報交與上蒼，明顯的宿命論。無疑，故事發出訊息是，只要行善，無論有心或無心，只要是善行，必得善果。

（二）贈金的果報

〈桂員外途窮懺悔〉（《警》二十五），上文已提及此故事，本節所論是另外一位主角施還，其父施濟曾助桂富五起家，施還家道中落，投靠桂家而遭冷落。其後，得岳丈支公協助，追回故家田產，又在銀杏樹下發現一千五百兩，從此家道中興。相對桂家破落，妻兒轉世為犬，成強烈對比。

最後，桂遷更將女嫁與施濟為妾。正室與妾侍的地位，在古代是有天壤之別，這裡特標明「嫁與施濟為妾」，是有點惡報成分。

（三）還妻的果報

〈蔣興哥重會珍珠衫〉（《喻》一）記廣東潮陽知縣吳傑已納三巧兒為妾，卻在合浦縣重遇蔣興哥。當時蔣牽連官司，得吳知縣查實其無罪，又將三巧兒重配蔣興哥，慷慨還妻。其後「此人（吳縣主）向來艱子，後行取到吏部，在北京納寵，連生三子，科第不絕，人都說陰德之報，這是後話。」(《喻》一)

雖然是小功，卻得到意想不到的回報。最重要的是，傳統上「無子嗣」是家族的遺憾。這裡說連生三子，很明顯是表彰行善，及說明積善的果報。

五　結論

故勿論因果報應觀念是否迷信，在一定程度上，這觀念推動了社會的向善心態。儒家思想的報應觀，是從大處著眼，涉及整個家族的利益，甚至國家，故有「國之將亡，必生妖孽」的理論。所謂「積善之家，必有餘慶」，亦是從這種「大我」觀念而出。中國文化中，往往淡化個人的利弊，而涉及群體。道教亦然，每個人的功德，是與過去世父母的行為有直接關係，合乎中國的傳統觀念。反觀佛教的因果觀，主張「自作自受」，與人無尤。明清以後，佛道的因果觀，已沒有太大的界線，總之就是有報應。

「三言」故事中，完全沒有回教及基督教的紀錄。這點可以反映，回教和基督並不普遍，至少在民間並不流行。

書序文與小說、戲曲的繁榮

——以王世貞及其周邊文人為中心

王潤英

清華大學人文學院

小說和戲曲作為遊藝末途在明初長期被壓制，到了十六世紀，因為世人的追捧等因素，二者的狀況大有改觀。然而需要區別的是，受到社會上下的歡迎並不等於小說和戲曲從此便擺脫了「小道」「末流」的地位，更不能以此說明世人的觀念已經完全扭轉，不再輕視它們。事實上，小說和戲曲長期以來小道卑體的地位某種程度上還深刻地影響著世人的價值認定。換句話說，小說和戲曲在十六世紀的處境相當微妙。一方面，它們對整個社會有著強大的吸引力，正在蓬勃發展；另一方面，它們又擺脫不了低微的地位，仍會遭到世人的鄙薄和質疑。

此時，以文壇領袖王世貞（1526-1590）為中心，聚集了一大批文人，其中就有不少小說和戲曲的行家裡手，比如屠隆（1543-1605）、梅鼎祚（1549-1615）、張鳳翼（1527-1613）等。他們不僅創作小說、戲曲，還為小說和戲曲撰作了大量的書序文。如果小說、戲曲創作尚可以被認為是文人閒暇時的遊戲之作，那麼書序文作為一種嚴肅文體，當其書寫對象是可能遭受鄙薄和質疑的小說和戲曲時，書序文作者勢必需要費更多思量。因此，本文擬從王世貞及其周邊文人的小說、戲曲序入手，考察十六世紀的文人們面對其時充滿魅力而又地位尷尬的小說和戲曲，如何展開序文的書寫，而書序文這種文體的介入又將對小說、戲曲在明代的發展產生怎樣的作用。

一　認同焦慮下的地位之辯

十六世紀的小說和戲曲在藝術上的魅力毋庸置疑，而致使小說、戲曲仍然陷於尷尬境地歸根結底在於它們受世人鄙薄的地位。在王世貞及其周邊文人中，除王世貞外亦不乏文學和社會地位甚高的大家名流，如王錫爵（1534-1610）、李維楨（1547-1626）等，他們在為小說、戲曲撰作書序文時是否會存在身分的負擔，憂心自己為小說、戲曲作序而有失其身分？是否正是因為這種身分和形象的負擔而會選擇在書序文中一再為自己辯護和開脫？這類問題已然成謎。但可以肯定的是，王世貞及其周邊文人顯然都不約而同地自覺在書序文中展開了關於小說、戲曲的地位之辯，表現出對小說、戲曲能否獲得世人認同的焦慮。我們發現，王世貞及其周邊文人這種認同焦慮下的地位之辯，投射在其序文的書寫實踐中確有著策略上的苦心經營，具體而言，大致呈現出以下三種方式。

（一）以正面論辯爭取地位

面對一種質疑，最直接也是最激烈的反應形式便是針對對方的觀點迎面反駁，毫不躲閃而針鋒相對地與對方辯論。就小說、戲曲而言，對方抱持的基本觀點在於認為小說、戲曲始終是「小道」「末流」，因此，王世貞及其周邊文人在書序文中的辯論也就由此展開。

王世貞年少時曾於吳中得《世說新語》善本一部，私心愛之，但每次閱讀都遺憾於該書僅記錄了自後漢到晉代之事。後來他竟無意中又得到了由何良俊所撰、將書中內容衍至元末的《何氏語林》。在仔細比對兩書後，王世貞去掉二書中重複的部分，訂正錯出，並梳理文辭使其歸於雅馴，將它們合編成《世說新語補》，並於嘉靖三十五年丙辰（1556）自為之序。[1]這篇書序文在介紹編書經過外，王世貞特別於文末針對小說的地位問題論道：

> 宋時經儒先生，往往譏謫清言致亂，而不知晉、宋之于江左一也，驅介胄而經生之乎，則毋乃驅介胄而清言也，則又奚擇矣！[2]

這裡的「清言」即指《世說》這類清言小說，宋代那些自認為經學才是正途的經儒先生們，總是指摘清言會導致國家混亂，但是他們不知道善清言的晉、宋和善經學的江左其實本就是同一群人，既然如此，倡言驅逐介冑而經生者和驅逐介冑而清言者，又有什麼分別呢？

雖是直接的迎面辯論，但王世貞在這裡用到了言語反諷，在佯裝承認對方的前提下，由對方觀點推出荒謬的結論反詰之，給對方以沉重的打擊，這是論辯中經常使用到的一種智辯技巧。王世貞此處言辭中雖是針對宋時的經儒先生，實則以類比的方式將矛

---

1 《四庫全書總目》云：「良俊《語林》三十卷，於漢晉之事全採《世說新語》，而他書以附益之，本非補《世說新語》，亦無《世說補》之名。淩濛初刊劉義慶書，始取《語林》所載，削去與義慶書重見者，別立此名，托之世貞，蓋明世作偽之習。」認為王世貞《世說新語補》為偽作，但是由於此篇〈世說新語補序〉被收入了王世貞自己編定的《四部稿》中，而王世懋所撰另一篇〈世說新語補序〉中亦記：「家兄嘗併《何氏語林》，刪其無當，合為一編」，故本文取《世說新語補》及其序之作者為王世貞一說。

2 〔明〕王世貞：《弇州山人四部稿》，卷七十一，萬曆間世經堂本。

頭指向當時可能對《世說》這部小說持有偏見、指指戳戳的頑固迂腐之人。這就等於告訴世人，記述士大夫玄學言談和軼事的小說《世說》並非洪水猛獸，它完全可以作為可讀可賞的雅士讀物。當然，順照這個邏輯，王世貞愛好《世說》、編《世說新語補》並為之撰序，這些行為也就完全合乎其文士身分，沒有什麼可被質疑的地方。

萬曆十七年己丑（1589）孟冬，汪道昆（1525-1593）為《水滸傳》撰序，或許顧及身分地位，他表現出了比較謹慎的態度。[3]首先，汪道昆在這篇書序末尾，既不署本名也不署其常用別號如「南溟」、「太函」和「高陽生」等，而署「天都外臣」。並且，汪道昆在其親自編定的文集《太函集》中也未收入此篇書序文。然而即便如此小心，他在序文裡仍不忘為《水滸傳》辯護：首先，針對那些認為《水滸傳》乃齊東之言，付梓此書只是徒為木災的「正襟而語者」，汪道昆直接以「諸君得無以為賊智而少之耶？」反詰。隨即又引《易經》所言「竊鉤者誅，竊國者侯」，且擺出事實比較宋江等人和蔡京、童貫等人，指出前者不過是竊鉤者耳，後者才是真正的竊國大盜。接下來，汪道昆進一步鋪排了吳用善於運籌帷幄，柴進能夠廣接納，宋江有統帥之才等內容，說明總的來看，梁山這些人雖然掠人金帛，但不虜人子女；剪除貪墨者而絕不戕害良善。他們有著俠客的風範，不能將這一百〇八人募而為國效力，實在是朝廷之失。

應該說，以上汪道昆從《水滸傳》的內容出發而論，其實已經頗具說服力了，但是在序文末尾卻又作如下書寫，似乎仍舊不能放下對這部小說能否得到世人認同的焦慮。

> 或曰：「子敘此書，近於誨盜矣。」余曰：「息庵居士敘《豔異編》，豈為誨淫乎？《莊子・盜蹠》，憤俗之情；仲尼刪詩，偏存《鄭》《衛》。有世思者，固以正訓，亦以權教。如國醫然，但能起疾，即烏喙亦可，無須參苓也。」[4]

汪道昆設想自己為《水滸傳》作序可能遭受質疑，以「或曰」的方式直接提出來，先樹立一個虛擬的靶子以展開辯護。他說自己撰作這篇書序文，絕不是要教導世人成為盜賊，正如息庵居士為《豔異編》作序並非要教導世人淫亂一樣。如此以息庵居士作同盟，保護其論辯不至於孤立無援。接下來他又引出《莊子》的成書經過和孔子刪詩之事，皆出於同一思路。汪道昆說，《莊子》中存〈盜蹠〉篇是為了表達憤俗之情，孔子

3　自沈德符：《萬曆野獲編》，卷五〈勳戚・武定侯進公〉最早指出「今新安所刻《水滸傳》善本，即其（郭勳）家所傳，前有汪太函〈序〉，託名天都外臣者。」近代以來，經徐朔方：〈關於張鳳翼和天都外臣的〈水滸傳序〉〉，《徐朔方集》杭州：浙江古籍出版社，1993年，頁614。到吳曉鈴：〈漫談天都外臣序本《忠義水滸傳》〉、汪效倚：〈關於天都外臣——汪道昆〉，到金寧芬：〈關於汪道昆的幾個問題〉等文章，再到最近胡益民：〈從語詞運用看〈天都外臣序〉作者問題〉，（《中國典籍與文化》，2008年第2期），天都外臣即是汪道昆這一結論已為學界所普遍接受。

4　朱一玄、劉毓忱編：《水滸傳資料彙編》天津：南開大學出版社，2002年，頁169。

刪詩而獨存〈鄭〉、〈衛〉，亦為諷喻和規訓。如果這本《水滸傳》對於治理國弊有益，那麼它即使是一部小說又有何礙呢？至此，汪道昆在序文中的論辯方法上可謂多管齊下，與世人可能質疑的眼光反覆論辯，歸根到底，不僅為自己替小說作序的行為而辨，更是為小說受鄙夷的地位而辯。

無論性情或是行止，張鳳翼在王世貞及其周邊文人中頗為狂誕特立。他於嘉靖四十三年甲子（1564）中舉後便屢上春宮不第，在萬曆五年丁丑（1577）落榜後更是絕意科舉，開始了家居生活，公然明碼標價，鬻書自給。[5]張鳳翼好戲曲，亦能自度曲，常常自朝而夕嗚嗚不離於口。在戲曲的創作上也成績斐然，從少年時代就創作有傳奇《紅拂記》，到七十七歲時還作《平播記》，一生共製傳奇七種。他還曾粉墨登場，與其次子合演《琵琶記》，自飾蔡伯喈，其子扮趙五娘，引觀者堵門而不以為意。按說，如此不羈的張鳳翼應該比王世貞、汪道昆等名流更少身分的負擔，更不會理睬世人的眼光，可是一旦為小說、戲曲作序，他卻也總免不了主動在文中為小說、戲曲的地位而爭。

萬曆二十八年庚子（1600），張鳳翼曾為當時新刻合併的《西廂記》作序，在這篇序文中，有一段精彩的辯駁：

> 吾夫子與顏氏子斟酌禮樂，既矢口曰「放鄭聲」，而《鄭》《衛》之淫風，如所謂男悅女、女惑男之辭，較然布諸方策，與三百篇共著。余嘗睹逸詩之散見於雜軼中者，多微言警句，彼之是刪，而顧此之久存，何無倫耶？自古載籍極博，皆為君子之畏聖言者設，不為小人之侮聖言者為宣淫導欲之資也。蓋善者感發善心，惡者懲創逸志。然惟君子為能感發，亦惟君子為能懲創……然惟君子能觀象玩辭，知其如此則往吝，如此則居貞，如此則悔止。若小人則想像其形容，而求與之皆焉耳，惡知悔，惡知吝，又惡知有吉而居之哉！知此道者，可與口《西廂》、目《西廂》，雖日日而口之，而目之，亦何害己。[6]

對於《西廂記》這部歷來被世人目為「導淫縱欲」的作品，和汪道昆類似，張鳳翼首先以「孔子不刪〈鄭〉、〈衛〉」為依據，從聖人處借來資源以肯定《西廂記》的存在價值。不僅如此，接下來，他更巧妙地換了一種思維方式：不從《西廂記》本身，而將論辯的著力點放在《西廂記》的閱讀對象上。張鳳翼認為，《西廂記》是否為宣淫導欲之資，其決定因素實際在於其讀者。如果讀者是君子，那麼在閱讀《西廂記》時就會有所感發，領會到其中的勸懲大義；但如果讀者不僅非君子且是小人，那麼他閱讀到的自然

5　〔明〕沈瓚：《近事叢殘》云：「張孝廉伯起，文學品格，獨邁時流，而恥以詩文子字輸，結交貴人，乃榜其門曰：『本宅紙筆缺乏。凡有以扇求楷書滿面者銀一錢，行書八句者三分。特撰壽詩壽文，每軸各若干。』人爭而求之。自庚辰至今三十年不改。」北京：廣業書局，1928年，頁29。

6　吳毓華編：《中國古代戲曲序跋集》北京：中國戲劇出版社，1990年，頁108-109。

也就是輕諾詭謀、杯酒釀奸和縱情肆欲之屬了。在這篇序文裡，為說明《西廂記》的「無辜」，張鳳翼幾乎用了三分之二的筆墨闡釋並列出各種論據，反覆強調，與世人「小道」「末流」之類的質疑正面論辯。

事實上，正是因為直接而正面，張鳳翼的這種論辯常常容易表現得非常激烈，比如在其所撰〈水滸傳序〉裡，他就針對世人認為《水滸傳》乃「誨盜」「彌盜」之書的看法，連發三問：

> 茲傳也，將謂誨盜耶，將謂彌盜耶？斯人也，果為寇耶，禦寇者耶？彼名非盜而實則盜者，獨不當彌耶？[7]

《水滸傳》果真是教人為盜、號召平息盜賊之書嗎？宋江等人果真就是賊寇嗎？而蔡京、童貫等名義上雖不是盜賊實為竊國大盜之徒，卻獨獨不該被懲滅嗎？此三問一出，讀者猶可見張鳳翼戟指怒目之態，在論辯氣勢上令對方難以喘息，讀之，有虎虎生氣！張鳳翼指出，《水滸傳》作者著這部小說，其實和孔子著《春秋》一樣，都有著「禮失而求諸野」的無奈。此書不僅不是「誨盜」之書，讀後反會大快人心。

（二）以功用論替代地位論繞道而行

以正面論辯的方式為被視作「小道」、「末流」的小說和戲曲爭取地位，可能是最具針對性和最具論辯精神的一種書寫選擇。然而就其最終可以達到的效果而言，我們不禁要問，它是否是最理想的選擇？有沒有其他的途徑或方法？對此，王世貞及其周邊文人在為小說、戲曲撰作書序文時，採取了另一更為機巧的方式——以功用論替代地位論。具體來講，即序文作者在撰序時並不談小說、戲曲的地位問題，或者說故意繞開這個核心障礙，而將著墨點放到談小說、戲曲為讀者以及社會等帶來的功用和價值。這就好比使用障眼法，先將讀者的注意力吸引到小說、戲曲的功用和價值上來，從而自然地使讀者在小說、戲曲的地位問題上放鬆警惕，或者說暫時忘卻地位上的計較。

明初，由於統治者大力揄揚程朱理學思想，處處提倡文學應該有助於教化的主流導向，小說、戲曲如被公開提及，大都以有益教化為旨歸。正德以後，有益教化實際上已經成為世人普遍接受的評判觀念。因此，王世貞及其周邊文人如果要論小說、戲曲的價值，較為便捷和有效的方法即是順應這種已經為世人普遍接受的觀念，強調小說、戲曲在社會教化方面的功用。

萬曆二十八年庚子（1600）白露，梅鼎祚為自己纂輯的小說《青泥蓮花記》作序：

7　〔明〕張鳳翼：《處實堂續集》，卷六十四，《續修四庫全書》本。

樂曰爛熳，昉自夏季；倡曰黃門，署在漢官。此風一扇，女伎遞興，遙曆有唐，以逮勝國。上焉具瞻赫赫，時褫帶而絕纓；下焉胥溺滔滔，恒濡足而湎首。曠古皆然，於今為烈。……嗟乎，此予《青泥蓮花》之所為記也。記凡如千卷，首以禪玄，經以節義，要以皈從，若忠若孝，則君臣父子之道備矣。外編非是記本指，即參女士之目，摭彤管之遺，弗貴也。其命名受於鳩摩，其取義假諸女史，蓋因權顯實，即眾生兼攝；緣機逗藥，庶諸苦易瘳。故談言可以解紛，無關莊論；神道繇之設教，旁贊聖謨……[8]

《青泥蓮花記》廣輯漢魏至元明間數百名青樓煙粉事蹟，裡面既有李夫人、梁紅玉等著名人物，又有大量其他風塵女子，共一百二十餘人。儘管梅鼎祚在凡例首條即表明此書是「尚名行而略聲色」，而書的內容也按照倡女的節行分類，以滿腔熱忱來表達對倡女們的同情與敬意，稱其為出淤泥而不染的蓮花。儘管如此，我們仍可以想見，在當時纂輯一部專記倡妓的小說，是多麼的大膽而顯眼。梅鼎祚未嘗不明瞭這個狀況。

因此，我們在序文裡看到，梅鼎祚首先在語言上就選擇了他在其他書序文裡不曾用到的駢四儷六的形式，從用詞、句式以及語氣上給人造成鏗鏘炳朗和典雅莊重之感。在此語言氛圍下，他又鋪排了倡女的節操，一再凸顯這部《青泥蓮花記》旨在宣導節義倫理。其間記倡女的遭際故事，亦是為逗出眾生百態，瑕瑜互見，在比較中教化心靈。故而《青泥蓮花記》雖以倡女為主，所述可能無關宏旨莊論，但不失為規導教化社會風尚的讀物。甚至在篇末，梅鼎祚還頗有些生硬地添上一句：「觀者毋菫以錄煙花於南部，志狎遊於北里而已。」近於夫子說教般直白地叮囑讀者：千萬不要把此書讀成煙花柳巷的風流故事！可見梅鼎祚彼時對《青泥蓮花記》能否獲得世人認同是何等的焦慮。雖然四十多年後，《青泥蓮花記》仍被四庫館臣評為「使倚門者得以藉口，狎邪者彌為傾心」，[9]但梅鼎祚曾從教化功用角度為此書爭得存在一席的努力，卻清晰地存留於這篇書序中。

談小說、戲曲之功用，有益教化無疑巧妙。由於小說、戲曲的邊緣性，文人們可借其褒貶世態，發抒內心積鬱，澆胸中塊壘，這同樣是小說、戲曲被世人認同的另一價值。王世貞曾輯古今劍俠及絕技者的豪義之事結為小說，名曰《劍俠傳》，並因之作〈劍俠傳小序〉：

凡劍俠，經訓所不載……夫習劍者，先王之僇民也。然而城狐遺伏之奸，天下所不能請之于司敗，而一夫乃得志焉。如專、聶者流，僅其粗耳，斯以烏可盡廢其

8　〔明〕梅鼎祚：《鹿裘石室集》，卷二十九，《四庫禁毀叢刊》本。

9　〔清〕永瑢等撰：《四庫全書總目》北京：中華書局，1965年版2008年重印，頁1235。

> 說。然欲快天下之志，司敗不能請，而請之一夫，亦可以觀世矣。余家所蓄雜說劍客甚夥，間有慨於衷，薈撮成卷。時亦展之，以攄愉其鬱。若乃好事者流，務神其說，謂得此術不試，可立致沖舉，此非余所敢言也。[10]

序文中說古時人們遭遇奸惡，並不去請專管司法的司敗，而將希望寄託在孤膽劍俠身上。它反映了一個狀況，即惡人橫行，而現有的社會機制剷除不力，它甚至可能還是黑暗產生的根源，憤懣而無奈之下，人們只能企望可以求助於除暴安良的劍俠。王世貞在序末說：「若乃好事者流，務神其說，謂得此術不試，可立致沖舉，此非余所敢言也。」一方面提醒讀者，不要過於相信和誇大其中的劍俠故事；另一方面也可見出王世貞和很多人一樣，其實心裡非常清楚這世間未必真有劍俠，而劍俠也未必真有傳說中的神奇本領，卻仍將劍俠奇事輯成小說，時而展讀，發抒胸中鬱積。

聯繫王世貞的個人遭際，其父王忬為嚴嵩父子所害，王世貞久難釋懷。他起意輯《劍俠傳》之時，嚴嵩父子尚當道，他痛恨當時的司法官員，坐令惡人繼續禍國殃民。在這種情況下，王世貞也不禁希望能出現古時的劍俠，一旦聞人訴不平即投袂而起，操方寸之刃，直入權相臥中，斬其首而去。[11]在序文裡，王世貞不僅說明自己輯書的緣由，也指出對當時身處黑暗而又無處投訴的人們而言，閱讀此書正有發抒內心、聊為快意的功用。

實際上，除以上兩種，小說、戲曲最直接明顯的功用還在於其娛樂性，這是它們從誕生之日起就具有的現實價值。而且，當重在強調小說、戲曲的娛樂性時，也就等於主動放棄了地位的爭辯，但卻贏得了存在的理由。

陸氏的《虞初志》在編成之時曾吸引和彙集了不少名家品評，這其中就有王穉登所撰〈虞初志序〉：

> 稗虞象胥之書，雖偏門曲學，詭僻怪誕，而讀者顧有味其言，往往忘倦。……以《虞初》一志，並出唐人之撰。其事核，其旨雋，其文爛漫而陸離，可以代捉麈之譚，資捫虱之論。乃於遊藝之暇，刪厥舛訛，授之剞劂，長篇短牘，燦然可觀。鼎染者涎垂，管窺者目眩，奚藉說《詩》居然頤解，不有博弈云爾猶賢，既克免於木災，寧不增其紙價乎？[12]

在序文開始王穉登就說到其時的一個普遍現象，即小說雖是偏門曲學且多記詭異怪癖之事，但讀者卻很喜歡，讀得嘖嘖有滋味而不知疲倦。以實際閱讀體驗來說明小說的娛樂

10 〔明〕王世貞：《弇州山人四部稿》，卷七一，萬曆間世經堂本。

11 余嘉錫：《四庫提要辨證》長沙：湖南教育出版社，2009年，頁1020。

12 丁錫根編著：《中國歷代小說序跋集》（下）北京：人民文學出版社，1996年，頁1802-1803。

功用。隨後王穉登又針對《虞初志》而評，認為該書「事核」「旨雋」，其文字爛漫陸離，敘說從容，讀起來讓人感到輕鬆愉悅。正因如此，在篇末王穉登才說，雖然閱讀《虞初志》未必能如聽匡衡授《詩》，但卻不能不承認此書在娛樂讀者上的價值。直言雖不能與《詩》比地位，退一步從功用的角度肯定《虞初志》。

巧合的是，《虞初志》另一篇由歐大任（1516-1595）撰作的書序文亦云：「其婉柔者，可以頤解；其詭異者，可以發沖」，[13]同樣用到了強調小說的娛樂功用而不提地位問題的書寫策略。在這些書序文裡，王世貞及其周邊文人不就小說、戲曲的地位問題去直接論辯，也不刻意拔高小說、戲曲的地位，而是轉換思路，全力書寫小說、戲曲的功用，將人們的注意力吸引到價值功用上來。

（三）以自覺退讓換取自由書寫

以功用論替代地位論，其實隱藏著一層意思，即書序文作者只是避開地位這個敏感問題不談，但他並沒有明確承認小說、戲曲一定就是遊藝末途。與之不同的是，在某些書序文裡，序文作者卻表現出低調的退讓姿態，直接承認或接受小說、戲曲不能與詩文比肩的地位，而且往往在序文開篇就先擺出這種退讓的態度。彷彿只有解決完地位的問題，方能展開後面的書寫。從表面上看，這種策略稍顯消極，但我們也可以認為它省力而狡猾。因為無論是否出自真心，序文作者只需在撰序時作暫且的退讓，順利越過地位這道障礙，即可在序文中自由地為小說、戲曲書寫。

為小說、戲曲作序向來比較謹慎的汪道昆，在其〈水滸傳序〉中，還有如此一段書寫：

> 《藝苑》以高則誠蔡中郎傳奇比杜文貞，關漢卿崔張雜劇比李長庚，甚者以施君美《幽閨記》比漢魏詩。蓋非敢以婢作夫人，政許其中作大家婢耳。然則，即謂此書乃牛馬走之下走，亦奚不可！[14]

汪道昆認為《藝苑》的一些說法是頗為荒唐的，譬如它將高則誠的傳奇《琵琶記》與杜甫的詩歌相比擬，又將關漢卿的《西廂記》[15]與李白的作品等類觀之，更為離譜的是，竟然拿施惠的雜劇《幽閨記》與漢魏詩相提並論。批評《藝苑》將雜劇、傳奇之屬與詩文相比，其荒謬程度無異於以婢女作夫人。這種批評，其實正是汪道昆的一次表態，表示他完全承認小說、戲曲在地位上與詩文有著明顯的高下之別。

---

13 丁錫根編著：《中國歷代小說序跋集》（下）北京：人民文學出版社，1996年，頁1805。

14 朱一玄、劉毓忱編：《水滸傳資料彙編》天津：南開大學出版社，2002年，頁169。

15 明代有不少人認為《西廂記》為關漢卿所作。

完成了這個地位上自覺退讓的重要步驟之後，汪道昆對《水滸傳》的評價便順勢而來。在他看來，這部小說雖不敢以婢女作夫人，但作為大戶人家的婢女還是相稱的；太史公司馬遷自謙為「牛馬走」，那麼這部書就作「牛馬走之下走」吧。貌似不僭越，但卻出手不凡，「大家婢」和「牛馬走之下走」未嘗不是莫大的稱揚了。可以說，能如此順利自由地誇讚《水滸傳》，正是得益於汪道昆先前在地位問題上的自覺退讓。

胡應麟曾從漢代《神異經》起，搜集了至宋代以「異」為名的小說，集而成《百家藝苑》並自為之序。在這篇序文裡，胡應麟寫到：

> 余屏居丘壑，卻掃杜門，無鼎臣野外之賓以遣餘日，輒命穎生以類鈔合，循名入事，各完本書。不惟前哲流風籍以不泯，而遺編故帙亦因概見大都。遂命之曰《百家藝苑》，作勞經史之暇，輒一披閱，當抵掌捫虱之歡。昔蘇子瞻好語怪，客不能，則使妄言之。莊周曰：「余姑以妄言之，而汝姑妄聽之。」知莊氏之旨則知蘇氏之旨，知蘇氏之旨則知余類次之旨矣。[16]

介紹《百家藝苑》是他閒來無事時所集，而編集的目的也是為了在「經史之暇」供娛樂而已。如此一來，在胡應麟眼裡，經史和小說的地位便高下立現。接下來，胡應麟以蘇軾為同盟，並借莊周的話，請讀者姑且將自己這部集子當作妄言讀之。在地位問題上胡應麟絲毫不爭，不讓人抓住把柄，反倒更容易順利引導讀者進入閱讀，繼而發現這部書的價值。

有時候，地位上的自覺退讓只是策略，書序文作者未見得多麼甘心情願，這種矛盾的心緒也在書序文中記錄了下來。譬如屠隆的〈章台柳玉合記序〉：

> 夫機有妙，物有宜。非妙非宜，工無當也。雖有豔婢，以充夫人則羞；雖有莊姬，以習冶態則醜。故里謳不入於郊廟，古樂不列於新聲……故余謂傳奇一小技，不足以蓋才士，而非才士不辨，非通才不妙。[17]

序文前面一通鋪墊，說婢女無論如何美豔，若要充作夫人就羞煞人了；本來莊重的女子，若是故作媚態就顯得醜陋不堪等，總之凡事不合宜就不能成其妙。同樣的道理，傳奇乃「小技」而已，不足以承載才士的真實才華。但是接下來，屠隆話鋒一轉，說傳奇雖是「小技」，卻不能小看了它。因為不是才士不通傳奇音聲，普通才士亦作不好傳奇，只有既諳雅音又擅俗情的通才方能駕馭。一面承認傳奇「小技」的地位，一面卻又

---

16 〔明〕胡應麟：《少室山房集》，卷四十二，文淵閣《四庫全書》臺北：臺灣商務印書館，1979年。
17 〔明〕屠隆撰，汪超宏主編：《屠隆集》第五冊，杭州：浙江古籍出版社，2012年，頁197。

試圖在創作難度上去扳回一局。即便是承認傳奇地位的低微，我們從這種策略上的自覺退讓中，依然能見出書序文作者可愛的倔強。

對於地位上的自覺退讓，梅鼎祚於《昆侖奴傳奇自題》中的處理卻要矜持和隱晦得多。序文記道：「惟時上巳，二三同人，修禊于宛，酒間屬餘衍為樂府，以佐觴政。」[18] 說正逢上巳節，梅鼎祚和幾位好友在宛這個地方修禊，杯酒之間，朋友們建議他將昆侖奴的故事衍為傳奇來助興。寥寥數語，交待了創作《昆侖奴傳奇》的緣起。同時，梅鼎祚也清晰地透露了兩個資訊，他指出了觸發《昆侖奴傳奇》創作的場合——朋友間私下休閒的酒席之上；創作的目的——為喝酒助興。雖然沒有如屠隆那般直接指傳奇為「小技」，但是這兩點也就等於承認對於梅鼎祚，傳奇不過是他和朋友們娛樂的文學形式罷。

有意思的是，或許因為梅鼎祚在傳奇的地位問題上並沒有明確說明，與其年紀相仿又意氣相投的梅鼎祚的從叔梅守箕在此序後又作〈昆侖奴雜劇題後〉，竟有著為親友辯護的意味：

> 是役也，則吾家太一生所為。生故以文賦名家，性最介，而為是者，則以此奇事補史臣所不足，詞雖極工麗，其蹈厲不平之氣時時見矣。而其卒章，同歸於道，是亦曲終奏雅之意邪。[19]

這段話強調梅鼎祚本以文賦名家，人品耿介，專門指出梅鼎祚撰作《昆侖奴雜劇》實際是要有補於史，發抒內心不平，其卒章歸於道，曲終奏雅。從各個方面竭力為梅鼎祚樹立嚴肅的「正統」形象。如此謹慎，正好說明梅守箕對小說、戲曲這類文學形式能否獲得世人認同有極大的焦慮。

傳統的社會價值觀果然是張無比堅固、不易被衝破的網，十六世紀如王世貞等文人還深處其中尚無力衝破。所以，他們為小說、戲曲撰作書序文時，不論是否出於身分的負擔，都表現出對小說、戲曲能否為世人認同的強烈焦慮，故而在序文中自覺地以各種方式展開關於小說、戲曲的地位之辯，確也在情理之中。

二　自在語境下的獨到敘寫

自覺的地位之辯，來自於對小說、戲曲能否獲得世人認同的焦慮和緊張。但是，王世貞等人一旦完成了地位之辯，解決了自身的焦慮緊張，或者說他們中某些人根本不存在這樣的顧慮，那麼在這樣的自在語境下，針對小說、戲曲本身，他們又會呈現出何種書寫面貌？展現怎樣的獨特慧眼？

---

18 吳毓華編：《中國歷代小說序跋集》北京：中國戲劇出版社，1990年，頁83。

19 吳毓華編：《中國歷代小說序跋集》北京：中國戲劇出版社，1990年，頁84。

(一)藝術技巧的評價

進入自在語境之後，王世貞及其周邊文人在書序文中對於小說、戲曲最基本的批評，往往來自藝術層面。通過評價所序小說、戲曲的藝術技巧，在藝術觀察範疇，展現了自身不凡的眼光與識見。王穉登《敘紅梅記》裡對周朝俊所製傳奇《紅梅記》評曰：

> ……循環讀之，其詞真，其調俊，其情宛而暢，其布格新奇，而毫不落於時套，削盡繁華，獨存本色。嘻！周郎可為善顧曲焉。余友緯真向制《曇花記》，李青蓮詩，大行於世。緯真逝後，四明絕響。今復有周生，則緯真不能擅美於江南矣。[20]

王穉登認為《紅梅記》曲詞真切、曲調俊逸，所述情感婉轉而流暢，情節的設置和佈局非常新穎，不落窠臼，頗得傳奇本色。王穉登甚至認為周朝俊在傳奇創作上的才華已堪比聲名皆著的屠隆。這些評價中，「布格新奇」一語首次為王穉登提出且最為切中肯綮。

《紅梅記》記敘了這樣的故事：權相賈似道的侍妾李慧娘在遊西湖時邂逅書生裴禹，因對裴禹生愛慕之念而被賈似道殺害。賈似道欲強納已經心許裴禹的總兵之女盧昭容為妾，裴禹為救昭容被賈似道囚於密室，這時李慧娘的鬼魂來救其脫險，在危急時刻又現形痛斥賈似道暴行。最後賈似道兵敗被殺，裴禹中探花與昭容完婚。故事以裴禹與李慧娘的愛情、與盧昭容的婚姻雙線貫穿，情節的安排和佈局不可不謂曲折新奇。雖然《紅梅記》在後來為人詬病結構鬆散等，但王穉登「布格新奇」的評價卻得到了行家們的公認，這個評價後來更成了《紅梅記》標誌性的優點。王穉登在初讀《紅梅記》且不熟悉周朝俊時，就能把握此書的精華所在，而事實是《紅梅記》一經問世便獲得了極大的讚譽，備受追捧，周朝俊也因為這部作品在後來被列為「玉茗堂派」的優秀作家。此劇被搬演後，也是常演不衰。這些都證明了王穉登異常敏銳的鑒賞眼光。

王世懋(1536-1588)曾批點南朝劉義慶著、劉孝標注的《世說新語》，主要於字句勾棘處加批註以疏釋文意，對劉孝標之注亦有所辨正。萬曆八年庚辰(1580)秋，王世懋為自己批點的這部《世說新語》作序：

> 《易》稱「書不盡言，言不盡意」。然則書者言之餘響，而言者意之景測也。是以莫逆之旨，恒存乎相視；糟粕之喻，無與於心傳。由百世之下，讀其書，而欲想見其為心，不亦遠乎！此立言者之所以難也。晉人雅尚清談，風流映於後世，

20 吳毓華編：《中國歷代小說序跋集》北京：中國戲劇出版社，1990年，頁112。

> 而臨川王生長晉末，沐浴浸漑，述為此書，至今諷習之者，猶能令人舞蹈，若親睹其獻酬。儻在當時，聆樂衛之韶音，承殷劉之潤響，引宮刻羽，貫心入脾，尚書為之含笑，平子由斯絕倒，不亦宜乎！蓋晉人之談，所謂言之近意，而臨川此書，抑亦書之近言者也。[21]

序文從《易》所言「書不盡言，言不盡意」引起，表達了立言之難，這就為後文評價劉義慶所著《世說新語》打下了鋪墊。雖然立言難，但魏晉士人長於清談，能達到近意的水準，使得後世仍能於其言語中窺見他們當時的風流；而臨川王劉義慶生於晉末，在《世說新語》中能夠傳神寫照，與晉代的美學精神相貫通，把人物安置於一些重要的時刻和場合去表現其神奇風度，重視敘述魏晉士人的言談軼事，幾能達到「盡言」的效果。王世懋雖然對劉義慶《世說新語》藝術技巧上的誇讚可謂不吝言辭，但其評價卻並非毫無根基。事實上，胡應麟在《少室山房筆叢》中論及《世說新語》，也有類似的評價：「讀其語言，晉人面目氣韻，恍然生動，而簡約玄澹，真致不窮，古今絕唱也。」「《世說》以玄韻為宗，非紀事比。劉知己謂非實錄，不足病也。」[22]推賞劉義慶不重紀事而專注於人物神韻風采的技法。如此不約而同，正可說明王世懋所論之精。

除此而外，王世懋對劉孝標的注也給予了高度評價，認為劉注堪比《三國志》裴松之的注。王世懋從小就熟讀《世說新語》，常年置之巾箱，鉛槧數易，韋編欲絕。並且親自批點和注釋《世說新語》，因此他最懂得劉孝標所注之不易，更能看到劉注高超的地方。基於經驗的累積，王世懋在序文中的評價顯得更具眼光也更加可靠。

（二）專業知識的討論

藝術層面的獨到評價固然能展現書序文作者的深厚功力，而專門知識上的討論則更能檢驗他們是否真正的行家裡手。在王世貞及其周邊文人中，有一些人本來就精於小說、戲曲創作，因此具備極為豐富的相關專門知識。譬如廣聞博學的屠隆，他精通曲藝，能自製戲曲，還曾親自登臺獻藝。在校訂完《王實甫西廂記》後，他為此書撰作了序文：

> 《西廂記》為崔張傳奇……董解元者取而演之，制為北曲。至王實甫乃更新之……既而關漢卿再續四折……至吳本之出，號稱詳訂。自今觀之，得不補失。何也？蓋由南人不諳乎北律，風氣使之然耳。故求調於聲者，則協以和；求聲於

---

21 丁錫根編：《中國歷代小說序跋集》（上）北京：人民文學出版社，1996年，頁411。

22 〔明〕胡應麟：《少室山房筆叢》，《九流緒論》下，上海：上海書店出版社，2001年，頁285。

> 調者，則舛以謬。然則是刻也，固可苟乎？且以一字之訛病及一句，一句之訛病及一篇。姑舉其大者而正之。如以〔村里迓鼓〕為〔節節高〕，並〔耍孩兒〕為〔白鶴子〕，引〔後庭花〕中段入〔元和令〕，分〔滿庭芳〕一曲為二，合〔錦上花〕二篇而為一，〔小桃紅〕則竄附〔么篇〕，〔攪箏琶〕則混增五句。習故弊而不知，略大綱而不問，抑又何哉？止逮一字一句誤者亦夥。今則輯其近似，刪其繁衍，補其墜闕，亦庶幾乎全文矣。
>
> 嗟乎，音律之學，古以為難。雖前輩極力模擬，僅達影響。至於排腔訂譜，自愧茫然。彼以不知而強為知音，非其罪人歟？余少即喜歌詠，旁搜遠紹積五十年，其漸得者，不過調分南北、字辨陰陽而已。[23]

文章從《西廂記》的幾經變化談起，簡明俐落地指出每次變化的優缺點，足見屠隆對此書頗有研究。此後他重點談到了自己所校的「吳本」，認為其紕漏百出的關鍵在於修訂者是南方人，不通北曲而強為之。面對錯漏問題，屠隆絕不容許，甚至決定親自校訂。在他看來，一個字的錯誤會使得整句出問題，而一句錯了又常導致整篇出錯。展現了戲曲行家在專門知識上略帶「潔癖」的謹嚴和負責。帶著這樣的眼光，接下來屠隆更是在序文裡舉出了一連串具體的問題，所涉皆是戲曲方面非常專精的知識。這些問題，若非真正的行家裡手是絕難察覺的，更別提作出修訂。不再為戲曲的地位問題所束縛，屠隆的序文書寫即獲得了更加自在的語境，所以他在文中不僅淋漓展現了其戲曲行家的態度，更能自如地進入專業知識的討論。這種自在語境甚至使得屠隆在序末感歎音律之難，自己磨礪五十年也不過能分南北調、辨陰陽字而已，貌似謙遜，實則透露出對自身才力的幾分自詡。

張鳳翼曾為顧大典《青衫記》作序。這篇書序文首先告訴讀者《青衫記》緣自白居易的故事，然後介紹和評價了作者顧大典其人，既而又從藝術角度評價這部傳奇。就一篇書序文而言，其結構安排倒也中規中矩。但是序文行到末尾，和前面對《青衫記》及其作者極力褒揚不同，張鳳翼寫道：

> 中間有數字未協，僭為更定，非敢擬韓之以「敲」易「推」，亦欲望範之去德從風耳。君即欣然諾之，且屬予序其端，是為序。[24]

原來這部傳奇裡曾有幾個字不協音律，張鳳翼為其更正了過來。顧大典不僅沒有感到尷尬或不滿，反而「欣然諾之」並請張鳳翼為之撰序。張鳳翼將此事於書序文中呈現出

23 〔明〕屠隆撰，汪超宏主編：《屠隆集》第十二冊，杭州：浙江古籍出版社，2012年，頁64。

24 〔明〕張鳳翼：《處實堂續集》卷六，《續修四庫全書》本。以下凡引此書皆隨文括注卷數。

來，無疑展現了他在傳奇上紮實的專業知識和造詣。或許這段話並非他故意設計，但是沒有了對傳奇能否得到大眾認同的焦慮，在自在語境下，張鳳翼對個人在傳奇上能力的自信也就不經意地從筆下淌露出來。

（三）文學理論的總結

作為小說、戲曲方面真正的行家裡手，在經眼過無數作品甚至親自創作後，久而久之練就了不凡的眼光，積累了不少心得和體會。為小說和戲曲撰序時，在無所顧忌的自在語境下，這些心得體會甚至容易形成小說、戲曲的某種理論行於文中，它們隨書序文存留下來，在不斷被認可和徵引中成為經典。

屠隆曾署「蓬萊仙客娑羅館主人緯真氏」，為王驥德所著傳奇《題紅記》作序：

> 夫生者，情也。有生則有情，有情則有結。條桑陌上，皇娥因之而援琴；杲日水濱，漢女由斯以解珮……而以其纏綿婉麗之藻，寫彼悽楚幽怨之情，宜其聞之者傷心，感之者隕涕也。會稽王生伯良……恨風鬟而慘綠，擷遺事於宮娥；托霜葉以題紅，綴麗情於韓女。情傳天上，新詩兼新恨並深；水到人間，波痕與淚痕俱濕。亦聊寄殷勤於一片，含情欲托何人？乃竟諧伉儷於百年，作合適符冥數。[25]

《題紅記》主要講述了于祐與韓翠屏之間通過御溝流水紅葉題詩，最後竟喜結姻緣的故事。屠隆這篇文章沒有依循慣常的序文作法，開始就以「人生而有情」引出多組排比，列舉了天上和人間的男女情事，說明情的合理性；認為即便是纏綿婉麗的辭藻，只要所寫為悽楚幽怨之情就會打動他人，說明情的重要意義。王驥德正因滿懷深情，其《題紅記》才會如此感人。這樣下來，此序幾乎可讀作一篇論情的專文，它傳達了屠隆的傳奇創作論，即認為傳奇創作的靈魂在於作者內心真情的表達。此後，梅鼎祚在〈長命縷自序〉中言「夫曲，本諸情」（《鹿裘石室集》卷四），李漁所論「十部傳奇九相思」[26]等，皆從某種角度印證了屠隆這個理論的卓見。

如何創作傳奇外，什麼是好的傳奇？或者說好的傳奇應該達致怎樣的狀態？這是所有傳奇的創作者和欣賞者不斷探索的問題。在為梅鼎祚《玉合記》撰作書序文時，屠隆對此有一段總結：

---

25 〔明〕屠隆撰，汪超宏主編：《屠隆集》第十二冊，杭州：浙江古籍出版社，2012年，頁36。

26 〔清〕李漁撰，王學奇、霍現俊校注：《笠翁傳奇十種校注》天津：天津古籍出版社，2009年，頁173，《憐香伴》第三十六出〈歡聚〉。

傳奇之妙，在雅俗並陳，意調雙美。有聲有色，有情有態。歡則豔骨，悲則銷魂，揚則色飛，怖則神奪，極才致則賞激名流，通俗情則娛快婦豎，斯其至乎！[27]

他將傳奇的最佳狀態，簡練地概括為兩大標準：「雅俗並陳，意調雙美」。既要體現雅意，又要通達俗情；既講究內容的不俗，又注重曲辭符合音律，保證音聲暢達。認為只有融合文采與本色，兼顧內容與音律，才能在傳奇中演盡世間情態，使傳奇清麗流暢、自然生動，贏得從名流到婦豎的廣泛喜愛。屠隆這種雙重標準的評價方式，把握住了傳奇戲曲中積極參與的文人和廣泛的社會受眾之間的平衡，特別貼合其雅俗共賞的特點。而其凝練的性質，更是助力屠隆這個總結逐漸成為評判或者鑒賞傳奇的重要理論。並且它還為後來呂天成、王驥德等提出聲律、情辭「雙美」的說法，以及馮夢龍所言聲情與詞情、案頭與場上「兼美」的理論提供了借鑒，在戲曲理論史上具有重要地位。

顯然，王世貞及其周邊文人在完成關於小說、戲曲的地位之辯後，解決了自身的焦慮問題，當然他們中極少數人根本不存在這樣的焦慮，於是其筆下的書序文便順利進入了自在語境下的敘寫。書寫語境的輕鬆，更能幫助他們在書序文中盡情揮灑自己於小說、戲曲方面的不凡才華。因此，無論是藝術技巧的評價、專業知識的討論還是文學理論的總結，他們的表現往往都能代表當時的最高水準。頗費心思的地位之辯尚有著焦慮的無奈，而這種沒有焦慮後針對小說、戲曲文學本位上的獨到敘寫，才是真正能夠提升小說、戲曲地位的關鍵取徑。

三　結語

小說、戲曲在明代正德以後，雖然因其獨特魅力吸引了社會上下的人群，但它依然擺脫不了長期以來「小道」「末流」的尷尬地位，仍會遭到世人的鄙薄和質疑。正因如此，王世貞及其周邊文人在為小說、戲曲撰作書序文時，表現出了對小說、戲曲能否得到世人認同的普遍焦慮。在這種認同焦慮之下，他們在序文中紛紛自覺展開了關於小說、戲曲的地位之辯。針對那些對小說、戲曲尚存偏見的眼光，他們或以直接的正面論辯為小說、戲曲爭取地位；或使用障眼法，將人們吸引到小說、戲曲的價值功用上來，以功用論替代價值論繞道而行；又或者索性在地位問題上作出主動退讓，承認小說、戲曲不能與詩文比肩，從而換得更加自由的書寫。

除部分人完全不在意，王世貞及其周邊文人在完成了地位之辯、不再有認同焦慮之後，順利進入了序文書寫的自在語境。此時，他們呈現出了完全不同的狀態，積極評價所序小說、戲曲的藝術技巧，討論關於小說、戲曲的專業問題，總結提出相關文學理

27〔明〕屠隆撰，汪超宏主編：《屠隆集》第五冊，杭州：浙江古籍出版社，2012年，頁197。

論。他們淋漓盡致地於書序文中展現自己在小說、戲曲上敏銳的藝術觀察力，豐富的相關專門知識以及不凡的識見等，不僅不避諱反而對自己作為行家裡手頗為自豪。

事實上，王世貞及其周邊文人為之撰作書序文，本就是對小說、戲曲的肯定和支持，有利於提高它們的地位。而他們在序文中，自覺為小說、戲曲的地位而辯，在進入自在語境後又於藝術技巧、專業知識以及相關理論上提出了獨到的見地和觀點，代表著當時小說、戲曲研究的最高水準。可以說，親自創作外，王世貞及其周邊文人通過書序文這種文體形式，從地位、藝術到理論，為小說和戲曲在明代的繁榮提供了有力支援。帶著這樣的思考，回過頭去看，在十六世紀行將劃過的萬曆二十八年庚子（1600），張鳳翼在其《新刻合併西廂序》裡仍一面為《西廂》的地位奮力論辯，一面不吝言辭盛讚《西廂》，就如同看到了燃燒的星星之火，它們終將助力小說、戲曲在明代綻放和絢爛。

晚清士人的治學歷程

——惲毓鼎《澄齋日記》所見學術評論*

劉訓茜

香港大學中文學院

本文以《澄齋日記》中的學術評論為研究焦點，考察惲毓鼎學術思想的演進，並且釐清了其生平為學的兩次轉變：早年應付科舉，從事考據訓詁之學；成進士後，受北京學術圈陽明學復興的影響，轉向宋學陣營。同時，惲氏的宋學取向也非一成不變，而是暗含從「出入朱陸」到推崇王學左派的趨向。這一變化明顯受到梁啟超宣揚王學、推重泰州學派的影響，因而體現出十分複雜的晚清人文生態。

一　前言

惲毓鼎（1863-1918），字薇蓀，又字澄齋，晚號湖濱舊史，原籍江蘇陽湖，寄籍順天大興。他從光緒十五年（1889）成進士起，就一直在朝為官，歷任司經局洗馬、國史館協修及總纂、日講起居注官、翰林院侍讀學士、講習館總辦等。[1]宣統二年（1910），翰林院奏設憲政研究所，更以其為總辦，參與新政立憲活動。[2]辛亥鼎革後，惲氏以遺民自任，於一九一八年病逝北京。

過去我們對惲毓鼎的印象僅停留在辛亥鼎革後的忠清遺民，[3]對他的學術思想所知則很有限。從其一生經歷來看，惲毓鼎是清季一位典型的科舉正途出身的士大夫，且作為翰林學士，長年居文學清要之職，為天子文學侍從，其學術思想在晚清有一定的代表

* 本文英文版曾以“Academic Transformation in the Chinese Literati: Reading Yun Yuding's Critiques in *Chengzhai Diary*”為題曾宣讀於亞洲研究學會（The Association for Asian Studies）主辦之AAS-in-Asia Conference 2016 on “Asia in Motion: Horizons of Hope”，日本京都：同志社大學，2016年6月23-27日。

1 中國第一歷史檔案館藏：《清代官員履歷檔案全編》，5冊，上海：華東師範大學出版社，1997年，頁266；曹允源：〈誥授資政大夫贈頭品頂戴原任日講起居注官二品銜翰林院侍讀學士惲府君墓誌銘〉，卞孝萱、唐文權編：《辛亥人物碑傳集》北京：團結出版社，1991年，頁738。

2 惲毓鼎著，史曉風整理，〈翰林院擬設憲政研究所折〉，《惲毓鼎澄齋奏稿》杭州：浙江古籍出版社，2007年，頁113。

3 林志宏：〈《惲毓鼎澄齋日記》所見清遺民的政治認同〉，《兩岸發展史研究》，2006年第2期。

性。由於以往晚清學術史研究多關注「在野」的知識精英，而對正統士人較少注意，本文擬從惲毓鼎所作《澄齋日記》[4]中的學術評論入手，考察其從學經歷與學術思想的演進；在釐清惲氏思想脈絡的基礎上，展現清末一個在朝士人，如何在京城參與不同的學術圈子，以及應對陽明學復興這個思想潮流。

二　「余正治聲音訓詁之學」：入仕前的思想基礎

清遺民曹允源（1855-1927）為惲毓鼎所撰墓誌銘，稱其「生平博綜群籍，為學不分漢、宋門戶。治詩文古辭，皆有心得。」[5]然而通讀《日記》，可知「為學不分漢、宋門戶」，絕非字面意義上的漢宋兼治，融為一爐。惲氏生平大部分時間力主學習宋明理學，但他並不一開始就是宋學的鼓吹者，其早年修習舉業，所學皆是作為「功令之學」的漢學。[6]

與清代其他的士大夫一樣，惲毓鼎熟悉的是傳統的經史學問。《日記》始自光緒八年（1882）正月初一，該年惲氏從武漢至常州，又從上海搭船北上，目的是參加順天府考舉人的鄉試。至一八八九年成進士為止，其間日記記錄了惲氏的學術與交遊情況。

惲毓鼎在成進士之前的學術取向是漢學。首先，不論是平日研習的《說文》、《爾雅》、《經韻樓集》、《戴東原集》，還是與師友如俞樾（1821-1907）、「聘師」等人的切磋、對《六書轉注明疏》的習作、由訓詁入手解釋經典，亦或是擬就通借聲音之法，作為讀通群經之關鍵，[7]都是論定漢學的主要特徵。惲氏後來回憶：「丁亥戊子間（1887-1888），余正治聲音訓詁之學，於《東原文集》曾研究一番，喜其精核深刻。」[8]

4　按：《澄齋日記》按年編排，惲氏自言，「余之有日記，自光緒壬午年（光緒八年，1882）應京兆試始也，時年正二十。厥後時有間斷。自戊戌至今，則日月連續，為冊已三十有五矣。」（《惲毓鼎澄齋奏稿》，頁126。）日記至其逝世前一年（1917）止。1900至1902年日記有散失，散失日記中有關庚子拳亂史事，則有《崇陵傳信錄》可供參考，另有一部分由陳陸輯入《庚子拳變系日要錄》（沈雲龍主編：《近代中國史料叢刊》，第34輯，臺北：文海出版社，1973年），此後又匯入《義和團運動史料叢編‧惲毓鼎庚子日記》。

5　曹允源：〈誥授資政大夫贈頭品頂戴原任日講起居注官二品銜翰林院侍讀學士惲府君墓誌銘〉，卞孝萱、唐文權編：《辛亥人物碑傳集》北京：團結出版社，1991年，頁738-740。曹氏生平參見張一麐：《心太平室集》，卷3〈清光祿大夫湖北襄鄖荊兵備道曹君墓誌銘〉，沈雲龍主編：《近代中國史料叢刊》第1輯第8冊，臺北：文海出版社，1966年，頁157-158。由於曹氏曾仿江藩《漢學師承記》體例編《國朝經師撰述略》，稱「本鄭堂而融其門戶之見」，對惲毓鼎「為學不分漢、宋門戶」的提法應該是其自身學術的反映。關於曹氏的學術情況，參見漆永祥：《江藩與〈漢學師承記〉研究》上海：上海古籍出版社，2005年，頁344-345。

6　按：此處「漢學」，指以考證為主要特徵的清代漢學；「宋學」則指宋明理學，有時則直稱理學。

7　惲毓鼎：《惲毓鼎澄齋日記》，頁7、14、18、38。

8　惲毓鼎：《惲毓鼎澄齋日記》，頁164。

其次，惲氏對於宋學語多不喜，曾抄錄戴震排斥宋儒解經之語，並言「愚意千古論性，其旨莫明於《孟子》，亦莫詳於《孟子》。學者但取《孟子》而熟玩之，貫通之，自可豁然於本初之理。宋以後陳陳相因之語錄雖置而不觀可也。」又引《日知錄》中顧炎武批評王學之「心者吾身之主宰，所以治事而非治於事」一句，認為切中講心學者之弊。[9]這些評價都以清代漢學語境下的漢學優勢論為出發點。

惲氏修習漢學的主要原因，則是為了應對科舉考試。光緒十二年（1886），惲毓鼎北上應試，入京後其日記有這樣的記錄：

> 又謁汪柳門（汪鳴鑾，1839-1907）學士，以去歲所著《六書轉注明疏》就正。學士贈余《說文統系圖》一紙。
>
> 柳門學士以《六書轉注明疏》見還，並作序弁其首。又惠以《說文繫傳校錄》一部。作啟謝之。[10]

可知其寫作考據學作品，主要是為了投考官之好尚。

關於汪鳴鑾的漢學取向，《清史稿》本傳記：「遷司業，益覃研經學，謂：『聖道垂諸六經，經學非訓詁不明，訓詁非文字不著。』治經當從許書入手，嘗疏請以許慎從祀文廟。」[11]惲氏在作於民國的《崇陵傳信錄》中又追憶道：「常熟輔政，紹明漢學，號復古。吳縣潘文勤（潘祖蔭，1830-1890）、錢塘汪侍郎（汪鳴鑾，1839-1907）治之尤勤。場屋士不明小學不能中程式，鄙夷程朱之學，斥為迂陋，屏不談，道德之防漸弛。」[12]與成進士前的記載有所呼應，雖然褒貶態度急轉直下，但汪鳴鑾以漢學嗜好結交生徒應該確有其事。

並且，惲氏自述該年科考內容為：「黎明起，握筆作《書》藝。午初，五篇俱畢。申正，真草俱寫就。自來作文無如此神速者。末篇考據尤簡當可喜。」[13]雖然清代科舉大體承襲明制，鄉、會試首場試四書義三篇及五言八韻詩一篇，並且鄉、會試三場重首場，[14]程朱理學之四書因而確立了制度上的優先地位；然而艾爾曼也曾指出清代漢學風潮對科舉的滲透，主要體現在於第三場的策論。[15]惲氏所謂「末篇考據」，即指此而言。

綜上所述，可以得出結論，在光緒十五年（1889）成進士以前，惲氏的學問是圍繞

---

9 惲毓鼎：《惲毓鼎澄齋日記》，頁31、頁39。

10 惲毓鼎，《惲毓鼎澄齋日記》，頁18、頁21-22。

11 《清史稿》北京：中華書局，1977年，卷442〈汪鳴鑾傳〉，頁12429-12430。

12 惲毓鼎：《惲毓鼎澄齋日記·崇陵傳信錄》，頁790。

13 惲毓鼎：《惲毓鼎澄齋日記》，頁19。

14 參見王德昭：《清代科舉制度研究》北京：中華書局，1984年，頁23、38、40。

15 艾爾曼：〈清代科舉與經學的關係〉，收入復旦大學文史研究院譯：《經學·科舉·文化史：艾爾曼自選集》北京：中華書局，2010年，頁158-181。

科考而研習的，以漢學為主。一方面，就考試內容而言，乾嘉漢學能在一定程度上幫助士人獲得功名；[16]另一方面，主考官對漢學的好尚也成了這一時期舉人門追逐的方向。

三　「良知之說無可厚非」：北京上層的理學圈子

惲氏成進士的當年（1889），日記中第一次出現了具有宋學色彩的《近思錄》。其九月二十日記：「晚讀試帖，燈下看《近思錄》。」[17]而就在前一日，惲氏尚在關注《說文》與《考工記》。此後，日記中的理學書籍漸多，所錄皆是《朱子語類》、《傳習錄》、《理學宗傳》、《三魚堂日記》一類的修身典籍，就連惲氏想要編纂的書，也都還是以包括宋元明諸儒語要為內容的《正修要錄》。

惲氏轉向宋學的原因，可以從以下兩個方面理解。首先是個人際遇與心境，惲氏自言其中過程：

> 自到京後看《儒門語要》一遍訖。此書係丙戌（1886）所買，當時正事口耳之學，又滯於講學家門戶之見，以其近於禪學而忽之。年來逐逐於故紙堆中，諸事放倒，心中時有不順，身體為之不安。所處雖是樂境，而此心擾擾憧憧，甚以為苦。頗有觸於孟子「持其志無暴其氣」、周子「尋孔顏樂處」之旨。複玩此書，乃知養心定氣是入手扼要工夫，靜中默自體驗，益信所言之不謬。[18]

其次是受座師徐桐（1819-1900）的影響。惲氏成進士後，又被選為庶起士，進入翰林院，次年（1890）授翰林院編修，可知其考課表現甚佳。[19]徐桐從光緒八年（1882）起任翰林院掌院學士。一八九〇年《日記》中就有：「午刻赴署，掌院接見。蔭軒師已到，論學甚久。」[20]《清史稿》記翰林院從同治初年起，「以治經、治史、治事及濂、洛、關、閩諸儒之書課諸庶常」，[21]所作文章交由掌院學士評閱，加之清末流行科舉及第進士進入官場後直接成為考官羽翼的風氣，惲氏的治學環境遂大變。

---

16 按：有研究顯示清代漢學書院往往有很高的中舉率，漢學有益於科舉中試，參見容肇祖：〈學海堂考〉，《嶺南學報》，第3卷第4期，1934年；李兵：《書院與科舉關係研究》廈門：廈門大學博士論文，2004年，第八章「清代漢學書院與科舉關係研究」。

17 惲毓鼎：《惲毓鼎澄齋日記》，頁52。

18 惲毓鼎：《惲毓鼎澄齋日記》，頁67-68。

19 「初入館為庶起士，三年，更試高等者，授編修，檢討，謂之留館……翰林官七品，甚卑，然為天子文學侍從，故儀制同于大臣，惟于掌院稱門生……」參見朱克敬：《瞑庵二識》長沙：嶽麓書社，1983年，頁122。

20 惲毓鼎：《惲毓鼎澄齋日記》，頁72。

21 《清史稿》，卷108〈選舉志三〉，頁3166。

特定的社會文化圈子以及人事活動，對人物的學術思想、人格心裡必然產生重要的影響。前文惲氏自敘，早年因「滯於講學家門戶之見」而鄙夷宋學，而一八九〇年所記徐桐講學語，就是專門發明「良知」學並破除宋學偏見的：

> 飯後衣冠入城，在徐蔭軒（徐桐）師相處論學至三點鐘之久。師云：主敬主靜不可分而為二，世人詆周子為禪學，只緣錯認靜字故也……又云，今訓詁之學盛興，動斥義理為空虛之說，不知子臣弟友何者是虛？孟子云：踐形盡性，有物有則。義理不外形色，世人跳不出子臣弟友圈子，即跳不出義理二字，安得以空虛目之。

接下來，惲毓鼎詢問「姚江良知之說」，徐桐以「良知之說無可厚非」作答，理由是良知之說出自《孟子》，而絕並非禪學，這個說法正是中晚明理學史上，為陽明學辯護的主調。徐桐最後以為學不應講門戶之見，作為該次講學的結語；並以北京城門比喻說，「譬如適京師者，或自崇文門入，或自彰儀門入，或自東西二便門入，其所入雖別，而其至京師則未嘗有別也」，因此程朱陸王只是學問門徑不同。惲氏受到極大的啟迪，遂將徐桐的理學觀點整理在了當年的《味腴室劄記》中，該劄記乃專門摘錄「日記中要語」。[22]

並且，惲氏按照徐桐的提議，拜謁城西尊奉陽明學的豫師（1825-1906）。豫師，字錫之，《清史稿》將其傳記附於徐桐傳末，稱其「以講學為桐所傾服。方太后議廢帝立端王載漪子溥儁為大阿哥，桐主之甚力，實皆豫師本謀也。」[23]可見其人與徐桐，無論學術好尚抑或政治立場，關係都相當密切。又根據劉聲木的記敘，豫師早年從倭仁游，尊崇宋儒，希望以理學對抗西學思潮，挽救人心風俗；罷官之後，在京城仿照陽明講會，每次聽講者有百餘人。[24]雖然最終豫師的講學令惲氏頗為失望，但惲氏藉助學術偏好開拓人際交往的痕跡，斑斑可見。[25]

除徐桐外，與惲氏關係密切的孫家鼐（1827-1909）也是陽明學的支持者。[26]惲氏稱孫為「壽州師」，不乏平日往來、祝壽與坐談。尤其是一九〇九年，孫家鼐過世，惲

22 惲毓鼎：《惲毓鼎澄齋日記》，頁66、頁74-79。

23 《清史稿》，卷465〈徐桐傳〉，頁12750。

24 劉聲木撰，劉篤齡點校：《萇楚齋隨筆》北京：中華書局，1998年，頁593-594。

25 關於豫師對陽明學的尊崇，參見戚學民：〈翁同龢的學術宗主與交遊兼論其對晚清學術的影響〉，《近代史學刊》，2013年第1期。

26 「孫燮臣沈潛好學，服膺陽明之書，立志甚遠」；「讀陽明書當知入九華山靜坐一段為最不可及，他人處此必以死生爭之，則事或敗矣」。陳義傑整理：《翁同龢日記》北京：中華書局，1989年，頁196、198。

毓鼎悲痛之餘將其臨死前「神明不亂，心氣不散」看作是宋學涵養深厚的表現。[27]

與道咸同時期羅澤南（1807-1856）、唐鑒（1778-1861）等人痛詆王學，力圖重塑程朱譜系的風氣不同，由於徐桐和孫家鼐的影響，惲氏於理學不立門戶。他一方面服膺伊川、明道、朱子等宋儒，一方面對宣揚王學為最大宗旨的《明儒學案》表示「終身味之而無厭」。一八九六年，他擬編的《正修要錄》主旨也是：「不分門戶，朱、陸、薛、王並錄，唯取其於養心持躬之道有益而已。」再如，他認為乾隆朝的汪紱（1692-1759）對程朱學頗有心得，「唯痛詆白沙、陽明，至斥為賊儒，未免過當。」[28]

光緒二十四年（1898）五月，在戊戌變法的風潮下，翁同龢和孫家鼐的奏請朝廷，將《校邠廬抗議》刷印千部，分發百官討論。[29]惲氏在該年六月記錄自己也領得一部，詳細閱勘，「擬上條陳，分：譯泰西政治書，練八旗駐防及內外蒙古礦務，仿屯田之制改役營兵，停捐納以勵學校人才四條」。[30]惲氏的奏摺明顯有投機之嫌，因為他在日記中坦言，〈校邠廬抗議〉陳義雖高，內容卻陳舊，至多適用於三十年前，反倒是《朱子語錄》「於當代掌故考究煞是精詳，兼能深體立法之意。其于介甫、蔡京變法得處，亦不埋沒。真可謂惡而知其美矣。」[31]在汲汲於改革的晚清時期，士人普遍對北宋王安石變法產生了新認識。孫寶瑄（1874-1924）也曾注意到朱熹對王安石持褒揚態度，不同時人。[32]上條陳之後的數日，惲氏又記：「余舉《朱子語類》論法制及熙寧人物數條，橘農擊節歎賞，服為通儒之論（論介甫新法）。」[33]在這段時間中，惲氏堅持閱讀朱子書，深信朱熹於治道一途別有天地。

綜上所述，光緒年間的翁同龢、孫家鼐、徐桐、豫師等人在京城，形成了一個倡言理學的圈子，惲毓鼎遂受此氛圍薰染，其學術轉向明顯與兩位座師徐桐、孫家鼐對理學的高度認同有關。

---

27 惲毓鼎：《惲毓鼎澄齋日記》，頁462。

28 惲毓鼎：《惲毓鼎澄齋日記》，頁91、106。

29 中國第一歷史檔案館編：《清廷簽議〈校邠廬抗議〉檔案彙編》北京：線裝書局，2008年。按：學界普遍認為戊戌變法是一場涉及全國各種重要勢力的政治活動，而非只有康、梁一派參與的政治冒險，參見戚學民：〈《戊戌政變記》的主題及其與時事的關係〉，《近代史研究》，2001年第6期；茅海建：《戊戌變法的另面：「張之洞檔案」閱讀筆記》上海：上海古籍出版社，2014年。

30 惲毓鼎：《惲毓鼎澄齋日記》，頁161。

31 惲毓鼎：《惲毓鼎澄齋日記》，頁163。按：清代很少有人以「經濟」為朱子所長，四庫館臣對《經濟文衡》的就稱：「惟是朱子平生學問大端，具見於此，而獨以『經濟』為名，殆不可曉。即以開卷一篇論之，『太極』，『無極』有何經濟可言耶？」永瑢等撰：《四庫全書總目》卷92，北京：中華書局，1965年，頁784。

32 孫寶瑄：《忘山廬日記》上海：上海古籍出版社，1983年，頁74。

33 惲毓鼎：《惲毓鼎澄齋日記》，頁163。

四　「真能讀書人，斷不輕斥宋儒」：對漢宋之爭的回應

今人在論及十九世紀晚期的學術思想史時，「今文崛起」和「理學復興」是兩項最為重要的內容。關於後者，學界一般認為道光以降，理學逐漸開始復興，漢學則逐漸衰微。[34]惲毓鼎在朝為官已是光緒朝中後期，但從惲氏的眼光看來，他依舊身處乾嘉考據大潮之中，讀書論學，全以漢學家為假想敵。

他對戴震（1724-1777）的治經之業，肯定中帶有批評：「戴東原于漢學頗有心得……唯有意與程、朱為敵，遂不惜盲心眯目，發為離經叛道之談。其心術實不可問。」[35]惲氏並沒有從考據的瑣碎無用立論，他並不反對考據本身，尤其認為朱熹治學亦不廢小學，所不能容忍的是考據學家在掌握話語權力之後對宋學的詆毀。如果對《日記》所載關於漢宋學術的評論若略作分析的話，主要是漢學語境下為宋學所做的辯護。比如，一八九九年寫道，「至若本朝漢學家墨守訓詁聲音，置義理之學於不顧，又好與宋儒為難，輕相詆娸，此則文人陋習，不欲諸生效之也。」[36]一九〇三年，惲氏科場閱卷，更批評士子：「諸君四書義首篇，多有駁斥注中伊川、龜山之說者，甚至詆及朱子。余皆與抹出。作者即使意見不同，各抒其理，自做文字可耳。節外生枝，指而斥之，何為乎？余非惡其立異，惡其心術之不正也。」[37]

《日記》更時常流露出作為宋學鼓吹者，不為時賞而造成的憤憤不平之意。例如，惲氏認為乾隆朝的汪紱（1692-1759）對程朱學極有心得，但終究難為時賞，比不得漢學家「偶說一經，即膾炙人口」[38]對於國史〈儒林傳〉的編修標準，惲毓鼎也大有不平：

> 勘閱史館〈儒林傳〉。此舉創自阮文達（阮元，1764-1849）。當時漢學盛行，文達又右漢而左宋，于國朝理學諸儒，限制甚嚴，纂輯各傳頗苛簡。而訓詁家但注一經，即為立佳傳。門戶之見特甚。迨光緒初，繆筱珊前輩（繆荃孫，1844-1919）為史館提調，主其事，尤惡宋學，語及程、朱，則詈之。驟增漢學數十傳，百年經生，搜采略遍。于宋學則不一留意，且從而刪除焉。其不平如是。國史為千秋公論，劃分漢、宋已非，況又從而上下其手耶？[39]

---

34 王汎森：〈方東樹與晚清學風〉，《慶祝楊向奎先生教研六十年論文集》石家莊：河北教育出版社，1998年，頁557-567。

35 惲毓鼎：《惲毓鼎澄齋日記》，頁164。

36 惲毓鼎：《惲毓鼎澄齋日記》，頁189。

37 惲毓鼎：《惲毓鼎澄齋日記》，頁220。

38 惲毓鼎：《惲毓鼎澄齋日記》，頁106。

39 惲毓鼎：《惲毓鼎澄齋日記》，頁255。按：一八九六年，繆荃孫與徐桐在國史撰修中為了紀大奎、方東樹兩位宋學家是否入《儒林傳》一事而發生爭執。繆荃孫還為此事專門致書張之洞，稱「徐太無學術，又堅愎自是」。其後葉昌熾雖勉強撰寫〈紀大奎傳〉，但該傳還是未入《儒林傳》而只附入

似有感於《四庫提要》曾發揮的強大影響，惲氏認為不應該坐視《儒林傳》再次偏向漢學一途，於是「遍觀《耆獻類征》、《國朝學案小識》、《先正事略》、彭尺木《二林居儒行述》及全謝山、錢衎石、警石諸文集，拾遺補闕，冀持兩家之平」。這裡的持平兩家，顯然並非漢宋融匯，而是反轉他眼中的宋學弱勢。

晚清的陳澧（1810-1882）是嶺南學派領袖，著有《切韻考》、《說文聲表》、《漢儒通義》等，一直被作為「漢宋調和」的代表人物。但惲氏的注意力都集中在了陳澧對宋學的寬容態度上——「其論朱子，專發明其實是求是之學處，以關漢學家辟朱子之口，有功于朱子不淺。友好中頗有詆宋儒空疏者，恨不持此編示之。」在他看來，相比於某些考據學家掌握話語權力後的知識傲慢，陳澧對宋學更帶有溫情與敬意，故此凸顯其胸懷博大，學識深厚，因而感歎「真能讀書人，斷不輕斥宋儒也」。[40]

五　「非提倡王學不為功」：對梁啓超思想的接受

惲毓鼎的宋學喜好也並非一成不變，大體來說，存在著從偏向程朱之學到偏向王學左派的轉變。惲氏在義和團庚子事變之後開始偏向王學一途。庚子之役中，面對京城亂局，他曾以王陽明居夷處困、蔚然不亂自我激勵。[41]但真正的改變原因，還在於時代風氣之吹佛。

一九〇三年，梁啟超自美國返歸日本，此一經歷對其思想影響重大。梁啟超由此前企圖「發明一新道德」以改造國人，轉變為強調「吾祖宗遺傳固有之舊道德」，提倡以傳統修身的方法來成就私德。一九〇四年，梁啟超對陽明學產生了新的認識，他認為明治時期日本國民道德的重要組成部分正是陽明學。為取法日本，梁啟超在《新民叢報》上刊發了旨在發揚「王學」的《新民說・論私德》，[42]並提出了「正本」、「慎獨」和「謹小」三個子目，多處引用王陽明「拔本塞原論」中的論述。惲毓鼎雖然遲至一九〇八年才讀到該文，但表示出極大的欣賞：

> 閱梁纂〈私德篇〉，痛詆本朝漢學家之汩沒心性，敗壞道德，不成為學。余深服

〈循吏傳〉。關於此事的詳細考訂，參見黃濬著：《花隨人聖庵摭憶》，收入《近代史料筆記叢刊》，上冊，北京：中華書局，2008年，頁123-125。惲毓鼎指控繆荃孫刪除宋學家傳記，蓋指此事，很可能就是從徐桐處得知。

40 惲毓鼎：《惲毓鼎澄齋日記》，頁120-121。

41 「王思輿（王文轅）以陽明觸之不動，卜其必建功名，蓋此心有主方能處大事，夷大難也。余此次遭值患難，亦尚夷然不驚，然終未到行所無事境地……今擬專意看書，以定心養氣。」北京大學歷史系中國近現代史教研室編：《義和團運動史料叢編》，第1輯，北京：中華書局，1964年，頁57。

42 關於梁啟超在《新民叢報》時期對王學的宣傳，參見狹間直樹：〈關於梁啟超稱頌「王學」問題〉，《歷史研究》，1998年第5期；黃克武：〈梁啟超與儒家傳統：以清末王學為中心之考察〉，《歷史教學》，2004年第3期；朱鴻林：〈梁啟超與《節本明儒學案》〉，《中國文化》，2012年第1期。

> 其言。又深詆貌為朱學，如安溪（李光地）、當湖（陸隴其）、儀封（張伯行）諸儒，論雖太過，然亦有慨乎其言之。蓋欲救今日無天良、無氣節之人心風俗，非提倡王學不為功。明洪武、永樂兩君，摧抑士氣殆盡。而末造士氣轉振者，不能不歸功於姚江門下也。而當湖反謂明之亡亡于姚江，慎矣。[43]

李光地、張伯行等均為清初大儒，陸隴其甚至被清廷從祀孔廟，惲毓鼎則明確批評他們的門戶之見，明言挽救士氣、人心，唯有王學。

一九〇五年，梁啟超寫成《節本明儒學案》。面對當時提倡革命、主張破壞一切固有秩序的革命派人士，梁啟超希望中國固有的理學可以平衡新思想；同時在書中極力表彰王陽明知行合一之教，鼓勵青年志士勇於擔當，即知即行；並指出勇於擔當的泰州學派應當被學習效仿。一九〇六年，惲氏以銀元一元二角買得該書，讀後寫道：

> 梁任公評《明儒學案》，極重泰州一派，謂其人皆有氣魄，能擔當。如此講學，乃于國家於社會皆有益處。梨洲蓋亦重之，而重違時論，稍下微詞。余于姚江派下，服膺龍溪、心齋。如兩先生，始是能明師說者。若緒山（錢德洪）、南野（歐陽德）諸君，只是守耳。[44]

這裡推重泰州學派的力行與擔當，並對謹守師門宗旨的江右王門表示批評。自此，惲毓鼎對明代的講學之風，甚至是朋黨議政都極其推重，認為士人就應該擔當天下，儘管晚明的士風遠沒有他描述的這般美好。[45]他於一九〇九年記：「余奉涇陽（顧憲成）為私淑先師，所著十書，終身研味不盡。論學，植品，處事，一以先生為宗」，[46]並擬仿照其東林講學，「約同志十餘人立一學社，月凡二集，研究修己治人、切實有用之學。」[47]一九一〇年，他又表示：「吾于龍溪（王畿，1498-1583）書，始擯之，繼疑之，繼漸好之，今則深思而篤嗜之，學境屢轉手矣。昔人謂姚江之學為龍溪所累，今乃知姚江之學得龍溪而明。其詆之者，純是門戶之見，門面之言，與身心性命了無干涉。」[48]這與一八九六年所記「龍溪之學卻失師門宗旨」[49]的認識大有不同。

---

43 惲毓鼎：《惲毓鼎澄齋日記》，頁386。

44 惲毓鼎：《惲毓鼎澄齋日記》，頁601。

45 參加趙園：《制度・言論・心態：明清之際士大夫研究續編》北京：北京大學出版社，2015年，頁237-256；黃友灝：〈高攀龍理學形象的塑造及其轉變——以明末清初高氏著作的編刻為中心〉，《漢學研究》，第32卷第4期，2014年，頁133-166。

46 惲毓鼎：《惲毓鼎澄齋日記》，頁445。

47 惲毓鼎：《惲毓鼎澄齋日記》，頁447。

48 惲毓鼎：《惲毓鼎澄齋日記》，頁493。

49 惲毓鼎：《惲毓鼎澄齋日記》，頁93。

惲毓鼎在辛亥前數年中，表彰晚明結社以及泰州學派之氣魄擔當，這一轉變顯受梁啟超〈論私德〉以及節本《明儒學案》的影響，而與清廷對明代學術士風的官方否定意見迥異。[50]更何況，在傳統學術內部，整個清代，即使是陽明學的信奉者如李紱（1673-1750），也很少會對王學左派表示推崇。[51]畢竟黃宗羲對泰州王門所作案語是，「陽明先生之學，有泰州龍溪而風行天下，亦因泰州龍溪而漸失其傳。」[52]

王學左派的特殊性格正好與辛亥前夕的時空環境相配合。[53]嚴復對清末陽明學在維新人士中的興起，有過一段準確的評價。他說，「近世異學爭鳴，一知半解之士，方懷鄙薄程、朱之意，甚或謂吾國之積弱，以洛、閩學術為之因。獨陽明之學，簡徑捷易，高明往往喜之。又謂日本維新數巨公，皆以王學為嚮導，則於是相與偃爾加崇拜焉。」[54]總而言之，梁啟超站在取法日本、提升國民素質的關懷上，以王學為宣傳工具，這種論述也滲透到惲氏的思想當中。

本文討論所及，主要是辛亥革命以前，惲毓鼎學術思想的演進歷程。其中，從考據學到宋學的思想轉變，以光緒十五年（1889）成進士入翰林院從學徐桐為關鍵；而從宋學到王學左派的思想轉變，則受梁啟超思想的影響。我們大致可以得出兩點討論：

（一）現有成果在討論晚清學術史時，往往以章太炎、梁啟超、劉師培等所著清學史著作為基礎，或偏向於朱一新、陳醴等一些「在野」知識精英，對在朝正統官員反而不甚在意。對惲毓鼎來說，儘管新學與西學始終不在他的視野內，但其學術依然受到時代風氣吹拂，展現出十分複雜的面向，也正是這種瑣碎與複雜告訴我們，在探討晚清的人文生態時，僅僅把繁複多樣的人物作新、舊二元劃分是遠遠不夠的。

（二）《澄齋日記》展示了清末北京學術界紛繁蕪雜的形態，不同取向的學者在此通過發表言論，發展士林人脈，實現學術界話語的消長。其中不但存在漢學、宋學、桐城等學術派別，宋學中又分為廣義的宋明理學與謹守程朱學兩類，相互之間多有區隔。在傳統中國社會中，尤其是科舉時代，士大夫之間的相互影響，多在師徒、師友、同年之間。惲毓鼎出身士大夫階層，其思想先後受到了考官與座師的影響；而下到清末的辛亥前十年，作為在朝士人的惲毓鼎，通過書籍、報刊的印行，受到了來自日本的梁啟超維新思想的影響，並有所接受，清末關於學術、思想、知識的傳播，由此可見一斑。

---

50 如乾隆四十三年（1778）戊戌科殿試策問，就有對晚明士大夫聚徒講學，形成朋黨而導致亡國的批評。《清高宗實錄》，第14冊，北京：中華書局，1986年，卷1055，乾隆四十三年四月辛亥條，頁99。

51 「龍溪王畿首為狂論，純任自然，洸洋恣肆，以禍師門；而心齋王艮亦多怪異，二王之學，數傳而益甚。若羅近溪、周海門，遂參以異說，誠不可不辨，然詭異者不過數人。」李紱：《穆堂類稿》，卷18〈致良知說下〉，《續修四庫全書》，第1421冊，頁414。

52 黃宗羲：《明儒學案・泰州學案》臺北：河洛圖書出版社，1974年，頁62。

53 Lynn Struve, "Modern China's Liberal Muse: The Late Ming", *Ming Studies*,63 (2011): 38-68.

54 王栻主編：〈《陽明先生集要三種》序〉，《嚴復集》，第2集，北京：中華書局，1986年，頁237。

天津水西莊主人傳記五篇*

葉修成
天津財經大學中文系

清代天津名園水西莊，詩人袁枚將之與揚州馬曰琯的「小玲瓏山館」、杭州趙昱的「小山堂」、吳焯的「瓶花齋」，譽稱為當時四大書史收藏之家、文人雅集之所。[1]水西莊歷代主人廣攬天下文人墨客，遍交朝廷內外要員，宴遊觴詠，詩文贈答，成就了文壇一樁風雅盛事而彪炳史冊，在中國文化史上具有獨特而重要的歷史文化意義。[2]

水西莊查氏，係安徽休寧查氏支派。北宋仁宗嘉祐七年（1062），查銓（字仲評）從休寧遷至饒州浮梁；宋徽宗崇寧二年（1103），查紹（字克初）又遷江西臨川縣紫石村；明朝萬曆年間，查秀（字聿秀）北遷順天府宛平縣定居；[3]清代康熙中葉，查日乾（字天行）移居天津經營鹽業，成為一代鹽商巨賈。康熙末年，查日乾、查為仁父子以業鹽所得，在天津城外迄西南運河畔開始構築水西莊。[4]

水西莊地處水路要衝，加上查氏父子儒雅好客，因而凡取道運河北上南下的文人墨客多曾過訪或憩留水西莊，諸如陳元龍、吳廷華、厲鶚、杭世駿、沈德潛、萬光泰、陳皐、汪沆、劉文煊、錢陳群等。乾隆帝出巡，也曾有五次駐蹕於此。

查氏父子與過往及定居天津的文化名流在水西莊內或吟詩填詞，或著書立說，或作畫題辭，或研討學問，或觀演戲劇，或鑒賞金石、書畫、圖籍等。乾隆初期，水西莊的文事活動臻於鼎盛，與江浙詩社遙相呼應，影響遍及大江南北。

有關查日乾父子的志傳資料，劉尚恒曾經輯錄了四則[5]。為了更詳細地了解水西莊主人的生平事蹟及其人際交往，以促進相關研究的深入開展，現將平日所發現的且《清代碑傳全集》尚未收錄的五篇傳記，迻錄並加按語如下。

---

* 【基金項目】：天津市藝術科學規劃項目「水西莊園林建築及其詩文研究」（批准號YSMS16）。

1 〔清〕袁枚：《隨園詩話》江蘇：廣陵古籍刻印社，1998年，卷三，頁50。

2 葉修成：《清代天津水西莊考論》，《天津師範大學學報》（社會科學版），2015年第4期。

3 〔清〕查日乾：《世表》，查祿百、查祿昌等纂：《宛平查氏支譜》卷一，1941年鉛印本。

4 葉修成：〈水西莊始建年代新證〉，《今晚報》，2013年9月3日。

5 劉尚恒：《天津水西莊研究文錄》天津：天津社會科學院出版社，2008年，頁75-80。

〈蓮坡府君小傳〉

君諱為仁，字心谷，一字蓮坡，姓查氏。先世自江西臨川遷順天，代有達人，至君凡六世。父慕園贈君，始僑居沽上。君生六齡，有老僧於松見而奇之，曰：「此兒有異骨，當為世傳人，惜多坎壈耳。」少長，以能文名。十七補弟子員，明年辛卯舉順天鄉試第一，坐試卷訛，逮君西曹，越九年而解。西曹，羈棲地。君獨日手一編，深自刻勵，作為詩古文，必根柢於經史，所業日益上。時坐繫者，有吳中談汝龍、布政朝琦及在外都下諸名宿，紛相遙應，舉金台詩會，鳴盛一時。放歸後，與兩弟攻苦有加，著作各成帙，時稱「三查」。贈君素豪，交遊遍海內，君昆弟繼之。四方聞人過沽上者，爭識之。門韻徵歌，日常滿坐，北海風雅，及亭館聲樂，賓客之盛，咸推水西莊。然相尚以實學，非徒廣聲氣而已。家富藏書，流覽幾盡，如象緯、勾股、聲律、醫卜之學，必治而精之。初學老，尋去而學佛，禪理縱橫，尊宿多不及。老僧高雲極推之。終以名理無逾六經，於《書傳》、《詩序》及三禮、三傳，尋繹多特見。在繫，讀《易》，講處憂患之道，一以乾之四德括之，貫串極融洽。尤以日用尋常，禮為至切，而五禮之行於今者，惟〈喪服〉近古。然古喪冠梁即在冠，今分冠與梁為二。又古死者以纊塞耳，今乃用之生人喪冠。又古喪服止一衣、一裳、兩衽，今乃用二衣；又衣、裳連且廢，當心六寸之衰。俱非古制，其辨正最多。贈君之喪，據禮以北首殯。或難之曰：「〈檀公〉疏云：『殯時南首，孝子猶若其生』，則北首非也。」或解之曰：「西河毛氏《吾說編》謂：『《儀禮》不通，以為商首』，則北首為宜。」君曰：「是俱未協禮，復而後行死事，豈殯而猶若其生？又《儀禮》無『南首』文，毛氏訛注疏為經文而訾之，是不足證據。《禮運》明云：『死者北首』，胡事曲說為？」眾乃服。居喪三年，論列東海徐氏《讀禮通考》凡數百條，約萬餘言，皆翼經語，見者亟稱之。查氏世樂施，及君待給者尤眾。君亦不少靳遇患難，周恤益至。津門常苦饑，君每捐賑之，全活甚眾。有吳中詩人徐蘭坐事安置津門，君傾橐經營其家。蘭沒，遺書願以他生為之子。君憮然曰：「《周禮．大宗伯》凶禮五：三曰禬，四曰恤。雖上下廣隘有殊，而濟困則一。吾固惟禮是視耳，敢望報耶？」其事亦悉以經義斷之，故動中機要。親知多借箸而籌紛爭者，君片語即解。當事有大疑，輒咨之。得君言而濟者，不勝數。其學之有體有用如此。落籍三十年，及議敘授文林郎加承德郎，時君已漸老，無意仕進，經術終不顯。一夕，方讀書，忽頭眩體痿，執卷而逝，年五十有六。所著三十二種，梓者半之，又未成書若干卷。其生平悉如於松僧言。子善長、善和，並為學官弟子，能文章，蓋善讀父書者。

舊內史吳廷華拜撰。[6]

6　查祿百、查祿昌等纂：《宛平查氏支譜》卷二，1941年鉛印本。

按：此傳文為吳廷華所撰。吳廷華，字中林，號東壁，仁和人，康熙五十三年（1714）舉人，歷官福建興化府通判、三禮館纂修等，著有《周禮疑義》四十四卷，《儀禮疑義》五十卷，《禮記疑義》七十二卷，《儀禮章句》十七卷等。其詩文集未曾流傳後世，故此文亦為佚作。

〈儉堂府君小傳〉

中丞名禮，字恂叔，號儉堂。世居臨川，自其先諱秀者以廩膳生讀書太學，生子忠，中丞之高祖也，登萬曆己酉副車，遂家於宛平。忠生國英，國英生如鑒，入本朝，以江都縣縣丞起家，傳子日乾。日乾凡三子。禮最幼，髫齡好學，魁宏寬通，而性謹厚，從桂林陳相國遊。陳固一代儒宗，文章、政事炳如日月，於後進不輕許可，得覯中丞，嘗示人曰：「此命世之才也。」聞之輒自喜。自此益留心於治術，以餘力從事詞章，旁及六書繪事。時江都馬祖榮、長洲沈德潛、新安朱岷、錢塘厲鶚、杭世駿相與投縞贈紵，迭主騷壇。而先覺如趙執信、陳鵬年、張照諸人皆稱友善。既負人望，急思進取。及壯，屢下第，憮然曰：「嗟乎！擲頻年之日月，決成敗於一旦，人生幾何，是奚為哉？」會朝廷因江賑事，廣羅人才。思起而應之，親厚或止之，笑謝曰：「有相如才，猶不恥以貲為郎。丈夫欲有為於天下，入錢得官可耳。黃霸何人，終令獨光班史耶？」乃輸粟，如例授戶部陝西司主事。越明年，出佐慶遠郡，疏浚靈渠，遠近利之。擢太平守，邊徼由是教化治然。文士多奉為師範，立祠享祀，歷久不衰。再官蜀之寧遠守，簡松茂道。當是時，王師進剿金川，以中丞總理臥龍關內外糧餉。有銜之者，欲甘心焉。賴上知其賢，僅削職，仍留行間。後大將軍阿公籌改運道，或以卓克采之夢筆山請，或以梭木之筰馬山請。遽不能決，謀之中丞。曰：「兩道皆紆折回遠，盍開楸柢之日爾拉山。」阿以山高五十里，積雪恒終歲不消難之。中丞抗聲曰：「似此尚不能通，安望搗金酋之巢穴耶？」竟開之旬日，工竣，挽芻既捷，兵食大便。阿特疏入告，得復職。迨乾隆四十一年，大兵奏凱。尋果羅克又有劫殺蒙古公里塔爾之事。理藩院郎官阿林、知府倭什布、參將李天貴捕賊，不獲，坐免。復得旨：查禮素稱能事，熟悉夷情，應令前往果羅克，將緝賊之事迅辦，欽此。於是遄發成都，總督文綬遣兵五百出紅橋關助之。中丞曰：「生番獷悍，無城廓廬室，去來如鳥獸，非可以兵力取也。且兵少力單，多則用廣。今我出關，賊已遠遁，將數百之眾，投遼廓無際之窮邊，何益也？」亟檄五百人入關，揚言塞外苦寒，俟春融再舉，而密調三雜谷土練四千人會松岡，銜枚疾進，達果羅克，宣諭曰：「使者奉命來縛得罪朝廷者，餘無恐。」索賊於酋長麻克蘇爾袞布，匿不報，經數四詢，終如初。中丞怒申其過犯，曰：「即爾矣，何他求？」令檻車執酋長歸。麻克蘇爾袞布始惶怖，具言賊主名。區處分擒之，西北夷悉定。天子嘉賞，遷四川按察使，轉布政使。蜀之吏民慶得賢邦伯。履任未滿三年，授右副都御史，巡撫湖南，此乾隆四十七年九月也。中丞以是年十二月入覲，壽終於家。僉謂軍興以來，積勞所致。其實正襟危坐，無疾而逝也。未幾，太平子弟及蜀之耆老搢紳聞之，皆痛哭。有足繭數千里以土物來祭者，士論榮之。先是，中丞弱冠早孤，及守太平時，太夫人已年開八帙，故以終養請。歸甫就道，而風木悲興。服既闋，哀痛莫釋，願廬墓弗起，勸駕者篤。再經年，始復官。母兄二，同居相友愛。長為仁，字心穀，康熙辛卯解元，有盛名，學者所稱蓮坡先生者也。次為義，字履方，官淮南儀所監掣通判。子六：淳、泳、潛、浤、濤、溥。淳官直隸武定州牧，有父風；泳早卒；潛官海豐縣縣丞，緣事罷；浤以刑部司獄司就銓；濤、溥皆業儒，而溥方童子，與淳子府學生樞以能世家學聞。

錢載曰：載與恂叔交，今垂五十年。當上龍飛元年，召徵鴻博之士，四方名彥于于而來。時履方官江南，恂叔與心穀僑居天津，築別業曰「水西莊」，藏書極富，嘉賓麇至，畢主其家，擘箋飛斝，歲無虛日，一時慕之如機、雲，重之如鄭當時。咸謂汝南昆季當舉制科，而卒無舉之者，非不知之，知之不盡知其所蓄也。知恂叔深，相國陳也。方觀察近畿，名位不與保薦之列，天下共惜之。而孰知天生偉人，其所以立名於當時，取信於後世者，不惟恃此章句之末學也。聞恂叔戎馬倥偬間，猶手執一書不輟，寢食故。所歷名山巨川，凡洞庭、巫峽、峨嵋、劍閣、桂林、象郡諸勝，考證吟詠，流傳幾遍，此又孰得孰失哉？近者故舊凋零殆盡。去年恂叔歿，得以襲衾帶絰哭寢門外者，惟載與曹尚書地山兩人耳。葬有日，地山既作銘，子刺史淳更請載為之傳。載烏敢辭？惟思載老矣！使天假恂叔年，必及見載之死，死必得恂叔文，得恂叔文，死可不朽，乃所願也。何載之素所望於恂叔者，返令刺史委載於今日也？雖然以載之固陋淺鮮，精力日退，能且弗死，見恂叔死，更從刺史請，得書恂叔生平之政績、學業，載之文其亦可借恂叔以不朽也。是仍不負素所望於恂叔者也，恂叔何有得於載也哉？

嘉興錢載撰。[7]

按：此傳文係錢載於乾隆四十八年（1783）應查淳之請而作。錢載（1708-1793），字坤一，號蘀石，秀水人，乾隆十七年（1752）進士，官至內閣學士兼禮部侍郎，著有《蘀石齋詩集》五十卷、《蘀石齋文集》二十六卷等。經查檢，《蘀石齋文集》未曾收錄此傳文。

7　查祿百、查祿昌等纂：《宛平查氏支譜》卷二，1941年鉛印本。

〈誥授通議大夫例授資政大夫兵部侍郎湖南巡撫都察院左副都御史查公神碑〉

乾隆五十七年夏，桂林查太守淳以卓異來覲，攜其先中丞公《銅鼓書堂集》四十卷，使為序。而青浦王侍郎昶將以脫稿，乃文其隧道之碑，以矯一書兩序之非，以表其志行名義之大，有國史未獲詳而例得附集後見者。予婿於查於公，故疏屬而先後處九年，中又間相見。知我愛我，雖密戚無復過者，其何忍碑，其何忍不碑？公諱禮，字恂叔，一字儉堂。先世自臨川遷京師，占籍宛平。明季甲申之變，一門七婦女同時自焚樓上。祖諱如鑒，父諱日乾，俱以公貴，贈通議大夫、四川布政使司布政使。祖母劉氏、母馬氏、生母王氏，俱贈夫人。王夫人佐通議公管家政，家日起而所產皆自乳。有別館在天津，禺筴殷盛，購書數萬卷。公自少寢饋其間，與伯兄孝廉為仁、仲兄淮南運判為義，遞主壇坫，東南名下士翕習景附，故未冠而《跑跰集》成，一時都為斂服。嗣後，揚歷中外，以風雅為性命，以友朋為職志。雖後進中婞固如予而不以跡合，雖簿書填委戎馬匆促，不以一日廢事卒，不以一日廢書廢詩，非所謂知之好之而樂之者耶？公以戶部主事授廣西慶遠府理苗同知，膺薦卓異，擢太平府知府，請終母養，未抵家而宅憂痛，含殮之不逮也。服除二年，始就部補四川寧遠府知府，擢川北道，旋調松茂道，遷按察使、布政使，皆治四川。其擢湖南巡撫，則乾隆四十七年九月，年六十九矣。臘望入覲，屢被召對，命以明年正月二日赴官。二十五日薄病；二十八日復趨朝，奏對如平常，退而與故人飯；二十九日丑，鐘鳴肅衣冠戒行，忽痰湧，端坐而逝。知與不知舉太息，以謂未竟其用也。公神采岸異，談吐如洪鐘。在部未一年，雲南請簡發丞倅辦軍需，塚宰陳文肅公以公應，將發，小金川平，乃發廣西。修靈渠，考湘漓二水之源，建黃文節祠於慶遠，建書院、試院於太平。成都城三十餘里，每夏潦水汩汩入民居，行者亦病。公審其高下，鑱宿土自二三尺至七八尺，街路寬坦，水竇豁如，不三月而役蕆。當金川之再叛也，制府阿公以公得夷情，奏請調松茂，旋奉旨專督西路糧運。將軍溫公請以公兼運北路糧，請以公釐小金川戶口地糧屯政。巡撫鄂公請以公安設北路宜喜糧站。木果木戒嚴。公時駐美諾，急調兵往救，抵喇嘛寺。寺站已破，途次擒二賊，而餘賊攻八角碉，甚危。美諾不能守，乃退守達圍，凡二十日夜，鬚髮為白。今大學士將軍阿公復進兵，請以公辟楸底至薩拉餉路。路成，制府富公請以公駐楸底督西北二路餉。金川平，留辦屯務。先是果羅克番民吹斯枯爾拉布坦劫青海商民騾馬，制府文公請以公往按，而富公請以公赴宜喜，控綽斯甲三雜谷，士兵乃不果行。至是，果羅克復有劫殺之事。文公再請以公往，以太守時令宜賓所，以西北路軍需責其銷核。先發兵五百人出紅橋關。公至關而撤，使歸，檄三雜谷土兵四千裹糧會松關下。於是中果羅克土司麻克蘇爾袞布來謁，諭以速跡賊，當上爾功。逾月不獲，遂分兵四出，並檄上下果羅克索之，復不獲。公收兵結營，召麻克蘇爾袞布，責曰：「爾藪賊，當同賊罪，吾若縱爾，必上煩天討，吾不忍爾為兩金川之績也。」檻之行，始吐賊所在，擒之。麻克蘇爾袞布至郫而斃，自是三果羅克無敢劫殺者。是役也，閱時百餘日，不勞一官兵，不費一官錢。予時視蜀學，問公：「何以服諸番之心而盡其力？」公言：「番眾利我鹽茶，第如額市之，而弗鼓以輕重應役勤者，雖賤，無弗賞誤者；雖貴，無弗懲。」嘗以四日成猛固橋。當昏暮抵梭木，土司請止碉舍，卒不許，而以其知大義，賚之。其後擦馬所凶番劫殺里塘沙塘寺僧。公單騎往按，土兵皆為偵伺，獲噶克朗忠二人，置之法。今廓爾喀之役，其寇不無籍口。雖遠隔衛藏，非果羅克、里塘比。然使公在，而咨度其間，則所以播聲靈、明要約，而防患於未然者，當必有道矣，豈不惜哉！公雖席富厚，而不問家人產，又周急若不及，以故日益絀。惟鼎彝書畫及古銅印千百顆，常列座右。訪升庵故址，築室談宴，拓藩署小園曰「亦園」，暇輒集僚幕及書院諸生賦詩自遣，每曰：「與其家中築室，不若署中築室，既為公廨，誰其棄之？若子孫不肖，去之直敝屣耳。」去蜀時，令家屬緩程東下，俟到官而後舟泊長沙，其嚴整多類此。公之葬三河馬昌營也。以乾隆五十年六月日，元配李夫人、繼李夫人皆祔其次。子五：長即桂林府知府淳；次泳，早卒；次潛，前廣東海豐縣縣丞；次浤，候選刑部司獄，後公卒；次濤，太學生；次溥。女三：長適候選教諭楊華，次適太學生汪逢泰，次適某某某。孫五，孫女六，曾孫一。公宣力金川，史官能核其實，而果羅克之役，章奏簡略，無從采摭，故就所見，備書之，為籌邊者告。[8]

按：此碑文係吳省欽於乾隆五十七年（1792）受查淳之邀而作。吳省欽（1729-1803），字沖之，號白華，南匯人，乾隆二十八年（1763）進士，官至都察院左都御史，著有《白華前稿》六十卷、《白華後稿》四十卷、《白華詩鈔》十三卷等。

〈查淳行狀〉

梅舫，善篆刻，故別字篆仙。工詩，為沈確士、厲樊榭、萬柘坡諸老所器。任四川南江令。邑有大巴坪，深林密箐，人跡罕通。君白大吏，辟榛莽，招土著。歷攝通江巴州南部事，每曰：「所謂知縣知州者，於州縣民瘼無弗周知，興利除害，乃為稱職耳。」旋調宜賓，時金川軍興，奉檄總理軍需政務，填委綜理裕如。欽使李公湖、將軍阿公桂深倚重之。升雲南趙州牧，後擢廣西平樂守，有事安南。上曰：「查淳向在四川理軍需，稱幹練，其令速董厥成。」阮藩籲降，以

8 〔清〕吳省欽：《白華後稿》卷二十，《續修四庫全書》上海：上海古籍出版社，2002年，第1448冊，頁612-614。

卓異薦。所屬全州饑荒，民肆掠勢張甚。君密遣幹役偵獲首從，分別懲創之，居民安堵。簡江蘇常鎮道。糧艘膠水次，君剋日浚治，漕船無滯。補湖南糧儲道。黃水泛溢，轉運維艱，君擘畫有方，履險如夷。晉江西按察使。贛州民變，或欲興大獄。君曰：「吾不忍以人命為菅蒯也。」置渠於法，餘省釋。入為大理寺少卿，旋賜六品銜致仕。君天性肫摯，尤篤於任恤。宗人二瞻居士，國初老宿，流寓維揚，沒，無子，君為表墓，立嗣焉。生平邃於學，尤殫心經濟。少隨父儉堂公任粵西，講求水利，著《靈渠紀略》三卷。[9]

按：此行狀為孔昭焜所撰。孔昭焜，孔廣閑之子，字堇生，曲阜人，嘉慶十五年（1810）舉人，歷官開縣知縣，著有《利於不息齋集》。查淳原配孔蘊襄係孔繼溥之女。[10]孔昭焜之祖孔繼涵，與孔繼溥為同祖堂兄弟。嘉慶二十二年（1817）春，孔廣閑攜孔昭焜在京師初次拜訪了查淳[11]。

〈憩亭府君傳〉

先生諱彬，字伯埜，號憩亭，順天宛平人。先世出自姬姓魯之支族，有食采於柤者，因以為氏。《春秋》「公會於柤」，即其地也。海內舊姓譜牒遠溯至唐宋以上，每鮮能詳世次，獨查自周至今歷八十餘世無缺系焉，蓋代有偉人，足以綿之。明季自江右遷宛平，甲申之變有娣姒率女子子九人同日自盡者，人稱為「一門九烈查家」，即先生太高祖母及高祖姑也。先生生而穎異，六歲入小學，授四子書；而五歲時，已能背誦《離騷》及東西二都賦，一時有神童之譽；十六入邑庠；二十二登順天癸卯賢書；逾年成進士。制藝根柢盤深，主司不知方弱冠也，以知縣注吏部銓。三十四歲選授安徽鳳台令。鳳，瘠邑也，然俗刁悍。有巨猾陳某者，多聚亡命恣為淫盜，屢釀巨案，役捕之，非拒即逃，歷任苦之。先生曰：「是必以計先散其黨羽，使之自離巢穴，而後能獲，則逃可用也。」乃陽示不敢捕之狀，以懈其心，陰遣胥役於四近村鄰，齊聲驟呼曰：「大兵剿某者至矣！」果驚而各散。要於中道，遂成擒，置於法，合邑快焉。採買積谷，常平遺制也。奉行者每於輸賦較多之家勒派之，而薄其值，富民不堪。先生以為：「民既有穀市，豈吾無？吾何不買於市而必買於民哉？」乃市置一吏、一役，隨時價低昂買

9 〔清〕陶樑輯：《國朝畿輔詩傳》卷五十三，《續修四庫全書》上海：上海古籍出版社，2002年，第1681冊，頁678。

10 查祿百、查祿昌等纂：《宛平查氏支譜》卷一，1941年鉛印本。中國文物研究所、北京石刻藝術博物館編：《新中國出土墓誌・北京》〔壹〕，北京：文物出版社，2003年，頁361。

11 中國文物研究所、北京石刻藝術博物館編：《新中國出土墓誌・北京》〔壹〕，北京：文物出版社，2003年，頁361。

之。鬻穀與官，與鬻谷與商無殊。月餘，而萬石告盈。民如不知其事，日坐堂皇爭訟者，隨控隨結，新舊案舉無留牘，鳳人樂之。家以四字顏其門，曰「官清民安」。旋調懷寧，省劇大吏倚如左右手。逾年，將保題六安州，以父憂去。服闋後，乃選授河南淇縣。淇較鳳，尤瘠也。下車時，值淇旱荒成災，典衣鬻物，設粥廠以活之。元旦、除夕，皆親身在廠給發，未入署度歲。淇鄰安陽令因理賑不善，至為民告訐戍邊，急調先生權其篆。先生以賑淇之法賑之，民皆帖服。嘉慶庚午，以卓薦擢信陽牧，亦值荒旱，亦捐廉為粥以活之。然地廣人稠，非籌帑不繼。先生思惟興工役以代賑，則民少流離，而帑歸實濟。於是倡建壇壝，修城垣，百廢皆興，野無莩者。逾年，歲大熟。先生進紳耆而告之，曰：「渠堰者，所以防荒於未然也；積貯者，所以救荒於已然也。二事不興，而望歲無饑饉，民無困餓，難必之數也。吾欲及此年豐人樂之時，官民共捐谷石建義倉於各鄉。舉其鄉之公正耆民立為正、副社長，司其出納，永著為令，而胥役不得與其事。浚城外長濠於東西二橋門，各置石閘以備宣洩。溮水漲盛則啟閘放水入濠，消則閉之，可灌田數千頃，而城垣亦資捍禦，蒲魚之利則又其小物不遺者也。諸君以為何如？」眾欣然韙其論，爭輸樂赴，庀材鳩功，數月而成先生之志。至今城鄉共義倉二十八座，而盛夏早秋路經信陽者，見活水繞城，荷香蒲綠，稻塍夾岸，風景儼似三吳焉。城南渡溮河即楚粵數省朝京通衢，車馬冠蓋絡繹不絕，然山高谷深少平夷，遇雨雪則泥濘沒踝。先生於其稍寬之處，夾道為溝；狹者，填高為埂，使皆不能積水。植官柳兩行，額其驛亭曰「柳依棠芾」，夏日行者有樾憩之惠。邑舊有書院，祠祀端木子，年久荒頹，先生新之，另建講堂於祠側；堂之前，蒔花疊石。廣課額，捐膏火，集諸生課誦其中，暇則與講藝焉。文教丕興數十年，邑中科第遂為汝南一郡之冠。蒞申八年，以失察事掛吏議，鐫級去。申人泣送百里外，揮淚辭之而後歸，歸則奉先生長生木主於講堂。旋起復原官，謁選人，卒於京師，年六十。畢生皆僦屋以居，殮之日，衣皆出質庫。所著有《易經集說》、《六十四卦經史匯參》、《采芳隨筆》，皆已刊刻行世。未梓者，尚有《湘薌漫錄》若干卷、《小息舫詩草》。子三人，筆耕養其母。次燮勤，從余遊。道光乙巳歲，去先生之歿二十五年，申邑人士又縷陳君之政績，由守牧句余入告，得旨崇祀名宦祠。

論曰：余來豫也晚，未及接先生光儀。其力於身行，於家施，於朋友交際，皆不得而知。即其居於位，所謂循聲惠績，亦僅於其年譜及申人合請崇祀之辭見之。然歿也幾三十年，子若孫不獨無登膴仕者，乃至非硯不活微甚矣！申人之請非慕勢而然，可知也。叔向之歿也，直以遺稱；子產之歿也，愛以遺稱。直、愛何以能遺後之人？合數十年之執政，類較而出之，愈久而其真愈顯，而思之愈不能忘也。民豈無良廉吏，豈誠不可為哉？然而計其子孫則難矣。

誥授光祿大夫兵部侍郎都察院右副都御使撫巡河南等處地方兼提督銜節制各鎮兼理河道加五級紀錄二十次鄂順安拜撰。[12]

按：此傳文為鄂順安所撰。鄂順安，字雲圃，正紅旗人，官至河南巡撫兼署東河河道總督。

12 查祿百、查祿昌等纂：《宛平查氏支譜》卷二，1941年鉛印本。

功敗垂成：從路徑依賴看盛宣懷、郭師敦初勘大冶鐵礦

張偉保

澳門大學教育學院

一　引言

晚清洋務運動以富國強兵為目標，其中以開採煤鐵礦產最為普遍。在最初階段，許多計畫煤鐵並採的嘗試，如在光緒初年籌辦的湖北開採煤鐵總局和河北唐山的開平煤礦。其後，因資本不足的情況下，往往只以開採燃煤。對於由盛宣懷、郭師敦發現這個儲量豐富的大冶鐵礦，遂無聲無息地拖延下去。到了一八九〇年，張之洞受命修築蘆漢鐵路（後改為京漢鐵路），遂於湖北籌辦漢陽鐵廠，而大冶鐵礦遂重新獲得重視，並終於成為漢冶萍公司的骨幹部分，在近代中國工業發展史上扮演關鍵角色。本文試從路徑依賴理論審視這個課題，並根據盛宣懷留下的豐富檔案資料，再參考近人研究成果，以探究初勘大冶鐵礦的歷史。

二　關於路徑依賴理論

經濟史大師道格拉斯‧諾思（Douglass C. North, 1920-2015）提出了經濟制度的路徑依賴理論（Path Dependence）。他指出了制度變遷的原因主要有二：其一，是制度的收益遞增。其二，是網路外部性，世事萬物變化都存在有形無形的交易成本，而成本的高低決定了制度變遷的進路。

事實上，路徑依賴理論對於解釋處於經濟體制轉型別具有現實意義。例如在經濟困局時決定在原有基礎上進還是另覓出路，要視乎其交易成本的多寡而定，而往往因為改革的費用過於巨大而選擇按原有的體制變化路徑和既定方向發展。

即使進行改革，當體制形成一段時間，很容易會形成新舊的既得利益的壓力集團。他們為鞏固現有制度利益，阻礙進一步的變革，造成許多界外效應（Externality）。故研究改革成敗不能集中於改革者的主觀能力和既定的目標模式，而且要關注依賴於一開始選擇的路徑是否具有效率。[1]

1　關於路徑依賴理論在中國企業史研究已不少，如高倚雲：《明清晉商文化傳統、制度績效與路徑依賴》北京：經濟科學出版社，2011年，是近期較全面的一種。關於諾斯的經濟理論，曾與趙善軒教授討論，獲益不少，謹此表示謝忱！

三　煤鐵兼採的社會要求

中國古代是利用煤炭的最早國家，但傳統採挖方式常常面對水淹問題。當礦洞開挖愈深，洞內積水自然愈多。到了礦工無法排去積水，便唯有放棄該礦洞。因此，傳統煤礦大多只能挖取淺層煤儲，在產量、品質兩方面都無法滿足適合現代鋼鐵冶煉和新式輪船的需求。

同治（1861-1875）中興後，中國出現一系列軍工企業，加上輪船航運日趨普及，中國社會形成對煤鐵原料的極大需求。在這種情況下，中國要支付大量白銀向外國購買，形成嚴重漏卮。洋務派主將、時任北洋大臣、直隸總督李鴻章為改善這種狀況，遂於一八七四年中，指令盛宣懷努力調查中國礦藏，並籌備開採。李氏指示盛宣懷：「中國地面多有產煤產鐵之區，飭即密稟查覆。」[2]盛氏當時十分注意煤鐵礦藏的位置，認為在交通便利的長江流域較尋覓富礦，較具開採價值。所以，盛氏視線一直注意南方長江一帶，而不考慮傳統儲量較豐的華北地區。

這種判斷，正是路徑依賴的典型例子。其原因是華北水運條件惡劣，而煤鐵是質重價賤的原料，如要煤鐵兼採，在未有鐵路的傳統中國而言，難以承擔陸路運輸的開支。盛氏在未展開實際調查之前，只憑從前在長江一帶生活和工作的經驗，從而限制了盛氏的視野，對日後大冶鐵礦的開採造成不利的影響。

事實上，大冶鐵礦曾經是宋代主要的產鐵區，主要開採的山叫鐵山。從現場直接考察和化驗結果而論，均屬儲量極豐、高含鐵量、易於採運的礦藏。然而，由於當時主持者過於強調煤鐵兼採的策略，故終因在長江沿岸未能勘探得儲量豐富的焦煤，便讓大冶礦繼續棄置，直至張之洞在籌辦蘆漢鐵路而籌建漢陽鐵廠，局面才得以改變。

四　盛宣懷試採湖北煤炭

盛宣懷於一八七五年五月三日劄委曾在臺灣協助沈葆楨找尋基隆煤的張桂斯，表示「訪得湖北省武穴、蟠塘及田家村一帶山內舊有煤洞，所產煤質既好，濱江水口尤便……惟不知該處洞煤之深淺，煤質的高低，無從稟覆。」要求張斯桂「赴該處察看：山勢是否深遠？左近有煤之處是否廣闊？……現在如果由官備本，製辦器具，雇用民工，該處紳民能否樂從？……並須設法開取煤樣，攜帶回滬，以便呈送李爵相看驗，再行酌議章程，通稟飭辦。」[3]從開採煤鐵的情況來看，盛氏對這方面實屬外行。

2　陳旭麓、顧廷龍、汪熙主編：《湖北開採煤鐵總局荊門礦務總局》，盛宣懷檔案資料選輯之二〔以下簡稱《盛檔二》〕上海：上海人民出版社，1981年，頁3。

3　《盛檔二》，頁3。

一八七五年六月，張斯桂在實地勘探了一個月後，向盛宣懷報告說：「職限於時日，兼乏人夫，未經開挖，不能詳知煤層之厚薄淺深……即在舊時私挖之處浮面採取零星煤塊，細加試驗，知係松白煤之類，而於製造局火爐、招商局輪舵皆屬合用。」[4]

盛氏根據張斯桂的報告，於一八七五年六月十四日稟告李鴻章，於六月二十九日收到李氏的覆函。李氏首先指出「磁州開採煤鐵，業奉廷旨允行。俟購買機器到後，即當督酌試辦。惟距水道過遠，轉運不便，如另擇地尤佳。廣濟陽城山所產之煤，既經張令斯桂親往察看，出產尚寬，煤質尚好……執事……即赴該鎮詳切開導，議令利益同沾，或無阻撓，仍往鄂省稟辦……未知翁玉帥（按：即翁同爵）肯一力主持否。[5]表面上，盛氏的稟函及李氏批覆似全面周到，實際上卻忽略了張斯桂報告最重要的一點：「不能確知煤層之深淺厚薄。」這其實是日後失敗的主因。由於該礦位於湖北省，盛氏遂尋求湖廣總督李瀚章、湖北巡撫翁同爵的支持。最後，在一八七五年七月七日，李瀚章、翁同爵會劄盛宣懷，命令盛氏與李明墀、史致謨等前往查勘廣濟陽城山煤的儲量和品質，並要求他們詳細繪圖。[6]到了八月十七日，盛氏收到李瀚章函，內稱：「陽城山煤苗既暢，並有鐵可採，天地美利所在，業經勘估確實，自不宜驟此始基。閣下擬就已成之局，雇夫逐漸開挖，將來操縱在我，所見甚是，已與玉帥剴切言之。」[7]三天後，盛氏又收到翁同爵函，稱：「武穴煤礦，昨史令（致謨）已由該處詳勘回省，據云尚可辦理。吾兄雇人先行試辦，尚無不可。」[8]反映盛氏初步獲得湖北省兩位領導的支持。是月底，盛氏又收到湖北布政使林之望的咨文（1875年8月29日），說明翁氏是要求盛氏「招商集資，妥為試辦。」[9]與此同時，盛氏的團隊張福鑽也知悉由李鴻章委託「西人帶銀四萬五千兩往英國辦挖煤機器，銀尚不足」，故認為應利用內地工資低廉的特點，先行以土法開採。這也是主事者受路徑依賴的影響。然而，他們很快面對「坑內漬水」和暫未找獲「大倉」問題，需要尋求西法採煤。[10]

五　初聘洋匠，尋求確定煤鐵儲量

李明墀、盛宣懷於一八七六年一月十三日呈報李鴻章時強調「講求製造，煤鐵並重，且鐵礦必借煤窯就近熔煉，故以煤鐵兼產之處為貴。現又訪聞附近之興國州所屬山

---

4 《盛檔二》，頁4。
5 《盛檔二》，頁6-7。
6 《盛檔二》，頁8。
7 《盛檔二》，頁10。
8 《盛檔二》，頁11。
9 《盛檔二》，頁12。
10 《盛檔二》，頁17-20；按：「大倉」指煤層厚大、儲量較豐的地層。

地，兼產鐵礦……」[11]這種兼採煤鐵的要求，與當時的磁州和開平兼採煤鐵的方向相同，是為了回應中國社會急需大量煤鐵進行工業化的實際要求。這三個規劃均由李鴻章的主動開展。其中，磁州煤炭儲量豐富，但距離市場太遠，又欠合適的廉宜的河運，加上購置挖煤機器出了問題，結果無法推行。至於開平煤礦距離天津也相當遠，而當時尚屬初步構想，可行性尚待驗證。因此，李鴻章急於在長江沿岸尋得合適地點，進行煤鐵兼採，也是路徑依賴的一個例證。

為了儘快開辦，他們改變原先商辦的考慮，改為「擬援照輪船招商局辦法，招商集資，官督商辦。」盛氏請求「在湖北存儲公款項下撥給制錢二十萬串」，又「蒙兼署湖廣督憲翁諭，在湖北存儲公款下撥給制錢十萬串，發展領用，核實造報，用竣續籌」，並迅速製訂了〈湖北開採煤鐵總局試辦章程六條〉。[12]李鴻章對煤鐵開採計畫十分支援，並表示這是「仿用洋法，定購機器……在中國實為創舉」，要求盛氏「審度利弊，詳慎經理，逐漸擴充，以期款不虛糜，事可經久。」他總結說這是「富強之根本」，[13]並與沈葆楨、翁同爵在一八七六年一月十五日會奏，表示「所採煤鐵，即以售給兵、商輪船及製造各局之需。所收價值，除應完稅釐、酌提局用並捐發本地堤工、書院、賓興各費外，概令分繳湖北、直隸，陸續提還官本，俟提清後，即以此項餘利作為江海籌防經費。」[14]

事實上，盛宣懷曾代擬有關會奏稿，其中說：「臣鴻〔章〕、臣葆〔楨〕前擬在磁州、臺灣開採煤鐵，已向英國定購機器。惟磁州河道行遠，煤質累重，轉運多艱，大約將來只能捨煤取鐵。臺灣則重洋運艱資費，尚慮難敵洋煤。似不如先就南省濱江之處擇地開採，簡便易舉」，[15]清楚反映各洋務大員期望在運輸較便利的南方。他們優先考慮運輸條件，故視野集中於長江流域，而不太考慮山西、河南等傳統產煤區。這也是受路徑依賴的因素所造成，對後來煤鐵開採和大冶鐵礦的發展造成實質影響。

由於中國缺乏擅長開採煤鐵的西洋礦師，經駐滬洋行的轉介，終於聘用曾在長崎挖煤的英籍礦師馬立師。馬立師在一八七五年十二月抵達上海。盛氏委派提舉銜候選通判徐鼐升擔任洋礦師翻譯。他向滬上洋行打聽，認為「在滬洋人，皆知馬立師本領，向專辦開礦事宜，經歷二十年，可稱熟手，人亦安穩可靠。」[16]為求慎重，李鴻章致函盛宣懷，詳結查問所聘洋匠的技藝，包括「馬里師[17]招致來局，是否有真實本領？已否先立

11 《盛檔二》，頁40。

12 《盛檔二》，頁41-43。

13 《盛檔二》，頁43-45。

14 《盛檔二》，頁47。

15 《盛檔二》，頁48。

16 《盛檔二》，頁34。

17 按：這是另一譯名。

合同？務要詳慎精審」等，要求盛氏認真處理。同時，李氏又對開支有所佈置。他指示說：「所需購辦機器、鐵路等項經費，除先領練餉錢十萬串外，其餘十萬串，易銀暫存揚局，陸續領用。」[18]他強調「此局官山官辦，成本較重……頃夏筱濤觀察抄寄雞籠開煤議定章程三折，內多切要，可資參考，特照抄奉覽，比照酌辦為荷。」[19]對於礦地紳民有反對聲音，李氏表示「開挖煤鐵之舉，既荷廷旨允行，一切自無阻撓。惟係開創利源，易招謗忌，務望實心實力，廉正為本，精核為用，先自立於不敗之地，始終不移，庶幾可大可久。……」[20]對盛氏的叮嚀，一方面反映李氏的關切，也顯示對盛氏經驗不足和辦事急進的適切提示。因此，雇用洋匠馬立師的合約先訂為六個月，「期滿之日，或撤退，或留用」，悉聽盛氏安排。[21]安排雖較具彈性，卻反映對洋礦師半信半疑。

盛宣懷隨即令馬立師視察礦山，結果並不太樂觀。盛宇懷[22]在一八七六年二月二十一日致函其叔父盛康[23]稱：「杏弟書中並云：率同馬里師遍看廣濟、興國兩岸山勢，彼亦僅能決定阮家山一帶多煤，而興國則煤鐵兼產，並不能決定煤層厚薄，能敷若干年開採。必須定製鋼鑿，鑿孔見煤，方知深淺。」[24]同年三月十五日，盛宣懷致函李鴻章，表示礦務之事，因風氣未開，共有十難。此外，對煤儲量的準確估算，必須「鑿孔測量」，以便了解「煤層厚薄，平斜連斷」等，成敗並無必然性。李鴻章回覆時對十難之說多所開釋，期望盛氏能「守以定力，持以恆心，處處踏實」，對「游官遊幕仍以力拒請托」，不能任其「阻我大計」。[25]過了大約四個月，馬立師表示「看過貴局所開各處之煤峝及山上之灰石，所出之煤，質既不佳，且出數亦微乎其微。故曾稟明，不必加本開採，實因無所利益也。……且我所看之山，只在興國、武穴兩處，……極應一路看去，但又囑我擇地打簽，只好揀有象烏板沙石等石之處。」[26]馬立師又投訴有小工破壞礦地，但無法替換。他說：「七禮拜前票〈稟〉知經理人，叫其另換別班小工，至今不煥〈換〉，未悉為何？後將泥石放入筒〈洞〉內，定是此人。……只得票〈稟〉知大人，使我早回上海。」[27]由此可見，之前所稱這些礦山「出產尚寬，煤質尚好」的不可靠，以致效果不彰。

由於沒有達到預期的結果，盛宣懷在一八七六年七月十三日收到李鴻章指令，表明

---

18 《盛檔二》，頁52。
19 《盛檔二》，頁52。
20 《盛檔二》，頁52。
21 《盛檔二》，頁56-57。
22 按：盛宣懷之堂兄。
23 按：盛宣懷之父親。
24 《盛檔二》，頁55-57。
25 《盛檔二》，頁67。
26 《盛檔二》，頁83-84。
27 《盛檔二》，頁85。

「洋法成敗利鈍全在所用洋人之本領。馬里師在日本開礦未見功效，今觀其看山主意遊移，決非煤師之上選，新泰興洋行推薦之語未可據為定評。……馬里師於鐵事未經辦過，則煤鐵兼諳之洋人亟應雇覓，以便比較本領，分優拙而定去留，且為推廣採鐵地。」[28]李氏又說：「方今中國欲圖自強，先求自富，自富之道以礦務為一大宗，必就臺灣、廣濟已成之局先開風氣，萬一中止，則中國利源漸被洋人佔去，所關非細故也。」[29]李氏的堅持反映其路徑依賴的影響頗深，難以在此時根據現實改弦易轍。其實，馬立師曾經清楚指出「因你將我的勘查活動限制在這樣狹小的地區。」[30]

六　改聘郭師敦勘探煤鐵，終於發現儲量極豐的大冶鐵礦

由於馬立師未能發現富礦，到了合約期滿後，盛宣懷遂將其辭退，轉而托請總稅務師赫德代覓傑出礦師。在一八七六年九月初，盛宣懷與人討論礦務事宜。他表示「開礦不難在籌資本，而難在得洋師。蓋籌資本於目前，即可獲子母於日後，又非同造船製器有耗而無來也；礦事之成敗利鈍，實以洋師之得人不得人為定，而其本領又不難在開礦，而在認礦也。認礦只須得一二人，便可遍視各省產礦之地。夫以一二人而可揣十餘省之地利，亦不妨優給薪資，並當議明開成一礦給賞若干，使其專心為我所用。其餘佈設機器之洋匠，並不居奇，可以隨時延雇。惟此種人材，亦宜儲備。應一面在於同文館及閩、滬各廠選擇略諳算學聰穎子弟一、二十人，隨同學習。每見洋人看礦，以土石顏色，並將藥水浸煮分辨所產，外國博物院各國開礦之土石均有儲備，亦應購備考證。並請飭出洋學生酌分一、二十人在外國專學開礦本領，二、三年之後即可先行回國。實以開採為大利所在，未便使外人久與其事，目前則不能□□〔行權〕耳。」[31]除對遴選優秀礦師外，也開始對人才培養加以注意。此外，他也提議另立礦政大臣，以便對全國礦務予以統籌。他說：「如欲就開採為自強之本，斷非一局所能賅，亦斷非一委員所能辦。必應援照船政大臣之例，請旨簡放剛正明幹大員為礦政大臣，延聘頭等洋師二人為正副監督，率同遍視各省產礦之地，擇其利厚者，隨時奏明，次第開挖。凡可以開採之處，准礦政大臣選派委員，添雇洋匠，專司其事。無論各省開採若干處，俱歸督辦；地屬何省，即會該督撫奏事。不欲速而取效必多；不惜費而利源必暢。此開礦之必專其任也。」[32]

由於馬立師被辭退，故在新聘礦師來華之前，礦務調查工作要暫時停頓，盛氏估計

---

28 《盛檔二》，頁93。

29 《盛檔二》，頁94。

30 《盛檔二》，頁103譯者附注。

31 《盛檔二》，頁107。

32 《盛檔二》，頁108。

影響不會太大。[33]其時，盛宣懷又派張福鏔前往湖南衡山府屬考察，「該府屬究以何處產煤為最旺，即行親往查看：該處所開土礦是否有直井、眠井之別？其尤旺者每礦能用若干夫役？每日能得煤若干石？其挖煤係用何樣器具便能塊多屑少？其起煤是否亦用轆轤？其運煤是否亦用車輛以省人力？其礦內遇水係用何法戽車？均須詳細查訪明確，切勿稍事含糊。此種開煤夫役大約極易招募，而其要全在看山本領。聞該處看山亦是以山勢石色為憑，大致與洋法相同，然此種老手恐不多得……總期募得看山老手數人，方有把握，其餘堪任一廠之礦頭者，應招雇二三十人為率。……（宜）親赴現在開礦之處，擇其開採已有成效，訪其看山已見本領者，方始募雇。」[34]

與此同時，被辭退的馬立師到天津叩見李鴻章。其後，李氏致函盛宣懷稱：「馬立師來謁，據稱武穴一帶決無佳煤，虛費人力。果爾，則大可慮。家兄（李瀚章）調回湖廣，明年春夏間當可履任，不患無人主持，但患礦產太薄矣。」[35]盛氏覆函李鴻章，解釋說：「興、濟兩岸隨在皆煤，而苦於向未開挖，實非臺灣、衡州、樂平等處土法已開挖數十百年，駕輕就熟之可比。」他又從民情、運道等方面加以說解仍在興、濟探採的理由。[36]

到了一八七七年一月十九日，李鴻章致函盛宣懷，表示論用人而煉鐵，方是長久之道，並建議派員出洋遊歷一年半載。他又首次提及說大冶鐵礦極富，在宋代已是採鐵的中心，故「必無礦少之患！」他說：「洋匠馬里師不諳地學、化學，遂致曠日糜時……湘中鐵礦雖多，土法松炭，熔煉焉能如法！製局全用洋鐵，今不學西人煉鐵之技，縱開礦得鐵，亦廢器耳。蘄、黃二州宋代有回嵐、瓷窯、龍阪、貴山等冶，興國軍有瓷湖冶，鄂州有聖水、荻洲、龍興、樊源、安樂、大雲等六鐵場。閣下所辦皆昔人採鐵故處，以洋法煉鐵必無礦少之患，應俟赫德所雇洋師到後遍察礦產，斟酌興辦。閣下誠欲考究礦學，不為人所蒙蔽，或由局派一明白礦務之員，遣往西洋各廠考校一番，計遊歷一年半載，所費尚不甚多，果得竅要，所省必不少也，尚希卓裁。」[37]

由於招募了湖南的工匠，李鴻章在一八七七年三月二日致盛宣懷函，表示鼓勵。他說：「馬里師辭退後，暫募衡、寶、樂平煤工用土法開挖，其監工、翻譯、機器工匠等，方在續延洋師，自不必遽予裁撤……西人開礦，不計歲月，不惜資本，故有創必成。中國初次開辦，九折臂而成醫，小費更所不惜，近效亦所不期，此中甘苦，自非局外所能共喻。但守定堅忍持久四字，必有成效可觀。惟慮任事或多越畔之心，用人又有積薪之患，斯議論多而成功少耳。」這個觀點，可以說是李氏另一個路徑依賴的另一個

33 《盛檔二》，頁144。
34 《盛檔二》，頁116。
35 《盛檔二》，頁122。
36 《盛檔二》，頁137。
37 《盛檔二》，頁145。

明顯例證。李氏在組織淮軍，成功擊敗太平軍和捻軍，也是以「堅忍持久」四字，惟軍務與洋務不可同日而語，昔日的成功經驗侷限了李氏的選擇，是路徑依賴的常見情況。

最後，李氏對新聘洋師有所期待。他說：「洋法開煤，應以訪請洋師為開宗明義第一章，洋師得人，則何處可開井眼，何器可以合用，工匠應用何等，皆有綱舉目張之妙。」所聘洋師「必其人在本國礦務學堂出身，領有頭等考單及開過礦務憑據……其應購化學器具及鑿孔機器等件，均由該師購辦帶來。」他又很對盛氏建議提早利用留美學童，認為應避免安排他們「考求礦學」，恐怕是「揠苗助長」。[38]結果由駐英稅務司金登干挑選了經驗豐富的郭師敦，並給合約三年。[39]

郭師敦來華不久，便立即開始勘探工作。在一八七七年五月六日至七月二十八日間，遍查長江沿岸的煤鐵礦藏。隨郭師敦勘查工作的張福鑚，寫下了〈洋人看山日記〉，記錄了郭氏的工作。[40]此外，郭師敦提及李希霍芬日記中有關「黃石港」產煤事，考慮「應否看視」。但是，盛宇懷因不欲違反勘探的順序，決定「從緩」，又一次錯失了良機，說明路徑依賴對主持者的影響深遠。[41]對於初探工作，張福鑚曾在一八七七年六月二十八日曾向盛宣懷報告說：「連日洋人所看已開未開平山平地，總覺煤不甚佳，未合輪船、機局之用。」但他表示「明日……溯流而上，細察窿口，兼訪鐵山，不厭精詳，冀有所獲。」表示開始對大冶鐵礦的考察。[42]而同日，郭師敦函盛宣懷，表示「寧可另擇他處」。[43]盛宣懷首次涉及大冶鐵礦的，是他在一八七七年七月十八日致函翁同爵時說：「龍港地方間有佳煤，恐僅無土法開採，而陳設機器合算不上。該處五金較為可靠。銀礦當置勿議。其鐵苗皆從大冶而來，請向大冶所屬一驗來脈，並以德國人勒托芬[44]遊覽日記所載黃石港產煤，亦應前往一看。查志[45]載，大冶之縣北鐵山、白雉山皆產鐵。前奉李中堂函諭，以宋代興國軍有磁湖冶，鄂州有聖水、荻洲、龍興、樊源、安樂、大雲等六鐵場，皆前人采鐵故處，以洋法煉鐵，必無礦水〔草稿作少〕之患。應俟赫德所雇洋師到後遍察礦產，斟酌興辦等因。查磁湖亦大冶所屬，適有該處紳士前江蘇直隸州賀鏡如持鐵樣來局請往驗視。職道以興、冶毗連，如以兩邑所產之鐵並一機器熔煉，是鐵之利固大於煤。原奏本屬煤鐵兼採，該礦師在美國亦係煤鐵兼辦，似可准其所請，前往一看，以定主見……惟目前開煤機器已經全備，而熔鐵機器尚未購置，故職道與該礦師商明，此地鐵礦只須先一驗其佳否，便即赴宜（昌）勘辦煤礦，先

38 《盛檔二》，頁156-157。

39 《盛檔二》，頁160-165。

40 《盛檔二》，頁170-175。

41 《盛檔二》，頁195。

42 《盛檔二》，頁197。

43 《盛檔二》，頁197。

44 按：或譯為李希霍芬。

45 按：即《大冶縣誌》

煤後鐵一定之理，憲台諒亦以為然。」[46]這個決定，再次顯示路徑依賴對盛氏的影響。他受煤鐵兼採的思路影響，對儲量極富的大冶鐵礦竟然視而不見，要「即赴宜（昌）勘辦煤礦」，十分可惜。翁同爵的批覆則較實際，表示如「驗（得）興、冶兩邑礦苗能在六成以上，足供洋法採取，再行稟辦……仍將辦理情形隨時稟報查核。」[47]

一八七七年八月九日，盛宣懷根據郭師敦勘查大冶鐵山，向翁同爵稟報說：「礦師等從大冶回局，據稱所看縣北四十里之鐵山，鐵層平厚，一如煤層，毋庸打簽，可決其足供數十年採煉，且鄰境俱屬富有鐵礦，機器熔煉必無礦少之患。擬俟上海化鐵藥水寄到，即可分出成數，大約成數不致短少。惟該處民情不馴……是以職道擬於日內親率礦師再往覆看數日，即行赴省晉謁。查洋法熔鐵，另需一種好煤去煙存質，名為焦炭。本省覓得此煤，免向遠處採辦，尤為合算，故仍以煤為鐵之先籌。宜昌煤質仍屬可靠，特煤層有無石質錯雜，自非礦師精於地學，不能測其底蘊。[48]仍強調煤鐵兼采的策略。

到了八月十六日，李鴻章也致函盛宣懷查問大冶鐵。他說：「大冶之鐵，黃石港之煤，履勘是否暢旺？……興、冶鐵石用化學分出各質成數若何？均甚懸念……開煤機器已備，鐵礦機器尚未籌購，郭師敦考單又專指煤礦，閣下擬先煤後鐵，所見甚是。鄂省礦務中外具瞻，成敗利鈍，動關大局，一涉頹沮，勢必旁觀竊笑，後來裹足。興、濟雖不必株守，鄂省則閣下立足之地，自應在鄂得手，方為辦理有效。」[49]不久，郭師敦分別撰寫了廣濟煤和大冶鐵的報告。他認為廣濟煤「層既太薄，又太參差，質亦下等……並無闊大平直之層堪以出入，挖之無益……僅合燒化石灰及民戶代薪等用。」[50]而興國煤得出同樣結論。他說：「各礦俱在灰石之間，煤脈煤苗似乎興國州屬較廣濟縣屬所見更多。然煤無佳質，層不整齊，既不合汽爐熔鐵等用，又無闊大礦形以供採擇。機器開挖，均無庸議。」[51]其後，郭師敦赴宜昌探勘，認為當陽有「上等白煤」，值得開挖。[52]

更重要的是，郭師敦在一八七七年九月下旬提交了大冶鐵山鐵礦的化驗報告。他指出大冶鐵「鐵質淨六十一分八八之多（61.88%），礦之佳者推此為最。以熔生鐵，洵稱上等，再煉市銷熟鐵，亦無不可。」同時在旁近之地發現優良「錳鐵」。由於儲量甚大，郭氏估計「足供中國各廠一切需鐵之用，所冀久挖不完，即所得之礦悉是佳鋼佳鐵矣。」此外，「又有灰石大礦佳而且厚，頗合熔爐之用。」但他也指出「所需惟有熔鐵白煤一項須得包定若干，不致缺乏，方能濟事，」表明這是以後最需解決的問題。[53]郭

46 《盛檔二》，頁204。

47 《盛檔二》，頁208。

48 《盛檔二》，頁210。

49 《盛檔二》，頁212。

50 《盛檔二》，頁218。

51 《盛檔二》，頁224。

52 《盛檔二》，頁234-235。

53 《盛檔二》，頁236。

氏隨即編制了「生鐵廠成本報告」，指出「熔爐一座，應需各項各目及約核成本」的詳細內容，合共需「規銀十二萬兩，開爐熔化每年可出生鐵一萬二千墩（噸）」。[54]

對於大冶鐵礦的含鐵量高逾六成，且儲量極其豐富，欲沒有引起盛氏的改變策略。他仍沿煤鐵兼採的方針，期望在宜昌當陽地方發掘煤焦。當郭師敦在十月查勘當陽煤、窩子溝煤時發現此礦煤質雖佳，但煤層較薄，只有一尺多的厚度，前景並不樂觀。[55]而鄰近地方的煤礦發現的煤層更薄，只有六寸厚。他的結論是：「機器開採，仍毋庸談。」[56]然而，盛氏仍以先煤後鐵為主，故先試以土法開採。這是因為熔鐵機器價昂，而清政府財政卻極之緊絀。李鴻章在一八七七年十月十六日致函盛氏，表示「此項機器汽爐需款甚巨，目前商股既未能招集，練餉亦無可添撥，只可暫作緩圖。」[57]稍後，盛氏在收到郭師敦在一八七八年一月十四日對開挖大冶鐵礦、並初步建議在黃石港置爐熔鐵的報告，認為是有利可圖。因此，他在同月二十一日再次致函李鴻章，請求其重新考慮。不幸地，李氏批覆稱「大冶鐵山雖經覆勘，似有把握……須俟試煉鐵質情況若何，安爐基地有無高阜閎廠，煤礦運腳是否合算，再行次第舉辦，勿多購熔爐機器，徒靡〈糜〉鉅款」，對建議很有保留。原因仍是政府財政困難，缺乏可供撥用的官款。[58]盛氏沒有因此而停步，安排礦局職員大量購買鐵山地畝和黃石港江邊合適置爐土地，為日後工作做出適當準備。[59]到了同年四月，盛氏再次向李鴻章請求撥款，並獲得「湖北礦務當以鐵為正宗」的重要結論。[60]

一八七八年八月二十一日，郭師敦再次將最新收到的英國化驗報告呈送盛宣懷，認為「大冶所產者為上等佳礦……堪以熔煉上等佳鋼……（不宜）在此遷延，坐廢時日。」[61]盛氏於是在九月初再致函李鴻章，稟稱煤鐵勘探已有相當把握。他說：「現在大冶鐵山均已買成，安爐基址亦已勘定，鐵樣既經熔出，成本亦曾約核，應購熔爐機器並已繪圖寄赴英廠，專候去信定奪。至荊門煤礦上年親往勘定處所，已飭該礦師繪圖立說，據稱確有把握。該煤……已煉過武、冶之鐵，均稱合用……此項取煤機器、鐵路均已備齊，是湖北煤鐵礦之端緒已彰。」由於盛氏奉命負責華北賑務，遂要求李鴻章派遣李金鏞來湖北總辦局務。[62]最後，李鴻章除同意派李金鏞總辦局務，對於盛氏其他要

---

54 《盛檔二》，頁237-240。
55 《盛檔二》，頁245。
56 《盛檔二》，頁246。
57 《盛檔二》，頁244。
58 《盛檔二》，頁283。
59 《盛檔二》，頁283-284。
60 《盛檔二》，頁286-287、293。
61 《盛檔二》，頁323-325。
62 《盛檔二》，頁340。

求，則沒有更積極的回應。反之，他建議大冶鐵礦「籌股招商」，令盛氏哭笑不得。[63]

至於宜昌煤務方面，郭師敦在一八七九年一月二十九日致函盛氏，稱：「竊又揆諸目下情形，有速即出煤之一法，堪以即日試辦。查有窩子溝現成窿，盡可將該窿先行試採，一面開挖小淺煤井，俟該井見煤，即將現開舊窿封閉，停止開採。如此辦理，則今年夏季定可出煤無算。屆時轉運出江，適合上海等處銷路。倘能趕速開辦，自能見功容易。雖所得煤斤原不必發售他處，正宜留儲以應將來黃石港擬設生鐵廠所化鐵之用。所陳管見，如蒙採納，則第三簽工竣之後，莫若使晚前赴上海面商一切，較可省費時日。即如需雇外國工匠及添置機器等事，可在滬發寄電報，而上海所存之機器，尚須拆開改做，方可合用。惟在彼處安排，一切舉動較為便捷。至現在上海之機器，一經改做，則起水機器兼可拖煤，所需改做之費，必與新置機器價廉過之，並不必另置起水機器矣。」[64]稍後，郭師敦又報告窩子溝煤質佳，表示應儘快開挖。[65]

七　李鴻章擬改商辦大冶鐵礦，盛宣懷無力招股，遂致停頓

李鴻章於對湖北煤鐵開採缺乏信心，認為「鄂中……煤層甚薄，運道甚難。尊意須俟該礦師與委員等將出礦煤本與運滬水腳銀包定，始決計專開煤礦，暫緩冶鐵；若竟無把握，恐貽後悔，擬即稟請撤退洋人」，並要求盛交待「所領直、鄂官本作何歸結」。他雖表明「開礦一事本難必有成效，行止之權，操之自我，何嘗不進退裕如，所難者官本不可虧耳。」[66]盛宣懷遂無奈地向郭師敦函稱：「上憲現聞荊門探見煤層太薄，似此費用浩繁，成本過重，恐與足下所定每噸四先令三本斯之價不能相符，轉飭周總督同足下及譚克等即日坐民船到漢口，再搭輪船回滬，本督辦與李總辦均在上海守候，會商一切。所有扦務大致已定，即當停扦，以免糜費。」[67]

盛氏事實上無力獨籌商股，故只好收縮規模，改辦荊門礦務總局，以求能延續努力四年的湖北礦務。可惜的是，當陽窩子煤煤層單薄，生產困難，主管者又在沙市推銷煤炭，也不配合當地牙行的安排，引致當地方官員向李瀚章報告，導致礦務總局被勒令停辦結業，而大冶鐵礦的所有開挖計畫均告停頓，功敗垂成。[68]

---

63 《盛檔二》，頁341。
64 《盛檔二》，頁364。
65 《盛檔二》，頁365。
66 《盛檔二》，頁370。
67 《盛檔二》，頁371。
68 《盛檔二》，頁444-447、456-457、461。

元人鄭光祖雜劇《倩女離魂》之女性心理描寫

馬顯慈

香港公開大學教育及語文學院

《倩女離魂》全稱《迷青瑣倩女離魂》，乃元人鄭光祖雜劇代表佳作，劇中女主角張倩女之心理活動描繪，尤其細膩、真實、感人，為千秋傳誦之愛情絕唱。本文從心理描寫出發，通過對鄭氏原作之劇情發展與曲辭分析，探討劇中女主角張倩女之內心世界，並論述作者之心理描寫技巧及其與全文主題思想之關係。[1]

一　引入

鄭光祖，元代戲曲作家，字德輝，平陽襄陵人，生卒年不詳。[2]據專家學者研究，鄭氏應是元雜劇後期的重要作家，其雜劇與散曲均享有盛名，與元代關漢卿、馬致遠、白樸，並稱「元曲四大家」。鍾嗣成（約1279-約1360）《錄鬼簿》評之謂「梨園樂府，端的是曾下功夫」，所作雜劇於當世有「名聞天下，聲徹閨閣」之美譽，「伶倫輩稱『鄭老先生』，皆知其為德輝也」。[3]朱權（1378-1448）《太和正音譜》以「如九天珠玉」比喻鄭氏之曲藝成就，又謂其「出語不凡，若咳唾落於九天，臨風而生珠玉」。[4]王國維（1877-1927）《宋元戲曲史》評之甚高，謂「鄭德輝清麗芊綿，自成馨逸，不失為第一流。以唐詩喻之，德輝似溫飛卿；以宋詞喻之，德輝似秦少游」。[5]按今人所考，鄭氏劇

1　案：鄭氏《迷青瑣倩女離魂》一劇共有三位女角，除主角張倩女外，尚有王氏岳母張夫人、婢女梅香二人。基於後二者並非劇中主角，本文討論之心理描寫重點只在張倩女一人。

2　鄭光祖生平，除依鍾嗣成《錄鬼簿》、朱權《太和正音譜》之說，另參考：賀新輝主編：《元典鑒賞辭典》北京：中國婦女出版社，1988年，頁1251之〈元曲作家小傳〉；卜鍵主編：《元典百科大辭典》北京：學苑出版社，1991年，頁429-430「鄭光祖」條；賀聖遂、林致大點校：《關漢卿．白樸．鄭光祖散曲》上海：上海古籍出版社，1989年，頁59-60。鄭氏生平及作品評論另見馬顯慈著：〈鄭光祖元曲對偶略說〉，輯於《文學論衡》總第6期，2005年8月，頁25-26。

3　見鍾嗣成著：《錄鬼簿》，輯於《中國古典戲曲論著集》第二冊，北京：中國戲曲出版社，1980年，頁119。

4　見朱權著：《太和正音譜》，輯於《中國古典戲曲論著集》第三冊，北京：中國戲曲出版社，1980年，頁17-18。

5　見王國維著：《宋元戲曲史》上海：華東師範大學出版社，1995年，頁2。

作有十八種，現存八種，《迷青瑣倩女離魂》（後世簡稱《倩女離魂》）是其重要劇作，近世學者有將鄭光祖品評為文彩派劇作家。[6]

二　鄭氏本劇特色

元人雜劇和一般戲劇一樣，是一種由舞臺演員通過對劇本曲詞演唱與觀眾溝通的表演藝術。雜劇同樣具有與戲劇相近之創作理念，都著重人物與事態之間的矛盾衝突。它與小說重視敘事技巧的演繹不大相同，它注重人物對話與唱辭之活動，而不強調運用客觀的文字敘述與描繪，也較少用第三人稱記述去將故事之人物與事情，乃至環境、氣氛等細節，作具體而細入的交代。雜劇是一種戲劇文學，劇本角色的一言一語，無論是唱辭或賓白，甚至表情、心理活動，都反映出劇作者所賦予的思想與感情，而角色的語言活動更往往隱含著整套劇作所要傳遞之思想訊息與主題。由於雜劇是一種重視表演的文學，作者需要通過角色的曲詞與對白，去展示人物的思想與感情，乃至於人物的種種行為活動，由此去講述故事的內容情節。正因如此，人物的思想感情活動每每成為整套戲劇的靈魂，劇中人內心世界與心理變化的刻劃，對全劇之成功與否關係尤其重大。

鄭光祖《迷青瑣倩女離魂》一劇成為千秋傳誦的佳構，正是劇作家能巧妙地通過真實而精妙的人物語言去描劃人情事態的發展。本劇曲詞與賓白正好豐富而細緻地描劃出女主角多種多樣的思想感情與心理狀態，特別是張倩女在個人經歷中所要表達及宣洩的思想感情，其曲詞、對白真切反映出她對人對事之種種複雜心理變化。這些複雜而細入的心理描寫，委實是元代雜劇作家中較為罕見的撰作，值得後世注意和研究。

三　劇情與佈局

《迷青瑣倩女離魂》是鄭光祖集裡所記述之劇目名稱，後世簡稱本劇為《倩女離魂》，其故事源自唐人陳玄佑撰作之傳奇《離魂記》。鄭氏以順敘方式鋪陳故事，先交代王文舉與張倩女是指腹為婚之未婚夫妻，倩女母親因為王文舉沒有功名而不許完婚。其後寫王文舉應張母提出之條件而上京應試，張倩女送別後相思難耐而病倒家中，而她的魂魄就追隨王文舉一起赴京應考。及後王文舉高中而獲取科名，二人同返家鄉，張倩女之魂魄與臥病之軀體復合，張、王兩位有情人終成眷屬。全劇脈絡清晰、主線明白，作者巧運心思，佈局尤其細緻。情節緊扣著人物的遭遇，特意安排多個扣人心弦之轉折處，去牽引劇中人面對重要關口之抉擇，當中既刻劃人物內心矛盾思緒，又進一步激發

6　見王季思主編：《全元戲曲》北京：人民出版社，1999年。另參考：賀聖遂、林致大點校：《關漢卿．白樸．鄭光祖散曲》上海：上海古籍出版社，1989年。文彩派之說參考王國維之說，見《宋元戲曲史》，頁92。

人物之間衝突，逼迫情節之張力，由此引起觀眾（讀者）對本劇人物遭遇之同情及觀賞之興味。其中重要情節有張母之阻撓及王、張二人之送別，倩女魂魄要追隨王文舉一起上路而被拒，僕人張千於通報行程中揭發倩女之魂魄與真身，倩女魂魄與軀體相會合而為一，以及張倩女誤會未婚夫中舉後忘恩負義等。

四　女主角之心理活動

如前所述，雜劇是一種具表演特質的文學創作，作者往往要借著角色的唱辭和對白去呈示人物的內心世界。事實上，文學作品之人物描寫，通常都會涉及對人物感情、思想活動、行為狀態的剖析。以描寫人物形象為例，手法可以是多種多樣，如有肖像描寫、語言描寫、行動描寫等。一般來說，這些寫作目的都不外乎要向讀者呈示人物的思想、感情和性格，從而配合情節發展，揭示作品之主題思想。在心理描寫方面，其目的也是一樣，重點是向讀者（觀眾）展露劇中角色對人對事之情緒、思想行為的動機及其內心感受。[7]如前所述，元人雜劇是一種以人物唱辭、對話（包括獨白）為主的文學體式，這些表現手法既有利於作者進行細入的心理描寫，也有利於讀者（觀眾）通過人物的心理活動，去理解故事的情節及其所傳遞之思想感情。以下就從《倩女離魂》全劇的情節發展順序，分析女主角張倩女在鄭氏筆下之多種複雜心理活動。[8]

（一）疑惑與不滿

劇情開首交代張倩女對婚姻的態度，曲詞反映女主角懷疑及不滿心理。她疑惑母親要稱王文舉為哥哥之用意，及對母親故意挑剔王氏，刻意造就難度，阻撓二人成婚之行動，感到非常不滿。

對話描述：[9]

7　文學創作上的心理描寫，有專家學者分作「愜意、激動、歡愉、慈愛、回想、幻想、幻覺、夢幻、懷念、離愁、思念、希冀、失望、絕望、自責、懊悔、恐懼、孤寂、怨恨、報復、猜忌、妒嫉、苦悶、哀傷、悲愴、憤怒、矛盾」等二十多類，詳見文學描寫辭典編委會編：《文學描寫辭典》北京：中國青年出版社，1987年。此外，也有專家分作「高興．喜悅、懊悔、害怕．驚恐、悲傷．痛苦、憤怒、激動、焦急、緊張、思念、希望、失望、猶疑」等十多項，見賴慶雄主編：《作文描寫大觀》臺北：螢火蟲出版社，2009年。案：本文對張倩女之心理分類，乃參考上述兩家說法立論。

8　本文所引鄭氏本劇內容，主要參考收於《續修四庫全書．集部戲劇類》之原文。詳見鄭德輝撰、臧懋循輯：《元曲選．迷青瑣倩女離魂雜劇》上海：上海古籍出版社，1995年。

9　本文「對話描述」是指劇中之人物賓白部分，以下所錄皆擷取自原作，如內容較多則以省略號「……」交代。篇幅所限，引錄後不再逐一詳論。

梅香，咱那裡得這個哥哥來？

俺母親著我拜為哥哥，不知主何意也呵？……

曲詞內容：[10]

【賞花時】他是個矯帽輕衫小小郎，我是個繡帔香車楚楚娘，恰才貌正相當。俺娘向陽臺路上，高築起一堵雨雲牆。

【么篇】可待要隔斷巫山窈窕娘，怨女鰥男各自傷。不爭你左使著一片黑心腸，你不拘箝我倒不想，你把我越間阻，越思量。

（楔子）

【混江龍】俺本是乘鸞豔質，他須有中雀豐標。苦被煞尊堂間阻，爭把俺情義輕拋。空誤了幽期密約，虛過了月夕花朝。無緣配合，有分煎熬。情默默難解自無聊，病懨懨則怕知道。窺之遠，天寬地窄；染之重，夢斷魂勞！

（第一折）

說明：「對話」為女主角張倩女對婢女梅香的提問，反映出她對母親之疑慮。「曲詞」反映倩女對愛情的態度，作者藉此向讀者（觀眾）展示其疑惑及不滿之心理感受。

（二）喜悅與愛慕

劇情接著描述張倩女對王文舉的感情，本折通過張氏的語言（包括對話與曲詞）揭示出女主角見了王氏後的內心感受，包括個人之情緒與心理變化，以及從王氏的書信文辭與書法，乃至景物之描繪，映襯出張氏對王文舉思念與仰慕之情。作者細入描寫她被王氏才華吸引著，整個人心緒不寧、神不守舍。

對話描寫：

（正旦引梅香上，云）妾身倩女，自從見了王生，神魂馳蕩。誰想俺母親悔了這親事，著我拜他做哥哥，不知主何意思？當此秋景，是好傷感人也呵！

曲詞內容：

【仙呂】【點絳唇】捱徹涼宵，颯然驚覺，紗窗曉。落葉蕭蕭，滿地無人掃。

【混江龍】可正是暮秋天道，盡收拾心事上眉梢，鏡臺兒何曾覽照，繡針兒不待拈著。

---

10 本文「曲詞內容」是指劇中之人物唱辭部分，處理原則上與上注同，於此不再贅說。

【油葫蘆】……他多管是意不平，自發揚，心不遂，閑綴作，十分的賣風騷，顯秀麗，誇才調。我這裡詳句法，看揮毫。

（第一折）

說明：上述「對話」其實是張倩女向讀者（觀眾）闡述的獨白。綜合而言，「對話」與「曲詞」皆描述了倩女之喜悅情緒及其對王文舉的愛慕感情。

（三）同情與祝願

作者描寫張倩女於愛慕王文舉同時，對其不平遭遇表示了無限同情。為著支持愛人能考取功名，她真切送上祝福，並企盼王文舉能高中回來，衣錦還鄉，吐氣揚眉。作者在張倩女的唱辭中，細入交代了女主角這種真摯感受，及其向未婚夫祝願之期盼心理。

曲詞內容：

【那吒令】我一年一日過了，團圓日子較少；三十三天覷了，離恨天最高；四百四病害了，相思病怎熬。……千里將鳳闕攀，一舉把龍門跳，接絲鞭，總是嬌嬈。……

【鵲踏枝】據胸次，那英豪；論人品，更清高。他管跳出黃塵，走上青霄。又不比鬧清曉，茅簷燕雀；他是掣風濤，混海鯨鼇。

（第一折）

說明：「詞曲」描述了倩女之相思情愫，以及她對未婚夫的真切盼望。

（四）擔憂與難捨

接著之劇情發展是張倩女與王文舉之送別，作者致力描繪二人之離別活動，特意在張氏唱詞中加強了她對愛人的擔憂及難捨難分的感受。鄭氏鋪設了不少具體描寫，例如物象之比喻、哭泣流淚之情態、話語聲情之變化、人物想像處境，乃至眼前之景象變化、人物在路程上之距離等等，藉此烘托出張倩女之感受與心理變化，讓讀者（觀眾）進一步理解及認同主角之堅貞愛情觀及高尚情操。

曲詞內容：

【勝葫蘆】你是必休做了冥鴻惜羽毛。常言道：好事不堅牢。你身去休教心去了。對郎君低告，恰梅香報導，恐怕母親焦。……

【後庭花】我這裡翠簾車先控著，他那裡黃金鐙懶去挑。我淚濕香羅袖，他鞭垂碧玉梢。望迢迢堆滿西風古道，想急煎煎人多情人去了，和青湛湛天有情天亦老。俺氣氳氳喟然聲不定交，助疏刺刺動羈懷風亂掃，滴撲簌簌界殘妝粉淚拋，灑細濛濛浥香塵暮雨飄。

【柳葉兒】見淅零零滿江千樓閣，我各剌剌坐車兒懶去橋，他矻蹬蹬馬蹄兒倦上皇州道。我一望望傷懷抱，他一步步待回鑣，早一程程水遠山遙。

（第一折）

說明：「詞曲」表述倩女之憂慮心理及其與王文舉離別的傷心感觸。

（五）緊張與驚恐

第二折劇情於平淡中湧起波瀾變化，張倩女送別王文舉後，因為思念情切，竟然魂魄離開了軀體，不惜千里迢迢去追隨王氏上京。作者通過生動而細膩筆觸，描寫倩女魂魄在路上追蹤未婚夫的心理活動，包括描劃她追趕時之具體行動及其緊張情緒，特別是途中躲藏在垂楊下，離遠偷覷王氏而驚怕被發現的複雜感受。作者為了讓讀者（觀眾）可以體驗女主角之真實處境，又借助對種種景物之具象描繪，映襯其身體與心理的反應。

曲詞內容：

【紫花兒序】想倩女心間離恨，趕王生柳外蘭舟，似盼張騫天上浮槎。汗溶溶瓊珠瑩臉，亂鬆鬆雲髻堆鴉，走的我筋力疲乏。你莫不夜泊秦淮賣酒家？向斷橋西下，疏剌剌秋水菰蒲，冷清清明月蘆花。……

【小桃紅】我驀聽得馬嘶人語喧嘩，掩映在垂楊下，唬的我心頭丕丕那驚怕，原來是響王吉王吉榔板捕魚蝦。我這裡須風悄悄聽沉罷，趁著這厭厭露華，對著這澄澄月下，驚的那呀、呀、呀寒雁起平沙。

（第二折）

說明：「詞曲」描述倩女之魂魄在路上的緊張心理，以及她驚怕一旦被人發現的真切感受。

（六）思念與疑忌

第二折以張倩女追上了王文舉，並說服對方接受與自己一起赴京考取功名為主要線索。作者通過張倩女之唱辭與及其與夫婿的對話，刻劃了女主角對愛情堅貞不移的意志。在張氏語言表述中，本折細入交代了她對夫婿衷心的剖白，及其不忍心讓對方一人孤寂生活之疑慮與猜忌心理。劇情描述張氏一方面因為思念愛侶，擔心他在路上無人照料，不忍心見到他生活窮苦而影響應考，於是不惜千里迢迢離魂追隨；另一方面又憂慮夫婿一旦中舉而為名利所蒙蔽，會受不住顯貴異性誘惑而移情別戀，結果毀棄與自己早前所訂下之婚約。

曲詞內容（1）：[11]

【麻郎兒】你好是舒心的伯牙，我做了沒路的渾家。你道我為什麼私離繡榻，待和伊同走天涯。……

【么】險把咱家走乏，比及你遠赴京華。薄命妾為伊牽掛，思量心幾時撇下。

【絡絲娘】你拋閃咱，比及見咱，我不瘦殺，多應害殺。

對話描寫（1）：

（正末云）若老夫人知道怎了也？（魂旦唱）他若是趕上咱，待怎麼？常言道：做著不怕。（正末做怒科，云）古人云：聘則為妻，奔則為妾。老夫人許了親事，待小生得官回來，諧兩姓之好，卻不名正言須！你嫋私自趕來，有玷風化，是何道理？

說明：上述「詞曲」與「對話」分別反映出王文舉與倩女對兩人一起上路應考之矛盾思想。

曲詞內容（2）：

【紫花兒序】只道你急煎煎趲登程路，元來是悶沉沉困倚琴書，怎不教我痛煞煞淚濕濕琵琶。有甚心著霧鬢輕籠蟬翅，雙眉淡掃宮鴉，以落絮飛花。誰待問出外爭如只在家，更無多話，願秋風駕百尺高帆，盡春光付一樹鉛華。

對話描寫（2）：

（云）王秀才，趕你不為別，我只防你一件。（正末云）小姐防我那一件來？

說明：上述「詞曲」與「對話」反映出倩女之一片衷情及其對夫婿有所猜忌的心理。

---

11 本節引錄部分有（1）、（2）、（3）序號，乃基於引錄內容於某一折劇情之順序發展中，「曲詞」或「對話」或兩者分別反映出主角之某種心理感受。下列各節引文之表述類此者不再贅說。

曲詞內容（3）：

【東原樂】你若是赴御宴瓊林罷，媒人每攔住馬，高挑起染渲佳人丹青畫，賣弄他生長在王侯宰相家。你戀著那奢華，你敢新婚燕爾在他門下。……

【綿搭絮】你做了貴門嬌客，一樣矜誇；那相府榮華，錦繡堆壓，你還想飛入尋常百姓家？那時節似錢躍龍門播海涯，飲御酒插宮花。那其間占鼇頭，占鼇頭登上甲。……

（第二折）

說明：上述「詞曲」描述倩女向愛人剖白自己追來的原因，以及疑忌對方會拋棄自己的想法與感受。

（七）盼望與愁苦

第三折劇情寫自從王氏上京離去後，張倩女就一病不起，她不思飲食，憔悴消瘦，因為擔心夫婿前程。倩女心裡充滿期盼，祈求丈夫早日考得功名，可以和自己完成婚約，得到圓滿歸宿。作者細緻鋪寫張倩女於盼望的同時，又描述她為愁苦所纏繞，她慨歎時光飛逝，自身沉痾不癒，藥石無靈，而王文舉一直沒有傳來消息。現實中的張倩女時時刻刻為著與丈夫重聚之事而苦惱，她因為盼望而擔憂，因為擔憂而怕見失望，結果心裡愁苦無限。盼望與愁苦成為一個互相糾纏而難以開解的死結。

曲詞內容：

【中呂】【粉堞兒】自執手臨歧，空留下這場憔悴，想人生最苦別離。說話處少精神，睡臥處無顛倒，茶飯不知滋味。似這般廢寢忘食，折挫得一日瘦如一日。

【醉春風】空服遍眩約不能痊，知他這腌臢病何日起，要好時直等的見他時，也只為這症候因他上得，得。一會家縹緲呵忘了魂靈，一會家精細呵使著軀殼，一會家混沌呵不知天地。……

【迎仙客】日長也愁更長，紅稀也信尤稀，……春歸也奄然人未歸。……我則道相別也數十年，我則道相隔幾萬里。為數歸期，則那竹院裡刻遍琅玕翠。

【紅繡鞋】……則兀那龜兒卦無定準，枉央及；喜蛛兒難憑信，靈鵲兒不誠實，燈花兒何太喜。……

【普天樂】想鬼病最關心，似宿酒迷春睡。繞晴雪楊花陌上，趁東風燕子樓西。拋閃殺我年少人，辜負了這韶華日。早是離愁添縈系，更那堪景物狼籍。愁心驚一聲鳥啼，薄命趁一春事已，香魂逐一片花飛。……

【石榴花】早是俺抱沉屙添新病發昏迷，也則是死限緊相催逼，膏肓針灸不能及。……把似請他時便許做東床婿，到如今悔後應遲。……他不寄個報喜的信息緣何意，有兩件事我先知。

（第三折）

說明：「詞曲」反映倩女對夫婿寄信回家的盼望，及其因為思念過度而愁苦不堪的心理活動。

（八）幻想與醒覺

第三折劇情發展與女主角的心理變化互相扣緊，作者為了提高讀者（觀眾）的觀賞情意，激發他們對劇中人物遭遇的同情心，特意描繪張倩女的幻想心理，及其從醒覺回到現實的內心世界，以此強化整個故事的合理性與感染力。劇情先講述張倩女在家中臥病，身體日漸虛弱的現狀，當中描畫了女主角在夢境裡想念王文舉，進而鋪展了她對夫君上京考了功名後而另結新歡的種種負面幻想與不安感受。接著發展下去是寫倩女夢醒後，仍執著於夢中情境的悲憤、傷痛心理活動與不安情緒。作者巧妙運筆，以一連貫的遞增、遞減修辭筆觸，借著數字之順逆次序部署，將倩女獨特的幻想與焦慮感受，隨著優美之文藝語言節奏而逐一細緻呈示出來，強化整段唱辭的感人氣氛，大力提升全劇之文藝品質。

曲詞內容：

【鬥鵪鶉】他得了官別就新婚，剝落呵羞歸故里。……眼見的千死千休，折倒的半人半鬼。為甚這思竭損的枯腸不害饑，苦懨懨一肚皮。……若肯成就了燕爾新婚，強如吃龍肝鳳髓。……

【上小樓】則道你辜恩負德，你原來得官及第。你直叩丹墀，奪得朝章，換卻白衣。覷畫儀，比向日、相別之際，更有三千丈五陵豪氣。

【么篇】空疑惑了大一會，恰分明這搭裡。俺淘寫相思，敘問寒溫，訴說真實。他緊摘離，我猛跳起。早難尋難覓．只見這冷清清半竿殘日。……

【十二月】元來是一枕南柯夢裡，和二三子義輸相知。他訪叫科習五常典禮。通六藝有七步才識，憑八韻賦縱橫大筆，九人上得遂風雷。

【堯民歌】想十年身刮鳳凰池，和九卿相八元輔勸餘杯。則他那七言詩六合裡少人及。端的個五福全四氣備占倫魁，震三月春雷。雙親行先報喜，都為這一紙登科記。

（第三折）

說明：「詞曲」描寫倩女的夢幻感受及其醒覺後的不安情狀，這些夢中與醒後的情緒與感覺，正好切實地反映出主角心裡一直潛藏著的焦慮心理。

（九）憤恨與怨懟

本折劇情發展是講述倩女夢醒後回到現實的心理狀況，她將夢中遭遇的事態當成真實的結果。即是她認定王文舉已負了當初盟誓，這個薄倖而貪戀功名、富貴的未婚夫真的已移情別戀。其中一項證明是對方別後一直都沒有書信傳來，即是對方心中已沒有自己。另一項更重要證明是從信差張千所述，她確定了王文舉已有妻室，於是就主觀誤會當下所收的信是一封休書。面對愛人無情無義的對待，張倩女情緒崩潰，怒不可遏，恨怨難平。她既憤懣夫婿忘恩負義，又自怨自艾，自憐自悲。想起自己因思念夫君而患了重病，最終無可藥救，難以康復，一切的犧牲與打擊都是異常巨大沉重。作者在女主角的唱辭中，加強了客觀物象與主觀心理發展之烘托和對比，把倩女種種糾結抑鬱的內心感受，以及長期積壓著的憤恨與怨懟，無所掩藏地一一傾瀉出來。

曲詞內容：

> 【哨遍】將往事從頭思憶，百年情只落得一口長籲氣。為什麼把婚聘禮不曾題，恐少年墮落了春闈。……把巫山錯認做望夫石，將小簡帖聯做《斷腸集》。……
>
> 【四煞】都做了一春魚雁無消息，不甫能一紙音書盼得。我則道春心滿紙墨淋漓，原來比休書多了個封皮。氣的我痛如淚血流難盡，爭些魂逐東風吹不回。……
>
> 【三煞】……不是我閑淘氣，便死呵死而無怨，待悔呵悔之何及。
>
> 【二煞】倩女呵病纏身則願的天可憐，梅香呵我心事則除是你盡知。望他來表白我真誠意。半年甘分耽疾病，鎮日無心掃黛眉。不甫能挨得到今日，頭直上打一輪皂蓋，馬頭前列兩行朱衣。
>
> 【尾煞】並不聞琴邊續斷弦，倒做了山間滾磨旗。劃地接絲鞭別娶了新妻室。這是我棄死忘生落來的。
>
> （第三折）

說明：「詞曲」揭示倩女因對夫婿誤會而衍生之種種悲憤與怨恨心理。

（十）感恩與愜意、焦慮與驚惶、憤懣與釋懷

第四折劇情由高潮發展到結束，本折以倩女真身與魂魄之同時出現為重要敘事線

索。作者首先通過具體人物活動交代整個誤會如何冰釋瓦解，接著描述魂魄與真身復合為一，張倩女與王文舉一對有情人終成眷屬。綜合而言，作者筆下的女主角張倩女，由第一折出場發展到此，已經歷了多種複雜而多變的心理活動。為配合全劇大團圓結局思想，鄭氏匠心獨運，巧弄翰墨，特意撰寫了一段倩女魂魄對自己能夠達成相夫教子心願的曲詞，文中流露了女主角心中之感恩、滿足與愜意情懷，真切情愫，溢於言表。作者為這個超乎現實的鬼魂角色蘸上了有血有肉的彩筆，一方面增添了劇作的浪漫氣度與故事情節的波瀾起伏，另一方面又強化了對倩女堅貞意志的贊同與尊重，進一步突出全劇的主題思想。

鄭氏窮究人情，觀察力細入而豐富，他著意描寫倩女魂魄騎馬上路的驚悸心理，又描繪女主角想到回家後要面對真相的焦慮心態。當劇情發展到真相大白而倩女魂魄被夫君追嚇叩問時，作者又以豐富多姿之文藝曲詞，把女主角那種驚惶失措之心理狀態，細緻而生動地展示出來。至於臥在病榻之倩女，在未了解真相之前，作者又細入而真實地描繪了她對夫婿攜妻回來之極度憤懣與不甘心情緒。全劇對張倩女之心理描寫，包括魂魄與真身的心態，於此已推展到高度之藝術昇華，而歌頌女性主動追尋愛情、婚姻自主的主題思想，就如急湍激流那樣湧入讀者（觀眾）的內心。張倩女甘願為愛情而受苦犧牲之高尚情操，她矢志不渝、忠於愛侶的人格典型，到此得到完全的肯定。當真相大白，真身與魂魄合一，誤會得到眾人諒解，女主角種種憂傷與恐懼也就終於全然釋放下來，順理成章，劇情發展到大團圓結局。

對話描寫：

（正末云）小官王文舉，自從與夫人到于京師，可早三年光景也。謝聖恩可憐，除小官衡州府判，著小官衣錦還鄉。……

（魂旦云）相公，我和你兩口兒衣錦還鄉，<u>誰想有今日也呵</u>！

曲詞內容（1）：

【出隊子】騎一匹龍駒，暢好口硬。恰便似馱張紙，不恁般輕。騰騰騰收不住玉勒，常是虛驚；火火火坐不穩雕鞍，劃地眼生；撒撒撒挽不定絲僵，則待攛行。

【刮地風】行了些這沒撒和的長途有十數程，越恁的骨瘦蹄輕。……怪的是滿路花生，一攢攢綠楊紅杏，一雙雙紫燕黃鶯，<u>一對蜂，一對蝶，各相比並</u>，想大公知他是怎生，不肯教惡了人情。

【四門子】中間裡列一道紅芳徑，教俺美夫妻並馬兒行。咱如今富貴還鄉井，方通道耀門閭晝錦榮。若見俺娘，那一會驚，剛道來的話兒不中聽。是這等門廝當，戶廝撐，<u>怎教咱做妹妹哥哥答應</u>？

說明：「詞曲」寫出倩女對自己與夫婿一起衣錦榮歸之滿足、愉悅心理。

曲詞內容（2）：

【古寨兒令】可憐我伶仃，也那伶仃，閣不住兩淚盈盈，手拍著胸脯自招承。自感歎，自傷情，自懊悔，自由性。

【古神仗兒】俺娘他毒害的有名，全無那子母面情。則被他將一個癡小冤家，送的來離鄉背井。每日價煩煩惱惱，孤孤另另。少不得厭煎成病，斷送了，潑殘生。

說明：「詞曲」表述在家中臥病的張倩女之自憐自怨、焦慮不安感受。

曲詞內容（3）：

【么篇】沒揣的一聲狠似雷霆，猛可裡唬一驚，丟了魂靈。這的是俺娘的弊病，要打滅醜聲，佯做個嚶掙。妖精也甚精？男兒也，看我這舊恩情，你且放我去，與人人親折證。……

【掛金索】驀入門庭，則教我立不穩，行不正。望見首飾妝奩，志不寧，心不定。見幾個年少丫鬟，口不住，手不停；擁著個半死佳人，喚不醒，呼不應。

說明：「詞曲」描述在倩女魂魄被揭發後之驚惶失措心理。

曲詞內容（4）：

【側磚兒】哎！你個辜恩負德王學士，今日也有稱心時。不甫能盼得音書至，倒揣與我個悶弓兒！……

【水仙子】想當日暫停征棹飲離尊，生恐怕千里關山勞夢頻。沒揣的靈犀一點潛相引，便一似生個身外身，一般般兩個佳人。那一個跟他取應，這一個淹煎病損，母親，則這是倩女離魂。

說明：「詞曲」反映出女主角指摘夫婿之憤懣情緒，及後描寫魂魄與真身合一，真相大白，倩女種種不安情緒得以全然釋放的內心感受。

五　結語

元人雜劇是一種重視表演的藝術，它借著角色的唱辭與賓白去呈示人物的內心世界。然而，不論怎樣的描寫，最重要目的是要引起讀者（觀眾）共鳴，當中最關鍵的是唱辭內容是否能真實反映人生，能否真切感動讀者（觀眾）心靈。鄭光祖《倩女離魂》

高度發揮了雜劇以人物唱辭、對話傳播主題思想，及其藉此喚起讀者（觀眾）感情的文學特質。作者通過劇中人物的具體參與去演繹故事情節，借助對角色的心理活動描寫，引導讀者（觀眾）對全劇主題思想的同情與認許。

鄭氏雜劇作品，其內容之精粹不止於文彩豔麗，也不啻於「出語不凡」[12]，「臨風而生珠玉」[13]之藝術造詣，而是在於其細緻、具體、真實和強烈的感染力。以《倩女離魂》而論，鄭氏對女性之心理描繪，如本文分析有二十多種不同的內心感受及心理活動。當中變化發展層層深入，越積越多，越壓越深，主角之種種起落情緒及糾結難解之複雜心思與感受，逐一呈示於讀者（觀眾）眼前。有關描繪可以說是前所未有的細入、多樣、複雜，但又具體、真實而感人。作者以其深入細緻的觀察力，精細妙絕的文藝彩筆，把一位情真、果斷、自主、堅毅，勇敢不屈之少女情懷刻劃得生動細膩，淋漓盡致。劇中女主角的每一句曲詞都是她真誠的內心剖白，是一位不折不扣、有血有肉、情操高尚的女性心聲。張倩女的種種行為、複雜思緒與心理感受，正好綜合反映出不同時空裡、不同國度之中國傳統社會，千千萬萬女性長期以來在封建思想生活中，她們追求自主、理想婚姻、真摯愛情的主觀願望，還有其對傳統女性相夫教子、敢於犧牲之美德的尊崇和意願。

誠然，鄭光祖筆下張倩女的真摯感情與堅貞、勇敢之思想行為，之所以能夠扣人心弦，打動了廣大讀者（觀眾）的心靈，正是因為作者能細緻描繪女性之心理發展變化，能賦予主角有血有肉、真實而不虛假的情感和生命，而這也正是本劇具有萬鈞感染力量、能夠千古傳誦之關鍵所在。《倩女離魂》既浪漫又寫實的心理描寫，既具體而準確揭示出傳統女性純正而善良的內心世界，又同時反映出她們對完美婚姻、堅貞愛情之人生意願，於此也進一步佐證了鄭光祖雜劇所以享有「名聞天下，聲徹閨閣」[14]之美譽的緣由。

12 見註4。

13 同上註。

14 見註3。

'A Piece of Unpolished Jade': A Study on the First Hong Kong Education Report

邱國光 Edmond, K.K. Yau

3-Culture Education Enterprise Ltd

Introduction

The contemporary Hong Kong is renowned as the 'Pearl of the East', a shopping paradise and the international financial centre. It is hard to imagine that it sprang up in the 1840s from a 'barren island with hardly a House upon it[1]', with 7,500 inhabitants (Hong Kong Blue Books, hereafter HKBB, 1844), who were described by the Rev. Dr. Gützlaff[2] and cited by Governor Davis[3] in a report to the Colonial Secretary as 'a roving set of beings, floating on the wide face of the ocean with their families; committing depredations whenever it can be done with impunity'; and 'the moral standard of the people congregated in this place (Hong Kong) is of the lowest description' (Despatch of 20 August 1844: 7 in House of Common Parliamentary Paper 148. Parenthesis is original).

Davis further commented in the same report that 'this observation is fully borne out by the numerous murders, piracies, burglaries and robberies of every description which have taken place during the last three years…'(Ibid). This severe situation seems uncontrolled at least for the first few years. 'At the moment (July 1844) the European inhabitants are obliged to sleep with loaded pistols under their pillows; frequently to turn out of their bed at midnight to protect their lives and property from gangs of armed robbers, who are ready to sacrifice a few of their number if they can obtain a large plunder' (Ibid. Parenthesis is original).

---

1 A comment made by Lord Palmerston to Captain Elliot, R.N. in a private letter dated on 21st April 1841, in Morse 1910: 642.

2 Charles Gützlaff was a Prussian born missionary. He was a Sinologue with good knowledge of several Chinese languages, including Mandarin, Cantonese and Fukienese. He had been employed as Chief Interpreter in Elliot's conduct of negotiation with the Chinese during the Opium War, 1840-42. He subsequently became the Chief Secretary to the Superintendent of Trade in 1843 until his death in 1851. For details of his life and work, see Endacott 1962 and Lutz 2008.

3 Sir John Frances Davis, Bt., KCB, who was the second Governor of Hong Kong, governed the Colony from 8th May 1844 to 21st March 1848.

In short, the situation in the early colonial period was characterized as political disorder, somewhat a battlefield. Therefore, establishing the whole governing apparatus was far more eminent than educating the public. The education policy had never become an important issue in the colonial government's administrative agenda at least for the first decade. However, putting no or less emphasis on educationdid not necessarily mean that there was no policy at all. In fact a very far-reaching education policy has already become embedded as early as 1847 in the first Education Committee Report.

The following sections begin with ageneral account of the educationprovision in the early days of the Colony. The government documents indicate that the education development in the first few years was basically unplanned and no major education policy was found. Education was left to the local Chinese who provided a very limited traditional Chinese education to the Chinese residents. Along with the Chinese schools, a few schools were also established on the Island by the missionaries for the purpose of proselytising. Then a thorough discussion will be on the 1847 Education Committee Report which was the first educational report of its kind in the history of the Colony. In view of the first measure for the improvement of the metropolitan state's education, as evidenced by the fact that giving grants of £20,000 for 'erection of school houses' (Commons Journals Vol. 88: 692-3) was only taken in 1833, the colonial Government's intervention in public education in the very early period was unusual. It is argued in this paper that the intervention was a result of different forces at work among missionaries, Britain, and the influences from China.

Early Years

Hong Kong was occupied by the British in 1841 and formally ceded to Britain by the Treaty of Nanking in 1842. Before the coming of the British, there were already several small schools on the Island. A population census in 1842 indicates that there were two school masters with '10 souls' in Queen's Town [Victoria] (Hong Kong Government Gazette, here after HKGG24th March 1842). In a letter to the Governor, dated 13th December 1845, the Chinese Secretary of the Colony Charles Gützlaff mentioned that he had visited the native schools on the Island in 1844 and found that there were eight schools under the management of the Chinese (Colonial Office Record 129, hereafter CO 129, /16: 29). A more detailed report could be found in Eitel's work. According to Eitel, there were already small Chinese schools in existence in the villages of Wongnaichung, Stanley, Little Hongkong and Aberdeen[4] for at least a century before the British occupation, with an average 50 students per annum, occupying less than 0.89% of the whole of the inhabitants (Eitel, 1891: 309)[5]. The number of scholars in the native schools grew steadily. 149 Chinese boys in average attendance were recorded in 1845 across 9 Chinese schools. 12 schools were at work in 1846 with 181 scholars in average attendance. The number of schools fell away slightly in 1847, with a loss of 6 students compared with the preceding year[6].

These small Chinese schools were by no means well established in a modern sense. 'Most of them [native schools] were in a miserable hovel, with a few forlorn children' described by Gützlaff in the same letter (CO 129/16: 29). The instruction was not impressive. Eitel describes that scholars were taught little positive knowledge; only reading and writing of Chinese were disseminated in these schools (Eitel 1891: 309). Eitel does not elaborate what counts as positive knowledge. His comments possibly refer to the lack of learning in, for example Arithmetic, Geography and History which were generally accepted as a normal curriculum in England at his time. The coming of the British did not bring much change to the Chinese schools.The Government documents record no new school was erected or financial support given to the native schools in the first few years.

The young Colony engrossed the attention of the missionaries. The first to take active steps in educational work for the native Chinese was the Morrison Education Society which was founded by British and American merchants in Canton in 1835 in order to perpetuate the memory of the life of Robert Morrison[7]. The Society started a school in Macau in 1839. In

---

4 Wongnaichung is situated in the east of Victoria with a population of 200 Chinese inhabitants enumerated in the 1842 Census, while Stanley, Little Hongkong and Aberdeen were fishing villages located along the southern coast of the Island in which Stanley took a prominent place and recorded 3000 native population in the same Census (HKGG: 24th March 1842).

5 Eitel E.J was originally a Germany missionary. He first came to Hong Kong in 1862 and was sent to a Lutheran Mission station near Canton. He subsequently became the Inspector of Government Schools from 1878 to 1897. He was a well known Sinologue particularly in the local languages of Cantonese and Hakka. Since he had been head of the Education Department, there is reason to believe that he could reach some materials that might not be accessed by others. This might explain why his work is able to go down to the last detail. For details of his life and work, see Endacott (1960).

6 For details of Chinese schools in the early years, see Eitel: 1891: 308-314.

7 Robert Morrison (1782-1834) was a famous pioneer of the Protestant mission in China. He was sent by the London Missionary Society to China in 1809. Apart from preaching Christianity, Morrison was a voluminous writer both in Chinese and in English, notably a six-volume Dictionary of the Chinese Language (1815-1823). With his publications, Robert Morrison 'was considered the chief person who

view of the fact that the Colony was a better place for future evangelizing operations in China, the Society decided to movethe school from Macau to Hong Kong in 1842. With the promise of Governor Pottinger as the Society's Patron and to grantland for the purpose of erecting a school building, the Morrison School was able to start work in 1842. The School further received annually the sum of $1,200 financial help from Pottinger who was assigned previously to the Anglo-Chinese College at Malacca[8] (Eitel 1891: 311).

Other denominations that followed in the setting up of schools for the Chinese inhabitants in the newly established Colony included the London Missionary Society, the Church of England, the Board of Commissioners of Foreign Missions (American Missions) and the Roman Catholic Missions, with approximately 70 Chinese boys and 22 girls recorded at the end of 1846 (Eitel 1891: 310-313). Hong Kong, from the beginning,was taken as a centre of operations for the evangelization of China, therefore; the diffusion of the Gospel and training of native ministers were the chief aims of these mission schools. This role was explicitly expressed by an intelligence which appeared in a missionary correspondence that 'it is in contemplation to make an immediate effort to raise funds for planting a branch of the English Church in the new Settlement at Hong-Kong, with a view to provide for the effectual introduction of Christianity into the Empire of China, as well as to supply our own countrymen, who may be resident there, with the Means of Grace' (Missionary Register 1843: 64).

In short, the education provision in the early years of the Colony was left to the native Chinese and the missionaries; the colonial Government had yet to take education work as an immediateagenda. The 1847 Education Committee Report was seen as the first Government intervention in public education. The intervention itself was all of a sudden and had cast doubt on the motives. The following sections will discussthe background of the Report, in which a wider perspective with focus on the influence from Mainland China is taken into great consideration; then the content of the Report will be critically analysed.

---

opened to his countrymen the road to the knowledge of the language of China' (Douglas 2007).

8 It should be noted that with the end of Pottinger's term of office in 1845, the financial support to the Morrison School was discontinued. Pottinger's successor John Davis opted to transfer Government funding to the Anglo-Chinese College which had already moved from Malacca to the Colony in 1843, possibly due to the excessive American influence in the Society. The change of education policy in relation to missionary education work in the early Colony was primarily an extension of the controversy over religious education in England in this period. The main issue was in what way and how public funds should be used in supporting religious education. (For details, see Leung 1987).

The Education Committee Report[9], 1847

The year 1847 in the history of education development in the Colony was a significant one. This year witnessed the first educational report in the history of the Colony which was presented to the Government on 11th November 1847. Being the first educational report of its kind in colonial history, its contribution is far more than symbolic. Eitel regards it as 'an important turning point in the history of local education' (1891: 316). Yet it represents the colonial government taking the first step in the public education through a system of Grants-in-aid.

The Background of the Report

The idea of giving support to the native Chinese schools was unclear. One of the possible initiators might have been Charles Gützlaff. In the same letter mentioned earlier, Gützlaff made a request from the Governor for a small grant, 10 dollars per month, to some native elementary schools on the Island that 'a great deal of good be done to the children, which no doubt would leave a most favourable impression upon the minds of the parents' (CO 129/16: 29).

Reasons for Gützlaff's request are largely unknown. Being a Chinese Secretary to the Superintendent of Trade, it was not his duty to give advice on education to the Governor. In addition, the post of British Plenipotentiary and Superintendent of Trade in China and the post of Governor of a Colony, though held by the same person until 1859 were responsible to different government departments. The former was responsible to the Foreign Office while the latter to the Colonial Office. Since Gützlaff was not, in a strict sense, a civil servant of the Colony, his request on the Colony's education is hard to be viewed as a function of his job.

Gützlaff's request might relate to his personal background. As noted before, Gützlaff was a Sinologue with a good knowledge of several Chinese languages. Besides, he had showed great admiration of the Chinese culture. According to Endacott (1962), Gützlaff became a naturalized Chinese Subject in Siam (today's Thailand) and adopted the clan family of Kwo and the name of Shik-Lee (P.105). The naturalization of a foreigner as Chinese was extremely rare at the time of the so-called Age of Imperialism when the European White always claimed

9 The 1847 Education Committee Report was the first educational report in the history of the Colony. Unfortunately, the whole Report could not be found in the Blue Books, Government Gazette or any government publications. Parts (or whole) of the texts however appear in Lobscheid's pamphlet (1859) and Eitel's collection (1891).

his racial superiority to the Asian yellow people. It is not usual even in today's Hong Kong. The support for the development of native education could be seen as Gützlaff's awestruck expression towards the Chinese culture.

Furthermore, Gützlaff had shown great concern towards the Chinese education before when he resided in Macau in 1835. He had started a school in his house with his wife for native Chinese students. With the help of a grant of $15 a month from the Morrison Education Society, 'the pupils are taught, fed and clothed byGützlaff' (Ibid.: 107). All this evidence could possibly piece the puzzle together that the request letter was motivated by the fact that Gützlaff was assimilated into the Chinese culture on the one hand, and served his missionary duty on education on the other.

Appealing for Government assistance to the native Chinese education seemed to be a common expression among missionaries in this period.In view of the small numbers of native schools in the early period, there was an article which appeared in a missionary publication to call the attention of the Government to these schools and suggested 'a school committee will, erelong be desirable' (Chinese Repository 1843, Vol. XII: 440-441). The concern of giving support to the native Chinese education was also shared by James Legge, then principal of the Anglo-Chinese College in the Colony and a missionary from the London Missionary Society.

Acknowledging that 'the benevolent intentions of the Government cannot be accomplished by means of either of these Institutions [the Theological Seminary and Boarding School (Anglo-Chinese College)] of our Society, as they are primarily and specifically religious', James Legge, in a letter to the secretary of London Missionary Society on the subject of education in Hong Kong in 1845, mentioned that he had suggested to the Governor Davis to establish 'a large Free School' for the Chinese in Hong Kong under 'talented masters for completing the education of promising pupils, that they might be qualified to act as Interpreters, Clerks and in other responsible situations' (CO129/18: 305).

Both the appeals from Gützlaff and Legge brought no immediate result. Governor Davis did mention in his annual return to the Colonial Office in 1845 that for the Chinese education 'some trifling Government contribution might have a favourable influence on the feeling of the population' (HKBB 1845). Again, Davis put down his observation in 1846 'some slight contribution from Government to these native seminaries [Chinese schools] would be attended with a good effect' HKBB 1846). Yet no positive confirmation was given by the Colonial Office until the end of 1847. Why did these suggestions from the missionaries, apparently with the support from the Governor, have no effect whatsoever?

In the Gützlaff case, Gillian Bickley, a local educationalist, argues that Governor Davis's despatch to the Colonial Office that included Gützlaff's letter came with a letterrequesting for funding to support religious education development in the Colony which was a sensitive issue at that timeresulting in needing cautious and extended treatment of the requests. (Bickley 2002: 4-9). With a detailed tracking of the original correspondences, Bickley's explanation is reasonable but not substantiated. A counter-argument is why did James Legge's request, which was entirely the concern of secular education,not receive any positive feedback? One may argue that Legge's proposal had gone too far in terms of financial expenses as he foresaw in his letter that the salaries of the Masters had already incurred £1500 annually. Given the fact that the salary of the Governor was only £6000 p.a., the expenditure in Legge's suggestion was obvious too costly and it might be that the letter was underrated by the Colonial Office.

Nevertheless, it is equally logical to argue that there was something that happened in the year of 1847 that made Whitehall change the policy or re-evaluate the missionaries' suggestion on giving support to theChinese native education in the Colony. Indeed, there was a Parliamentary Report published several months before funding the Chinese schools in the Colony. The present paper argues that the 1847 Parliamentary Report acted as a catalyst and put the whole issue intopractice.

During 1847, a Parliamentary Select Committee was appointed to inquire into British commercial relations with China. A report was subsequently submitted to the House of Commons in July, four months before the appointment of the Education Committee in the Colony. Owing to the coincidence of time and the similar attitude towards the development of Chinese education, it is reasonable for the Education Committee members to have been reading or even considering the recommendations from the Select Committee Report on education in the Colony before preparing their own report.

In reporting the current condition of the commercial relations with China, the Select Committee commented that 'the trade with that country has been for some time in a very unsatisfactory position' (House of Commons 1847: iii). The report ended with pressing the colonial Government on the acceptance of a number of positive recommendations. Interestingly, one of these was concerned with the learning of the Chinese language.

The Committee recommended that 'Facilities should also be given in Hong Kong for the acquisition of the Chinese language and encouragement to schools for the Chinese; and the study of the Chinese language should be encouraged in the Consular officers, whose efficiency in every respect is one of the highest importance, especially in the present stage of our commercial intercourse with the country' (Ibid.: ix).

The recommendation for the encouragement of the acquisition of the Chinese language for the Consular officers might be understandable as it would facilitate the commercial intercourse. However, the reasons for giving support to the development of the Chinese language in the native Chinese schools were not obvious. One possible explanation would be in relation to one of the members of the parliamentary committee- Dr. Bowring (Sir John Bowring).

Bowringwas the fourth Governor in the Colony from 1854-1859. Prior to this appointment, he was offered the consulship at Canton from 1848. Bowring was a politician, a diplomat as well as a writer with at least twenty-one publications (Bowring 1877:403). Bowring had been MP twice since 1835. The issues on which he spoke and voted in Parliament while he was MP for Bolton since 1841 included the abolition of corn duties, the extension of popular education, revision of quarantine regulations, abolition of flogging in the army, the suppression of opium trade, and the worldwide abolition of slavery (Stone: 2007: 12). Should the support for the development of the native Chinese education in Hong Kong have been the effort of Bowring, the suggestion could be read as a reflection or an extension of Bowring's humanistic concern towards the underprivileged class in that society.

Nevertheless, a detailed analysis of the Parliamentary Report of 1847 will not be the focus of this paper; the focus here is that given the time coincidence of the two issues, the suggestions made by the Education Committee would have come under pressure from the Parliamentary Committee. A content analysis of the Education Committee Report, which will be discussed in the next section, shows that the recommendations about the instruction of the Chinese language from the two reports are in the same vein. The Education Committee was plainly to implement the findings of the Parliamentary Committee.

The Content of the Report

> Sir,—In reply to your letter No. 405 of 6th November instant, we have the honour to lay before you for submission to his Excellency the Governor, the enclosed report of our investigation in respecting the Chinese schools at Victoria, Aberdeen and Stanley, and the most desirable method of appropriating the sum of money granted, as mentioned in your letter, for educational purposes.—We have, &c.
>
> C.B Hillier,
> V. Stanton,
> A.L. Inglis.

(Education Committee Report, 1847. Cited in Lobscheid 1859: 19)

The 1847 Education Committee Report was submitted by an *ad hoc* committee which was appointed by the Governor at the end of 1847[10]. On 6th November 1847, the Governor, Sir John Davis, appointed Mr. C.B. Hillier, then Chief Magistrate as the Chairman, with two members, the Rev. V. Stanton, then Colonial Chaplain and Mr. A. Inglis, then Registrar General to form a committee with the terms of reference in the prologue of the Reportas shown above. The Committee spent five days visiting the Chinese schools and writing the Report. Three Government Schools were subsequently founded and were granted a contribution of $10 a month for each school from the government in the following year (Eitel 1891: 314)

The Report starts with the description of the results of the investigation of the Chinese Schools. A total number of 8 schools with 123 pupils had been visited within this period. The physical features of the schools, such as the name of the Masters and the number of scholars in each school were recorded in detail. Yet the accuracy of the data is in doubt for the reason that some of the investigation might not be the result of direct observation of the members but a testimony possibly made by the Masters. For instance, when describing the two schools in Aberdeen, the Report states that 'the first… containing 7 Scholars, *said to have* contained 17 before the fishing season; and the second… containing 4 pupils, *said to have* contained 10 before the fishing season[11]' (Lobscheid 1859: 20. Emphases are added). Since the results of the investigation would be directly related to the financial assistance, there was a high temptation for the Masters to exaggerate the number of attendance in order to obtain the Government funding.

Following the physical description, the Report focuses on the system of instruction of the Chinese Schools. According to the Committee members, reading and writing of the Chinese language were the main curriculum in these schools. Arithmetic was seldom taught and only at the request of the parents which consisted 'merely of instruction in decimal computation on the Chinese counting board' (Ibid.: 20). The books used were from primarily Chinese primers, such as Three Character Classics, rising to the Four Books and Five Classics[12]. Composition

10 The Committee was first appointed on an ad hoc basis on 6th November 1847. A Report was presented to the Government on 11th November 1847. The Committee was formally appointed on 6th December 1848 (Eitel 1891: 315-316).

11 The members illustrated further in the Report that the fishing season commenced in September and ended in March. A large proportion of the children of fishermen would accompany their parents to sea which means that many children would be absent from school in the fishing season.

12 The Three-Character Classic was written in couplets of three characters for easy memorization. It served as a child's first exposure to formal education either at home or at elementary schooling. With the short and

of prose and poetry would be studied too, but few pupils reached proficiency. The members did not appreciate the way of instruction in these schools. Pupils were learned by 'recitation and copying with little regard to the sense' and explanation was only given to the advanced pupils[13] (Ibid.).

The Report also mentions some difficulties faced by the schools. For example, there were no classes in the schools which meant that pupils were put in one class regardless of their age. In the schools that the members had visited, the oldest pupil was 18 while the youngest 6. The wide variance in age was obviously a great challenge to the Masters. In fact, the daily course of study was that 'each pupil learns and recites his lesson *separately* in a loud voice' (Ibid. Emphasis is added). The effectiveness of the instruction was questioned.

While indicating the Chinese instruction was notan effective way of learning, the Report surprisingly made no suggestion on the betterment of the system. Additionally, the course of instruction was affirmed in the Report that '…but at present, and until experience has been gained, and better means are at hand, we think *any interference with the existing course of instruction would be injudicious* (Ibid.1859: 21. Emphasis is added); and the members suggest:

> 'that no such interference be attempted at present, but that a committee for the purpose of supervising the schools which accept of Government aid be appointed and that they make from time to time, subject to the approval of the Government, such alterations in the mode of tuition as may gradually lead to the introduction of a better system.'
>
> (Lobscheid 1859: 21)

"No interference with the existing course of instruction" implies that both the curriculum and method of learning wouldremain in use in schools. It is hard to believe that the members

---

simple text, children learnt many common characters, the basic grammar structures and some elements of Chinese History. More importantly, the Three-Character Classic embodied the ideas of Confucian ethics like filial piety and fraternal submission. One might call it a Confucian catechism. The Four Books and Five Classics were traditional Chinese Classic texts for advanced scholars which were official curriculum of the Imperial Service Examination since the Ming Dynasty (1368-1644).

13 The process of teaching and learning of the Chinese Classics often causes misunderstandings among Westerners. The Chinese teachers are blamed for putting emphasis only on Chinese Classics text memorization without further explanation on the context of the texts. To the Chinese people, however; the recitation of the Chinese Classics is a foundation for learning which can provide grounding for the future development of a more sophisticated thinking skill. For a detailed elaboration of the argument, see Yau 2010.

would support an instruction with emphasis only on rote learning, copying and reading aloud. Why did the Committee's recommendation contradictthe members' observations? Would the explanations 'lack of experience' and 'no better means' be able to speak for itself? The present paper argues that the suggestions were made possibly under pressure from the Parliamentary Committee Report; that is the suggestions were entirely the Parliamentary Committee's idea.

One of the recommendations of the 1847 Parliamentary Committee is the encouragement of the acquisition of the Chinese language for the Chinese in the Colony. To the Education Committee members, keeping the instruction of the Chinese language including the method of learning[14] in the Chinese schools was a double-edge sword. First, it was the best answer to the suggestions from Whitehall; second, the main concern of the members would become obscure- the religious rather than the educational issue was indeed the main agenda of the members.

According to Eitel, the colonial Government, apart from the terms of reference, added a special instruction to the Committee: 'Care must be taken to impress upon the minds of the parents of the students that *no interference is to be permitted with their religious prejudices*, such being the terms on which the contribution (of $10 a month for each School) is to be made' (Cited in Eitel 1891: 314. Emphasis is original). Eitel explains that this special instruction was made against the religious background of the Committee members as 'the principal educationist on this Committee, Mr. Stanton, was known to be in favour of no other but religious education, and as the Chairman, Mr. Hiller, was understood to hold the same views[15] …'. Eitel obviously implies that it was not the motive of the government to introduce religious education into the secular education system. In response to this instruction, the Report makes a detailed account on the religious attitude of the Chinese students:

> 'With regard to interference with the religious prejudices of the Chinese, we think that there is no need for apprehension on this score; no persons seem less bigoted than the

14 It is necessary to clarify the concept of Chinese language and the relationship between this subject and its way of learning. The usage of the term Chinese language in the 19th Century is an equivalent variant of Chinese Classics which is obviously contradictory to the modern meaning that refers to the study of the technical form a language such as phonology, morphology and syntax. Since memorization has a long tradition in learning the Chinese Classics and is regarded as an effective way of learning, and still the main trend in today's Hong Kong schools, memorization itself is inseparable from the acquisition of the Chinese language and becomes part of the learning process. Therefore, it is generally understood that the reciting of the Chinese Classics always means the study of the subject by means of memorization.

15 Eitel's comment is possibly due to the fact that the wife of Mr Hiller was the daughter of the Rev. W.H. Medhurst, of the London Missionary Society, a prominent missionary in the Far East (Endacott: 1962: 85).

Chinese to their system of religious belief, and they have proved in most cases willing to allow their children to receive religious instruction and to receive it themselves.

We cannot think it advisable to separate the knowledge of what we think and all the Christian world confess to be the highest truths from other knowledge, having only a weaker power to develop the reasoning faculties, and make the instructed more orderly and useful members of society; and we observe that, in the minutes of the plan of national education lately published in England, the reading of the Holy Scriptures is made a necessary condition of the reception of Government aid.'

(Lobscheid 1859:21)

And the Committee's suggestion is:

'We therefore advocate the ultimate introduction into these Schools of the study of the Bible, and should regret any measure likely to exclude religious instruction…'

(Ibid.)

It is quite interesting that within an extremely short period of time-five days including the writing of a report, the Committee members could make a definite conclusion that the Chinese pupils were less bigoted in their system of religious belief and were willing to receive religious instruction. Therefore, there are reasons to believe that this suggestion was the members' (or some of the members') subjective aspiration rather than a sensible conclusion made by a careful and detailed observation towards the pupils.[16] This suggestion deviated, at least in outward appearance, from the special instruction made by the government—no interference with the Chinese students' religious prejudices. It is under this circumstance that the Committee made the other suggestion that the existing course of instruction should be preserved. The latter suggestion was made immediately after the first suggestion. For the benefit of discussion, the two suggestions are reproduced again as follows:

16 The distant location of the fishing village Stanley which was inaccessible in the 1840s made the investigation even harder. The village could be reached by two routes: east or west; both took approximately 14 miles or 22.5 km from Victoria where the members supposed to start their journey. Travelling on the bridleway with horses was never straightforward. The journey was long—6 to 8 hours for a return trip would be a sensible estimation; the road was not safe—robberies were almost a daily event in the early Colony. Therefore, it is reasonable to speculate that some of the results of the visits were based on self-reports of the Masters rather than a detailed on site observation of the members. Another fishing village, Aberdeen was more accessible, but it still took at least a couple of hours on horses for a single journey.

'We therefore advocate the ultimate introduction into these Schools of the study of the Bible, and should regret any measure likely to exclude religious instruction; but at present, and until experience has been gained, and better means are at hand, we think any interference with the existing course of instruction would be injudicious'

(Lobscheid 1859:21)

The presentation of these two suggestions is rather peculiar and to some extent incomprehensible. Considering the usage in semantics, the suggestions are basically two different issues with the former dealing with religious education, while the latter with the course of instruction. They should not be presented in a way that the latter suggestion is supplementary with a conjunction *but* to the former suggestion. The relationship of the two suggestions might be established if there is an acceptance of a wider interpretation on the meaning of Chinese Classics with the inclusion of the Chinese religion, the main substance in the Chinese instruction. However, the element of Chinese religion seems to be absent from the description of the Chinese Classics in the Report.

The strange presentation of these texts might reflect a tension between religious and secular education. The Report manipulates the government's special instruction on religious issues by confusing the real with the sham. The real is '*no interference is to be permitted with their religious prejudices';*while the sham is '*any interference with the existing course of instruction would be injudicious'*. The double-dealing of the Committee members—to say one thing but mean another—seems to be a strategy shared by the contemporary missionaries who wanted to secure Government's assistance on religious education. While describing his job as the Inspector of the Government Schools in 1857, Rev. W. Lobscheid wrote in a pamphlet that one of his chief duties was 'to visit the schools occasionally, to acquaint myself with the *existing evils* that had frustrated their object, and to point out those means likely to remedy them (Lobscheid 1859: 2. Emphasis is added). One of the *evils* possibly was the text books. The Thousand Character Book [Classic] which was widely used in the village schools in the Colony, in the eyes of Lobscheid was 'the product of a capricious emperor, and have either no sense at all, or one forced upon them' (Ibid. : 1). The Four Books which were used by the more advanced pupils were put down as 'the so-called Classics' and 'are written in so obscure and elliptical sentences, as to make it a hopeless task for any one, native or foreigner, to arrive at the meaning of the text without the assistance of a teacher or a commentary' (Ibid, : 12).

Another *existing evil* might be in relation to the Chinese teachers. The school teachers, according to Lobscheid were 'retire[d] from the examination [Imperial Service Examination] Hall'; and 'were half-educated men, bearing the name of teachers, take in general an interest in nothing which promotes the welfare of their own people; and woe to the children who fall into their hands, for they dream away their time by gambling, or lie down and sleep whilst the little urchins are sitting at their lessons' (Ibid.: 13). Yet Lobscheid had no intention of getting get rid of all these *evils*. Like the 1847 Education Committee members, his primary concern was to give the scholars a good knowledge of religious education.

Conclusion

This paper has studied the first Education Report of the Colony which witnesses an initial stage regarding education development in the Colony. It is a stage of the beginning of the education policy which was regulated by funding and conditions. The suggestion on the preserving of native Chinese instruction could be regarded as a breakthrough in the development of Chinese language education in the Colony. Yet, its significance should not be over exaggerated as the suggestion sprang up with possibly a compromise from a manipulation rather than the sincere support for the native Chinese instruction.

The suggestions and recommendations in the Report received no amendment or rejection from the colonial Government; it does not mean that the policy was mainly the preference of the members in which religious education was always taken into serious account. The policy was indeed influenced by a blend of forces coming from missionaries, the colonial Government and Whitehall, mainly expressed through the trade relationship between the Chinese and the British merchants. The missionaries were the initiators of the Report and the idea of teaching Christianity by using public funds was able to be reflected in the Report. The colonial Government was willing to support the native education for the reasons that, first, the expenditure incurred was very small; and second, it might bring a favourable influence on the feeling of the native population. The British Government played a decisive role in the whole issue. The teaching of the Chinese language in the Colony was regarded as beneficial to the commercial intercourse with China. It was this suggestion that hastened the process of Government intervention in public education in the Colony.

References

Bowring, L.B. (1877). *Autobiographical recollections of Sir John Bowring. With a Brief Memoir*. London: Hennys. & Co.

Bickley, G. (2002). *The Development of Education in Hong Kong, 1841-1897: as Revealed by the Early Education Reports of the Hong Kong Government, 1848-1896.* Hong Kong: Proverse.

Chinese Repository. (1843).

Colonial Office Record 129 (CO 129), *Governor of Hong Kong, Despatches and Replies from the Secretary of State for the Colonies.*

Douglas, R.K. (2007). *'Morrison, Robert (1782–1834)'*, rev. Robert Bickers, Oxford Dictionary of National Biography, Oxford University Press, 2004 ;online edn, May 2007 [http://www.oxforddnb.com/view/article/19330, last accessed on 25th Jan 2011].

Eitel, E.J. (1891). Materials for a History of Education in Hong Kong. *The China Review, or notes & queries on the Far East.* Vol. 19, No. 5, 308-324.

Endacott, G. B. (1960). A Hong Kong History: Europe in China, by E.J. Eitel: The Man and the Book. *Journal of Oriental Studies*. Volume IV, 1957 and 1958, Numbers 1 and 2: 41-65.

Endacott, G.B. (1962). *A Biographical Sketch-Book of Early Hong Kong*. Hong Kong: Hong Kong University Press.

Hong Kong Blue Books.

Hong Kong Government Gazettes.

Journals of House of Commons.

Lobscheid, W. (1859). *Few Notices on the Extent on Chinese Education, and the Government Schools of Hong Kong; with Remarks on the History and Religious Notions of the Inhabitants of this Island*. Hong Kong: Daily Press.

Missionary Register. (1843).

Lutz, J.G. (2008). Open China: *Karl F.A. Gützlaff and Sino-Western Relations, 1827-1852*. Michigan: B. Eerdmans Publishing Company.

Morse, H.B. (1910). *The International relations of the Chinese Empire: The Period of Conflict, 1834- 1860*. London: Longmans, Green, and Co.

Stone, G. (2007). Bowring, Sir John (1792-1872). *Oxford Dictionary of national Biography.* Oxford University Press.Online edn. Sept 2004,[http://www.oxforddnb.com/view/article/3087, last accessed on 26th January 2011].

The House of Commons (1847). *Report from the Select Committee on Commercial Relations with China; together with the Minutes of Evidence, Appendix, and Index.* House of Commons Parliamentary Papers (654), 12 July 1847.

Yau, Edmond K.K. (2010). A Historical Study of the language policy formulation in the Government schools for Chinese Students in Hong Kong, 1842-1882. Unpublished Doctoral Dissertation. University of Bristol.

Yau, Edmond K.K. (2015). James Legge and Hong Kong Public Education. 新亞論叢 *(Xin Ya Lun Cong)* Vol. 16: 327-344.

新寫實主義小說與中國古代文論的關係

江彥希

香港大學中文學院

一 引言

新寫實主義小說一名源自一九八九年出版的《鍾山》雜誌，另外有「後現實主義」小說、[1]「新現實主義」小說、[2]「現代現實主義」小說[3]等別稱。《鍾山》雜誌編輯部還為新寫實主義下了定義：

> 這些新寫實小說的創作方法仍以寫實為主要特徵，但特別注重現實生活原生形態的還原，真誠直面現實，直面人生。雖然從總體的文學精神來看，新寫實小說仍劃歸為現實主義的大範疇，但無疑具有了一種新的開放性和包容性，善於吸收、借鑒現代主義各種流派在藝術上的長處。[4]

雷達在《鍾山》雜誌的定義出現之前，曾引述文藝界有一種意見，稱新寫實主義為「現實主義的回歸」。[5]這種看法沒有得到《鍾山》的接受，《鍾山》雖仍然認為新寫實主義是現實主義的分支，又沒有詳述新寫實主義小說與現實主義小說的異同，但也概括指出新寫實主義小說運用了更為豐富的寫作手法。陳曉明具體的闡述了《鍾山》所提出的觀點，認為新寫實主義小說吸收了其他流派的反諷、黑色幽默等手法。[6]另外，也有學者嘗試比較新寫實主義小說與現實主義小說的內容：兩者內容同樣「呈現著當今社會生活的諸種問題」，[7]但後者「只寫個人」，而前者「則把焦點對準集體」。[8]

有學者不認同兩者的主要分別在於藝術手法與技巧，提出另一種看法：新寫實主義小說「在技巧上和傳統寫實主義並無太大差別，「新」純粹就其和傳統精神價值取向相

---

1 王干：〈近期小說的後現實主義傾向〉，《北京文學》，1989年第6期，頁45。

2 丁帆和徐兆淮：〈向現代悲劇逼近的新現實主義小說〉，《文學自由談》，1989年第6期，頁87。

3 王又平：《新時期文學轉型中的小說創作潮流》武漢：華中師範大學出版社，2001年，頁213。

4 《鍾山》編輯部：〈新寫實小說大聯展卷首語〉，《鍾山》，1989年第3期，頁4。

5 雷達：〈探究生存本相‧展示原色的魅力〉，《文藝報》，1988年3月26日。

6 陳曉明編：《中國新寫實小說精選》蘭州：甘肅人民出版社，1993年，頁22。

7 鄭萬鵬：《中國當代文學史：在世界文學視野中》北京：北京語言文化大學出版社，2000年，頁6。

8 吳義勤主編：《中國新時期小說研究資料（上）》濟南：山東文藝出版社，2006年，頁358。

悖而論」，[9]即兩者的分別主要在作品的內容與創作的目的。

假如按《鍾山》的思路去考慮，新寫實主義大概是與中國傳統文學的現實主義關係最大，就如田本相與宋寶珍一樣，認為「新現實主義的興起」，是「現實主義的回潮」，是「現實主義在當代社會形態下的發展和繼續」。[10]不過，筆者從以上學者所作的初步比較看來，新寫實主義與現實主義之間實存在較大的距離：下文將先以「說教」為中心，追溯現當代現實主義的根源及其特點，說明現當代現實主義的落實概況，並從現實主義支持者對新寫實主義的批評、新寫實主義作家的自白、學界對現實主義與新寫實主義的理論總結與評論，集中展現新寫實主義在「精神價值取向」方面與現實主義的不同。

筆者發現不少論者討論與分析新寫實主義小說作品，都是圍繞其給讀者道德情感上的啟發。這個現象卻引起了筆者的興趣與思考，因新寫實主義的出現正是要對現實主義過重於說教的流弊作撥亂反正，那麼新寫實主義小說這種說教意義究竟是怎樣一回事？傳統儒家「知言」與「知人」的文學詮釋理論正為我們提供了分析這個問題的線索，而新寫實主義小說與中國傳統文論的關係，也能於此得到辨清。

二　新寫實主義與現當代現實主義之比較

（一）古代以文學說教與現實主義之合流

中國以詩歌作為教育的媒介，起源很早，分「詩教」與「樂教」兩類，在戰國時期已十分蓬勃，並在不同場合得到應用，主要針對道德情感的熏陶及強化治權的需要。[11]郭紹虞對「詩教」與現實主義的關係有較清晰的理解，他認為原本「詩教」與以現實為基礎的現實主義就沒有必然的聯繫，但儒家學者卻把「現實主義文學曲解為為王道服務的文學」，這就使「詩教」與現實主義開始合流，而作品的描寫變得「不合事實了」。[12]不少論者亦把儒家的「詩教」看成是現實主義的其中一種體現，如張少康認為「詩教」觀「體現了孔子文藝思想中的現實主義特徵」，[13]李嘉言形容「詩教」「有了充分的現實主義精神」，[14]馬承五更揚言「『詩教』說成為影響中國古代現實主義文學理論的一條源

9　謝靜國：《論莫言小說（1983-1999）的幾個母題和敘述意識》臺北：秀威資訊科技公司，2006年，頁20。

10　田本相、宋寶珍：〈序〉，載氏編：《新寫實戲劇》北京：北京師範大學出版社，1999年，頁4。

11　江彥希：〈戰國時代儒家之詩教與樂教情況研究——以楚簡文獻資料為中心〉，《新亞學報》，2016年33期，頁165-229。

12　郭紹虞：《中國古典文學理論批評史（上冊）》北京：人民文學出版社，1959年，頁32。

13　張少康：《中國文學理論批評簡史》香港：香港中文大學出版社，2004年，頁19-20。

14　李嘉言：〈談白居易的寫作方法〉，載氏著：《李嘉言古典文學論文集》上海：上海古籍出版社，1987年，頁329。

遠流長的原則」。[15]

唐代可以說是中國古典文學現實主義的一個高峰，初唐先有陳子昂（661-702）開風氣之先，繼有盛唐「詩史」杜甫（712-770）以詩歌反映豐富而深刻的社會現實，把中國詩歌提到一個前所未有的高度。一直獲譽為「偉大的現實主義詩人」的杜甫，[16]也是以「詩教」的觀念來理解文學的本質，如其〈解悶．其七〉有「陶冶性靈存底物？新詩改罷自長吟」之言，[17]視「陶冶性靈」為文學作品一個十分重要的價值。中晚唐起，「古文運動」與「新樂府運動」風靡文壇。兩者與現實主義存在相互關係：「古文運動」與「『安史之亂』前後詩歌領域中現實主義的發展」，「有著密切的關係」，[18]而繼承「現實主義詩學觀」的「新樂府運動」又與「『古文運動』相呼應」。[19]

韓愈（768-825）是唐代古文的集大成者，「獨孤及、梁肅是韓愈的先驅」。[20]李舟（生卒年不詳）〈獨孤常州集序〉闡明了獨孤及以文學為用的文學觀：「文之時用大矣哉：在人，賢者得其大者，禮樂刑政勸誡是也；不肖者得其細者，或附會小說以立異端，或雕斫成言以裨對句，或志近物以玩童心，或順庸聲以諧俚耳。其甚者則矯誣盛德，污蔑風教，為蠱為蠹，為妖為孽」。[21]梁肅（752-793）的看法跟獨孤及一致：「文之興廢視世之治亂」（〈常州刺史獨孤君集後序〉）、[22]「文章之道與政通矣。世教之污崇，人心之薄厚，與立言、立事者邪正臧否，皆在焉。故登高能賦者可以觀者，可與圖事；誦《詩三百》可以將命，可與專對」（〈秘書監包府君集序〉）、[23]「文之作，上所以發揚道德，正性命之紀；次所以載成典禮，厚人倫之義；又其次所以昭顯義類，立天下之中」（〈補闕李君前集序〉）。[24]韓愈的話把梁肅的更概括，但看法相同：「蓋學所以為道，文所以為理也」（〈送陳秀才彤序〉）。[25]

與古文運動同時的，有元稹（779-831）與白居易（772-846）倡導的新樂府運動。

---

15 馬承五：《唐詩論集》上海：上海古籍出版社，2006年，頁50。

16 郝春生主編：《人文素質教程》北京：清華大學出版社；北京交通大學出版社，2004年，頁5。

17 杜甫（712-770）著；楊倫（1747-1803）箋注：《杜詩鏡銓》上海：上海古籍出版社，1980年，頁817。

18 吳志達：〈現實主義在唐人傳奇中的表現〉，《武漢大學學報（哲學社會科學版）》，1981年2期，頁62。

19 陳良運：《中國文學批評史》南昌：江西人民出版社，1995年，頁257。

20 何沛雄：《韓文擷論》香港：香港大學出版社，2006年，頁23。

21 見李昉（925-996）等編：《文苑英華》（《景印文淵閣四庫全書》本）臺北：臺灣商務印書館，1983年，卷七百二，〈文集四〉，頁12。

22 同上註，卷七百三，〈文集五〉，頁6。

23 同上註，卷七百三，〈文集五〉，頁5。

24 同上註，卷七百三，〈文集五〉，頁9。

25 韓愈（768-825）著；馬其昶（1855-1930）校注：《韓昌黎文集校注》上海：上海古籍出版社，1987年，頁260。

白居易於〈與元九書〉提出「文章合為時而著，歌詩合為事而作」的主張，[26]又身體力行，體現自己的創作理念：「唯歌生民病，願得天子知」(〈寄唐生詩〉)，[27]並希望當世的作家能夠做到跟《詩經》作者一樣「其言直而切，欲聞之者深誡也」(〈新樂府並序〉)。[28]白居易以一「欲」字形容《詩》各篇章作者的心態，即新樂府派認為藉作品進行「教化」是《詩》篇作者有心、主動進行的，並以此作為己方文學創作理論的根據。新樂府派之創作論與其對文學性質的理解，可謂同出一轍，如元稹〈樂府古題序〉說「尚不如寓意古題，刺美見事，猶有詩人引古以諷之義焉」，[29]白居易又於〈與元九書〉提到「言者無罪，聞者足誡；言者聞者莫不兩盡其心焉」。[30]元稹、白居易作為新樂府派的代表人物，其言可反映當時有數量甚大的文人，受到過去前人對《詩》的引用與詮釋及對文學性質理解的影響，把文學作品看成是說明道理與教訓的教化工具。

(二)現當代現實主義之落實：說教的重要

學者對現當代現實主義文學創作論的總結，大同小異者居多，茲引三例以見大概：「傳統的現實主義小說家往往具有強烈的『教化者』、『勸誡者』的角色意識，極力強調其在小說中對人物和故事的價值判斷」、[31]「傳統現實主義，尤其是建國後的現實主義，在某種意義上是主流意識形態的教化工具」、[32]社會主義下的現實主義「過分強調了文藝的教化作用，勢必導致社會主義文藝應有的審美功能和娛樂功能及對人類自身本性探討的功能的消滅」。[33]以上的總結固然立足於文壇上出現過的思潮與現象，如當代軍人作家徐貴祥「仍是傳統文人作風，堅持認為文學要肩負社會教化功能」，[34]又有人主張「立言便是學問文章要有益於世，引導社會文化的發展，而作家群體，一直都是立言的重要人選。這個群體如果都宣稱對讀者沒有責任了，恐怕會令人心生憂慮。……教

---

26 白居易(772-846)：《白氏長慶集》(《景印文淵閣四庫全書》本)臺北：臺灣商務印書館，1983年，卷四十五，〈書序〉，頁5。

27 同上註，卷一，〈諷諭一〉，頁16。

28 同上註，卷三，〈諷諭三〉，頁1。

29 元稹(779-831)：《元氏長慶集》(《景印文淵閣四庫全書》本)臺北：臺灣商務印書館，1983年，卷二十三，〈樂府〉，頁2。

30 白居易：《白氏長慶集》(《景印文淵閣四庫全書》本)，卷四十五，〈書序〉，頁2。

31 張重才：《從「新寫實」小說看我國現實主義文學在新時期的嬗變》武漢：華中師範大學碩士論文，2002年，頁20。

32 秦宇慧：《文革後小說創作流程》(電子文本)，網址：〈http://www.shuku.net/novels/bishumin/wghxsczlc/wghxsczlc02-02.html〉，瀏覽日期：2016年8月6日。

33 田中陽、趙樹勤主編：《中國當代文學史》海口：南海出版公司，2006年，頁15。

34 見〈為什麼會寫字的都能夠一夜成名？〉，《新週刊》，第227期，新文化現象，2006年5月15日，頁92-95。

化也是文學的一個基本功能，而作家寫小說並非僅僅自娛自樂那麼簡單」，[35]而熱衷於「底層關懷寫作」的當代作家張小牛對自己的創作有如下的寄望：「我們都願人心向善，我們都應為人性教化做點什麼」、「只要讀者將作品一路讀下去最終能看到人性的暖色，我就多少有些欣慰了」。[36]

可見現實主義的支持者均表現一種作品的重要功能是說教，而作者本身須肩負說教義務的態度。

（三）現實主義支持者對新寫實主義的不滿

文學評論家李建軍曾明確表示自己對現實主義的推崇，及為現當代文壇出現忽略現實主義創作思想而大為慨嘆：「現實主義文學是對重大的歷史事件和現實問題的關注和敘述，有著強烈的問題意識，當然這也意味著尖銳的批判精神，這是現實主義極其重要的特點。但現在的作家，創作基本上都是和現實隔離的，對於整個社會中影響多數人的大事件、重要的現象卻多不關注」、「現在幾乎沒有了，沒有現實主義寫作的作家，當然沒有了現實主義的作品」。[37]他對新寫實主義作品的批評有一個把中國現當代文學與中國「傳統文學」及「真正的『中國』、『中國人』和『中國文化』」連上關係的前設。李氏對「傳統文學」與所謂真正的「中國文化」的理解，是要表現「偉大的倫理精神」，存在「足以照亮人心的思想光芒」，並要「強調文學的倫理效果和道德詩意」。[38]李建軍拿著以上的標準來批評新寫實主義的代表作家劉震雲和莫言。[39]李氏「直議」「莫言的小說不僅並不具備這樣的特點，而且幾乎可以說是背道而馳的」，即「缺乏豐富而美好的道德詩意，缺乏崇高而偉大的倫理精神，缺乏普遍而健全的人性內容」，[40]又以「沒有收穫」來總結自己「讀完《手機》以後的感受」，原因是劉震雲小說《手機》「缺少一個深刻主題」，是一部「缺乏深度的小說」。[41]

由此可見，新寫實主義作家與現實主義作家不同，並沒有把說教看成是自己的責任，也不會視說教意義為作品重要的價值。

---

35 見〈文學變了，還是讀者變了？〉，《人民日報》，藝文觀察，2013年4月11日。

36 見〈永遠的小牛〉，《寶安日報》，筆譚，2015年11月22日。

37 見〈平凡世界何時回歸〉，《北京晨報》，會客廳，2015年3月10日。

38 李建軍：〈直議莫言與諾獎〉，《文學報》，新批評，2013年1月10日。

39 京陽〈劉震雲幽默生活〉，《黨政論壇》，2013年第7期，頁48。

40 李建軍：〈直議莫言與諾獎〉，《文學報》，新批評，2013年1月10日。

41 李建軍：〈尷尬的跟班與小說的末路——劉震雲及其《手機》批判〉，《小說評論》，2004年第2期，頁16。

（四）新寫實主義流派抗拒以文學進行教化

不少「新寫實」主義作家，均明確表示對作家及作品須肩負教化功能之厭惡，如劉震雲曾言「文學本身的教化功能特別小，這個職業很簡單，一輩子寫幾段有意思的故事，看過會心一笑罷了」，[42]蘇童也有相近的看法：「我一直比較反對把小說的教化功能跟別的各種功能無限的提升，然後給小說施加壓力，給作家施加壓力」，[43]池莉則更表明「我不是老師，不想當精神導師，不想刻意教誨世人」。[44]

當代學者總結新寫實主義流派的創作，也表現出其中一種漠視教化的傾向。就作品來說，「文學的美學特徵由於文學不再被視為啟蒙教化的工具，也不再扮演承載人類理想之舟的角色而發生了顯著的變化」。[45]就作家而言，他們「也不再扮演那種給讀者指點迷津或提供某種教化的『生活先知』的角色，甚至不故意去追求思想深度」，[46]並「刻意地避免使用意識形態的宣諭性和教化性的策略」，[47]「生怕自己的小說沾染上一點教化大眾的味道」。[48]

《鍾山》雜誌曾提及新寫實主義作品對現代主義的創作手法有所借鑒，上文已有引述。筆者認為新寫實主義的創作精神亦有受現代主義的影響。當代作家高行健著有《現代小說技巧初探》一書，起著「帶動了中國作家對現代主義文學及其表達方式的關注」的意義。[49]高行健於二〇〇〇年獲諾貝爾文學獎，他的得獎感言中便提到「作家並不承擔道德教化的使命」，而文學創作最重要的是要「將自我袒裎無遺，連人內心的隱秘也如是呈現」，因「真實之於文學，對作家來說，幾乎等同於倫理，而且是文學至高無上的倫理」。[50]現代主義這種對「真」的要求，亦為新寫實主義作家所接受。

1 原因一：「典型」之失真

秦宇慧總結現當代現實主義創作理念如下：「現在大多數理論家已經承認，以往傳統的現實主義往往被賦予了過多的政治和教化責任，經過了「典型化」、「理想化」的變

42見孟靜：〈劉震雲：一地喜劇〉，載氏著：《秀場後台》北京：生活・讀書・新知三聯書店，2010年，頁27。

43 見李建周：〈紙上的海市蜃樓——與蘇童對話〉，《南方文壇》，2008年第4期，頁60。

44 趙艷：〈敬畏個體生命的存在狀態——池莉訪談錄〉，《小說評論》，2003年第1期，頁38。

45 管寧：《小說家筆下的人性圖譜：論新時期小說的人性描寫》福州：福建教育出版社，2001年，頁79。

46 益明：〈審美定位——讀當代小說所想到的〉，《百科知識》，1995年第6期，頁60。

47 張頤武：〈後新時期文學：寧靜與喧嘩〉，《人文雜誌》，1993年第2期，頁119。

48 金岱主編：《世紀之交：長篇小說與文化解讀》廣州：廣東人民出版社，2002年，頁286。

49 見劉再復：《論高行健狀態》香港：明報出版社，2000年，頁104。

50 見高行健：〈文學的理由〉，載氏著：《沒有主義》臺北：聯經出版公司，2001年，頁348。

形，而成為一種「偽真實」、「偽現實主義」」。[51]這裡有兩個問題需要處理：「典型化」、「典型化」與「偽真實」的關係。首先，「典型」之於現實主義創作的意義是由恩格斯（Friedrich Engels, 1820-1895）奠定，他在〈致瑪．哈克奈斯〉一信提到：「據我看來，現實主義的意思是，除細節的真實外，還要真實地再現典型環境中的典型人物」。[52]較早期為恩格斯之言論作說明的，有巴爾扎克（Honoré de Balzac, 1799-1850），他解釋道「『典型』指的是任務，在這個人物身上包括著所有那些在某種程度跟它相似的人們的最鮮明的性格特徵；典型是類的樣本」。[53]張鑫曾對溫紹賢小說《魂斷彩虹》作如下評價：「作為一個嚴肅的作家，溫紹賢遵循『典型環境中典型性格』的現實主義創作原則，對事件進行了必要的藝術概括和誇張。但這種誇張並非毫無事實根據的隨意塑造」。[54]張氏之評論合理與否，並非本文所重，但起碼張氏所言，道出了一個可能的情況，就是現實主義本身與「失真」並沒有必然的關係，即現實主義之導致「失真」是存在其他的因素。

當代文人馮雪峰於五〇年代就提出「創造典型」是「改造社會而奮鬥的態度」的實踐。[55]說教可以說必定是「改造社會」的其中一種手段，而現實主義的創作「為了達到教化的目的，常常有意地貶抑或歪曲「真實」的面貌和意涵」。[56]這種有違「真實」的描寫，可從兩方面表現：其一，傾向塑造扁形的「典型」人物，因「從社會影響看，圓形人物未必大於扁形人物」；[57]其二，現實主義創作「『典型』的特點在於反映生活的所謂『本質真實』、『歷史的發展趨勢』等，而何為『本質』何為非『本質』，怎樣才能體現『歷史的發展趨勢』」，卻「往往會受到很多外在因素的影響」，「使得典型之『真』不再純，而社會與現實生活也失去了其本來的『真』面目，成了一種經過檢驗、過濾的『真實』，成了一種觀念化的『真』」，[58]又假如所描寫的跟這種經「檢驗、過濾的『真實』」背道而馳，那麼這種描寫便會被判斷為「錯誤的」[59]。以上兩方面的分析，同時

---

51 秦宇慧：《文革後小說創作流程》（電子文本），網址：〈http://www.shuku.net/novels/bishumin/wghxsczlc/wghxsczlc02-02.html〉，瀏覽日期：2016年8月6日。

52 恩格斯（1820-1895）：〈致瑪．哈克奈斯〉，載《馬克思恩格斯選集（第四卷）》北京：人民出版社，1972年，頁462。

53 巴爾扎克（1799-1850）著；程代熙譯：〈《一樁無頭公案》初版序言〉（節譯）〉，載《古典文藝理論譯叢》編輯委員會編：《古典文藝理論譯叢（第十冊）》北京：人民文學出版社，1966年，頁136-137。

54 張鑫：〈序〉，載溫紹賢著：《魂斷彩虹》香港：翔流編譯出版公司，2008年，頁7。

55 朱汝曈：《1951-1978中國文藝界現象輯略》臺北：秀威資訊科技公司，2012年，頁73。

56 馬森：《當代戲劇》臺北：秀威資訊科技公司，2016年，頁110。

57 崔志遠：《現實主義的當代中國命運》北京：人民文學出版社，2005年，頁246。

58 陶東風、和磊：《中國新時期文學30年：1978-2008》北京：中國社會科學出版社，2008年，頁259。

59 秦宇慧：《文革後小說創作流程》（電子文本），網址：〈http://www.shuku.net/novels/bishumin/wghxsczlc/wghxsczlc02-02.html〉，瀏覽日期：2016年8月6日。

也讓我們清楚現實主義的「典型化」與「偽真實」的因果關係，而這樣的現實主義，墮入失真之弊，只能淪為「擬寫實主義」、[60]「偽現實主義」。[61]

新寫實主義作家「反對典型化」，[62]「熱衷近乎自然主義的『生活流』細節描繪」，「力求不再對生活作人為的矯飾」，[63]展露「生活的原生態」，[64]表現「現實生活的本真色彩」，[65]即追求的是生活的真實反映，而非以說教為目的之「典型化」所呈現的偽真實，並與「政治宣傳小說或理性教化小說」劃清界線。[66]新寫實主義這種「求真」至上的創作理念，與現實主義是一致的。

2 原因二：文本本身不足以解決道德問題

提到說教，自然離不開道德價值的培育。不少學人與文人均認為說教對文本本身是一個過重的負擔。張柱林認為「按照中國傳統的看法，文學藝術是負有教化的使命的，而實際上它很難承擔如此重大的任務」。[67]郭玉斌更直言「文學本質上並沒有『救風塵』的義務，這是文學不能承受之重」。[68]

張柱林與郭玉斌均沒有說明教化何以是文學之重擔。日人渡邊淳一借鑒日本文學創作，談論文學與道德的關係，或能給以上這個懸疑未決的問題一點啟示：「文學不是一種教化的手段，不要通過文學來教育我們去符合倫理，而是要表達人的本性和真心。所以在文學作品中，經常會出現一些和我們的常識與倫理不相符的故事情節，比如有人結婚了以後又愛上了別人，在日本稱之『不倫之戀』。這種做法是否對，是否符合倫理關係不是文學可以解決的。」[69]關鍵就在於道德問題是不能通過文學作品來解決，因此把說教的任務強加於文學之上，便實在是一個難以勝任的重擔。

3 原因三：重視個人感受與作者之退出

新寫實主義作家反對擔當說教的角色，已見前文論述。不僅如此，新寫實主義作家

---

60 馬森：《當代戲劇》臺北：秀威資訊科技公司，2016年，頁110。

61 秦宇慧：《文革後小說創作流程》（電子文本），網址：〈http://www.shuku.net/novels/bishumin/wghxsczlc/wghxsczlc02-02.html〉，瀏覽日期：2016年8月6日。

62 王鐵仙等：《新時期文學二十年》上海：上海教育出版社，2001年，頁309。

63 秦宇慧：《文革後小說創作流程》（電子文本），網址：〈http://www.shuku.net/novels/bishumin/wghxsczlc/wghxsczlc02-02.html〉，瀏覽日期：2016年8月6日。

64 閻浩崗：《中國現代小說史論》北京：人民文學出版社，2006年，頁84。

65 王鐵仙等：《新時期文學二十年》上海：上海教育出版社，2001年，頁309。

66 閻浩崗：《中國現代小說史論》北京：人民文學出版社，2006年，頁84。

67 張柱林：〈神聖的遊戲——當代小說中的諷刺、戲仿和反諷〉，《廣西民族學院學報（哲學社會科學版）》，1998年2期，頁118。

68 郭玉斌：〈直議李建軍的「直議」〉，《文學自由談》，2013年3期，頁21。

69 見〈情迷《失樂園》〉，《文匯報》，手寫板，2014年5月21日。

還在行文中「堅持讓作者退出，努力使小說返回它的故事形態」。[70]換句話說，就是要「刻意避免在敘述中摻雜作者的主觀感情色彩」。[71]文本本身既已不能完成說教，把責任推給作家，似乎在創作理念與藝術手法上，新寫實主義作家能夠成功實行教化的機會也渺茫之極。

現今社會的出版環境由市場主導，「消費主義與物化原則日益成為新的壓抑性力量」，「長期以來倍受壓抑的大眾文化日益壯大，迅速擠開精英文化而成為占主導地位的文化力量」。[72]所謂「精英文化」，就有如「古典文學」中，一種由作者賦予作品的「精英原則」，含有「『文以載道』的教化功能和陶冶性情的審美功能」。[73]作家之「退出」，其「空缺」勢必由讀者的個人感受取代。由此看來，讀者在閱讀過程中的角色愈趨重要，甚至可以妄顧作者原本的想法。

> 西方有一個文學詮釋理論，被稱作「作者之死 （the death of author）」，由法國學者巴特（Roland Barthes）於一九六八年提出：「讀者之受到重視必須以作者之死為代價（the birth of the reader must be at the cost of the death of the Author）」。Barthes 認為文本的意思不是由作者直接言明，而是透過文字來傳達 （"it is language which speaks, not the author"）。作者在寫作時，則彷如把自己的意念「翻譯」成字典中存在的詞語，以便內容能夠成功傳達（"he claims to 'translate' is itself only a readymade dictionary whose words can be explained （defined） only by other words"）。由於時間（"time"）的不同（"is no longer the same"），作家根本沒可能左右讀者的閱讀過程（"the author absents himself"），所以作者的社會背景（"society"）、歷史（"history"）、心靈（"psyche"）、意志（"freedom"）、品味（"tastes"）、熱情（"passions"），均不會主導讀者的詮釋。反而，讀者面對文本的文字，憑著個人各自不同的背景與經驗作出解讀，便能造就作品詮釋的不一（"the text is a tissue of citations, resulting from the thousand sources of culture"），有如置身一個多元空間（"a space of many dimensions"）之中。[74]巴特主張的這種詮釋方法，刻意要讓作者退出，甚至漠視作者的存在，表現出讀者的理解是可以

---

70 張重才：《從「新寫實」小說看我國現實主義文學在新時期的嬗變》武漢：華中師範大學碩士論文，2002年，頁20。

71 秦宇慧：《文革後小說創作流程》（電子文本），網址：〈http://www.shuku.net/novels/bishumin/wghxsczlc/wghxsczlc02-02.html〉，瀏覽日期：2016年8月6日。

72 錢文亮：〈「先鋒」的變遷與在當下詩歌寫作中的意義〉，《江漢大學學報（人文科學版）》，2005年4期，頁17。

73 邵燕君：〈傳統文學生產機制的危機和新型機制的生成〉，《文藝爭鳴》，2009年12期，頁12。

74 參 Roland Barthes (1915-1980), *The Rustle of Language*. Trans. Richard Howard (New York: Hill and Wang, 1986), 49-55.

與作者的創作觀念完全分開的可能。這種可能正好提供一個角度，讓我們再次回顧文學與道德的關係：一部作品之教育意義存在與否，除了文本的承載能力、作家的創作意圖，讀者一己之詮釋與閱讀感受也絕不能忽視。

三　新寫實主義的教育意義——讀者的視角

（一）讀者從新寫實主義小說所得的啟發舉隅

陳碧月曾撰文發掘蘇童小說那「暗喻了『因果報應』的」、「反映現實人生的『教化』意義」。[75]他覺得讀者在《罌粟之家》最能夠感受「上樑不正下樑歪」、「禍及子孫」及「不得善終」三個訊息。[76]故事講述在三〇至五〇年代的中國，一個叫楓楊樹鄉村的地方，劉姓地主一家的人和事。劉老太爺有兩個兒子：劉老俠與劉老信。妓女翠花花曾經做過地主父子三人的女人，陳碧月認為這個「『亂倫』情狀」最能表現「上樑不正下樑歪」：[77]大兒子劉老俠「幹壞了多少楓楊樹女人！他們在月黑風高的夜晚交媾，從不忌諱你的目光」，而二兒子劉老信就更是「一事無成，只染上滿身的梅毒大瘡」。[78]至於「禍及子孫」，則可見於大兒子劉老俠的境況與遭遇：「譜上記載著演義是劉老俠第五個孩子了。前面四個棄於河中順水漂去了，他們像魚似的沒有腿與手臂，卻有劍形擺尾，他們只能從水上順流漂去了。演義是荒亂年月中唯一生存下來的孩子」，但可惜「家譜記載演義是個白癡」。這個演義「他爹他娘野地媾合的收穫」，而他娘就是翠花花，「那時候劉家老太爺尚未暴斃，翠花花是他的姨太太，那時候劉老俠的前妻貓眼女人還沒有溺死在洗澡的大鐵鍋裡，演義卻出世了」。[79]「不得善終」的除了有死於一場「無人知曉」的火災的劉老信，其餘劉家成員也不例外。翠花花跟劉家工人陳茂生下了一個男孩，劉老俠視之如己出「收為自己的兒子」，名為劉沉草。[80]陳茂後來加入共產黨，不但與同一工作隊的廬方組織了一個「地主劉老俠的鬥爭會」，[81]而且還欲娶劉老俠之女兒劉素子為妻不果，「強暴了劉素子，還讓她意外懷孕了，之後，劉素子自殺了」。[82]劉沉草為了替劉素子報仇，開槍打死了親生父親陳茂，其後廬方等人展開追捕，劉沉草最後被擊斃，而劉老俠引火自焚，「燒死自己與翠花花」，還以陳茂來陪

75 陳碧月：《大陸當代小說選論》臺北：秀威資訊科技公司，2014年，頁18。

76 同上註，頁18-26。

77 同上註，頁19。

78 蘇童：《罌粟之家》上海：上海文藝出版社，2004年，頁11、7。

79 同上註，頁5。

80 陳碧月：《大陸當代小說選論》，頁20。

81 蘇童：《罌粟之家》，頁8、49。

82 陳碧月：《大陸當代小說選論》，頁22。

葬。[83]陳碧月是這樣總結蘇童的小說創作：「以『因果報應說』構架整個故事」,「或是借『因果報應說』懲惡揚善，勸誡讀者，讓文章有著向善的功能」。[84]

陳碧月又於另一篇文章，認為劉震雲小說《一地雞毛》、《手機》、《一句頂一萬句》、《單位》與《官場》均「提示了知足節慾的重要」。[85]以《手機》為例，《手機》是先有電影版，於二〇〇三年經作者劉震雲改編成小說。故事圍繞電視主持人嚴守一的男女關係而展開。《手機》中嚴守一、任大學美學教授的嚴氏好友費墨、嚴守一的哥哥黑磚頭、嚴氏情人伍月所任職出版社的賀社長，都有過不可告人的感情關係。其中嚴守一、費墨、黑磚頭是肯定有對他們的伴侶說過謊或作過隱瞞，而手機便是一個工具，促使說謊、欺騙與隱瞞的成功及他們各人婚外情的進行。筆者曾對主角嚴守一對前妻及情人所說過的謊話作過分析與統計：嚴守一跟前妻于文娟說了兩次謊。第一次是隱瞞自己與伍月的關係，把伍月說成是舊同學張小泉的學生。第二次是跟伍月偷情時，欺騙于文娟是在跟費墨賽跑；嚴守一跟女友沈雪的說謊與隱瞞總共有十三個。其中一個其實是誤會，只是沈雪以為嚴守一在說謊。第一個謊言是嚴守一告訴沈雪自己與伍月的關係只是「一場誤會」。[86]第二個謊言是自己因于文娟產子而遲到赴沈雪同事小蘇的結婚典禮，卻訛稱自己因開會而遲到。第三個謊言是當沈雪發現嚴守一有兩部手機時，他說另外一部是給費墨買的。第四個謊言是嚴守一、沈雪和費墨一同泡腳時收到伍月的短信，但卻說短信是由嚴守一和費墨主理的節目《有一說一》的編導大段發出的「黃色段子」。[87]第五個謊言是隱瞞與于文娟兄長聯繫，以獲知于文娟與兒子的情況。第六個謊言是暗地裡為于文娟找工作。嚴守一認為為于文娟找工作，就如「小老鼠鑽風箱，兩頭受氣」，[88]因為既不可讓于文娟知道，又不可讓沈雪知道。第七個謊言是嚴守一與伍月一同吃晚飯以商量為費墨新書寫序的事，但卻對沈雪說剛才出版社社長老賀「還在，但臨時有事，提前走了」。[89]第八個謊言是隱瞞自己把于文娟和孩子的合照及為他們母子準備的二萬塊生活費存摺放在費墨那裡。第九個謊言是在費墨新書發佈會過後，把手機電池拆下來，以確保自己跟伍月於酒店房間鬼混時不被騷擾。第十和第十一個謊言主要的欺騙對象是費墨妻子李燕，但嚴守一同時沒有對就在自己身旁的沈雪道出真相，反而有意隱瞞，以防沈雪把事實告知李燕。第十個謊言是說自己因為在錄影節目，因而沒有開手機。第十一個謊言是說自己跟費墨在希爾頓酒店開會，企圖為費墨跟女研究生在一起作隱瞞。第十二個謊言是說自己對費墨和女研究生婚外情的事全不知情。第十三個謊言是

---

83 同上註，頁22。

84 同上註，頁26。

85 同上註，頁107。

86 劉震雲：《手機》武漢：長江文藝出版社，2003年，頁82。

87 同上註，頁142。

88 同上註，頁153。

89 同上註，頁158。

沈雪以為嚴守一在隱瞞自己仍然跟于文娟保持聯繫，但其實這只是一個誤會；嚴守一跟情人伍月說過兩個謊言。第一個謊言是在回家鄉山西途中，因沈雪在旁，不想跟伍月聊，所以佯稱火車上「信號不好」。[90]第二個謊言是嚴守一想「躲伍月」，所以跟伍月說自己「在外邊辦事，不在台裡」。[91]由此可知，嚴守一的說謊，是為了放縱自己充滿慾望的濫情生活而作出配合。

有關劉震雲小說的教化意義，還可見於敬文東對《一地雞毛》的論述。《一地雞毛》「描寫了主人公小林在單位在家庭的種種遭遇和心靈軌跡的演變」，[92]而敬氏認為從主人公小林夫婦「彼此口角、爭罵又彼此把對方當親人來愛」、「相愛而且活著」的感情與關係，就有如受著「墨家的暗中教誨」，因「只有墨家為夫妻間平等的愛提供了依據」。[93]筆者嘗試從《一地雞毛》第二章中，小林為妻子小李轉換工作籌謀一事，略為補充敬文東的觀點。小林夫婦二人同是大學生，是讀書時「通過同學介紹」而認識。[94]小李畢業後擔任辦公室文書工作，但由於性格率直，沒有處理好人際關係，在「單位不愉快」，便萌生去意。[95]小林的反應是「人家上一天班，站著幹一天活，你上班是喝茶看報紙，還不知足嗎？」。這個批評令小李「發了火」，還鐵定「我明天就不上班，你掙錢養活我們娘倆」。小林後來「想出一個辦法」，希望靠現職副局長的「老同學」老張的人脈幫忙。老張答應，替小林「打了一個電話，又給小林寫了一封信」，但夫婦二人還未放心，又多拜託一個「熟人的丈夫」幫忙，而且他還要是局長，相信「一個人就多一份力量，找一找總沒什麼壞處」。不過，小林夫婦的一廂情願，卻遭到事與願違的打擊：「讓人家管人事的頭頭知道了，管人事的頭頭馬上停止了努力。小林再去找他，他比以前冷淡了」。然後他們明白了一個道理：「找人辦事，如同在單位混事，只能投靠一個主子，人家才死力給你辦；找的人多了，大家都不會出力」，因為之前拜託過那些有權力的人，會覺得被人侮辱而不服氣，甚至會想辦法阻礙事情的成功。事到如今，可以說是再沒有轉機，小林夫婦「兩個人一開始是互相埋怨，埋怨以後，又共同想補救的辦法」。[96]從以上小林夫婦片段的描述，已可見二人雖有分歧與情緒的波動，但卻彼此深愛、關心對方。至於敬文東所提及的墨家思想與夫婦平等，相信與墨子（名翟，約前468-約前376）提倡人與人之間要「相愛」有關：「是故諸侯相愛則不野戰，家主相愛則不相篡，人與人相愛則不相賊，君臣相愛則惠忠，父子相愛則孝慈，兄弟相愛則和調。天下之人

90 同上註，頁82。

91 同上註，頁103。

92 見楊瀾：〈劉震雲：這是個彆扭的世界〉，《廣角鏡》，2008年4期，頁41、40-43

93 敬文東：《對存在的勘探與編碼：敬文東小說論集》臺北：秀威資訊科技公司，2010年，頁17。

94 劉震雲：《一地雞毛》南京：江蘇文藝出版社，1996年，頁183。

95 同上註，頁186。

96 同上註，頁187-189。

皆相愛，彊不執弱，眾不劫寡，富不侮貧，貴不敖賤，詐不欺愚。凡天下禍簒怨恨可使毋起者，以相愛生也，是以仁者譽之」（《墨子 兼愛》），[97]即墨子提倡人不論屬於何種身分、地位，也要互相尊重、彼此「相愛」，而這種相處之道又可以與儒家所重視的人倫關係相容，如「君臣」、「父子」、「兄弟」。[98]敬文東就把《一地雞毛》小林夫婦關係的刻畫，與墨家這種「相愛」的思想聯繫起來。

秦宇慧認為方方《風景》「對生活實錄的選擇中卻顯示出對『父親』乃至整個社會的批判意識」。[99]筆者摘取了《風景》的幾段描寫，表現故事中以「父親」為主對整個社會的批評。首先，故事描述了父親對七兒子是否自己所生的懷疑「父親覺得隔壁的白禮泉最為可疑。白禮泉精瘦精瘦，眼珠滴溜溜地不懷好意，薄嘴皮能言會道勾引女人還有富餘。而最關鍵的是父親親眼見過他和母親打情罵俏。父親越想越覺得真理在握」，自此父親對妻子與七兒子漠不關心：「為此在母親生七哥坐月子的時間裡，父親看都不看七哥一眼」，更令七兒子得不到應有的父愛和照顧：「半年後父親頭一次看了七哥。他看得很仔細，然後像扔個包袱一樣把七哥朝床上一甩」。[100]故事中的「母親」雖沒有出軌，但父親的懷疑已足以表現社會上一些潛在的道德問題及人與人之間的缺乏信任，又由此產生了無數家庭問題。另外，及至七兒子長成，有機會到「團省委」任官，將來還可能有機會到「黨省委」工作，父親對七兒子的態度即有改變：「父親這輩子連縣一級的官都沒見過。父親跟他認識的同樣對方也認識他的最大的官員——搬運站的站長一共只說過兩句半話。有半句是站長沒聽完就接電話去了。而現在，他的小七子居然比站長大好些級別且還只有二十來歲。鑒於這點，對七哥一進家門就狂妄得像個無時無刻不高翹起他的尾巴的公雞之狀態，父親一反常規地寬容大度」。[101]父親態度的轉變正表現社會上普遍存在的趨炎附勢問題。還有，七兒子太太沒法生育，招致父親的不滿：「父親想這女人大概有妖術。要不憑她那年齡和不能生兒子這罪該萬死的毛病怎麼能把七哥給勾引上呢？」、「而女人生不下孩子，父親想，那還有什麼用？」，還曾提議「不如把你那個休掉，再找個年輕漂亮的」，[102]又表現出社會上一種視女性為傳宗接代工具的保守而不公平的觀念。方方所描述社會上的一些家庭問題、價值觀的扭曲及性別不平等，卻被秦宇慧理解為一種「批判」而得到啟發。

---

97 畢沅（1730-1797）注：《墨子》（《四部備要》本）上海：中華書局，1936年，頁28。

98 《禮記．中庸》有言「夫婦也、君臣也、父子也、兄弟、朋友之交也，此五者所謂人道也。」見衛湜（生卒年不詳）：《禮記集說》（《景印文淵閣四庫全書》本）臺北：臺灣商務印書館，1983年，卷一百五十五，〈文集四〉，頁7。

99 秦宇慧：《文革後小說創作流程》（電子文本），網址：〈http://www.shuku.net/novels/bishumin/wghxsczlc/wghxsczlc02-02.html〉，瀏覽日期：2016年8月6日。

100 方方：《風景》南京：江蘇文藝出版社，1995年，頁5。

101 同上註，頁7。

102 同上註，頁69-70。

前文曾引述包括劉震雲在內的新寫實主義小說作家的自白，說明教化並不是他們給自己的寫作目標，但陳碧月卻以為「除了描寫知識分子的無奈，劉震雲也有意以諷刺的手法提示知識分子面對社會轉型期所該有的擔當與道德勇氣，有意讓讀者藉由其作品反思如何堅守原則，進而尋覓並重建其人格」，[103]顯然陳氏的這個想法是一個誤解，最多只能說是陳氏作為一個讀者對文本深意所作的一個推測。秦宇慧給方方小說創作的總結是「顯而易見地把對於人性的思考與情節構思交融在一起，通過情節發生發展過程的描寫，展示出當人與人之間出現尖銳對立的時候，人醜惡的本性是怎樣情不自禁地支配著人的行為。值得注意的是，方方在描述這些情節時，仍以她那慣有的與敘述對象保持一定距離的客觀敘述風格。這表明她不是借敘事渲洩自己的感情，企圖從感情上打動讀者，而是讓讀者以總代表的眼光去看清人性的負面，進而感知到本來就有不少缺憾的人類生存環境」，[104]即讀者是主動地獲得道德的啟發，這與方方為《風景》所造成的社會影響之大感到意外的想法一致：「《風景》一作無論是從經濟上還是從待遇上以及社會影響給我帶來的好處都超過我所有的作品，令我始料不及。為此我從心裡感謝它的出世」。[105]新寫實主義小說的教化意義，實在是來自讀者通過小說人物的性格、經歷所作的詮釋，能夠獨立於作者的創作觀。

四　讀者之道德啓發與儒家「知言」、「知人」詮釋理論

不少當代出版界人士著重表現讀者從出版物身上得到的影響，如「我們崇敬先賢，也是因為我們從市場上得到他們編纂的書的教化的緣故」、[106]「新華書店服務於社會的人，人們在此領受人文讀本、社會書寫、歷史哲思的教化」。[107]這些描述正跟上節末提到讀者之詮釋與感受，能與作者創作意圖分開的一個概念呼應。讀者從文學作品得到道德啟發，其本源可追溯至古代文論中儒家「知言」與「知人」的詮釋理論。

「知言」與「知人」觀念來自儒家的三個命題：

（i）　「不知言，何以知人也？」(《論語・堯曰》) [108]

（ii）　「我知言，我善養吾浩然之氣。」(《孟子・公孫丑上》) [109]

---

103 陳碧月：《大陸當代小說選論》，頁108。

104 秦宇慧：《文革後小說創作流程》（電子文本），網址：〈http://www.shuku.net/novels/bishumin/wghxsczlc/wghxsczlc02-02.html〉，瀏覽日期：2016年8月6日。

105 方方：〈自序〉，載氏著：《風景》，頁2。

106 曾少雄：〈編輯人價值的內省與追問〉，《出版發行研究》，2013年12期，頁18。

107 見〈獨立書店如何獨行〉，《中國藝術報》，文藝・回眸，2011年12月30日。

108 見邢昺（932-1010）：《論語注疏》北京：北京大學出版社，1999年，頁270。

109 見焦循（1763-1820）：《孟子正義》北京：中華書局，1987年，頁199。

（iii）「頌其詩，讀其書，不知其人，可乎？是以論其世也。是尚友也。」（《孟子・萬章下》）[110]

（一）傳統儒家思想下的道德命題

最早提出「知言」與「知人」的孔子（名丘，約前551-約前479）並沒有說明其中「言」與「人」之所指。孟子（名軻，約前372-前289）卻在提出「知言養氣」後，回應了公孫丑（生卒年不詳）「何謂知言」的提問，我們可從中得知「言」的界說跟「辭」有很大的關係：「詖辭知其所蔽，淫辭知其所陷，邪辭知其所離，遁辭知其所窮」。孟子於回答過後，便以宰我（約前522-前458）與子貢（端木賜，前520-前456）之「善為說辭」為例繼續論述。[111]孟子這裡的引申論述，實是借用孔子以宰我與子貢為孔門四科之一的「言語」科的弟子代表的看法，[112]作為其「知言」論的一個參考來源。由此可知，孟子提出「知言」之「言」就是「辭」，又即是「說辭」，同時與孔子的「言語」等同。這樣，孟子「知言」之「言」，當是一種以口語形式存在的「言」。相對來說，《論語・堯曰》並沒有記錄孔子「不知言，何以知人」說的背景，所以後世對「言」卻有更多不同的理解。

較早期為《論語》作注釋的學者，多視「言」為一切的說話，如馬融（79-166）云「聽言則別其是非也」，[113]不過馬氏「別其是非」的代詞「其」是指「言」還是「人」，還是有欠清楚。邢昺（932-1010）既認同馬融對「言」的解釋，還嘗試把「其」字的指稱說清楚：「聽人之言，當別其是非。若不能別其是非，則無以知人之善惡」，[114]可見「其」是指「言」。因語境的關係，孟子之「言」的涵蓋範圍較孔子的為小，但漢人趙岐（108-201）卻不知是否受到《論語》之影響，為《孟子》作注時，也擴大了孟子「知言」論的應用範圍至日常的說話：「我聞人言，能知其情所趨」。[115]筆者相信《論語・堯曰》與《孟子・公孫丑上》「知言」論的關係，早有學者留意得到，但卻直至清人劉寶楠（1791-1855）為《論語・堯曰》作注解時，才把其與《孟子・公孫丑上》的論述相互參照，並以「亦謂知言即可知人也」概括點出兩者的連繫。[116]孔子與孟子的「知言」論，透過「知言」來「知人」的方向是一致的，而「知人」就是從語言所反映出來的思想感情，來得到明辨其人善惡的根據。

110 同上註，頁726。
111 同上註，頁209。
112 見《論語・先進》。邢昺：《論語注疏》，頁143。
113 同上註，頁270。
114 同上註。
115 見焦循：《孟子正義》，頁199。
116 劉寶楠（1791-1855）：《論語正義》北京：中華書局，1957年，頁419。

（二）文學元素滲入後的詮釋理論：知言可以知人

文學元素的滲入，實是由「言」的定義變得更為豐富導致。清人黃式三（1789-1862）《論語後案》把「言」的界說，進一步擴大至所有以口語和書面語形式存在的言論：「宣於口、筆於書，皆言也」。[117]後來，戴望（1837-1873）《論語》注更把孔子的「知言」、「知人」論，直接跟《孟子・萬章下》的「知人論世」說比附，認為「此之謂也」。[118]「知言」之「言」，可以理解為文學作品，便由戴望之注釋得到明確的表述。據焦循（1763-1820）對孟子「知人論世」說「惟頌其書而論其世，乃可以今世而知古人之善也」的說明，[119]確實含有孔子「不知言，何以知人」的意味，可知戴望之比附有理。

「言」包含詩歌之類的文學作品，可能確實合乎孔子的原意，也可能是黃式三與戴望根據前代文學批評理論發展所作的總結。參之儒家的創作論，早有「詩言志」（《尚書・舜典》）、[120]「在心為志，發言為詩。情動於中而形於言」（〈毛詩序〉）等觀點，[121]所以讀者在閱讀作品時，自然會進行一個還原的過程，而得以理解作者的「志」與「情」。

1 知言可以知作者的思想感情

劉勰（465-522）是較早提出「知言可以知人的思想感情」的詮釋觀念，其《文心雕龍・知音》有言「夫綴文者情動而辭發，觀文者披文以入情，沿波討源，雖幽必顯。世遠莫見其面，覘文輒見其心」，[122]可見劉勰「觀文」的詮釋觀念，正是受儒家「知言可以知人」說及其文學創作論影響。劉氏之「觀文」論也給後學一定的影響，如徐鉉（916-991）〈成氏詩集序〉云「覩其詩如所聞，接其人如其詩」，[123]又清人趙執信（1662-1744）於《談龍錄》記載了一個客人問他為何根據「唐宋小說家所記」「觀人之詩，可以決其年壽祿位所至」，趙氏的回答即有「觀詩」論之意：「詩以言志，志不可偽託，吾緣其詞以覘其志」。[124]宋人司馬光（1019-1086）則從揚雄（前53-18）《法言・問

117 黃式三（1789-1862）：《論語後案》南京：鳳凰出版社，2008年，頁545。

118 戴望（1837-1873）：《戴氏注論語》（《續修四庫全書》本）上海：上海古籍出版社，1995年，卷二十，頁2。

119 焦循：《孟子正義》，頁726。

120 見孔穎達（574-648）等：《尚書正義》（《續修四庫全書》本）上海：上海古籍出版社，1995年，卷三，頁34。

121 見孔穎達：《毛詩正義》北京：北京大學出版社，1999年，頁6。

122 見范文瀾（1893-1969）：《文心雕龍注》北京：人民文学出版社，1995年，頁715。

123 見董誥（1740-1818）等輯：《欽定全唐文》（《續修四庫全書》本）上海：上海古籍出版社，1995年，卷八百八十二，頁1。

124 見丁福保（1874-1952）編：《清詩話》上海：上海古籍出版社，1978年，頁312。

神》及〈毛詩序〉中「言，心聲也；書，心畫也」、[125]「詩者，志之所之也」之言，[126]得到「觀其詩，其人之心可見矣」之啟發。[127]司馬光之見解有一個地方要注意，《法言》原本全句的論述是「言，心聲也；書，心畫也。聲畫形，君子小人見矣」，[128]我們從司馬光的「斷章」可以知道他或許對「君子小人」說有所保留，而傾向支持揚雄那種道德意味較薄的論述，如其於《太玄經》之說法：「文以見乎質，辭以睹乎情，觀其施辭則其心之所欲者見矣」。[129]

2 知言可以知作者的性情為人

有學者從儒家「知言可以知人」道德命題的根本加以發揮：既然詩文可以展現作者的思想感情，即可更進一步形成「知言可以知作者的性情為人」的詮釋理論。或是由於這種理論與儒家「知言可以知人」一樣，同樣重視道德價值的判斷，所以它很早就形成雛形，如司馬光有所保留的揚雄《法言》中所言「言，心聲也；書，心畫也。聲畫形，君子小人見矣」。[130]白居易作為一個詩人，也對這種詮釋理論表示認同，如「所以讀君詩，亦知君為人」。[131]清人徐增（1612-？）同樣有「見其詩如見其人」之感，除了一些老生常談的意見，如詩歌是作者經歷的反映：「詩乃人之行略」，所以可以從詩歌了解作者的品格操守：「人高則詩亦高，人俗則詩亦俗」，他還道出這個「見其詩如見其人」的詮釋觀念得以成立，其關鍵在於詩歌的「一字不可掩飾」。[132]我們雖不能肯定詩歌之用語表達是否可以完全「不可掩飾」，又不確定詩意是否如趙執信所言「志不可偽託」，但徐增「知人」論與趙氏「觀志」說有這種「真」的前設，也足以表現其對文學作品「真」的追求，正如劉再復以當代學術的眼光來談文學作品的本質：「以真實立足，以真實打動人……文學最怕面具、謊言、矯情，也最怕瞞和騙」。[133]錢鍾書也同樣受到揚雄「心畫心聲」論的影響，但他認為詩文的內容，即「所言之物」，「可以飾偽」，所以把對「真」的追求放在作品語言的風格上，因「言之格調，則往往流露本相」，如「狷

---

125 揚雄（前53-18）：《揚子法言》（《景印文淵閣四庫全書》本）臺北：臺灣商務印書館，1986年，卷四，頁7。

126 見孔穎達：《毛詩正義》北京：北京大學出版社，1999年，頁6。

127 見〈薛密學田詩集序〉，載氏著：《傳家集》（《景印文淵閣四庫全書》本）臺北：臺灣商務印書館，1986年，卷六十九，頁5。

128 揚雄：《揚子法言》（《景印文淵閣四庫全書》本），卷四，頁7。

129 揚雄撰；許翰（?-1133）注：《太玄經》（《四部備要》本）上海：中華書局，1936年，頁59。

130 揚雄：《揚子法言》（《景印文淵閣四庫全書》本），卷四，頁7。

131 見氏著〈讀張籍古樂府〉，載汪立名（生卒年不詳）編：《白香山詩集》（《四部備要》本）上海：中華書局，1936年，頁65。

132 見氏著：〈而菴詩話〉，載《清詩話》，頁430。

133 劉再復：《什麼是文學：文學常識二十二講》香港：三聯書店，2015年，頁46。

疾人之作風，不能盡變為澄澹；豪邁人之筆性，不能盡變為謹嚴」。[134]人的作風正好通過其作品的風格表現，因而這種對「本相」的追求又與「文如其人」說有著難以分開的關係。

清代有學者主張透過讀詩來看到詩人的「性情」與「面目」。「性情」一語，與道德意義之關係是可有可無。早於〈毛詩序〉之「吟詠情性，以風其上」是帶有道德意識和目的，[135]及至裴子野（469-530）〈雕蟲論〉之「罔不吟詠情性，擯落六藝」則只是感情的抒發，反而成為裴氏反對唯美作品，主張文學作品之具備「勸美懲惡」作用的針砭對象。[136]北宋黃庭堅（1045-1105）〈書王知載朐山雜詠後〉直言「詩者，人之情性也」，並從王知載（生卒年不詳）的作品得知其為人與操守：「其人忠信篤敬，抱道而居，與時乖逢，遇物悲喜，同床而不察，竝世而不聞」。[137]南宋理學家程頤（1033-1107）又明確道出「情性」的道德含義：「興於《詩》者，吟詠情性涵暢道德之中而歆動之」，[138]雖其後有嚴羽（1191-1241）「詩者，吟詠情性也，盛唐諸人唯在興趣，羚羊掛角，無迹可求」，[139]把「情性」與純粹的審美效果「興趣」相提並論，但「情性」牽涉「道德」之可能大概已獲得學人肯定。由明入清的黃宗羲（1610-1695）可能亦注意到古人「性情」論的分歧，曾加以折衷，把「性情」在「詩以道性情，夫人而能言之」的大原則下，分作兩類：「一時之性情」、「萬古之性情」。前者是「觸景感物」而生的「言乎其所不得不言」的情況，這種「性情」是不涉及道德涵義的。後者則有如孔子刪《詩》那樣，是一種「合乎興觀群怨思無邪之旨」的「性情」，有其道德意義。黃氏是反對詩人「徒逐逐於怨女逐臣」，而評這種「一時之性情」為「性情亦末」。[140]以下介紹的讀詩能見作者「性情」的學說，其「性情」也是像黃宗羲提及的「萬古之性情」一樣，有其道德功能的。

清人葉燮（1627-1703）把「作詩有性情，必有面目」的既有觀念，應用到杜甫（712-770）詩歌的閱讀上：「如杜甫之詩，隨舉其一篇與其一句，無處不可見其憂國愛君，憫時傷亂，遭顛沛而不苟，處窮約而不濫，崎嶇兵戈盜賊之地，而以山川景物、友朋杯酒抒憤陶情，此杜甫之面目也。我一讀之，甫之面目，躍然於前」。[141]由此，便較

134 錢鍾書：《談藝錄（補訂本）》北京：中華書局，1984年，頁162-163。

135 見孔穎達：《毛詩正義》，頁15。

136 見嚴可均（1762-1843）輯：《全梁文》北京：商務印書館，1999年，頁575-576。

137 黃庭堅（1045-1105）：《豫章黃先生文集》（《四部叢刊》本）上海：商務印書館，1936年，頁296。

138 見朱熹（1130-1200）編：《二程外書》（《景印文淵閣四庫全書》本）臺北：臺灣商務印書館，1986年，卷四，頁7。

139 嚴羽（1191-1241）：《滄浪詩話》（《景印文淵閣四庫全書》本）臺北：臺灣商務印書館，1986年，頁3。

140 見〈馬雪航詩序〉，載氏著：《黃梨洲文集》北京：中華書局，2009年，頁363-364。

141 見氏著：〈原詩〉，載《清詩話》，頁596。

明顯的形成一個「知言」能知作者「面目」，即其性情與為人，的詮釋理論。比葉氏稍晚的沈德潛（1673-1769），亦肯定「性情面目，人人各具」，並分享了自己讀李白（701-762）、杜甫、韓愈、蘇軾（1037-1101）、賈島（779-843）、李洞（生卒年不詳）詩作所見到詩人各自的「性情面目」：「讀太白詩，如見其脫屣千乘；讀少陵詩，如見其憂國傷時。其世不我容，愛才若渴者，昌黎之詩也。其嬉笑怒罵，風流儒雅者，東坡之詩也。即下而賈島、李洞輩，拈其一章一句，無不有賈島、李洞者存」。[142]沈德潛見杜甫「憂國傷時」，與葉燮見杜甫「憂國愛君，憫時傷亂」，可謂一致，可見二人同樣把「性情」理解為詩人的道德情操。沈德潛更把這種「知言可以知作者的性情為人」詮釋思想的理論根源上溯至孟子的「知人論世」說：「倘詞可餽貧，工同鞶帨，而性情面目，隱而不見，何以使尚友古人者讀其書想見其為人乎」，[143]確乎將《孟子・萬章下》「頌其詩，讀其書，不知其人，可乎？是以論其世也。是尚友也」的看法融入到自己的理論之中。晚清朱庭珍（1841-1903）明言「後人讀吾詩者，無不見我性情」，其說法的前提跟徐增的接近，強調「詩中有我」，即把作者的自我如實呈現。朱庭珍給「性情」的定義，可能是古代文學史上最豐富的一個，諸如「精神結構」、「意境寄託」、「氣體面目」、「材力準繩」、「心志」、「襟胸識力」、「學養才氣」均屬於「性情」的一部分，[144]而他以精神狀態來解釋「性情」，可以與黃宗羲「詩也者，聯屬天地萬物，而暢吾之精神意志者也」（〈陸珍俟詩序〉）之說相參看，[145]然而黃氏卻沒有像朱氏般把「精神」視為「性情」的其中一個組成單位，相信朱氏的解釋亦可能是古代學界較為前衛的一種見解。可惜思想較為進步的朱庭珍，仍然擺脫不了傳統儒家的「詩教」主張，要求作品所表現的「性情」必須符合「溫厚含蓄之旨」，而其表達形式也要平實中庸，切忌以「詭激」、「大言」、「曠論」、「憤語」出之。[146]

3 知言而知人後的道德反思

「知言」能夠知道作者的思想感情，又從其思想感情可以得知其行事為人。有些學者更不以此為終極目標，把這個文學詮釋過程再向前推進一個階段，便是對從作品所表現出來的作者個性，甚至作品中角色人物的操守進行反思，從而給自己道德上的啟發。

「知言而知人後的道德反思」的詮釋理論未被正式提出前，有些學者已留意到文學創作給讀者道德啟發的作用。早於〈毛詩序〉便有「上以風化下，下以風刺上，主文而

142 見氏著：〈說詩晬語〉，載《清詩話》，頁557。

143 同上註。

144 見氏著：〈筱園詩話〉，載郭紹虞（1893-1984）編，《清詩話續編》上海：上海古籍出版社，1983年，頁2343。

145 黃宗羲：《黃梨洲文集》，頁360。

146 見氏著：〈筱園詩話〉，載《清詩話續編》，頁2343。

譎諫，言之者無罪，聞之者足以戒」之語，[147]而白居易〈與元九書〉也有與之非常相似的說法：「言者無罪，聞者足戒。言者聞者，莫不兩盡其心焉」。[148]〈毛詩序〉作者與白居易均認為詩人是有意透過自己作品進行教化，而讀者得到鑒戒就正符合作者的用心。後來的學人雖不一定把詩文視為道德教材，但透過作品中詩人的形象，仍可以獲得道德上的沾潤。上文曾提到黃庭堅透過王知載的作品得知其為人操守，黃氏還補充了王氏該作品之寫作背景「情之所不能堪，因發於調笑呻吟之聲，胸次釋然」，然後特意點出這種「釋然」的能夠作自我解脫的人生觀對讀者的影響：「聞者亦有所勸勉」。[149]

明清學者有不少重視讀小說帶來的啟迪，把「知人」的涵義擴闊至作品中的人物形象。明人蔣大器（1455-1530）〈三國志通俗演義序〉先跟孟子一樣提出「予謂誦其詩，讀其書，不識其人，可乎」的反問，我們可以肯定孟、蔣二人的答案都是「不可」，但他們卻有不同的應對：孟子集中解決怎樣可以做到的難題，因而接下來提供了以「論世」作為「知人」途徑的答案，而蔣氏則專注說明「不可」的原因，所以便提出「苦讀到古人忠處，便思自己忠與不忠；讀到孝處，便思自己孝與不孝」的目標。[150]同樣讀《三國演義》，修髯子（生卒年不詳）希望讀者能透過其中內容培養正面的價值觀：「欲天下之人，入耳而通其事，因事而悟其義，因義而興乎感，不待研精覃思，知正統必當扶，竊位必當誅，忠孝節義必當師，好貪諛佞必當去，是是非非，了然於心目之下，裨益風教，廣且大焉」。[151]另外，《儒林外史》的道德啟發作用亦曾受到提倡。閑齋老人（生卒年不詳）〈儒林外史序〉有云「稗官為史之支流，善讀稗官者可進於史，故其為書，亦必善善惡惡。俾讀者有所觀感戒懼，而風俗人心，庶以維持不壞也」。[152]所謂「稗官」，野史之類也。《漢書・藝文志》有述「小說」之源流：「小說家者流，蓋出於稗官。街談巷語，道聽塗説者之所造也」，[153]可見「小說」之與「街談巷語，道聽塗說」的關係，所以「小說」的價值在傳統學術常被忽略，如蘇軾「遭遷謫後，意緒無聊，借此等稗官脞說遣悶」。[154]閑齋老人不只視《儒林外傳》為消閒遣悶的書，還提醒學人要有「觀感戒懼」的讀後感，表現其有益「風俗人心」的功能。惺園退士（生卒年不詳）〈儒林外史序〉更有意提高「稗官小說」的地位至與儒家經典不相伯仲：「余惟是書善善惡惡不背聖訓，先師不云乎：『見賢思齊焉，見不賢而內自省也。』讀者如此意

147 見孔穎達：《毛詩正義》，頁13。

148 白居易（772-846）：《白氏長慶集》（《景印文淵閣四庫全書》本），卷四十五，頁2。

149 黃庭堅：《豫章黃先生文集》（《四部叢刊》本），頁296。

150 見陳曦鍾、宋祥瑞、魯玉川輯校：《三國演義會評本》北京：北京大學出版社，1990年，頁24-25。

151 見氏著〈三國志通俗演義引〉，載黃霖、韓同文：《中國歷代小說論著選（上編）》南昌：江西人民出版社，1990年，頁111。

152 見黃霖、韓同文：《中國歷代小說論著選（上編）》，頁468。

153 班固（32-92）撰；顏師古（581-645）注：《漢書》北京：中華書局，1999年，頁1377。

154 趙翼（1727-1814）：《甌北詩話》北京：人民文學出版社，1963年，頁77。

求之《儒林外史》，庶幾稗官小說亦如經籍之益人，而足以興起觀感，未始非世道人心之一助云爾」。[155]「見賢思齊」本自孔子所言「見賢思齊焉，見不賢而內自省也」（《論語·里仁》），[156]荀子（名況，約前313-前238）也有相近的說法：「見善，脩然必以自存也；見不善，愀然必以自省也」（《荀子·脩身》）。[157]邢昺為孔子的話作了如下解釋：「見彼賢則思與之齊等」。[158]由此，「見賢」、「見善」、「見彼賢」即可與「知人」相比，而「思賢」、「脩然自存」、「思與之齊等」就是一種得到啟發而效法的過程。儒家思想原本存在「知人而效法」的一種觀念，本來是獨立於「知言」，但黃式三卻把「知言」、「論世」、「知人」與「效法」看成為一個總體：「儒者讀書稽古，閱歷時事，見聖賢之德業而思副其願，見小人之行事而返己求過皆是也」，[159]即儒家「論世以知人」、「知人而效法」與「知言可以知人」的相關命題得以連接，形成「從知言到知人再仿效以改變自己」的思想。惺園退士即以儒家這個自省過程，作為「知言而知人後的道德反思」詮釋理論的依據。竊以為古代學人重視小說的教化意義，一來是出於適應「吾國社會，又多歡迎稗乘」的現象，二來由於小說「易知易解，一目了然，無艱僻淵深之慮」，[160]是為普羅百姓進行教育的好媒介。

這種詮釋思想其實適用於全部文學作品，不論體裁。清代桐城派作家劉開（1784-1824）便曾要求讀詩「不惟得之於心，而必驗之於身」。[161]當代大儒錢穆亦表認同，曾言「中國文學，必求讀者反之己身，反之己心，一聞雎鳩之關關，即可心領神會」。[162]

五　總結

學者對新寫實主義下定義及作出討論時，常常與傳統及現當代文學的現實主義比較。有部分論說認為新寫實主義是現實主義的繼承與延續，另外有意見則不同意兩者之間存在承傳關係，集中比較新寫實主義與現實主義的異同，結果發現兩者之差異不只見於寫作手法，還以兩者之「精神價值取向」的分別尤為顯著，但可惜卻未有作更深入的闡發。本文即從古典文學的其中一個高峰：唐代的現實主義創作理論出發，回顧現當代

---

155 見黃霖、韓同文：《中國歷代小說論著選（上編）》，頁631。

156 見邢昺：《論語注疏》，頁51。

157 見王先謙（1842-1917）：《荀子集解》北京：中華書局，1988年，頁20-21。

158 見邢昺：《論語注疏》，頁52。

159 黃式三：《論語後案》，頁98。

160 見蔡東藩（1877-1945）：〈清史通俗演義敍〉，載氏著：《清史通俗演義》上海：會文堂，1934年，〈敍〉，頁3。

161 見〈讀詩說中〉，載氏著：《劉孟塗集》（《續修四庫全書》本）上海：上海古籍出版社，1995年，文集卷一，頁13。

162 錢穆：《現代中國學術論衡》臺北：素書樓文教基金會，2000年，頁236。

現實主義的創作經驗，並從新寫實主義作家的自白、學界對新寫實主義小說創作成果的總結、現實主義支持者對新寫實主義的批評，說明新寫實主義與現實主義在「精神價值取向」的最大分別在於：作家是否須要肩負說教的責任？文學作品是否教化的工具？新寫實主義對以上兩個問題均不表認同。

新寫實主義與現實主義的本質固然不同，但不少學者在研究新寫實主義小說作品時，均以闡述這些作品的教化意義為主題。或有人會以為新寫實主義作品同樣具有教化意義，那麼新寫實主義跟現實主義的關係不就是很明顯了嗎？其實不然。從上文的論述，可知新寫實主義小說的教化意義，是出於讀者對小說內容情節、角色性格經歷的詮釋與感受，而這種意義更是作者沒有預期會出現的。

我們在中國古代「知言」與「知人」的詮釋理論中，能發現相類似的閱讀經驗。「知言」與「知人」本來分屬孔、孟的三個命題：孔子之「不知言，何以知人」及孟子的「知言養氣」、「知人論世」。經黃式三「言」之訓釋，始與文學作品產生關係，而戴望和劉寶楠《論語》的說解，令孔子之「知言」與孟子之「知言」、「知詩、書」變成互通，確立了三者相互的聯繫，並由此形成「知言可以知人」文學詮釋理論的基礎。「知言可以知人」的理論下，再發展成三種詮釋思想：「知言可以知作者的思想感情」、「知言可以知作者的性情為人」、「知言而知人後的道德反思」，使捍衛道德正統的傳統儒家文學觀得到極力推崇，而文本傳達作者想法的同時，讀者可以從文本所表現之作者或角色人物的行事為人，進行道德反思，獲得啟發。儘管傳統思想得到高度尊重，但其中包含的內容卻並非抱殘守缺，如學人重視文學作品的道德價值，也同時流露對「本真」的追求；既留心文學作品所反映的作家「性情」，也明白「性情」涵蓋範圍之寬闊，並懂得「性情」之與精神狀態的關係。「知言可以知人」詮釋理論所追求的這種「性情」與「本真」之反映，可算是觸及到文學本質的其中一個方面，與新寫實主義作家的創作理想是一致的。

新寫實主義小說與中國傳統文論的關係，相較現實主義，更明顯的表現於「知言」與「知人」詮釋理論中讀者詮釋文本的方法及其與新寫實主義共同重視的「求真」原則。

試論熊十力先生對本體與本心的關係

鄭祖基
澳門大學教育學院

本文的主旨是探究熊十力的本體宇宙論中對本體的呈現被物化是與本心被遮蔽有極其密切的關係，進而論述若本心不被遮蔽則熊氏所說「境不離心」的真意所在。所謂本體的呈現狀態，就是本體原初狀態的發用，蓋本體自身因著其性質，必然的要開顯自己，亦唯有透過開顯自己，本體所含藏的無盡潛能才能實現。當然這兩種狀態，只是概念上的區別，絕不意謂本體是可以分離為二的；同樣，亦不意味著宇宙是有一個本體未曾開顯的時期。因為本體開顯自己不是如母生子般，由本體「生」出開顯，而是本體自身就是開顯，開顯是本體的開顯，本體是開顯的本體，本體與開顯是通貫為一的，離開顯而言本體或離本體而言開顯，皆是不完全的。換句話說，本體不在開顯之外，亦不是超越於開顯的主宰；本體也不是潛隱於開顯背後，與其性質不同的東西。另外，值得注意的是熊氏所强調的即用顯體與攝體歸用，其重點是把本體看作是一個展開為現象的流行過程，而吾人則在此一流行過程中體認本體，正所謂「即用而言體在用」。在本文中，筆者先從本體的物化狀態說起，從而釐清其被物化的原因與解救之道，隨後再回溯至本體應有的呈現狀態。最後，筆者始終認為要確切把握本體，必不能單從對本體作純粹理論思辨出發，而是要從本心對本體的體認，以一種「存在的遭遇」為基點，才能恰當的了悟本體的真實。

首先，熊氏認為本體之所以被物化是由於人的根身被日常生活的實用習慣所誤導，於是造成對本體的遮蔽與扭曲，以致執取本體詐現出來生滅滅生的相狀為有實自體的現象世界。熊氏說：

> 此心必憑藉乎根，而始發現，故云依根。取者，追求與構畫等義；境者，具云境界。凡為心之所追求與所思構，通名為境。原夫本心之發現，既不能不依藉乎根，則根，便自有其權能，即假心之力用，而自呈以迷逐於物，故本心之流行乎根門，每失其本然之明。是心藉根為資具，乃反為資具所用也，而吾人亦因此，不易反識自心，或且以心靈為物理的作用而已。[1]

1　熊十力：《明心篇》臺北：臺灣學生書局，1976年，頁27-28。

這意謂本心要呈顯自己時，便要藉著根身；根身便因而有反客為主的可能，自逞其權，把本心遮蔽成為習心，使本心不能「如實的」在用中識體，且把大用流行凝成一個認識的、對象化的、主客二元對立的存在。於此，本體開顯為大用的動態變化，被習心執取為對象性的靜態存在物，以致本體被物化而造成「本體的遺忘」。吾人唯有透過實踐工夫，保任本心才能穿透物化的情狀，達到即用顯體之境。熊氏說：

> 無工夫，則於此終不自見，不自承當。唯以一向外逐物的知見去猜測本體，是直以本體為外在的物事，如何得實證。[2]

所以唯有當本心去除障蔽時，吾人才能把世間的事事物物視為大用流行詐現的種種跡象，從而證成大用是本體的完整呈現，離大用便無從體識本體之旨。綜上而言，熊氏所說的「即用顯體」是肯定體用哲學中以實踐為主的進路，也就是說，必要透過實踐的工夫，才能確切把握和認識本體的大用流行。

跟著，熊氏進一步强調「攝體歸用」，指出大用以外沒有本體，因本體已全現為大用，所以大用的流行是至真至實的。雖然大用流行是剎那生滅和變化不息，但這絕不意味著大用流行是虛幻不真的，我們不應因熊氏對大乘空宗「破相顯性」的讚賞而對此有所誤解，進而認為本體與現象間有邏輯上的矛盾，如學者翟志成先生所說：

> 《新論》對大乘空宗的掃相見體，再三再四表示極端贊成。「所謂掃相見體就是要掃除現象界的形相為實有的執著，而把萬事萬物都看作本體幻現的假象，以免逐物生解而迷其真。」又說：「反觀《新論》，一方面以儒家的實理為體，一方面以佛家的假有為用，能否在邏輯上不出問題？能否真正讓體用不二義成立？這些都是值得我們進一步探究的大問題。」[3]

筆者認為上述責難是由於誤解了熊氏的體用哲學所致的。誠然，熊氏是主張人要去除對現象世界的種種形相執為有實自體的習染，如此方能「如實地」看到大用流行的真象，而這真象就是本體詐現的跡象，是剎那生滅滅生及變化不息的；然而，這論調並不表示熊氏以這些詐現的跡象為「不真實」，須知本體不是一不能起用的死寂之體，熊氏的體用哲學正是要針對此死寂之體的弊端，倡導本體是生生不息的，且必要發為大用才能完全。換言之，熊氏肯定由本體呈現出來的現象世界是與本體通貫為一的。兩者皆以剎那生、剎那滅、非常非斷為其性質，所以它們在邏輯上是沒有矛盾的。

2　同上註，頁79。

3　翟志成：〈論熊十力思想在一九四九年後的轉變〉，《哲學與文化》，第15卷第3期，1988年。

事實上，熊氏所真正要否定的絕不是現象世界本身；相反，對現象世界的確認才是體用哲學的要旨。試想若不肯確認現象世界的存在，則熊氏所常强調吾人要由實踐來體認本體的話便成空言，因為實踐不是掛空的，而是要在這現象世界中實行方可。進一步說，吾人對本體的體認亦不單是遠離生活冥想靜坐式的印證，卻是以吾人的「生活世界」為印證的場所。同時，吾人的「生活世界」也不是一「抽象的概念」，其中蘊含著種種具特殊性的歷史、文化和社會的現象。簡言之，熊氏肯定現象世界為體證本體的場所，因此現象世界是必需肯定的，我們亦唯作如上的了解才能恰當地明白「攝體歸用」的意思。

熊氏所真正要否定的是吾人的「染執」，這種「染執」把吾人本心矇蔽，以致將剎那生滅的現象世界或大用流行所詐現的跡象，看成是可離本體而有實自體的世界或沒有本體的世界，而這才是熊氏要否定的世界；這大用流行的世界是與本體通貫為一，能縱貫上通於天、下達於地，成為一個生氣洋溢、自强不息的世界。當然我們仍可堅持地稱剎那生滅的現象世界，就是不真不實、如夢如幻的。但這只是汝等對「真實」的標準和意義跟熊氏不一樣而已，汝等並不能因此推論熊氏所謂的本體和現象犯了邏輯上的矛盾，因為熊氏所述的本體自身就是剎那生滅、變化不息的；大用就是本體的大用，本體就是大用的本體，本體與大用是通貫為一的，所以大用也是真實不虛的。

這裡筆者嘗試從「境」與「心」兩者的關係上立說，闡明所謂客觀存在的對象並不是離心獨在的，從而證成體用不二之旨。首先，熊氏認為把現象世界執定為有實自體的心，其本身乃是虛妄的。此妄執的心假借本心的力用，自逞權能而生，僅是因著日常生活的實用需要而暫時形成一種機能，所以終極來說它是虛妄不實的。熊氏說：

> 至於妄執的心，雖亦依本來的心而始有。但他妄執的心是由官能假本心之力用，而自成形氣，於是向外馳求而不已，故此心是從日常生活裡面，接觸與處理事物的經驗累積而發展。所以說他是虛妄不實的，是對境起執的。[4]

所謂對境起執就是把境看為可離心獨在的。換言之，境可不依心而有，境與心基本上是處於相對立的二元狀態中。心是能知，境是所知；心境不能渾然為一，兩者之間存有一鴻溝。熊氏以「瓶」為比喻，論證若離開心識，則境根本是無有的。他說：

> 試就瓶來說，看著他，只是白的，並沒有整個的瓶。觸著他，只是堅的，也沒有整個的瓶，我們的意識，綜合堅和白的形相，名為整個的瓶。[5]

---

4 熊十力：《新唯識論》臺北：廣文書局，1970年，唯識上，頁9。

5 同上註，頁10。

瓶只是吾人的意識虛構作用假名而有的，所以根本沒有實自體的瓶，也沒有離識獨存於外界的瓶。不過，吾人必要注意熊氏只是否認有離心識獨在的境，而沒有否認境的存在；正如他只破斥有實自體的瓶，而沒有否定假名而有的瓶有其作用性。他說：

> 心上現堅白等相，必有境界為因，是義可許。但是，這個為因的境，決定不是離心獨在的……順正理而談，則境和心是一個整體的不同的兩方面。這個整體，所以有兩方面不同，完全由於他本身的發展是自然而然的要有這種內在的矛盾。[6]

綜上而言，筆者認為可分兩個層面來闡明熊氏的意思。第一，熊氏肯定境和心（內境與本心）是本體發用時的兩種勢用，這兩種勢用在本體的大用流行中基本上是處於「主客渾一」或「主客俱泯」的狀態，他說：

> 因為境和心，在實際上說，根本沒有內外可分的。[7]

換言之，這時候境和心是處於相即不二的狀態裡，可說此其時的境和心是渾然一體和主客不分地並存著。但吾人不要忘記本體化成大用是必要藉著資具而顯的，心遂必要藉著境才能呈現自己。所以理論上我們雖可說心和境處於一主客俱泯的狀態中，但實際上在大用流行中心和境是必會發展為一種辯證的對待關係。這種對待關係正面來說是：

> 心對於境，能當機立應，即於自心上，現似境的相貌，能識別和處理現前的境，而使境隨心轉，自在無礙。所以說，境和心，是互相和同的。因為他們境和心是互相對待，而又是互相和同，所以能完成其全體的發展。[8]

所以說，在本體的原初狀態時，心和境是處於主客不分或主客俱泯的境地；但當本體呈為大用的現象世界時，心與境便有一辯證的發展；從「主客俱泯」的狀態發展到「主客俱起」的境地，而隨著吾人「識」的現起和構作，心與境便進而轉折有出現「主客為二」的可能。而所謂「識」，可分為感識與意識，感識就是眼、耳、鼻、舌、身，它們基本上是五種感官作用，並沒有推求和想像的能力。當五識現境時，只是如實的親證境，仍沒有出現主客分立的分別相，我們只能稱這時的狀態是處於一種主客俱起的階段，而直到意識繼五識之後現起才生出主客對立的分別相。熊氏說：

6　同上註，頁11。
7　同上註，頁12。
8　同上註，頁12。

> 五識創起了境，本無麤類的分別，意識緊接著五識而起，便億持前境，更作明利的分別了。由此，應知意識一向習於實用，恆於種種境起追求。[9]

意識因著種種生活上的實用要求，誤把境構作為離心獨在的外境，進而將外境偏執為有實自體之物，使本來心境渾一的關係截然二分，境便成為離心外在的境，心亦成為離境外在的心。不過，筆者認為有一點是需要釐清的，就是熊氏基本上沒有反對意識的了別作用，因若沒有這種作用，則知識的成立便難於說明。他指出：

> 心（此中心字通五識和意識而统名之）於境起了知時，便有同化於境的傾向，所以必現似境之相。……心的現相，是知的作用，自然會有的。但是，心上才現似境的相，便很容易賦境以實在性，並且很似有封畛的。換句話說，我們知的作用，就把所了的境當作離心獨在的東西來看，這才是吾所呵斥為妄境的。[10]

從上得知，熊氏肯定現象世界為大用的流行，亦承認知識的成立必先要有意識的了別作用，所以筆者相信熊氏對現象世界是持「破染不破執」的態度，因本體絕不是一死寂之體，它必要發用才能完全。換言之，心與境處於主客俱泯的狀態時，並不意味是一死寂不動的狀態，當本體呈顯自己時，心與境亦從主客俱泯進到主客俱起的狀態；但當本體具現為現象世界時，本體便有可能被其所藉以呈顯的資具所障蔽，同樣心境的主客俱起狀態亦會因著「識」的現起而有主客二分的可能。可說，為著成就現象世界和為知識定位，「權設」有主客對立的狀況是有價值的，但關鍵在於當吾人如此「權設」時，必要知道現象世界是貫通於本體世界，其本身不能獨立為一世界。同時，境與心也是通貫為一的，並沒有離心獨在的境。他說：

> 只是不承認有離心獨存的外境，卻非不承認有境，因為心是對境而彰名的。才說心，便有境；若無境，即心之名也不立了。實則心和境本是具有內在矛盾的發展底整體。就玄學底觀點來說，這個整體底本身並不是實在的，而只是絕對功能的顯現。[11]

換句話說，主客對立的狀態必要權設於「內境」才算合法，這可稱是一種「淨執」；但若主客對立的狀態是意謂著境可以離心獨存的話，那便是「染執」。於此，我們可說

---

9 同上註，頁13。

10 同上註，頁14。

11 同上註，頁20。

「淨執」於現象世界中有其價值，因為只有權設主客對立的狀態，知識的成立才有基礎。但熊氏提醒我們要小心被習心所蔽，以致把現象世界看成是離心外在的。因為終極來說，心境是主客俱泯和主客俱起，沒有心外之境，亦沒有境外之心。心與境之成為主客二分，是為著成就現象世界中人的實用需要，只是一項權宜的施設。當然，這施設是有其正面價值，因若沒有現象世界詐現，本體是不能彰顯自己的，故熊氏並破斥現象世界的存在對象，而只是要人破除對存在對象的妄執而已。

總括而言，熊氏主張破染不破執。執本身只為著成就現象世界而生，吾人若錯置現象世界可離心獨在，則便成染執；相反，吾人若能透悉其作用與限制，悉知心與境是同一本體的彰顯，而不把心與境分為二，如此便能「即俗詮真」，體認境不離心之旨。他說：

> 如泰山，假名也。此假名所表詮之山相，本是空無。但山相空，而有不空者存。不空者何，謂實相也。即假名而說實相，是謂即俗詮真……難道石頭的本體竟是汝心外之境耶，汝只誤將自己與天地萬物分離開，所以不信汝之本心，即是石頭的本體。……這個本心，也就是吾人與石頭、或天地萬物所共有之本體，如何分割得，如何說石頭的本體在汝心之外呢？[12]

吾人若能破除染習，便能正確地定位「執」的限制與作用，知道「染執」不可有、「淨執」亦不可無之道。因為「淨執」是成就現象世界種種實用價值和科學知識的必要施設，尤其現象世界是體認本體的場所；而「染執」則把本體與現象世界分開，誤把「執」的權宜施設視作絕對的真實，遺忘萬有得以詐現的存在根基，更將心境截然二分，忽略它們是同一本體的呈現，以致最後造成對本體的扭曲和異化，不悟「境不離心」之旨。

---

12 熊十力：《新唯識論》臺北：廣文書局，1970年，卷下之二，附錄，頁40。

索爾・貝婁小說「垂懸」主題比較研究*

李會學

江西財經大學外國語學院

一

一九七六年，諾貝爾文學獎文學委員會在給索爾・貝婁的授獎詞中寫道：「這些作品全是活動著的故事，而且跟作者的第一部小說一樣，都是刻畫一個沒有立足點的人。但是有必要指出，這是一個在我們這個風雨飄搖的世界裡一面漫遊，一面不斷試圖尋找立足之地的人。」[1]這番評論表明索爾・貝婁的第一部小說擬定了他全部小說的基本主題——「垂懸」(Dangling)。所謂 「垂懸」 是對人存在狀態的一種描述，指人在這個世界上既沒有可供立足的物質性地位與財富，也沒有可以立足的精神性滿足與救贖。

事實上，人的垂懸存在狀態伴隨人類的出現而產生，但在人類氏族時期，尋找食物占去了人類幾乎所有的時間和精力，精神活動範圍有限，認識能力相對低下，還沒達到認識人類垂懸狀態的水準；古希臘羅馬時期，人類的精神活動已經達到相當高的水準，但當時研究的主要對象是外部世界和理想王國，人類的眼光尚未關注到自身的存在狀態；中世紀時期，人的存在處於嚴重的垂懸狀態，但當時的人把視線和注意力聚焦於神，尚未顧及到人；十七世紀，笛卡爾第一次把人類眼光從外部世界引向人自身，不過笛卡爾思考的重點落在認識和思維的屬性上，他「把人提高到『大自然的主人和佔有者』的地位」，人的具體的存在，即他的「生活世界」卻被暗淡地遺忘；[2]十八世紀啟蒙主義思想家專注於如何用科學掃去人們心頭的蒙昧，傳播民主思想；十九世紀前半葉的浪漫主義醉心於歌詠人的偉大才智和大自然美景，十九世紀後半葉的社會現實打破了浪漫主義詩人的美好想像，人們才開始關注到人類的存在處境並不美好。有一天尼采忽然宣稱上帝死了，人們這才發現他們失去了頭頂上神的庇護，處於垂懸狀態。在索爾・貝婁之前，已經有一批作家在一定程度上描寫了人的垂懸存在狀態，比如陀思妥耶夫斯基的地下人、卡夫卡的變形者、加繆的局外人等小說人物是西方現代文學垂懸者的原型。在貝婁之後，約瑟夫・海勒《二十二條軍規》裡那些困頓於子虛烏有軍規的軍人、撒母耳・貝克特的等待者們也是垂懸者。索爾・貝婁的貢獻就在於他用「垂懸」這個語詞恰當地命名了人類的這種存在狀態，並使之成為現代文學的一個核心主題。

---

* 江西省社科規劃課題項目「索爾・貝婁小說垂懸主題比較研究」(13wx18) 的階段性成果。

1　索爾・貝婁撰，宋兆霖主編，王譽公、張瑩譯：《索爾・貝婁全集》(13) 石家莊：河北教育出版社，2002年，頁255。

2　米蘭・昆德拉撰，孟湄譯：《小說的藝術》北京：生活・讀書・新知三聯書店，1995年，頁2。

二

貝婁的小說創作可以分為早中晚三個時期，[3]三個時期的垂懸主題各有側重。早期小說描寫年輕人的物質性垂懸，中期小說揭示中年人的精神性垂懸，晚期小說展現年長智者怡然於垂懸。

貝婁的早期小說描寫年輕人的物質性垂懸。美國哲學家保羅・蒂里希（Paul Johannes Tillich, 1886-1965）認為，人存在著，就意味著要擁有空間。空間首先意味著一種物理位置，它還意味著一種社會「空間」——一種職業、一個影響範圍、一個集團、一段歷史時期、回憶中或預期中的一種地位，在一種價值和意味體系中的位置。不擁有空間，就是不存在。[4]貝婁早期小說的年輕主人公物質性垂懸的根源就在於他們缺乏保羅・蒂里希所說的基本的物質生存空間，它主要包括兩個方面：第一、這些年輕人沒有在社會上建立起自己的身分和地位，沒有找到自己的位置，沒有穩定的職業。他們處於社會底層，收入微薄，時常受到失業的威脅，過著漂泊的日子，「就像老懸在空中」。[5]第二、他們的垂懸狀態還在於這些年輕人缺乏深厚的家族背景和社會根基，對社會和周圍環境缺乏影響力，他們都是「散亂的東西」、「沒有牢牢扎根的東西」、「鬆散的東西」，到處滑動。[6]這些年輕人因為物質性匱乏而垂懸，但他們沒有消極坐等，而是積極行動，努力工作，試圖建立自己的社會身分和地位。行動是貝婁早期小說主人公擺脫垂懸狀態的關鍵。如海德格爾（Martin Heidegger, 1889-1976）所言，這種行動無關行動物質性的結果和有用性，而是豐富生命的本質和體驗，是生命的豐沛和展開。[7]奧吉（*The Adventures of Augie March*, 1953）在公共事業振興署的工作經歷可以為這種行動姿態作一個形象的注腳，反映出行動對於人的存在的深遠意義與影響。二十世紀二、三〇年代，美國爆發了經濟危機，工廠倒閉、工人失業、實業減產甚至破產、銀行關門，經濟蕭條，日子難過，為了保持信心，人們不斷地找事做。奧吉在公共事業署的工作就是到街頭的工作小隊去，看著人們砌磚頭，看著五十把錘子同時捶下去，發出敲擊聲。雖然工程進度緩慢，但人們有事可做。這種勞動不是為了取得某種成就，而是為了維持工作狀態，保持行動姿勢。二十世紀薩特的存在主義哲學的基本思想是反柏拉圖主義

3 李會學：《索爾・貝婁小說中的人物形象在時間軸上的展開》北京：中國社會科學出版社，2012年，頁7-9。對索爾・貝婁小說的分期國內外大多數評論家根據小說創作時間分為三個或四個時期，本書作者根據小說主人公的年齡和生存處境對貝婁小說分為早、中、晚三個時期。

4 劉小楓主編：《20世紀西方宗教哲學文選》上海：上海三聯書店，1991年，頁857。

5 索爾・貝婁撰，宋兆霖主編，蒲隆譯：《索爾・貝婁全集》（9）石家莊：河北教育出版社，2002年，頁26。

6 索爾・貝婁撰，宋兆霖主編，王譽公、孫筱珍、董樂山譯：《索爾・貝婁全集》（10）石家莊：河北教育出版社，2002年，頁24。

7 海德格爾撰，孫周興譯：《路標》北京：商務印書館，2002年，頁366。

的，它強調人的存在，反對柏拉圖本質先於存在的思想，薩特認為存在先於本質，先是人存在，其次才形成本質，而先於本質的存在（existence，指人的存在）就是行動。所以，奧吉的工作不以它的實際效用和結果來衡量，而在於行動本身，他們的行動就是為了使人進入他的存在本質之中，並保持在其自身的豐富性之中，以此使人得以存在和保持下來。正如奧吉所說「人要是沒有壯志和宏願，是很難活下去的。」[8]

與早期小說主人公的物質性垂懸不同，貝婁中期小說主人公的存在特徵是精神性垂懸。「貝婁描寫的精神危機往往是一種日常生活的自然崩潰，是人到中年之後靜坐家中，聽著牆皮一寸寸皸裂、石灰一塊塊鬆動，只覺遠慮近憂畢至，從而陷入深度惶恐。」[9]貝婁「對被海德格爾稱為一種四處漂遊的焦慮感（即煩惱）的東西甚為關切，」因為貝婁「所有的主人公似乎都受到它的折磨或者意識到它的存在」。[10]貝婁關切的這種焦慮感和煩惱就是海德格爾所說的「操心」(「Sorge」)。[11]操心是此在的存在結構，作為此在之存在，是「我們自己一向所是的和我們稱之為「人」的那種存在者贏獲適當的存在論基礎。」[12]此在只要在世存在，它便具有「操心」這個本質。海德格爾認為，「此在本質上就包括：存在在世界之中。」[13]意思是說，此在（即人）的最基本的生存狀態，就是人在日常生活中同世界中各式各樣的存在者打交道，他把此在的這種狀態稱為「在——世界——之中」。海德格爾在分析「在周圍世界中照面的存在者的存在」時認為，人通過物（用具或工件）與世界以及他人取得聯繫了。再說索爾・貝婁中期小說主人公，他們是功成名就的詩人、作家、教授們，他們與世界緊密地關聯著、連接著，他們擁有一個共同的特徵就是他們都有生活在別處的煩惱和焦慮感。為了走出精神之煩，他們採用了追憶和回歸的方式來拯救自己。追憶就是回憶過去，再現發生過的事件。追憶是貝婁在早、中、晚期一貫使用的一種手法，在中期作品中這種手法應用得爐火純青。頻繁使用追憶手法的目的就是為了找回一個詩與美的世界，過去的時間和歲月連同它的事件和人物在追憶中變得清晰、美好起來。在貝婁的小說中，追憶常常是感

---

8 索爾・貝婁撰，宋兆霖主編，宋兆霖譯：《索爾・貝婁全集》(2) 石家莊：河北教育出版社，2002年，頁561。

9 雲也退：〈你好，哥倫布——讀索爾・貝婁與「五月花」〉，《中華讀書報》2007年5月16日。

10 馬修斯・魯戴恩撰，郭廉彰譯：〈索爾・貝洛採訪記〉，《國外文學》，1988年第3期。

11 熊偉先生將這個概念譯作「煩」，倪梁康先生認為這個譯法是有其充足理由的，贊成把 Sorge 譯作「煩」。陳嘉映、王慶節先生在《存在與時間》中譯本的第一版中採納了這個譯名。但在後來的修訂版中，陳嘉映又改譯作「操心」。詳見倪梁康先生的論文〈海德格爾思想的佛學因緣〉，《求是學刊》，2004年第6期，頁28，以及陳嘉映、王慶節譯：《存在與時間》第二版附錄一，「一些重要譯名的討論」，頁502-504。

12 海德格爾撰，陳嘉映、王慶節合譯：《存在與時間》北京：生活・讀書・新知三聯書店，2006年，頁227。

13 海德格爾撰，陳嘉映、王慶節合譯：《存在與時間》北京：生活・讀書・新知三聯書店，2006年，頁16。

性的回憶，它把過去作為一個審美對象，進行審視與反思。它通常有一種把過去詩意化的傾向，縮小它曾經令人痛苦的記憶，放大它令人愉悅的成分。這使我們想起了華茲華斯（William Wordsworth, 1770-1850）的詩歌理論：詩是在靜謐之時回憶過去時所產生的強烈感情的自然流露。在〈水仙〉（*Daffodils*, 1807）一詩中，華茲華斯描寫了水仙花給他帶來的雙重美好感覺，第一層美感是當他看到水仙時的直觀感受；第二層美感是他在日後臥於榻上追憶水仙之時體會到的深層美感。第二層比第一層更深入，它觸及內心，達及靈魂。由是觀之，回憶過去時，我們常常容易產生出一種審美感覺和體驗，並在這種體驗中美化、詩意化過去的歲月。這種審美感受和美化體驗對我們現在的生活是有積極意義的，它減輕了我們在現實世界中的孤獨感、陌生感和疏離感。在人的存在之中，時間就以這種方式治癒了空間帶給人的創傷。這正是貝婁小說中追憶所起到的作用。例如，赫索格（*Herzog*, 1964）為了逃避他面臨的負擔和一切實際問題，也為了逃避女友雷蒙娜，他打算去海邊。在緩慢爬行的計程車上，赫索格想起小時候在蒙特利爾一家大小坐火車去度假的情景：他們隨身帶著的一只用輕脆的木片編成的籃子裡裝著父親從市場上買來的廉價梨子，梨子上滿是被黃蜂咬過的斑點，熟透得快爛了，但奇香撲鼻，赫索格的父親坐在火車車廂陳舊的綠色粗毛墊上，用他那把俄製珍珠鑲柄小刀削著梨子，他削得薄，旋得快，切得勻，火車嗚嗚地鳴叫。窗外，太陽和鋼架用幾何學分割著煤煙，工廠圍牆的旁邊長滿骯髒的雜草，啤酒廠裡傳出陣陣麥芽味；透過火車車窗，赫索格看到河水閃著亮光，衝到一塊塊大岩石上，撞了回來，打著渦旋，濺著泡沫發出隆隆的聲音；對岸的印第安人的棚屋高高地搭在樁柱上，接著是一片炙熱的夏日的田野；車窗都開著，火車的聲音從那些莊稼上折了回來，回聲就像是個大鬍子的說話聲。[14]這是四十年前的事情了，現在的火車雖然又快又新，可是火車裡沒有了父親母親，沒有了哥哥姐姐，沒有了香氣撲鼻的梨，沒有了過去的美妙和溫馨，再好的火車也失去了意義。客觀地說，從赫索格的回憶中，我們可以看出赫索格過去的家庭並不富裕，甚至可以說是貧寒，火車窗外的景色也遠非完美，因為有煤煙、雜草等，但在赫索格的回憶中這一切卻是那麼溫馨、動人；在中央火車站擁擠的人群裡，赫索格又想起了母親，想起當時她怎樣用嘴沾濕手帕給他擦臉，想起在加拿大那個空蕩蕩的火車站裡，他母親手帕上唾液的香味。赫索格認為，每個孩子都有面頰，每個母親都會沾唾液為她們的孩子溫柔地擦臉。或許你會忘掉這類事情，也許你永遠也不會忘，這全看你所處的世界是怎樣的一個世界。[15]這些回憶展示了一個父仁母慈、兄愛弟悌的猶太世界，給孤身出逃的赫索格些許心靈慰籍。在這些溫馨的回憶裡，沒有貧窮，沒有芝加哥工業發展初期的醜

14 索爾・貝婁撰，宋兆霖主編，宋兆霖譯：《索爾・貝婁全集》（4）石家莊：河北教育出版社，2002年，頁52。

15 索爾・貝婁撰，宋兆霖主編，宋兆霖譯：《索爾・貝婁全集》（4）石家莊：河北教育出版社，2002年，頁53。

陋，只有溫馨和美好，而赫索格現在所處的世界裡沒有親人的溫暖與呵護，只有他人的算計與背叛。

追憶的歷史，可以回溯到柏拉圖。柏拉圖在談論美感和真理時認為，美感就是迷狂，是靈魂對於理念即真理的回憶。通過回憶，靈魂忘卻塵世而回歸天界，即達到真理自身。自古以來，至少自柏拉圖以來，人類就處於回歸的渴望之中。古希臘羅馬時期，人渴望回歸到天地混沌、人神共在的時代中去，古希臘羅馬的神話、史詩、繪畫表達了這種願望；文藝復興時期，人們渴望回到古希臘羅馬時代的社會、文化和生活中去，他們試圖復活古希臘羅馬的精神，也因此把那場聲勢浩大的文化思想運動稱為「文藝復興」(Renaissance)；近代的人們一方面發展科技，一方面又渴望通過理性回到文藝復興和它所復興的文化思想中去；而現代人在被異化、分裂之後，他們不僅渴望回歸到人尚是一個完整的人的近代時期，而且更渴望回歸到人在肉體和精神上都健全的古典時期。「人們習慣於在一個人物的童年中尋找他的根。」[16]回歸的意念反映在貝婁的小說中，就是主人公回歸自然，回歸本真，回歸心靈家園的願望和行為。貝婁作為一個猶太裔美國現代作家，受到猶太傳統中回歸家園思想的影響，也受到西方文學傳統中回歸自然思想的的影響。貝婁小說主人公最後都實現了一個回歸夢：回歸田園牧歌，回歸原始的古樸，回歸自我。比如，漢德森（*Henderson the Rain King*, 1959）是現代社會的一個百萬富翁，但他厭倦了他在現代社會擁有的一切：金錢、娛樂、女友、妻子、孩子、父母、酗酒、家畜、容貌，甚至他的靈魂。他撇下這一切，隻身到非洲的原始部落中去尋找人應該活著的根據。在阿內維部族裡，漢德森雄心勃勃地要用現代人的文明和科技來替古老部落解決生活難題。但他的滿腔真誠和熱切，卻幹下了壞事情，他把阿內維人的水塘大堤炸塌了，在看似落後的原始部落人面前，漢德森失敗了。事實上，貝婁想要說明這樣一個問題：漢德森的失敗是一個象徵，它象徵著現代科技和文明在與原始智慧對壘過程中的失敗，也象徵著現代人無限膨脹的雄心壯志的失敗，現代人總以為他們擁有現代科技便戰無不勝，結果不但沒有做成，反倒把他那盲目的意圖和雄心壯志喪失得一乾二淨。「我是披著光明而來，或者自以為是如此，然而我卻是裹著陰影和黑暗，羞辱地離開的。」[17]赫索格到鄉間本來是要把鄉間的房子賣掉，但走進那裡，他忽然有一種特別的感受，他滿懷信心，幸福快樂，情緒也很穩定，他「躺在陽光下的床墊上，感情真摯地笑了起來。」[18]他走近樹林，「覺得這兒很好，比較安靜。樹林裡的寧靜照拂著他，

16 米蘭・昆德拉撰，孟湄譯：《小說的藝術》北京：生活・讀書・新知三聯書店，1995年，頁52。

17 索爾・貝婁撰，宋兆霖主編，毛敏渚譯，張子清校：《索爾・貝婁全集》(3) 石家莊：河北教育出版社，2002年，頁204。

18 索爾・貝婁撰，宋兆霖主編，宋兆霖譯：《索爾・貝婁全集》(4) 石家莊：河北教育出版社，2002年，頁404。

還有那美好的氣候。」[19]回到這樣一個賦有詩意、安靜、祥和的自然中，赫索格感到了上帝的在場，「在上帝的虛空之中，既聽不到繁雜的世事，也見不到遙遠的未來……每日的光華，行走在這裡，在上帝的虛空之中。」[20]赫索格在大自然中所獲得的不僅是內心的寧靜，還獲得了與上帝相通的靈性。貝婁小說中的返璞歸真具有雙重含義，它不僅是身體回到原始部落或鄉村，更重要的是心靈的回歸，回歸大自然中去，回歸到古樸的智慧和心智中去，回歸上帝的靈光中。

索爾・貝婁的晚期小說創作對貝婁的整個創作體系來說十分重要。隨著年齡的增長，閱歷的豐富，洗盡鉛華，天性中敏感、自尊的個性隨世間的風雨漸漸平復，貝婁小說中的主人公也隨之改變，他們不再像早期小說裡的年輕人那樣急於尋找進入世界的途徑，也不像中期小說裡的中年人那樣憤世嫉俗，心思繁複沉重，晚期小說主人公寬容、睿智、沉著、冷靜，以柔和的眼光來看待這個世界，雲淡風輕，海德格爾稱這種態度為「泰然任之」，阿多諾稱為「朝向對象的悠長而溫和的目光」。[21]無論是泰然任之還是朝向對象悠長而溫和的目光，兩者都是以聚精會神和耐心的態度對待事物，以無作為的心態面對對象，不是主動地去認識對象，控制對象，而是讓對象展現自身，這種態度表現出與傳統主體性哲學完全不同的旨趣來。或許是一種巧合，〈賽姆勒先生的行星〉一開篇就寫了賽姆勒先生的目光。賽姆勒先生只有一隻眼睛，另一隻眼睛在納粹德國要把他活埋之前被人用槍托打瞎了，而就是這一隻眼睛所看到的東西，賽姆勒先生也正在懷疑他目力所及的這一點東西他是否需要。

> 黎明，或者從正常的天色看來，應該是黎明以後不久，阿特・賽姆勒先生睜開他濃眉下的那只獨眼，察看著他在紐約西區那間臥室裡的書籍和文件，他非常懷疑這些就是他需要的東西。從某個方面來說，對於一個七十多歲的人，而且是閒居在家的人，這並沒有多大關係。堅持什麼都是對的，你就得變成一個怪人。對還是不對，這主要是一個解釋的問題。聰明的人已經變成一種專門給人解釋的角色了。父親給孩子解釋，妻子給丈夫解釋，演講人給聽眾解釋，專家給外行解釋，同事給同事解釋，醫生給病人解釋，人給自己的靈魂解釋。這事的根由，那事的原因，事件的起因，歷史，結構，其所以然的理由，等等。但大多是一隻耳朵進，一隻耳朵出。靈魂，這只可憐的鳥兒，抑鬱不樂地棲息在解釋的上層建築之

19 索爾・貝婁撰，宋兆霖主編，宋兆霖譯：《索爾・貝婁全集》（4）石家莊：河北教育出版社，2002年，頁418。

20 索爾・貝婁撰，宋兆霖主編，宋兆霖譯：《索爾・貝婁全集》（4）石家莊：河北教育出版社，2002年，頁418。

21 烏特・古佐尼撰，夏宏譯，倪梁康校：〈「朝向對象的悠長而溫和的目光」：關於海德格爾與阿多諾之思的思考〉，《求是學刊》，2005年第6期。

上，不知道往哪兒飛才好。[22]

貝婁安排這個情節具有某種象徵意義，賽姆勒先生的獨眼反映了對待事物的一種態度，即凡事睜一隻眼，閉一隻眼，一切由它去吧，甚至連這一隻眼是否需要他都在懷疑。這不僅是一種肌體動作，更是一種處世態度：不占有，不解釋，不追究，讓一切自行發生。

三

米蘭．昆德拉認為，現代小說新方向的真正代表是卡夫卡，因為「他所構思的自我完全出人意外」。[23]當談到卡夫卡筆下的人物時，昆德拉問道：從哪方面說 K 是獨一無二的呢？既不是他的外貌（人們對他一無所知），又不是他的個人經歷（人們並不知道），也不是他的名字（他沒有），同樣也不是他的記憶，他的嗜好，他的情結。[24]這也就是說，K 作為一個個體的存在無法被界定，被把握，他的存在是漂浮的、空虛的、垂懸的。卡夫卡的這種描寫把握住了現代人存在的本質——垂懸感。索爾．貝婁十分喜愛卡夫卡，他在自己的小說創作中更進一步發展了卡夫卡小說中的垂懸主題。《晃來晃去的人》裡的約瑟夫首先是自己感到不踏實。他說，「事實上我這個人是不合群的，跟誰都搞不到一塊，就像老懸在空中。」[25]約瑟夫的哥哥阿摩斯批評約瑟夫說：「實際一點好不好？你總是懸在空中」。[26]這正是小說名字「Dangling Man」的由來。「Dangling」[27]的意思是懸掛著、吊起來，使之上不著天下不著地，懸在半空中，無所歸依，晃來晃去。

貝婁用「約瑟夫」來命名《晃來晃去的人》的主人公也容易使人想到卡夫卡《審判》中的約瑟夫．K。約瑟夫．K 整個人似乎就處於夢境般的不實在的境地中，他的命運被外在力量所主宰，他對自己的處境無能為力，他想澄清自己的無辜卻無法澄清。最後，約瑟夫．K 被殺死了，沒有明確的理由。昆德拉認為，卡夫卡所要說明的問題是：

---

22 索爾．貝婁撰，宋兆霖主編，湯永寬、主萬譯：《索爾．貝婁全集》（5）石家莊：河北教育出版社，2002年，頁7。

23 米蘭．昆德拉撰，孟湄譯：《小說的藝術》北京：生活．讀書．新知三聯書店，1995年，頁23。

24 米蘭．昆德拉撰，孟湄譯：《小說的藝術》北京：生活．讀書．新知三聯書店，1995年，頁23。

25 索爾．貝婁撰，宋兆霖主編，蒲隆譯：《索爾．貝婁全集》（9）石家莊：河北教育出版社，2002年，頁26。

26 索爾．貝婁撰，宋兆霖主編，蒲隆譯：《索爾．貝婁全集》（9）石家莊：河北教育出版社，2002年，頁49。

27 英文中，「dangling」一詞同時包含邏輯上相連的兩個意思，一是「懸掛」或「垂懸」；二是「晃來晃去」，兩個意義是聯繫在一起的。但在漢語翻譯時，只能二者取一，所以以前有人把它譯為《垂懸者》，現又被譯為《晃來晃去的人》。在漢語中，無論取哪個意義，都淡化了另一層含義。

在一個外界的規定性已經變得過於沉重從而使人的內在動力已無濟於事的世界裡，個人的任何努力都無法改變自己的命運。[28]這種無能為力感來源於卡夫卡自我的生存體驗，比如他對父親的畏懼、對世界的陌生感。卡夫卡自己對世界上的許多事物有一種陌生的感覺，[29]這種陌生感反映在他的創作中，就使得小說主人公總是與世界隔著一層，這種陌生感和隔膜導致了主人公對世界的一種恐懼情緒。卡夫卡在談到他的短篇小說《判決》時說，「在那個故事裡，每個句子，每個字，每個音符都與『恐懼』密切相關。」卡夫卡的話題經常會有「幽靈」、「恐懼」這樣的字眼，並且圍繞著已經逝去的時間、「沒有過錯的過錯」、杳無人煙的國家、飄渺不定的雲朵和虛無縹緲的子虛烏有等等而展開。[30]克爾凱郭爾說，恐懼感「就是無辜的秘密。無辜就是恐懼。在自己的靈魂裡，做夢一樣地反映出自己的真實面貌，可是，這個真實面貌卻是子虛烏有。」[31]這些陌生感和恐懼感使主人公疏遠了自己存身其中的世界，導致他不能走進這個世界之中。

貝婁像卡夫卡一樣直覺地洞察到現代人的存在狀況，但貝婁的直覺把握能力與卡夫卡不同，卡夫卡有一種把握抽象的直覺能力，而貝婁是把握具體的直覺能力，正如博茨福德在採訪中說貝婁「是個十分注重形而下的作家」。[32]貝婁認為自己身上有兩種傾向，「一方面，我永遠可以依靠我對人天生固有的反應；另一方面，如果我不是同時做好準備去思考自己將要見到的事，單靠那些固有的或初期的反應不會使我走得很遠。」[33]這裡的第一方面指的是對人的存在狀況直覺的洞察力和把握能力，第二方面指的是在直覺把握住人之存在本質之後的行動能力。卡夫卡之偉大就在於他在第一方面達到了登峰造極、無人企及的地步，而貝婁之所以傑出就在於他不僅把握住了人的存在狀況，而且還做到了第二點，那就是他在尋找把現代人從垂懸狀態中解救出來的途徑。正是因為這第二方面在貝婁作品中的呈現使得國外第一、二代索爾・貝婁評論家在二十世紀六、七〇年代普遍認為貝婁的作品基調具有「肯定倫理」指向，並把貝婁定義為「肯定的人道主義者」。[34]對於索爾・貝婁的小說人物，諾貝爾文學委員會在授獎辭中還評論說，「這個人從不放棄自己的信念，這個信念就是：生命的價值在於它的尊嚴，而不是它的成功；他堅信真理最終必然會取得勝利。」[35]在過去諸多評論中，評論者常常把貝婁稱為存在

28 米蘭・昆德拉撰，孟湄譯：《小說的藝術》北京：生活・讀書・新知三聯書店，1995年，頁23-24。

29 克勞斯・瓦根巴赫撰，周建明譯：《卡夫卡傳》北京：北京十月文藝出版社，1988年，頁56。

30 克勞斯・瓦根巴赫撰，周建明譯：《卡夫卡傳》北京：北京十月文藝出版社，1988年，頁79。

31 克勞斯・瓦根巴赫撰，周建明譯：《卡夫卡傳》北京：北京十月文藝出版社，1988年，頁80。

32 索爾・貝婁撰，宋兆霖主編，李自修等譯：《索爾・貝婁全集》（14）石家莊：河北教育出版社，2002年，頁367。

33 索爾・貝婁撰，宋兆霖主編，李自修等譯：《索爾・貝婁全集》（14）石家莊：河北教育出版社，2002年，頁369。

34 祝平：〈國外索爾・貝婁研究述評〉，《外語教學》，2007年第2期。

35 Hyland, Peter, *Saul Bellow* (New York: St. Martin's Press, 1992), 10.

主義作家，並依據存在主義的窠臼硬把存在主義的消極主題強塞入貝婁的小說中。毋庸諱言，貝婁小說中確實描寫了人之存在的種種荒誕、不幸處境，但貝婁真正要表現的是人面對這種荒誕和不幸處境時永不放棄、永遠積極行動的態度和觀念，他們最終至少找到一個階段性的人生和世界真理，新的人生在這個新的起點上重新開始。這一點正是索爾・貝婁與其他存在主義作家的區別，也是貝婁與卡夫卡的重要區別。

貝婁的主人公在荒誕、垂懸的存在狀態中，勇敢追尋生命的價值、尊嚴和意義；在行動中，敢於放下自己的傲氣，與世界達成和解，把自己融入人群、社會和世界之中，在融合的過程中，卻並不放棄在群體中的相對獨立性，在上帝隱退的現代語境中，他們不是靠上帝，而是靠人的努力最終擺脫困境，走向與世界統一的存在之中。對人的未來和命運，卡夫卡的態度是悲觀的、絕望的，對人的行動缺乏信心，而貝婁的態度是積極的、樂觀的，對人的行動充滿信心，這是貝婁與卡夫卡的區別之所在，也是索爾・貝婁小說寫作的方向。

英語介詞 from 和漢語介詞的「自」的對比研究*

王鴻濱

北京語言大學漢語學院

引言

介詞對於英漢兩種語言的學習者來說，都是既難以掌握又相當重要的詞類。但相較而言，英語在介詞方面更為發達，不僅數量遠遠多於漢語，而且分工也更為細緻，在用法上，無論是辭彙意義的範疇或者句法功能，比之漢語都更為活躍，更為複雜多變。這種差異不僅導致中國學習者在學習英語介詞時存在很多問題，也使得母語為英語的學習者在學習漢語的過程中，偏愛使用介詞。根據崔希亮（2005）的分析，「從總體上看，歐美學生在使用漢語介詞的時候是有自己的特點的，這種特點首先表現在使用的頻率上。與日本學習者、朝韓學習者以及以漢語為母語的中國人相比，歐美學生使用介詞的頻率要高得多」。[1]這種差異還表現為中國學習者在學習英語的過程中，由於英語介詞的功能遠遠大於漢語，在習得英語介詞時也同樣存在很多問題。儘管英漢介詞存在著不少相似之處，但總體來說，差異是主要的。因此，無論是對漢語作為第二語言的留學生，還是對於習得英語的中國學習者來說，介詞都是他們學習中的重點和難點。

一　認知框架下的漢英介詞研究視角

英語的介詞又叫「前置詞」，因為它總是置於名詞、代詞等前面，所以稱「Preposition」；而漢語介詞的「介」，則是「介引」的意思，它的作用主要是介紹，使一類實詞與另一類實詞發生關係。漢語介詞主要用在名詞或名詞性片語前面，共同組成「介詞片語」，表示時間、處所、條件、方式、對象等。這就是說，漢語介詞雖然在位置上也置於名詞之前，但漢語是從作用上取名的，而英語是從位置上命名的。現在一般把英語的前置詞譯成「介詞」，是為了將英漢術語統一起來。

---

* 本課題為北京語言大學校級科研專案「類型學背景下漢英介詞系統對比和漢語介詞教學研究」（11YB03）。曾在「第六屆漢語虛詞研討會」（上海市，2014年8月）交流。

1　崔希亮:〈歐美學生漢語介詞習得的特點及偏誤分析〉,《世界漢語教學》，2005年第3期。

除了側重於概念層面上的比較之外，以往的語言學流派在研究語言時，大都未涉及到人的身體體驗或者人的高級思維活動的比較。而認知語言學則認為，語言是人對物質世界、精神世界和人際世界的感知和體驗，反映的是人對現實世界的認知過程和認知結果，是基於感知和體驗基礎上的高級認知活動。也就是說，身體的感知和體驗是高級認知活動必要的基礎。即使人類面臨的物質世界大致相似，也具有相同的概念化、範疇化的認知能力，但由於人們觀察世界、體驗世界的角度和方式不同，會形成不同的認知體系。不同民族對外部世界的體驗方式存在著差異，這些不同的體驗就會體現在語言的差異上。例如人類對物體空間關係的認知會在不同程度上受到母語的影響，因此，不同母語背景的人所形成的空間概念系統存在明顯的差異。例如英語中的空間介詞「at，on，in」用法各異，「at」對應的是「點」，「on」對應的是「面」，而「in」對應的是「體」；「在學校裡」，不能說成 in the school，而要說 at the school；「在校園裡」，不能說 at the campus，而要說成 on the campus；漢語把「學校」和「校園」看成是與外部世界隔開的空間，而英語把「學校」和「校園」分別看作是一個點和一個平面[2]；因為在以漢語為母語的學生眼中，「校園」再大都是有圍牆的，所以漢語的運算式會是「在校園裡」；而在英語本族語者眼中的「校園」，是不存在圍牆的，「campus」表達的只是一個範圍的概念，因此在英語裡的表達只有「on campus」的說法，卻沒有「in campus」。

多數情況下，辭彙的意義並不單一，而很多基礎辭彙的語義更是複雜多樣。Lakoff & Johnson（1980）[3]認為，多義詞的眾多義項以其本義或原型義為基礎，通過隱喻發展而來，而這個原型義常常就是其表示空間層面的意義。英語介詞 from 是英語中使用頻率最高的介詞之一，與之相對應，引出空間和時間意義的介詞「自」，在漢語中也十分常見。這些多義詞之間的關係既不是任意的，也不是約定俗成的，它們之間的關係具有系統性，每一個詞項代表了一個複雜的範疇。而在多個相關的義項裡，其中有一個是典型義項，當把這個典型義項投射到不同的域中時，詞義就會隨之發生變化，通過多種認知機制衍生出其他義項來。一個多義詞就是一個由這個詞的各個義項組成的範疇，這些義項通過範疇化聯繫起來，構成一個網路。當多義詞有多個意象時，這些意象通常以原型意義為中心，經過隱喻、轉喻等認知機制，不斷向外輻射，最後形成一個輻射型的語義網路系統。

按照認知語言學的這種理論進行分析，我們可以發現多義介詞意義之間的內部邏輯關係緊密，認知語言學將這種語義聯繫稱作為語言的「理據性」。如果在介詞教學中能很好地運用到認知理論，可以幫助學生更好地理解語言現象背後的認知活動，理解介詞各個義項之間的內在聯繫。本文就正是借助語言的理據性理論來分析多義介詞 from 和

2　王琴：〈認知語言學與漢語介詞研究〉，《中國社會科學院研究生學報》，2008第5期。

3　Lakoff G, M.Johnson, *Metaphors We Live By* (Chicago: The University of Chicago press, 1980).

「自」的多項語義之間的聯繫。[4]

二　介詞 from 和「自」的語義特徵及意象圖式

（一）介詞 from 的語義特徵

英語是介詞發達的語言，而介詞 from 作為最常見的英語介詞，義項豐富、語義複雜。為了便於對多項語義的歸納研究，我們首先將介詞 from 的各個義項列出，這裡選用了《牛津高階英漢雙解詞典》對介詞 from 的解釋，[5]整理如下表所示：

表一　介詞 from 的義項類別

1. 標記處所：表示某人或者某物出發的地方或者方向。	9. 表示某人從某地的離開或者某物從某處被移除。
2. 標記時間：某事開始的時間或者某物起源的時間。	10.表示防止某事或某物的侵害，從而得到保護。
3. 標記人物：表示傳送或給予某物的是誰。	11.表示阻止某事的發生或者防止某人得知某事。
4. 表示某事或者某物的出處、起源；或某人的出身。	12.表示某事發生的理由、原因或動機。
5. 表示兩個處所之間的距離。	13.表示某人在做決定前出於的某些考慮。
6. 標記例如數量或價格等範圍的起點或者最低限度。	14.用以區別兩人或兩事物。
7. 表示某事或某人改變之前的狀態。	15.表示（從某處）看向他處的地點。
8. 標記事物的原材料，該原材料在加工過程中有所變化。	16.表示看待某事的立場。

4 儘管介詞「從」的適用範圍更加廣泛，本文之所以選擇在語義和用法上十分相似的「自」，是因為「自」有著一些不同於「從」的獨特用法，尤其在組成「動介賓」結構（例如「出自～」、「來自～」、「源自～」等）的時候，更是介詞「從」所無法替代的；而「自」的這些「動介賓」結構與英語「from＋NP」結構具有更多的相似性，但相互之間卻又有著很大的差異，對母語為英語的漢語學習者來說，「自」比「從」更難掌握。

5 《牛津高階英漢雙解詞典》北京：商務印書館、牛津大學出版社，2014年第八版，漢語解釋稍有改動。

介詞 from 的這十四個義項，看上去差別很大，有些看上去甚至毫無聯繫。但認知語言學認為，多義詞各個義項的聯繫並不是隨意產生，毫無理據的。而通常是以一個核心原型意義為中心，向外輻射而形成一個輻射型的語義網路。

意象圖式（Image Schema）作為一個統一的認知系統，既有基於辭彙的基本義構建的中心圖示，也有根據辭彙的衍生義構建出的延伸圖示。因此在構建 from 的意向圖式之前，也要首先弄清楚的是 from 多項意義之間的關係。Tyler（2012）[6]曾利用「義—義聯繫」分析了英語介詞 to 多個意義之間的關係。我們借鑒 Tyler 的方法，對介詞 from 的十四條義項的關係進行了歸納總結。如圖：

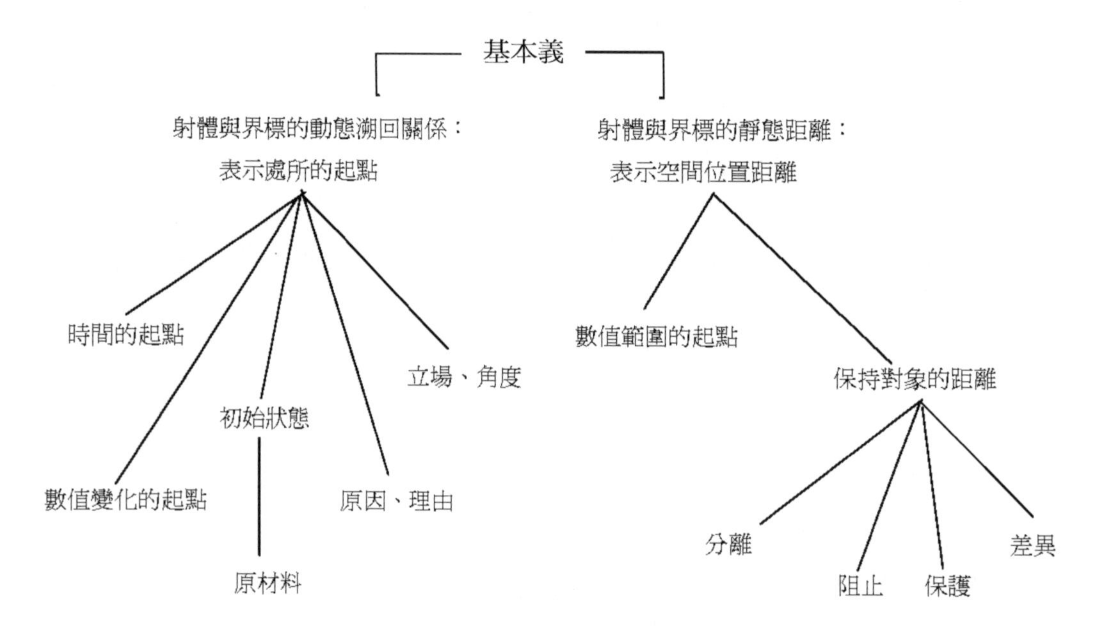

圖一　介詞 from 多項語義之間的關係

從介詞 from 各個語義之間的聯繫我們可以發現，其實介詞 from 最核心的意義只有兩種：一是表示起點，此時射體（tr）和界標（lm）之間有動態的溯回關係；二是表示靜態的距離。其餘的多種義項都是這兩種語義投射到不同的認知領域而衍生的結果。所以只需要構建出動態和靜態兩個意向圖式，並表明其可以投射的領域及其延伸意義即可。

6 Tyler, A., *Cognitive Linguistics and Second Language Learning: Theoretical Basics and Experimental Evidence* (New York: Routledge, 2012).

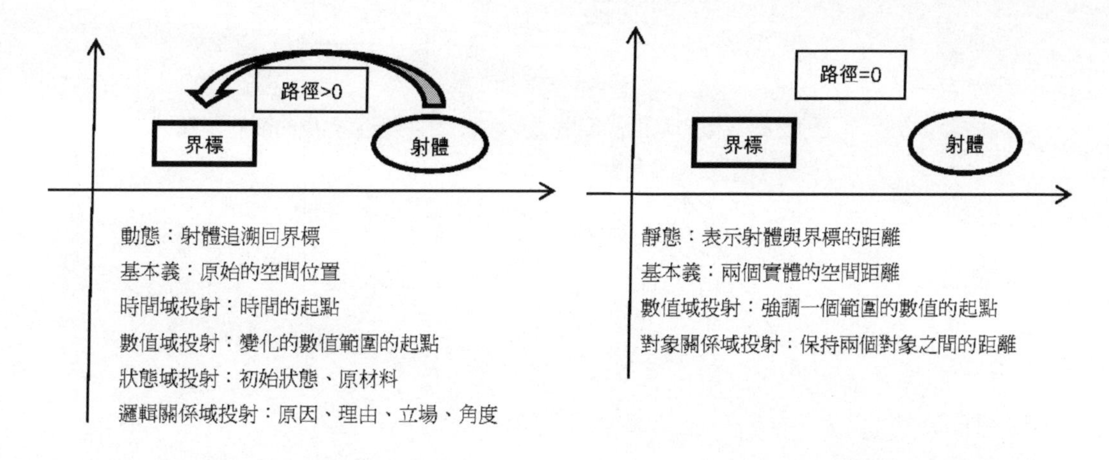

圖二　介詞 from 的動態意向圖式　　**圖三　介詞 from 的靜態意象圖式**

在圖二中，我們看到射體是一個關係結構中的凸顯部分，其位置會沿著座標發生移動。而界標是射體活動的參照點，指關係結構中的背景，是與射體處於同一關係（Relation）中的其他實體（Entity）。由於射體和界標之間存在著動態的溯回關係，路徑是大於零的，此時的介詞 from 表示的是一種逆向於射體本身進程並追溯回界標的移動關係。無論射體在本身的進程下最終的落點在哪裡，介詞 from 的語義是將其追溯回界標。界標在圖中的位置是不會改變的，是用來確定射體原始位置的。在圖三中，射體仍然是空間結構中的突顯（salience，Prominence）部分，界標是該結構的參照點（Rerence point），處於相對的靜態關係之中，它們之間的路徑為零，介詞 from 在這裡強調的是射體和界標間的距離。由於世界上的事物都是在運動變化的，靜止只是運動的一種特殊方式，所以介詞 from 的靜態意向圖式的存在，不僅沒有偏離動態意象圖式的基本框架，反而還展示出了動態意向圖式不具有的組成部分，體現出了不同側重點。我們可以說介詞 from 的靜態意向圖式是動態意向圖式的一種特殊情況，一種延伸。兩個意象圖式合在一起，表現出了介詞 from 可以表達的完整空間關係。

（二）介詞「自」的語義特徵

介詞「自」的基本義是表達空間的起點，並且含有追溯回源點的意義。其多個義項及其意象圖示之間的關係如下：

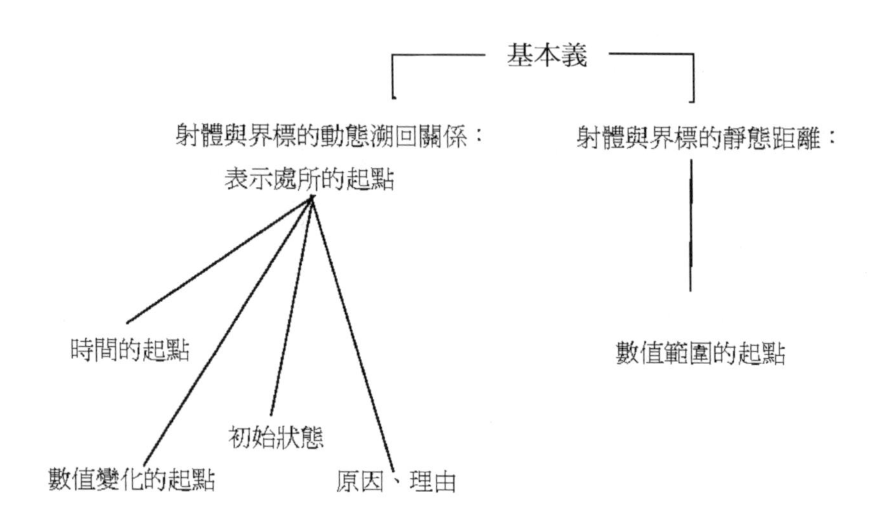

圖四　介詞「自」多項語義之間的關係

與介詞 from 類似，介詞「自」也有動態和靜態兩種語義：一是表示起點，此時射體和界標之間有動態的溯回關係；二是表示靜態的距離。如圖：

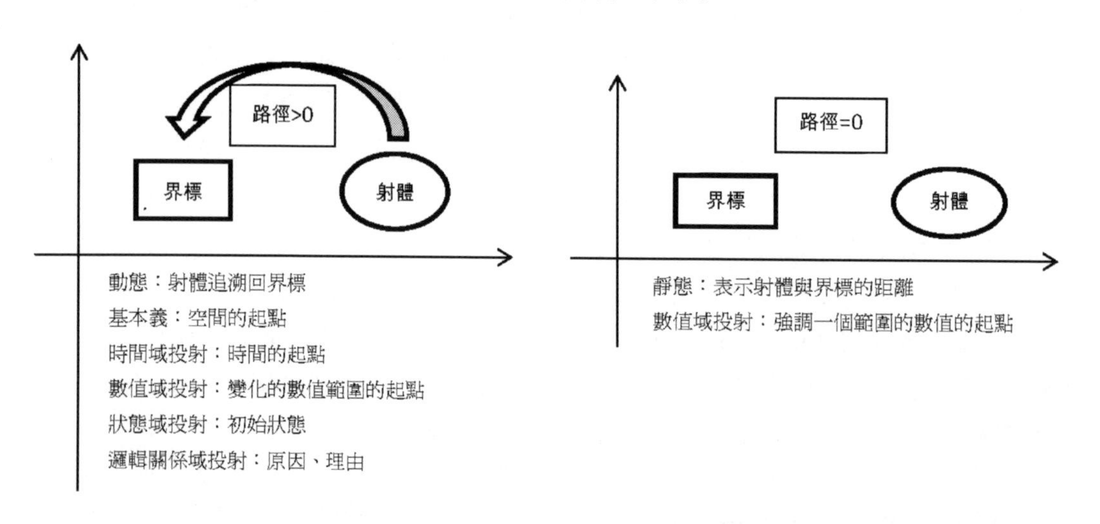

圖五　介詞「自」的動態意象圖式系　　**圖六　介詞「自」的靜態意象圖式**

介詞 from 和「自」都是從表達空間範疇，通過隱喻、泛化等手段表達時間範疇或其他抽象範疇。通過以上對英語介詞 from 和漢語介詞「自」的意象圖式的對比，可以看出，英語作為一種介詞發達的語言，介詞 from 的語義要比介詞「自」複雜豐富得多，因而可以投射的場景也更多，其區別主要在於它們各自可以投射的語義領域的不同。首先，介詞 from 和介詞「自」都有動態意象圖式和靜態意象圖式兩種圖式類型。其次，它們的動態意象圖式表示的都是射體追溯回界標的含義。此時，介詞 from 和介詞「自」的基本語義都是用來表示空間的起點，也都可以投射到以下四個領域：投射到時間域，用來表示時間的起點；投射到數值域，表示變化的數值範圍的起點；投射到狀態域，表示一種變化發展的狀態的初始形態；投射到邏輯關係域，表示事物發生的原因、理由。它們的動態意象圖式的區別主要在於：介詞 from 在投射到狀態域時，還可以用來介引事物的原材料，介詞「自」不行；介詞 from 在投射到邏輯關係域投射時，可以用來表示看待某事的立場和角度，介詞「自」不行。再次，介詞 from 和介詞「自」的靜態意象圖式強調的都是射體與界標的距離，區別在於，介詞 from 此時的基本義是用來表示兩個實體的空間距離，並且可以投射到下面兩個領域：投射到數值域，用來強調一個範圍的數值的起點；也可以投射到對象關係域，表示保持兩個對象之間的距離，從而產生出「分離」、「阻止」、「保護」、「區別」這四種語義。另外，與介詞 from 不同的是，漢語介詞「自」只有在表示一個數值範圍的起點時，才有靜態的含義，表示的是射體和界標的距離，介詞「自」的靜態意象圖式就只能用來強調一個範圍的數值的起點。最後，介詞 from 和介詞「自」的靜態意向圖式都可以說是動態意向圖式的一種特殊情況，兩個意向圖式配合在一起，才能表現出介詞 from 和介詞「自所表達的完整語義關係。

綜上，學習者若能先解讀介詞 from 和「自」的動態和靜態意象圖式，在此基礎上利用介詞 from 和「自」多義項之間的語義網路，掌握其基本詞義和延伸詞義之間的關係，才能真正地理解和使用英語介詞 from 和漢語介詞「自」。

三　介詞 from 與介詞「自」的對比分析

（一）語義對比

我們在前面用意向圖式理論分別對英語介詞 from 和漢語介詞「自」的語義進行了分析，總結它們語義的相似點與不同點，可以得到兩者的對稱語義和不對稱語義。介詞 from 與介詞「自」的語義對稱關係如圖六所示：

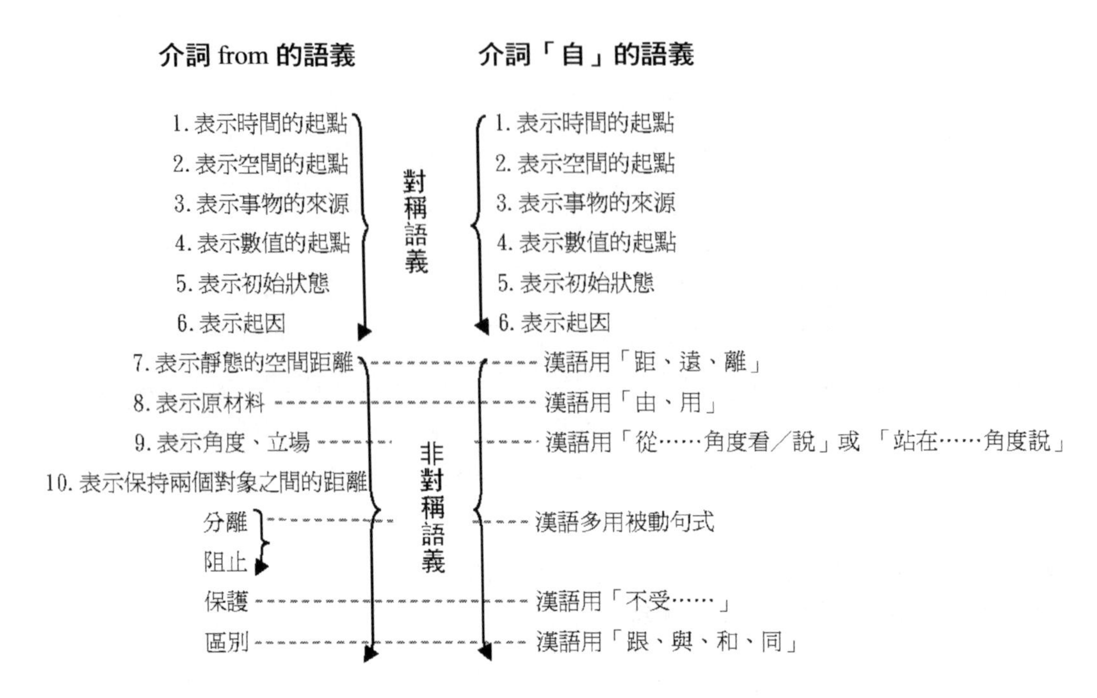

圖六　介詞 from 與介詞「自」的對稱語義和非對稱語義

綜上，在對英語介詞 from 和漢語介詞「自」的語義對比分析之後，我們發現介詞 from 和介詞「自」在表示「時空的起點」、「事物的來源」、「數值的起點」、「事物發展的初始狀態」和「事物的起因」這幾個語義方面是對稱的。但由於英語介詞的功能比漢語強大，介詞「from」的語義功能遠遠多於漢語介詞「自」，介詞 from 還可以用來表示「靜態的空間距離」、「原材料」，表示「看待某事的角度、立場」，表示「分離」、「阻止」、「保護」、「差別」等使兩個對象保持距離的含義，這些都是介詞「自」所不具有的。英語介詞 from 和漢語介詞「自」的語義不對稱性舉例如下：

1 英漢在表示靜態的空間距離的不對稱

從介詞「自」的意象圖式我們可以看出，漢語介詞「自」在表達空間關係時，並沒有發展出表示兩個實體間的靜態位置距離的含義，也就是說介詞「自」不具備表示靜態的空間距離的語義，而這卻是介詞 from 的一個基本語義。例如「We're about a mile from school.」，表達射體「We」距離界標「school」大約一英里遠的意義時，直接在介詞 from 的後面加上了一個表示處所的名詞「school」，表達兩個地點之間的距離。from 表示靜態的空間距離的語義，還可以延伸到抽象的認知域。例如：「I am not far from getting cold.」，這句話的射體「I」與界標「cold」之間是抽象的距離。

2 英漢在介引材料時的不對稱

英語介詞 from 一方面受到與它長期搭配的動詞的影響，一方面也是介詞 from 的基本義的延伸，導致介詞 from 產生出了引出事物原材料的語義。而漢語介詞「自」並沒有延伸出介引材料的語義，漢語表達需要搭配「由、用」等詞，例如「紅酒是用葡萄釀的。」而英語在表示原料時，可以直接用「介詞 from＋材料」，例如：「Wine is made from grapes.」。

3 表示角度、立場的不對稱

英語介詞 from 也經常用來表示「看待某事物的角度」，這種角度可以是用於具體事物的，例如：「From this angle, the color of the dress looks like platinum.」（從這個角度看起來，裙子是白金色的），這句中的界標是「this angle」，而射體實際上被省略了，句中並沒有表明是「誰」看的這個裙子的顏色，介詞 from 在這裡介引的其實上是這個射體「誰」的「視覺上的起點」，這種角度可以用於抽象的事物，例如：「She was talking from her own experience of the problem.」這個句子的射體「she」是站在界標「her own experience of the problem」的角度來談論問題的，也就是說界標是射體「talking」的出發點。然而無論是具體的角度還是抽象的立場，漢語在表明看待某事的角度、立場時這個語義時，一般會使用「從……角度看／說」或「站在……角度說」等習慣性的表達方式。

4 英漢在表示分離、阻止的語義時的不對稱

英語介詞 from 有「使兩個對象保持距離」的含義，這個語義隱喻到不同的語境中，產生出了「分離」、「阻止」、「保護」和「區別」的語義。由於漢語介詞「自」在表示空間位置關係時，不存在表示靜態距離的語義，介詞「自」也就不具備介詞 from 的這四個延伸義。同時，介詞 from 可以直接使用「from＋NP」的格式來表示某物從某處被分離、移開，英語表達中既可以是被動語態，也可以是主動語態。例如：

（1）He stole the bag from her.（主動）

（2）The bag was stolen from her.（被動）

（二）句法結構對比

「介詞 from＋NP」的格式是英語中表示空間起點最常見的一種方式，例如「I bought these flowers from the nearest shop.」，此外，介詞 from 還有一種特殊的用法，即介引處所的起點，即組成「雙層介詞短語」（Double preposition phrases）[7]結構，即在介

7 劉丹青：〈漢語中的框式介詞〉，《當代語言學》，2002年第4期。

詞 from 的後面再接一個介詞短語，由介詞 from 統一管轄，例如：「I heard the noise came from inside the closet.」如果僅有介詞 from，我們只能判斷出「noise」從「closet」傳出，可以是衣櫃前面，也可以是衣櫃上面或衣櫃裡面等等。可以進入此結構作「prep2」的介詞還有以下幾個，基本上都是用來表示具體方位的，它們分別對應的都是漢語的框式結構。如：

from {
under（在……下方，正……下面）
above（在……上方）
below（在……下面）
among（在……中間）
inside（在……裡面）
outside（在……外面）
}

漢語的「框式介詞」（Circumposition）指的是由前置詞加後置詞構成的、使介詞支配的成分夾在中間的一種介詞類型，在漢語中是一種重要的句法現象，構成了漢語的重要類型特徵。[8] 漢語在表達空間關係時，有時需要借助框式介詞，是因為「前置詞只能表示空間關係的類型，而不能表示空間關係的具體位置。具體的空間位置類型，即『上、下、裡、外、邊、中、之』等，前置詞無法表達。於是，表達這些關係位置的任務就落到了方位詞的頭上。」[9]但大部分框式介詞都屬於臨時性句法組合，而未必是固定的詞項。例如介詞「自」表示時間起點的框式介詞短語主要有「自……起」、「自……以來」、「自……以後」等等；以下是英語介詞 from 和漢語介詞「自」的句法結構對比表：

表二　英語介詞 from 和漢語介詞「自」的句法結構對比

<table>
<tr><th></th><th>時間起點</th><th>空間起點</th><th>來源</th><th>數值起點</th><th>初始狀態</th><th>事物起因</th></tr>
<tr><td rowspan="2">from</td><td rowspan="2">from＋NP</td><td>from＋NP</td><td>from＋NP</td><td rowspan="2">from…to…</td><td rowspan="2">from＋NP</td><td rowspan="2">from＋NP</td></tr>
<tr><td>from＋prep2＋NP</td><td>from＋pers pron[10]</td></tr>
<tr><td rowspan="2">自</td><td>自……起、
自……以來
等框式介詞</td><td>自……向……、
自……起
等框式介詞</td><td rowspan="2">V自O</td><td rowspan="2">自……
至……、
自……
到……
等框式介詞</td><td rowspan="2">V自O</td><td rowspan="2">V自O</td></tr>
<tr><td>V自O</td><td>V自O</td></tr>
</table>

8　「框式介詞」（Circumposition）的概念最早是由當代語序類型學的創始人 Greenberg（1995）在研究閃語族和伊朗語族部分語言的語序類型演變時提出的。

9　劉丹青：〈漢語中的框式介詞〉，《當代語言學》，2002年第4期。

10　表中 pers pron 是 personal pronoun 的縮寫，指的是人稱代詞。

需要特別說明的是：介詞 from 在介引事物來源的時候，from 後面除了可以跟名詞之外，還可以跟人稱名詞或代詞，例如：「I got this book from Raymond.」和「I got this book from him.」但是在漢語裡，介詞後面不可直接跟在表示人的名詞或代詞，需要在其後加上「那裡／那裡」或者「處」等指示處所的詞，將人稱轉化為方位，例如「我從他那兒拿到的這本書」或「我從雷蒙德那裡拿到的這本書」，而「V 自 O」很少用到這種表達方式。

（三）句法功能對比

英語介詞 from 構成的介詞短語和漢語介詞「自」構成的介詞短語都可以做狀語，來修飾動詞或者全句。但兩者在句子裡的位置有所不同，介詞 from 所組成的短語可以放在句首或者句尾，但不能放在主語與謂語動詞之間。例如：

（1）They are happily together from that day on.

（2）From that day on, they are happily together.

（3）*They from that day on are happily together.（編者按：有*者為病句，下同）

上面句子所要表達的都是「他們自那天起就幸福地生活在一起了」，顯然例句（3）是個病句。這是因為英語作為高度形式化、邏輯化的語言，句法結構嚴謹完備，句子是以動詞為核心的，主語與謂語之間關係緊密，中間不能被隔開。所以介詞短語在作狀語修飾動詞或全句時，只能位於句首或句尾，而不可以位於主謂語之間。

介詞「自」所構成的框式介詞短語和「V 自 O」結構也都可以用作句子的狀語。但與介詞 from 構成的介詞短語作狀語不同的是，介詞「自」構成的短語做狀語時可以放在主謂語之間，卻通常不能放在句尾。例如：

（4）自四月起，我就在這家公司工作了。

（5）我自四月起就在這家公司工作了。

（6）*我在這家公司工作，自四月起。

按照戴浩一（1988）的觀點，這是因為漢語一般把動詞看成是參照點，而非核心，句子要按照時間順序來安排跟動詞有語義聯繫的成分。由介詞「自」構成的框式介詞短語「自四月起」指明了後面「在這家公司工作」的起點，是動作產生前的狀態，因此在作狀語修飾動詞時，要放在謂語的前面。[11]

由介詞 from 構成的介詞短語有作定語的句法功能，通常是作後置定語對前面的名詞或名詞性短語進行修飾，例如：「It is a present from my best friend.」，介詞「自」構成的介詞短語作定語的情況與之不同。介詞「自」組成的框式介詞短語，用來指明一個時

11 （日本）戴浩一著，黃河譯：〈時間順序和漢語的語序〉，《外國語言學》，1988年第1期。

間或者範圍的，一般不用做句子的定語。但「V 自 O」結構組成的介詞短語是可以充當句子定語的，而且不僅可以是主語的定語，也可以是賓語的定語，但與介詞 from 構成的介詞短語作定語後置不同的是，「V 自 O」結構做定語要放在被修飾對象的前面。例如：

（7）源自西方的情人節會在中國如此火爆，受歡迎程度甚至超過了歐美地區。

（8）她最喜歡吃產自新疆地區的紅棗。

通過對比我們發現，在表達相同的語義時，介詞 from 的句法結構要比介詞「自」簡單，介詞「自」或者需要使用框式介詞短語來表達，或者需要組成「V 自 O」結構。而在充當句子成分的時候，介詞 from 構成的介詞短語一般充當狀語、定語等修飾性的成分，而「V 自 O」結構還可以出現在修飾主語、賓語或者謂語的位置上，功能也比介詞 from 複雜得多。

四　介詞「自」和「from」在二語習得中應該注意的問題

（一）關於英語背景學生「自」的習得

對於母語為英語的外國留學生習得漢語介詞「自」來說，由於英語介詞 from 的語義更加豐富，導致他們在使用與介詞 from 對應的漢語介詞「自」時，容易把漢語介詞「自」的語義擴大；而在句法功能方面，由於漢語介詞「自」的句法結構相對複雜，在使用框式介詞短語和「V 自 O」等固定結構時，也要特別注意。此外，還要特別注意以下兩個方面：

（1）從前面的語義分析可以看出，介詞「自」和「from」在語義上的不對稱，主要表現在表示靜態的空間距離的不對稱、介引材料時的不對稱、表示看待某事的角度時的不對稱、表示分離、阻止的語義時的不對稱等；此外，介詞 from 用來表示「保護」的語義時，可以直接用 from 介引施加傷害的對象，表達的卻是不被這個對象傷害的意思。而漢語要多加上一個表示否定意義的詞，如「不受……」來表達「不受來自……的傷害」的語義。學習者受到英語的影響，可能會漏掉表達否定意義的辭彙，造成語義表達不清的問題，例如：

（9）*員警會保護他來自父親的傷害。（員警會保護他不受來自父親的傷害。）

介詞「from」在介引比較的對象時，含有「區分差異」的意思；而漢語介詞「自」不能引介比較的對象，主要用介詞「跟」、「與」、「和」、「同」等。英語背景學生則很容易把這些介詞與「自」混用，例如：

（10）*他的想法自我的很不同。（他的想法跟我的很不同。）

（11）*那個時候自現在很不一樣。（那個時候和現在很不一樣。）

（2）框式介詞漏掉呼應的部分，是二語學習者們最容易犯的錯誤之一。介詞「自」在表示空間關係時，構成框式結構「自……向……」和「自……到……」，由於和英語介詞 from 構成的框式結構「from… to…」相照應，因此不容易漏掉，但介詞「自」在表示時間起點時，構成的框式結構「自……起」對應的英語說法為「from＋NP」，因此，「起」字很容易被漏掉，如：「*自四月，我就在這家公司工作。」(自四月起，我就在這家公司工作。）另外，英語介詞 from 也經常用來表示「看待某事物的角度」，這種角度可以用於具體的事物，也可以用於抽象的事物。然而無論是具體的角度還是抽象的立場，漢語在表明看待某事的角度、立場這個語義時，一般會使用「從……角度看／說」或「站在……角度說」等框架結構來表達，受到英語的影響，學習者們在使用框式介詞時容易出現問題。

此外，介詞 from 所組成的介詞短語在作狀語的時候，可以放在句首或者句尾來修飾整個句子，受到英語的這種影響，學習者也可能會把介詞「自」所構成的短語放在謂語動詞的後面（「*我的英語成績很好自中學起。」)，而漢語句子的語序通常都是受時間順序原則所管轄的，一般必須放在動詞的前面。

(二) 關於中國學生「from」的習得

介詞 from 是英語中最常用的介詞之一，其語義多樣，適用語境豐富，是中國學生最常用的英語介詞之一，「其使用頻率甚至基本與英語母語者相近」。[12]不過雖然介詞 from 的語義豐富，功能發達，但其用法在多數情況下卻十分簡單，「介詞 from＋NP」的結構基本適用於介詞 from 的各種語義情景，因此對介詞 from 句法結構功能的掌握比對語義的掌握，實際上要簡單得多。問題主要出現在以下兩個方面：

（1）由於英語介詞 from 的語義遠多於與之相對應的漢語介詞，往往導致中國學習者們在使用介詞 from 時，往往對其隱喻義比較陌生，而傾向於使用 from 的基本義。根據彭卓（2012）的調查，中國學生「使用介詞 from 的空間域語義占了絕大多數的比例，而英語母語使用者在空間域和其他認知領域的語義使用上則平分秋色」。[13]也就是說，母語為英語的人在使用介詞 from 時，其基本義和衍生義出現的概率是相同的，衍生義並不比基本義的使用面狹窄。但中國學生在使用介詞 from 時，就更多的侷限在對其基本義的掌握上。

（2）除了對 from 語義的使用過於集中在基本義之外，中國學生在掌握介詞 from 的用法過程中，還有兩處容易出現問題。一是在遇到「雙層介詞短語」結構時，即：

---

12 彭卓：〈基於語料庫的非英語專業大學生介詞 from 的用法對比研究〉，《河北經貿大學學報》，2011年第4期。

13 同上註。

「介詞 from＋prep.2＋NP」，易漏掉 from。因為漢語裡沒有兩個介詞連用的現象，因此中國學生在遇到這種情況時，很容易憑藉語感漏掉一個介詞，通常是漏掉介詞 from，這是中國學生最容易產生的偏誤，因此在學習過程中要多加注意。

五　結語

通過前面相關部分的討論，我們可以得出以下結論：

（一）從介詞本體的研究來看，由於介詞的含義不僅多樣又相對抽象，利用認知語言學的意象圖式可以比較直觀地描述出介詞 from 和「自」的基本語義、延伸語義，以及它們之間的關係，可以幫助習得者更生動地理解介詞的複雜含義是如何輻射、衍生的，也使得其多個義項之間的關係更具系統性。

（二）從理論方法上講，運用意象圖式理論可以「從認知角度系統研究介詞的多義現象，揭示某個義項生成的內部認知機制，使語言學習者更加深刻的理解介詞各義項在多義網路中的內在聯繫」。[14]

（三）從實踐的角度來看，母語為英語的留學生在學習漢語介詞和母語為漢語的學習者在學習英語介詞時，都可以借助意象圖式和原型範疇理論，掌握其基本詞義和延伸詞義之間的關係，改變以前傳統的死記硬背，從而提高習得的準確率和效率。

---

14 曹巧珍：〈原型範疇理論應用於課堂一詞多義教學的實驗研究〉，《山東外語教學》，2010年第2期。

《新亞論叢》文章體例

一、每篇論文需包括如下各項：

（一）題目（正副標題）

（二）作者姓名、服務單位、職務簡介

（三）正文

（四）註腳

二、各級標題按「一、」、「(一)」、「1.」、「(1)」順序表示，儘量不超過四級標題.

三、標點

1. 書名號用《》，篇名號用〈〉，書名和篇名連用時，省略篇名號，如《莊子・逍遙遊》。

2. 中文引文用「」，引文內引文用『』；英文引文用“”，引文內引文用‘’。

3. 正文或引文中的內加說明，用全型括弧（）。

例：哥白尼的大體模型與第谷大體模型只是同一現象模型用不同的（動態）坐標系統的表示，兩者之間根本毫無衝突，無須爭執。

四、所有標題為新細明體、黑體、12號；正文新細明體、12號、2倍行高；引文為標楷體、12

五、漢譯外國人名、書名、篇名後須附外文名。書名斜體；英文論文篇名加引號“”，所有英文字體用 Times New Roman。

例：此一圖式是根據亞伯拉姆斯（M. H. Abrams）在《鏡與燈》(*The Mirror and The Lamps*）一書中所設計的四個要素。

六、註解採腳註（footnote）方式。

1. 如為對整句的引用或說明，註解符號用阿拉伯數字上標標示，寫在標點符號後。如屬獨立引文，整段縮排三個字位；若需特別引用之外文，也依中文方式處理。

七、註腳體例

（一）中文註腳

1. 專書、譯著

例：莫洛亞著，張愛珠、樹君譯：《生活的智慧》北京：西苑出版社，2004年，頁106。

2. 期刊論文

例：陳小紅：〈汕頭大學學生通識教育的調查及分析〉，《汕頭大學學報（人文社會科學版）》，2005年第4期，頁20。

3. 論文集論文

例（1）：唐君毅：〈人之學問與人之存在〉，收入《中華人文與當今世界》台北：學生書局，1975年，頁65-109。

4. 再次引用

（1）緊接上註，用「同上註」，或「同上註，頁4」。

（2）如非緊接上註，則舉作者名、書名或篇名和頁碼，無需再列出版資料。

例：唐君毅：〈人之學問與人之存在〉，頁80。

5. 徵引資料來自網頁者，需加註網址以及所引資料的瀏覽日期。網址用〈 〉括起。

例：〈www.cuhk.edu.hk/oge/rcge〉，瀏覽日期：2007年5月14日。

（二）英文註腳

所有英文人名，只需姓氏全拼，其他簡寫為名字 Initial 的大寫字母。如多於一位作者，按代表名字的字母排序。

1. 專書

例（1）：J. S. Stark and L. R. Lattuca, *Shaping the College Curriculum: Academic Plans in Action* (Boston: Allyn and Bacon, 1997), 194-195.

例（2）：R. C. Reardon, J. G. Lenz, J. P. Sampon, J. S. Jonston, and G. L. Kramer, *The "Demand Side" of General Education—A Review of the Literature: Technical Report Number 11* (Education Resources InformationCentre, 1990),www. career.fsu. edu/documents/technicalreports.

2. 會議文章

例：J. M. Petrosko, "Measuring First-Year College Students on Attitudes towards General Education Outcomes," paper presented at the annual meeting of the Mid-South Educational Research Association, Knoxville, TN, 1992.

3. 期刊論文

例：D. A. Nickles, "The Impact of Explicit Instruction about the Nature of Personal Learning Style on First-Year Students' Perceptions 259 of Successful Learning," *The Journal of General Education* 52.2 (2003): 108-144.

4. 論文集文章

例：G. Gorer, "The Pornography of Death," in Death: Current Perspective, 4th ed., eds. J. B. Williamson and E. S. Shneidman (Palo Alto: Mayfield, 1995), 18-22.

5. 再次引用

（1）緊接上註，用「同上註」，或「同上註，頁4」。

（2）舉作者名、書名或篇名和頁碼，無需再列出版資料。

例：G. Gorer, "The Pornography of Death," 23.

大學叢書‧新亞論叢 1703003

新亞論叢 第十七期

主　　編　《新亞論叢》編輯委員會
責任編輯　邱詩倫

發 行 人　陳滿銘
總 經 理　梁錦興
總 編 輯　陳滿銘
副總編輯　張晏瑞
編 輯 所　萬卷樓圖書股份有限公司
排　　版　林曉敏
印　　刷　百通科技股份有限公司
封面設計　斐類設計工作室

發　　行　萬卷樓圖書股份有限公司
地址　臺北市羅斯福路二段 41 號 6 樓之 3
電話　(02)23216565
傳真　(02)23218698
電郵　SERVICE@WANJUAN.COM.TW
大陸經銷　廈門外圖臺灣書店有限公司
電郵　JKB188@188.COM
香港經銷　香港聯合書刊物流有限公司
電話　(852)21502100
傳真　(852)23560735

ISBN 978-986-478-055-6（臺灣發行）
ISSN 1682-3494（香港發行）
2016 年 12 月初版一刷
定價：新臺幣 600 元

如何購買本書：
1. 劃撥購書，請透過以下郵政劃撥帳號：
帳號：15624015
戶名：萬卷樓圖書股份有限公司
2. 轉帳購書，請透過以下帳戶
合作金庫銀行 古亭分行
戶名：萬卷樓圖書股份有限公司
帳號：0877717092596
3. 網路購書，請透過萬卷樓網站
網址 WWW.WANJUAN.COM.TW
大量購書，請直接聯繫我們，將有專人為您服務。客服：(02)23216565 分機 10

如有缺頁、破損或裝訂錯誤，請寄回更換

國家圖書館出版品預行編目資料

新亞論叢‧第十七期 / 《新亞論叢》編輯委員會主編-- 初版. -- 臺北市 : 萬卷樓, 2016.12
面 ;　公分. -- (大學叢書)

ISBN 978-986-478-055-6(平裝)

1.期刊

051　　105024986